PILGRIM

Timothy Findley

PILGRIM

Roman

*Traduit de l'anglais (Canada)
par Isabelle Maillet*

LE SERPENT A PLUMES

Illustration de couverture :
La Joconde, portrait de Mona Lisa, huile sur toile
Léonard de Vinci (1452-1519), Louvre
© Photo RMN-R. G. Ojeda

Titre original : *Pilgrim*

Première publication : Harper Flamingo Canada, 1999

© 1999 by Pebble Productions, Inc.

© 2000 Le Serpent à Plumes pour la traduction française

N° ISBN : 2-84261-220-5

LE SERPENT A PLUMES
20, rue des Petits-Champs – 75002 Paris
http://www.serpentaplumes.com

Notre histoire… est beaucoup plus âgée que son âge, son ancienneté ne peut se mesurer en jours, ni le temps qui pèse sur elle se compter en révolutions autour du soleil ; en un mot, ce n'est pas en réalité au Temps qu'elle doit son degré d'ancienneté.

Thomas Mann,
Avant-propos de *La Montagne magique*, 1924

Il n'y a pas de lumière au bout du tunnel,
seulement une boîte d'allumettes transmise
d'une génération à l'autre.
L'humanité ne dispose pas d'une longue mèche
et cette génération-là détient la dernière allumette.

JonArno Lawson, *Bad News*,
dans *The Noon Whistle*, 1996

En mémoire de

Michael Tippett
Enfant non seulement de notre temps,
Mais aussi de tous les temps.

Et pour
Meirion Bowen
Qui l'a accompagné dans son voyage.

Il n'y a pas de douleur ultime, mais un espoir permanent.
Michael Tippett
A Child of Our Time, 1944

PROLOGUE

*

*A*UX PREMIÈRES HEURES du matin, le mercredi 17 avril 1912, un certain Pilgrim pénétra pieds nus dans le jardin de sa résidence londonienne, au 18, Cheyne Walk. Il était habillé à peu près comme tout homme de sa condition pouvait l'être en un tel moment: pyjama blanc et peignoir de soie bleue. Bleu roi, avec des poches profondes et un col châle. Ses pieds dépourvus de pantoufles étaient glacés. Non que ce fût important. D'ici quelques minutes, plus rien n'aurait d'importance.

L'herbe était imprégnée de rosée et, en la voyant – même dans la faible clarté qui se répandait depuis la maison –, Pilgrim murmura *vert*, comme si le mot venait de lui traverser l'esprit.

Un chien aboya, peut-être d'aussi loin que King's Road. Du sud, au-delà du fleuve, lui parvenait le bruit des carrioles de ferme s'acheminant vers Covent Garden. Près de lui, un pigeonnier résonnait de roucoulements et de battements d'ailes dans l'obscurité.

Une feuille tomba.

Pilgrim s'avança sur la pelouse jusqu'à un érable d'une hauteur de trois étages, dont il était cependant impossible d'estimer la taille dans le noir. D'une main, il tenait la ceinture en soie de son peignoir; de l'autre, une chaise Sheraton aux dimensions mesurées avec soin. Juste assez haute, juste assez profonde, juste assez large.

En dépit de son âge, Pilgrim monta sur la chaise et grimpa avec l'agilité d'une personne ayant passé toute sa vie dans les arbres. Il ne regarda pas en bas. Il n'y avait rien, là-dessous, qu'il désirât voir.

Il fit à la ceinture le nœud adéquat, puis la lança par-dessus une branche solide.

Une chouette passa dans un bruissement d'ailes. Sinon, c'était le silence.

Pilgrim leva les yeux vers les étoiles et sauta.

Il était quatre heures.

La chaise tomba de côté.

* * *

Le corps ne fut découvert qu'à l'aube, plus de trois heures après. Ce fut le valet de chambre-majordome de Pilgrim – un certain Forster – qui le trouva dans le jardin, coupa la ceinture pour le descendre et l'allongea sur l'herbe – une herbe encore froide et humide –, avant de le protéger avec une couverture prise sur son propre lit.

Seul le Dr Greene fut appelé. L'on n'informa pas la police. Il s'agissait de préserver la dignité à tout prix.

Alors qu'il attendait l'arrivée du médecin, Forster enfila son pardessus puis, à la lueur d'une lampe à huile de houille, redressa la chaise Sheraton sur laquelle il s'assit pour fumer une cigarette. Il ne pensait à rien. Le soleil allait se lever. Les colombes et les pigeons seraient nourris. Le monde pivoterait de nouveau vers la lumière. D'une minute à l'autre, Mrs. Matheson allumerait les fourneaux dans la cuisine.

Forster patientait, et regardait. Aucun mouvement n'agitait le corps. Rien. Pas un murmure. Pas un souffle.

Pilgrim, enfin, avait réussi. En apparence du moins.

LIVRE PREMIER

*

1

Derrière les portes d'entrée de la clinique psychiatrique Burghölzli, à Zurich, une infirmière nommée Dora Henkel et le sieur Kessler, aide-soignant, attendaient l'arrivée d'un nouveau patient et de sa compagne. Une arrivée retardée par une importante chute de neige.

Pour Kessler, ce fut comme si deux anges portés par le vent avaient dégringolé du paradis et s'avançaient vers le perron. Leurs silhouettes s'étaient maintenant immobilisées, momentanément désorientées, tendant l'une vers l'autre des bras impuissants à travers des bourrasques de neige, des voiles, des châles et des écharpes qui, confondus, suggéraient de grandes ailes déployées.

Enfin, elles se saisirent mutuellement les mains, et l'ange féminin conduisit l'ange masculin, d'une stature tout à fait alarmante, sous le portique et jusqu'en haut des marches. Dora Henkel et Kessler allèrent ouvrir les portes donnant sur le vestibule, seulement pour y être accueillis par une brusque rafale de ce qui leur parut de la neige parfumée. Ce n'était rien de la sorte, bien sûr, mais telle était l'impression produite. L'ange féminin – Sybil, lady Quartermaine – avait une passion bien connue pour les fragrances. Jamais elle n'aurait songé à les qualifier de *parfums*. *Les fleurs et les épices sont parfumées*, disait-elle. *Les gens sont fragrants.*

Durant un moment, il sembla que son compagnon était aveugle. Il se tenait dans le vestibule, le regard vide, conservant toujours son image d'ange – un mètre quatre-vingt-quinze d'épaules affaissées, de bras inertes et d'ailes enfin repliées. Ses écharpes et son pardessus à col montant, plissés et humides, pendaient mollement sur son corps émacié comme si, à tout instant, ils risquaient de chuter avec un soupir sur le sol de marbre.

Lady Quartermaine était plus jeune qu'on ne l'avait cru ; en aucun cas elle n'offrait l'image de la marquise douairière que laissaient supposer ses exigences inflexibles et ses ordres quasiment militaires, délivrés par câblogrammes cinq à six fois dans la journée, aux bons soins des sous-fifres du consulat. En chair et en os, elle ne pouvait avoir plus de quarante ans – et encore –, et sa présence irradiait le charme et la beauté à chacun de ses propos, chacun de ses gestes. Dora Henkel fut immédiatement conquise et, de confusion, dut se détourner, car la beauté de lady Quartermaine l'avait fait rougir. Pivotant de nouveau, elle esquissa une petite révérence à la mode allemande avant de prendre la parole.

« Votre périple nous a causé de telles inquiétudes, lady Quartermaine », dit-elle avant de sourire – avec un peu trop d'obséquiosité, peut-être.

Kessler se dirigea vers les portes intérieures, les ouvrit, puis s'effaça pour laisser passer les arrivants. Désormais, il se référerait toujours à cette journée comme *le jour où les anges sont tombés sur terre.* Lui aussi avait été ébloui par lady Quartermaine et son entrée romantique avec un géant dans son sillage.

Dans le hall, une silhouette affairée, vêtue d'une blouse blanche, se porta à leur rencontre.

« Je suis le docteur Furtwängler, lady Quartermaine. Comment allez-vous ? »

Elle lui présenta sa main, au-dessus de laquelle il s'inclina. Josef Furtwängler se targuait de ses excellentes « manières de chevet » – dans tous les sens de l'expression. Son sourire peaufiné par la pratique était aussi apprécié parmi ses patients que suspect parmi ses collègues.

Se tournant vers l'homme à côté d'elle, lady Quartermaine déclara : « *Herr Doktor, Ich will Ihnen meinen Freund Herrn Pilgrim vorstellen.** »

Furtwängler lut l'appréhension dans les yeux de son nouveau patient.

« Peut-être, lady Quartermaine, dans l'intérêt de votre ami, ferions-nous mieux de poursuivre cette conversation en anglais. Vous ne tarderez à vous rendre compte qu'à Burghölzli, la plupart d'entre nous parlent couramment cette langue – y compris de nombreux patients. » Il s'avança, souriant, la main tendue. « Mr. Pilgrim. Bienvenue. »

Pilgrim contempla la main offerte, puis la repoussa. Sans rien dire.

---

* « Docteur, je voudrais vous présenter mon ami Mr Pilgrim. » (N. d. T.)

Lady Quartermaine expliqua :

« Il est silencieux, *Herr Doktor*. Muet. Il en est ainsi depuis… qu'on l'a découvert.

– Effectivement. Ceci n'est pas inhabituel. » Le médecin adressa à Pilgrim un sourire plus avenant encore. « Voulez-vous passer au salon ? Il y a un feu, et nous prendrons du café. »

Pilgrim jeta un coup d'œil à lady Quartermaine. Elle hocha la tête, lui saisit la main. « Nous en serions ravis, dit-elle à Furtwängler. Une tasse d'excellent café suisse, c'est exactement ce que le docteur a recommandé. » Elle esquissa un haussement d'épaules amusé. « Dans quelle direction devons-nous aller ?

– Par ici, je vous prie. »

Furtwängler agita les doigts à l'adresse de Dora Henkel, qui détala vers la salle à manger en face du hall d'entrée afin d'organiser le service des boissons, alors que Kessler restait immobile, faisant de son mieux pour ne pas avoir l'air d'un garde du corps.

Lady Quartermaine guida Pilgrim. « Tout va bien, lui assura-t-elle. Tout va bien. Nous sommes parvenus à destination sans encombre, et bientôt, nous nous reposerons. » Elle glissa un bras sous celui de son compagnon. « Comme je suis heureuse d'être avec vous, très cher. Comme je suis heureuse d'être venue. »

2

Le médecin de Pilgrim s'était montré discret. Le Dr Greene était arrivé environ cinq heures après l'événement, atteignant Cheyne Walk en taxi à neuf heures moins le quart. Forster l'avait conduit directement dans le jardin, où il avait constaté que Pilgrim avait cessé de respirer et que son cœur ne battait plus.

Greene avait procédé à cet examen avec une attention particulière, fort de l'expérience d'une précédente tentative de suicide manquée de la part de Pilgrim. À cette occasion, le désespéré avait, semblait-il, réussi à se noyer dans la Serpentine. Pourtant, en dépit des rigueurs du plein hiver et de la couche de glace à la surface de l'eau, Pilgrim avait survécu – bien que, au moment de sa découverte, aucun signe de vie ne fût plus décelable en lui. Il avait fallu plus de deux heures de soins et toute la science de Greene pour le ranimer. Le praticien ne pouvait cependant guère s'attribuer le mérite de ce sauvetage, Pilgrim ayant conservé toutes les apparences de la mort pendant si longtemps.

Peu à peu, le Dr Greene en était venu non seulement à reconnaître les tendances suicidaires de son patient, mais aussi à prendre conscience de son extraordinaire résistance – comme s'il existait une force en lui qui refusait de mourir, quelles que fussent les opportunités créées par Pilgrim.

Ayant attendu encore une heure après son arrivée à Cheyne Walk, le Dr Greene déclara Pilgrim cliniquement mort, puis il entreprit d'établir le certificat de décès que sa profession exigeait de lui. Néanmoins, il préféra faire appel aux services d'un second médecin pour vérifier son diagnostic. Ce praticien, qui s'appelait Hammond, était l'un des plus grands neurologues de Londres. Les deux hommes se connaissaient bien, pour avoir participé ensemble à bon nombre d'autopsies pratiquées sur les dépouilles de suicidés et de victimes de meurtres.

À l'arrivée du Dr Hammond, ce fut Mrs. Matheson, la cuisinière, qui le fit entrer. Elle se trouvait dans l'obligation de remplir le « devoir de portier », puisque Forster était retenu par d'autres tâches. Entre-temps, le corps de Pilgrim avait été transporté dans la maison et allongé sur son lit.

Le Dr Greene expliqua les circonstances du décès et décrivit sa précédente expérience avec Pilgrim, avant d'avouer qu'il appréhendait de le déclarer décédé sans la confirmation d'un confrère. Après un bref examen du corps, Hammond convint à son tour que Pilgrim était bel et bien mort. *Aussi mort*, dit-il à Greene, *qu'un homme peut l'être.*

Sur ce, il ajouta sa signature au certificat de décès.

Une demi-heure plus tard, le cœur de Pilgrim recommençait à battre et, peu après, le prétendu défunt se mettait de nouveau à respirer.

Tel était donc l'homme que Sybil Quartermaine avait amené à la clinique Burghölzli – un candidat au suicide déterminé qui, selon toute apparence, était incapable de mourir.

Après avoir fait le voyage en train via Paris et Strasbourg, Pilgrim et son escorte étaient parvenus à Zurich par une journée nuageuse, venteuse, chargée de bourrasques neigeuses. Une Daimler gris argent avec chauffeur, louée pour la circonstance, les attendait. Phoebe Peebles, la femme de chambre de lady Quartermaine, et Forster, le valet-major-dome de Pilgrim, avaient accompagné leurs employeurs jusqu'à la clinique, avant d'être conduits à l'hôtel Baur au Lac – alors le havre le plus prestigieux que Zurich eût à offrir aux étrangers.

Forster et Phoebe Peebles, restés seuls dans la Daimler gris argent, étaient bien en peine de déterminer quel comportement adopter – au-delà du maintien de leur dignité personnelle.

Ainsi allaient-ils, assis à l'arrière de l'automobile de Madame, sans le couvert du protocole. Le chauffeur dont on avait loué les services était-il devenu *leur* chauffeur ? Ou tous les domestiques se retrouvaient-ils sur un pied d'égalité ?

Forster partait du principe qu'étant le plus haut placé, il avait la préséance. Après tout, un valet-majordome assume la direction de toute maisonnée à laquelle il est attaché, aussi longtemps que le maître de céans n'a pas délibérément installé quelqu'un au-dessus de lui. D'un autre côté, désormais privé de la présence dudit maître, Forster devait bien admettre qu'il roulait dans l'automobile de lady Quartermaine, et non dans celle de Mr. Pilgrim – certes, mais après ?

Le chauffeur, simple larbin, n'avait de comptes à rendre qu'à son employeur du moment – en l'occurrence lady Quartermaine. Tout ceci se révélait décidément fort compliqué. Forster se demanda s'il fallait offrir de l'argent – comme il en serait offert aux serviteurs d'une maison où l'on aurait fait une visite avec son maître.

Non, conclut-il. Cela ne le concernait en rien. Il s'en remettrait entièrement à lady Quartermaine.

« Vous pensez loger avec Pilgrim à la clinique ? Vous occuper de lui là-bas ? s'enquit Phoebe.

– Je serais tenté de le croire, dit Forster.

– Je ne voudrais pas vivre dans un endroit où les gens souffrent de troubles mentaux, reprit Phoebe. Dieu sait ce qui se passe en ces lieux. Tous ces fous...

– Ils ne sont pas fous, l'interrompit Forster. Ils sont malades. Et leur séjour à la clinique ne vise qu'à leur permettre de recouvrer la santé – exactement comme s'ils étaient atteints de phtisie et allaient à Davos. »

Forster avait prononcé ces mots avec une autorité péremptoire, et Phoebe, n'ayant jamais entendu parler de Davos, fut intimidée en conséquence.

« Je suppose, en effet, convint-elle. Il n'empêche...

– Vous avez voyagé jusqu'ici avec Mr. Pilgrim sans vous plaindre, miss Peebles, dit Forster d'un ton plutôt pompeux. Dans le train, vous est-il jamais arrivé de vous sentir menacée par son comportement ?

– Non.

– Alors, veuillez, je vous prie, considérer ceci comme votre réponse. Je serais heureux de l'accompagner n'importe où afin de continuer à le servir.

– Oui, Mr. Forster.

– Tenez, nous y sommes. L'hôtel Baur au Lac. »

La Daimler, enveloppée par la neige, s'était arrêtée sous un vaste portique imposant. Le chauffeur sortit, puis alla ouvrir la portière arrière du côté de Phoebe.

« Que dois-je faire ? demanda celle-ci à Forster.

– Descendez, lui répondit-il. Tournez vos jambes vers la droite, et descendez. »

Phoebe posa docilement les pieds par terre et demeura debout près de l'automobile. Forster l'imita, avant de saluer le chasseur qui s'était avancé à leur rencontre avec deux jeunes hommes en livrée prêts à offrir aux nouveaux venus la protection de parapluies – qui ne fournissaient pas la moindre protection dans la mesure où, poussée par le vent, la neige s'élevait du sol tout autour d'eux.

« Nous sommes les gens de lady Quartermaine, déclara Forster. Vous nous attendiez, je crois.

– Mais bien entendu, Mr. Forster, approuva le chasseur, radieux. Si vous voulez me suivre... »

Alors qu'ils se tournaient vers les marches, Phoebe Peebles se rapprocha de Forster et murmura : « Dieu du ciel ! Il sait même qui vous êtes. Je veux dire, il connaît *votre nom* ! »

Forster ôta son chapeau melon, qu'il tapa contre sa cuisse.

« Évidemment, répliqua-t-il. C'est son travail. »

3

Peu après que le café eut été bu et Pilgrim conduit à ses appartements, lady Quartermaine rejoignit le Dr Furtwängler dans son bureau.

« Combien de temps pensiez-vous rester ? demanda-t-il une fois
son invitée assise.

– Jusqu'à ce que vous jugiez mon départ sans risque, lui répondit-
elle. Peu importe combien de temps cela prendra. Je suis son amie la
plus proche. Il n'a pas de famille. Je souhaite demeurer auprès de lui
tant qu'il n'aura pas franchi le cap de la guérison.

– Il faudra peut-être un bon moment, lady Quartermaine. Dans le
cas présent, nous ne pouvons rien garantir.

– Ce n'est pas ce qui compte. Ce qui compte, c'est qu'il se retrouve
aujourd'hui entre les meilleures mains. »

Le Dr Furtwängler se tenait près d'une des trois hautes fenêtres, et
derrière lui, constata lady Quartermaine, ce qu'elle avait considéré tout
d'abord comme une chute de neige alpestre quotidienne s'était mué en
véritable tempête.

« Votre automobile doit-elle revenir vous chercher ? Dans le cas
contraire, nous n'aurons qu'à...

– Non, non. Merci, mais elle viendra lorsque j'aurai appelé. »

Furtwängler s'installa en face de lady Quartermaine, séparé d'elle
par la vaste étendue de sa table de travail. La pièce elle-même était
agréable avec ses poutres sombres, ses fenêtres encastrées, ses étagères pleines de revues et d'ouvrages médicaux, ses fauteuils et son
canapé en cuir, ses lampes en cuivre avec abat-jour en verre couleur
émeraude et ses tentures ornées d'un motif chinois – fleurs mêlées à des
frondes de bambous, perspectives lointaines sur des collines gris
cendré et des arbres embrumés.

Lady Quartermaine, qui avait enlevé son manteau, apparaissait
maintenant dans la clarté des lampes vêtue d'une robe bleue à taille
haute agrémentée d'une garniture de dentelle violette. Ses
yeux offraient un mélange de ces deux teintes, bien qu'en cet instant,
ses pupilles fussent dilatées au point de les faire paraître presque noirs.
Elle jouait avec ses gants, posés sur ses genoux tels des animaux de
compagnie qu'elle aurait emmenés pour l'apaiser. La voilette de son

chapeau à large bord, ramenée de côté contre ses cheveux, évoquait un halo de fumée.

« N'allez-vous pas me poser quelques questions, docteur ? Il est tard. J'aimerais prendre un bain et dîner.

– Oui. Oui. Évidemment. Veuillez m'excuser. »

Le Dr Furtwängler saisit sa plume et tira à lui un grand bloc-notes. « Pour commencer, pourriez-vous me parler un peu de vous ? demanda-t-il. Cela me serait utile.

– Mon époux est le quinzième marquis de Quartermaine. Il se pré-nomme Harry. Quartermaine s'écrit avec un *e* à la fin. Trop d'igno-rants omettent ce *e*. Ils ne comprennent pas le rapport avec la France. Il y a neuf siècles, nous avons quitté cette région française connue sous le nom de Maine pour nous installer en Angleterre. Lorsque je dis *nous*, bien sûr, je fais référence aux ancêtres de mon mari.

– Bien sûr.

– Je suis née Sybil Copland. Mon père s'appelait Cyril Copland – lord Copland, qui a siégé à la Chambre plus longtemps que tous ses contemporains. Il est mort à quatre-vingt-dix-neuf ans, alors que j'en avais douze. Il m'a engendrée dans sa quatre-vingt-sixième année – une sorte d'exploit, je suppose.

– Plus qu'un exploit – c'est prodigieux ! »

Pendant qu'elle le regardait consigner tous ces détails, Sybil reprit :

« Votre anglais est excellent, docteur Furtwängler. Êtes-vous suisse ou allemand ? Laquelle de ces nationalités ?

– Autrichien, en réalité, mais j'ai obtenu mes diplômes de médecine à Édimbourg. »

Sybil sourit.

« D'où le très léger grasseyement que j'ai détecté. Comme c'est char-mant.

– J'ai adoré l'Écosse. L'Angleterre aussi. Je suis un passionné de ran-donnée, lady Quartermaine. Durant les vacances, j'ai arpenté Lake Dis-trict, le Wiltshire et le Cambridgeshire. C'était merveilleux. Connaissez-vous ces régions ?

– Très bien, oui. Tous mes frères et mon mari ont fréquenté King's College, à Cambridge. La campagne alentour est un véritable enchan-tement.

– Et Mr. Pilgrim ?

– Il a suivi l'enseignement d'Oxford. De Magdalen College, plus précisément. Le malheureux.

– Le malheureux ?

– Oui. En Angleterre, nous qualifions d'*ironique* ce genre de commentaire, docteur. Je l'entendais seulement comme une plaisanterie. Pour s'amuser, les étudiants d'une université ont tendance à considérer comme défavorisés les étudiants d'autres établissements.

– Je vois. » Furtwängler baissa les yeux vers ses notes. « Et Mr. Pilgrim... est historien de l'art.

– En effet. Ce qui constitue un des liens entre nous. Mon frère Symes était lui aussi historien de l'art.

– Était, vous dites ?

– Oui. Il... »

Elle laissa son regard dériver.

« Vous n'êtes pas obligée de m'en parler, lady Quartermaine.

– Non, non. J'y tiens. C'est juste que... » Elle ferma les yeux et manipula un de ses gants jusqu'à l'appuyer contre sa joue, comme une amie compatissante l'aurait fait avec sa main. « Il s'est suicidé, et aujourd'hui, après la tentative de Mr. Pilgrim, j'ai l'impression que Symes est revenu me hanter. »

Lady Quartermaine ouvrit les yeux, puis replaça le gant auprès de son semblable avant de retirer un mouchoir de son sac. En agissant ainsi, elle recouvra suffisamment de sang-froid pour aller droit au but :

« Symes Copland était mon plus jeune frère. Il venait d'avoir trente ans lorsqu'il est mort. En 1901. Au mois de septembre. Il avait participé à la création de la Tate Gallery, vous comprenez. Elle avait ouvert ses portes depuis peu. Toute cette tension résultant de ses efforts... il adorait cela. Il était presque trop dévoué. Asservi, pourrait-on dire. Mais comment savoir ? Il était si bougrement doué pour cacher ses émotions...! » Elle marqua une pause. « Pardonnez-moi, mais encore maintenant, sa disparition m'emplit de colère. Un tel gâchis, si triste, si inutile...

– Manifestement, il comptait beaucoup pour vous.

– En effet. Enfants, nous étions inséparables. La proximité de l'âge, je suppose. J'avais l'impression d'être son ange gardien. Et puis, d'une manière ou d'une autre, je lui ai fait faux bond.

– En cas de suicide, personne n'est à blâmer, lady Quartermaine.

– J'ai beaucoup de mal à le croire.

– Néanmoins, vous devez essayer de vous en convaincre. C'est lui qui s'est ôté la vie. Vous ne l'avez pas tué. Il s'est tué lui-même.

– Sans doute. »

Sybil détourna les yeux.

« Mr. Pilgrim et votre frère étaient-ils collègues ?

– Non. Symes se spécialisait exclusivement dans l'art de la fin du seizième siècle et du début du dix-septième. Pilgrim... Le domaine de Mr. Pilgrim est plus vaste.

« – Je vois. Et pour son nom, lady Quartermaine ? Pourquoi ne nous a-t-on pas donné de prénom ?

– Il affirme ne pas en avoir.

– Ah bon ?

– Oui. Et aussi étrange que cela puisse paraître, j'ai appris à l'accepter sans poser de questions. Je sais beaucoup de choses sur lui. J'en ignore également beaucoup.

– L'avez-vous rencontré par l'intermédiaire de votre frère ?

– Non. Notre amitié remonte à une époque plus lointaine, plus ancienne.

– Avez-vous des enfants, lady Quartermaine ?

– Oui. Cinq. Deux jeunes hommes, deux jeunes femmes et une fillette. »

Il y eut une pause. Sybil Quartermaine leva la tête.

« Vous me dévisagez, *Herr Doktor*.

– Oh. Veuillez m'excuser.

– Pourquoi ? Pour quelle raison ? »

Furtwängler reporta son attention sur la page devant lui.

« À mes yeux, vous ne semblez pas suffisamment âgée pour avoir des jeunes hommes pour fils, et des jeunes femmes pour filles.

– C'est donc tout ! » Elle éclata de rire. « Cela ne me dérange pas le moins du monde de vous le dire. J'ai quarante-quatre ans, et mon fils aîné en a vingt. Ce qui n'a rien de particulièrement étonnant, vous en conviendrez. Il s'appelle David, et je dois bien avouer que je ne suis guère attachée à lui. » Elle cilla. « Grands dieux ! Pourquoi vous ai-je fait une telle confidence ?

– Vous traversez une période très éprouvante, lady Quartermaine. En pareilles circonstances, certaines choses nous échappent involontairement.

– Oui. Je suppose.

– Mr. Pilgrim a-t-il des amis, à part vous ?

– Quelques-uns, oui. Peu. Et beaucoup, beaucoup de relations – dont une ou deux assez proches. En majorité des hommes.

– Je vois. »

Il y eut une nouvelle pause.

« Eh bien ? reprit lady Quartermaine. D'autres questions ?

– A-t-il spécifiquement requis votre présence, après la tentative de suicide ?

– Non. Je me trouvais là-bas la veille au soir, et j'étais inquiète. Il avait l'air distrait – perdu, d'une certaine façon. Absent. Plus qu'absent, incapable de tenir un discours cohérent. Pas comme une personne ivre

– absolument pas –, plutôt comme quelqu'un qui perdrait le fil de ses propos à mesure qu'il les formule. Il m'est venu à l'esprit qu'il avait peut-être été victime d'une légère attaque. C'était la même façon d'agir. Et ensuite, quand je l'ai quitté, au lieu de me souhaiter une bonne nuit à sa manière habituelle, d'un baiser sur chaque joue, il m'a pris la main, l'a pressée très fort et m'a dit *Au revoir*. Ce qui ne lui ressemblait pas du tout. Alors, je me suis rendue chez lui à une heure matinale. Comme vous le constaterez dans les rapports médicaux que je vous ai fait parvenir, on l'avait déclaré décédé avant mon arrivée. Mais – également avant mon arrivée –, il avait recommencé à donner des signes de vie et les praticiens consultés avaient été rappelés. Ils étaient encore auprès de lui, aussi me suis-je contentée d'attendre.

– Et… ?

– Et je suis restée avec lui toute la semaine. De fait, je ne suis rentrée chez moi que le temps de préparer mes affaires et d'aller chercher ma femme de chambre en vue de ce voyage. »

Silence. Furtwängler rectifia soigneusement la disposition des objets sur son bureau.

« Lady Quartermaine… » Il se pencha en avant au-dessus de ses notes. « Il y a quelque chose que je dois clarifier sans tarder. »

Sybil le regarda, impassible.

« À la suite de notre première conversation téléphonique, je me suis effectivement entretenu avec… » Il consulta les papiers devant lui. « … le Dr Greene, si je ne m'abuse ? »

Elle hocha la tête.

« Par conséquent, je suis tout à fait conscient du caractère apparemment extraordinaire de la guérison de Mr. Pilgrim après le traumatisme provoqué par sa tentative de suicide. Ma tâche ne consiste cependant pas à enquêter sur les circonstances de sa tentative ou de son rétablissement physique. Le seul but de tout travail entrepris par mes collègues ou moi-même sera de déterminer, premièrement, *pourquoi* il souhaitait mettre un terme à son existence et, deuxièmement, *comment* ranimer son désir de vivre. Non. » Il leva la main, comme pour prévenir un commentaire. « Comment ranimer sa *volonté* de vivre. »

Sybil n'attendit qu'un instant avant de répondre:

« N'ayez crainte, docteur Furtwängler. C'est précisément la raison pour laquelle j'ai choisi d'amener Mr. Pilgrim à Burghölzli. Pour ranimer sa volonté de vivre.

– Excellent. » Il se carra dans son fauteuil. « Bon. Vous dites avoir été inquiétée par son comportement étrange de la soirée précédente

Cela signifie-t-il que vous aviez déjà remarqué une telle attitude chez lui?

– Dans une certaine mesure, j'imagine. À certaines périodes, il... » Elle prit le temps de réfléchir au terme suivant, avant de conclure: « ... il s'égare.

– Il s'égare?

– Oui. Il s'en va. Ailleurs.

– Dans le passé, de telles périodes ont-elles précédé ses autres tentatives de suicide?

– Vraiment, docteur, vous me surprenez, déclara Sybil. Je suis choquée. Quelles autres tentatives de suicide?

– Si je comprends bien, vous ignorez qu'il a déjà agi de la sorte?

– Absolument.

– Vous ne savez rien? »

Cette fois, elle marqua la plus infime des hésitations avant de répondre.

« Non, dit-elle. Rien du tout. »

Le Dr Furtwängler ajouta discrètement une note à côté du nom de son interlocutrice. *Sie lügt*, écrivit-il. Elle ment. Puis: *Warum?*

Pourquoi?

4

Les appartements de Pilgrim s'avérèrent situés au troisième étage. Il monta en compagnie de Kessler dans un ascenseur de verre richement ouvragé, avec des accessoires de cuivre ajourés. Derrière la paroi vitrée, il voyait la courbe de l'escalier en marbre qui les entourait un peu à la manière d'un tire-bouchon. Les rampes étaient faites d'un bois sombre qu'il ne put identifier.

Dans la cabine se trouvait un liftier d'âge indéterminé. Il portait une livrée verte, mais pas de casquette, et occupait un strapontin de bois d'où il actionnait l'ascenseur à l'aide d'un maneton monté sur un volant. Ses chaussures étaient cirées de manière si impeccable qu'elles réfléchissaient la lumière, et des gants de coton blanc lui couvraient les mains. Son visage demeura vide de toute expression durant le trajet. Il n'adressa pas la parole à Kessler. Pas plus que celui-ci ne la lui adressa.

Lorsqu'ils arrivèrent au troisième étage, Pilgrim resta en retrait.

La grille accordéon en cuivre était ouverte. Kessler la franchit et, en se retournant, déclara depuis le palier en marbre :

« Vous pouvez sortir. Tout va bien. »

Et de tendre la main.

Le liftier n'avait pas bougé de son siège. Toujours assis, il se tenait légèrement penché en avant afin de maintenir la grille, son autre main reposant sur ses genoux.

« Mr. Pilgrim ? » reprit Kessler avec un sourire.

Pilgrim jeta un coup d'œil à la main offerte par l'aide-soignant, et parut la considérer non comme une invitation à avancer, mais plutôt comme un avertissement – ou peut-être un obstacle.

« Vous n'avez rien à craindre, insista Kessler. Vous êtes ici chez vous. »

À peine Pilgrim s'était-il engagé sur le palier que la grille métallique se refermait derrière lui avec un claquement sec. Il pivota juste à temps pour voir le visage toujours inexpressif du liftier disparaître sous le rebord en marbre.

Kessler le guida vers le couloir, où un tapis tout d'une pièce se déployait devant eux, entre une avenue de portes.

Le tapis, avec ses bords rehaussés de fils d'or, était d'un brun profond. Uni. Toutes les portes sur leur chemin étaient fermées, bien que de la lumière filtrât dans le couloir par les impostes ouvertes.

De très loin – du moins, semblait-il –, une vieille femme enveloppée d'un drap les regardait approcher. Derrière elle, une clarté blanche nimbait sa silhouette d'une sorte de halo.

« Vous avez de la chance, Mr. Pilgrim, dit Kessler. Vous serez logé dans la suite 306. Elle jouit d'une vue exceptionnelle. »

Il s'éloigna, revint chercher Pilgrim, et, le prenant une nouvelle fois par le coude, le fit avancer sur le tapis qui étouffait le bruit de leurs pas.

La femme ne bougeait pas. Difficile de déterminer si elle les observait. Ses yeux n'étaient pas visibles.

La suite 306 avait une grande porte blanche surmontée d'une imposte close.

Kessler précéda le patient dans le vestibule, puis franchit un second battant ouvrant sur un salon qui, par son aspect, s'apparentait plutôt à ce qu'un hôtel pouvait offrir. Rien n'indiquait qu'il s'agissait d'une clinique. Entre les fenêtres, une alcôve abritait un bureau ouvragé, et il y avait des tables, des fauteuils et des tapis – des fauteuils en osier garnis de coussins, et des substituts de tapis turcs, peu coûteux, mais produisant un certain effet. Bleus, rouges et jaunes, avec des lisières imparfaites, inachevées – autant d'ersatz de rêves inclus sans supplément.

Kessler accompagna le nouvel arrivant jusqu'à la chambre.

La malle de Pilgrim trônait au milieu de la pièce, à même le sol. Ses valises – au nombre de deux –, étaient posées sur le lit, toujours fermées. Les bagages avaient été apportés de la gare pendant que l'on prenait le café.

Des volets intérieurs obturaient les deux fenêtres. « À cause du vent, expliqua Kessler. Il y a une tempête de neige en ce moment même, mais vous serez en sécurité ici, et bien au chaud. » Il se déplaçait dans la pièce, allumait les lampes. « Là, comme vous pouvez le constater, c'est la salle de bains. Tout est exactement comme si vous étiez chez vous... »

Pilgrim ne lui prêtait aucune attention. Il se tenait à côté de la malle, dont il se servait – en apparence du moins – pour garder l'équilibre. Il l'agrippait de la main gauche en balayant du regard les alentours.

« Pourquoi ne pas vous asseoir, Mr. Pilgrim ? suggéra Kessler. Je vais vous approcher une chaise. »

Il la déplaça jusqu'au patient qui vacillait près de la malle.

« Voilà, installez-vous. »

Kessler fit asseoir Pilgrim sans que celui-ci desserre sa prise.

« Vous ne pouvez pas continuer à tenir ainsi cette malle, Mr. Pilgrim. S'il vous plaît, lâchez-la. »

Pilgrim s'y raccrocha de plus belle.

Avec douceur, doigt après doigt, Kessler dégagea la main crispée, qu'il posa à côté de l'autre sur les genoux de Pilgrim.

Une voix s'éleva alors à la porte de la chambre : « Êtes-vous venu pour moi ? »

C'était la femme enveloppée d'un drap. Elle se dirigea droit vers Pilgrim, les yeux fixés sur lui. « Vous êtes sûrement venu pour moi, dit-elle, ou sinon, vous ne seriez pas dans ma chambre. »

Sa voix était à peine audible, son intonation n'avait rien d'accusateur. De fait, elle était presque dépourvue d'inflexions.

L'espace d'un instant, Pilgrim et la nouvelle venue demeurèrent face à face, mais il ne parut pas la voir. Elle n'était pas aussi âgée qu'elle l'avait semblé de loin, au bout du couloir. Elle devait avoir trente ou trente-cinq ans tout au plus. Si son visage était à peine marqué, elle avait cependant le teint cireux. Sous ses yeux, elle aurait pu tout aussi bien appliquer du khôl tant les cernes étaient profonds. Ses cheveux dénoués, humides, paraissaient fraîchement lavés.

« Je vous en prie, comtesse, dit Kessler. Votre place n'est pas ici.

— Mais il s'agit de ma suite », répliqua la femme dans un anglais parfait teinté d'un accent russe. « J'attends son arrivée depuis des années, et aujourd'hui – vous voyez ? Il savait exactement où me trouver.

— Non, madame. Non. Je vais vous ramener chez vous. Venez avec moi.

— Mais…

— Venez avec moi. »

Kessler raccompagna la femme à la porte et au-delà, à travers le salon et le vestibule jusque dans le couloir. Durant tout ce temps, elle ne cessa d'affirmer que la suite 306 lui appartenait, et que Pilgrim avait fait le voyage spécialement et uniquement pour elle. « Nous nous sommes déjà rencontrés, dit-elle, lors d'une tempête sur la lune. »

L'aide-soignant ne protesta pas. Il connaissait la comtesse Blavinskeya. C'était une ballerine naguère célèbre, et désormais placée quelquefois sous sa responsabilité – source de consternation pour d'autres, elle ne l'était pas pour lui. La comtesse, qui croyait vivre sur la lune, faisait l'objet de moult controverses parmi les médecins. Certains, dont le Dr Furtwängler, voulaient la « ramener sur terre », affirmant qu'à moins d'être obligée d'affronter la réalité, elle ne recouvrerait jamais son équilibre mental. Il existait un contre-argument, selon lequel la comtesse Blavinskeya souffrait d'un « excès de réalité » et parvenait tout juste à faire face dans ce que la plupart des gens considéraient comme le monde réel. « Si sa survie dépend de sa conviction qu'elle a sa place sur la lune, alors nous devons accepter *sa* réalité, et non la forcer à accepter *la nôtre.* » Cette dernière hypothèse était tellement stupéfiante que l'on traitait ses partisans – et il s'en trouvait plusieurs – de renégats professant une hérésie scientifique. En privé, Furtwängler les qualifiait d'*insensés*, et estimait que s'ils agissaient avec elle selon leur idée, cela reviendrait à livrer la comtesse à la folie qui l'habitait.

Ces deux positions laissaient Kessler également indifférent. La « lune » et la suite 319, où logeait la comtesse, étaient synonymes. Lui-même disait *Je vais sur la lune* lorsqu'il lui incombait de s'occuper de la patiente durant la journée. Elle était exquise, puérile, éternellement innocente. La côtoyer, ne serait-ce que quelques instants, équivalait à retrouver ces moments de l'enfance où chaque brin d'herbe est une révélation. Pour atteindre la lune, il suffit de tendre la main.

Pilgrim demeurait pétrifié sur son siège.

Il voyait ses mains. Elles reposaient à l'endroit où Kessler les avait laissées, retournées comme pour le fixer, leurs paumes pâles évoquant des assiettes.

Ses paupières auraient tout aussi bien pu être closes. Son regard n'était pas dirigé vers l'extérieur, mais seulement vers l'intérieur. La chambre dans laquelle il était assis se réduisait plus ou moins à une boîte – plafond, sol, murs. Les fenêtres, occultées par des volets, n'avaient aucune fonction. Elles ne représentaient que des formes oblongues. Les lampes et la lumière qu'elles diffusaient ressemblaient à des hublots. Peut-être la mer s'étendait-elle au-delà, mouvante, éclairée par la lune. Hublots. Clair de lune. Eau.

Dans son esprit, on annonçait une nouvelle perturbante : le navire sur lequel il avait embarqué sombrait. À tout moment, les cloisons allaient s'incliner et le contenu de la cabine se déverser sur lui. Le lit était un canot de sauvetage ; la table, un radeau à l'envers ; le tapis, des algues enchevêtrées. Quant aux fauteuils, c'étaient les autres passagers, la silhouette gonflée par leurs gilets de sauvetage, flottant sur le dos.

Tout ceci avait eu lieu dans la nuit du 15 avril, deux jours avant qu'il ne se pendît. Il le savait. Il s'en souvenait pour l'avoir lu. Le *Titanic*, un paquebot de grande ligne, avait coulé après avoir heurté un iceberg. Mille cinq cents personnes avaient péri. Et lui, il avait survécu. Tant d'autres avaient vu se réaliser son souhait le plus fervent ! La mort se montrait d'une telle générosité envers autrui.

Toujours assis, il attendait – à l'écoute.

Je suis un voyageur, songea-t-il. *Je me rendais quelque part, mais on m'a privé de ma destination.*

Le vent se leva derrière les fenêtres.

Pilgrim bougea les yeux.

Quelqu'un se tenait à côté de lui.

« Mr. Pilgrim ? »

C'était Kessler.

« Avez-vous faim ? »

Faim ?

Kessler agita la main devant les prunelles vides du patient.

Rien. Pas même un vacillement.

Il recula vers le lit. Il allait défaire les valises. Ensuite, il s'attaquerait à la malle. Le Dr Furtwängler arriverait d'une minute à l'autre. Et lady Quartermaine viendrait prendre congé. On donnerait des instructions. Peut-être aussi des médicaments.

Chemises. Sous-vêtements. Chaussettes...

Mouchoirs. Monogrammes. *P* pour *Pilgrim.*

Kessler observa la silhouette assise, dont les cheveux ébouriffés évoquaient une auréole mise à mal par le vent. Les ailes étaient désormais repliées, les épaules affaissées, le cou engoncé dans des écharpes à carreaux.

L'homme avait un visage osseux. Avec un grand front. Des paupières lourdes. Le nez tenait du véritable bec – rien de moins. Recourbé au-dessus de la lèvre supérieure, elle-même écartée de la lèvre inférieure. Kessler crut les voir bouger.

« Avez-vous parlé ? demanda-t-il. Le souhaitez-vous ? »

Parler ? Non.

Rien.

D'un coup sec, Kessler referma la première valise, puis passa à la seconde. Avant de ranger les vêtements dans les tiroirs, il les étalerait sur le lit afin de déterminer l'espace requis par chaque catégorie.

Pyjama. Pantoufles. Une robe de chambre, sans ceinture. Coûteuse. En soie. Bleue.

Tout le reste était bleu. Ou blanc. Les mouchoirs étaient blancs. Certaines chemises aussi. Et quelques sous-vêtements. Dans la malle, il trouverait un costume blanc. Mais le bleu dominait.

Kessler se dirigea vers la commode, sur laquelle il disposa brosses et peignes.

Le Dr Furtwängler vint à la porte de la chambre. Lady Quartermaine attendait dans le salon. Elle avait baissé sa voilette. Et remis son manteau. Elle ne disait rien.

Furtwängler prononça quelques mots en allemand, et Kessler se retira dans la salle de bains, dont il ferma la porte avant de ranger les articles de toilette de Pilgrim. *La brosse à dents d'un ange, la brosse à ongles d'un ange, la savonnette d'un ange...* Il sourit.

Sur un signe du Dr Furtwängler, lady Quartermaine le rejoignit.

Pilgrim était toujours figé à la même place.

Sybil se tourna vers le médecin.

« Approchez-vous de lui », lui dit-il.

Lorsqu'elle foula le tapis, le bas de sa tenue de voyage en effleura la surface avec un froissement soyeux. *L'océan, l'océan*, semblait murmurer le tissu. *L'océan...*

C'était difficile pour elle de regarder le visage de Pilgrim. Ses yeux comme aveugles la troublaient au plus haut point. Lui donnaient envie de pleurer. Mais non, il ne fallait pas.

Devait-elle s'agenouiller, telle une suppliante ? *Rétablissez-vous. Et que le Seigneur soit avec vous.*

Non. Son départ n'en paraîtrait que trop définitif.

« Pilgrim, murmura-t-elle, avant de lui prendre les mains. Je suis venue vous dire bonsoir. Et demain matin... »

Elle consulta du regard Furtwängler, qui opina.

« ... demain matin, je reviendrai, et nous... »

Il avait les mains froides, inertes. Les mains d'un mort.

Sybil souleva sa voilette. « Demain matin, nous irons nous promener sur la terrasse, poursuivit-elle. Demain matin, nous irons voir la neige. Demain matin... Vous souvenez-vous, Pilgrim, combien vous aimiez la neige quand nous étions jeunes ? Le soleil brillera de nouveau, j'en suis sûre. Demain matin... » Elle ferma les yeux. « Bonne nuit, cher ami. Bonne nuit. »

Elle lui relâcha les mains, puis se pencha pour lui embrasser le front.

« Tout va bien, dit-elle. Tout va bien. »

Pilgrim n'avait pas bougé.

« Bonsoir, docteur Furtwängler. Et merci. »

Elle se dirigea vers la porte.

Le Dr Furtwängler s'adressa à Kessler en allemand pour lui demander d'accompagner lady Quartermaine jusqu'à son automobile, arrivée entre-temps malgré la tempête, et garée sous le portique.

Kessler émergea de la salle de bains. Il montra un rasoir, avant de le glisser dans sa poche.

Le médecin hocha la tête. *Parfait.* Lady Quartermaine lui avait affirmé qu'entre le moment où son ami avait essayé de se supprimer et leur arrivée à Burghölzli, il n'y avait eu aucune autre tentative de suicide. Pourtant, pendant quelques jours – une semaine, peut-être –, mieux valait que Kessler remplisse les fonctions de barbier et rase

Mr. Pilgrim, à moins – qui sait – que celui-ci ne décide, comme le faisaient certains hommes dans de telles circonstances, de se laisser pousser la barbe.

Après le départ des autres, Furtwängler ferma la porte et alla se poster à un endroit d'où il voyait mieux son patient. Écartant les valises vides, il s'assit sur le lit. Il fallait dire quelque chose.

Il demeura dans l'expectative.

Pilgrim avait fixé son regard aveugle sur une vision intérieure que Furtwängler ne pouvait qu'essayer de deviner.

Avec le temps, pensa-t-il. *Avec le temps viendront les paroles. Je veux bien attendre. Mais pas trop longtemps. Il ne doit pas avoir la possibilité de sombrer plus avant. Certains sont morts au fond du gouffre et, même si telle est sa volonté, nous ne devons pas laisser se produire une chose pareille. Je ne peux pas le tolérer, et je ne le tolérerai pas.*

Pourtant, l'esprit de Pilgrim ne comportait aucun accès ni aucune issue. Il était semblable à une forteresse assiégée, aux portes toutes scellées.

5

Le lendemain matin, l'étendue du ciel derrière les fenêtres dans le bureau du Dr Furtwängler était resplendissante de soleil – presque blanche.

« Dites-moi votre nom. »

Je n'ai pas de nom.

« Ne pouvez-vous… n'allez-vous pas me parler ? »

Parler ? C'est inutile.

« On m'a rapporté que vous vouliez mourir, Mr. Pilgrim. Si tel est véritablement votre désir, j'aurais besoin d'en connaître le motif. »

Vous n'en avez nul besoin. Quelle importance cela pourrait-il avoir pour vous ?

« Mr. Pilgrim ? »

Pourquoi supposer que si je ne réponds pas, c'est que je ne vous entends pas ?

« Le Dr Greene m'informe que vous aviez déjà essayé de vous tuer auparavant. Est-ce vrai ? »

Tout est vrai. Tout, et rien.

« Eh bien, c'est au moins quelque chose. Vous avez détourné les yeux. J'accepte cela, pour le moment, comme une sorte de réponse. Et tant que vous ne souhaiterez pas vous exprimer et me contredire, je considérerai que cette réponse est : *Oui, vous avez déjà essayé.* »

Pilgrim était assis dans le fauteuil de cuir que Sybil occupait encore la veille au soir. Il frotta ses paumes sur les accoudoirs. La fragrance de Sybil y subsistait quelque part, et il avait envie de l'évoquer. *Mousse… citrons… fougères.*

« Êtes-vous confortablement installé ? »

Oui.

« J'aimerais comprendre pourquoi vous refusez de parler. Avez-vous perdu l'usage de votre voix ? Auquel cas, nous sommes en mesure de vous fournir un traitement approprié. »

Neige. Montagnes. Ciel.

« Il serait tout à fait compréhensible, évidemment, étant donné la façon dont vous avez tenté de vous supprimer… »

Le Dr Furtwängler ne cherchait en aucun cas à arrondir les angles dans sa manière de présenter les choses. Inutile de prétendre qu'ils ne savaient pas précisément tous les deux pour quelle raison Pilgrim se trouvait là. Recourir à une formulation atténuée, euphémique, comme *la pénible épreuve que vous avez traversée*, peut-être, ou encore *l'état dans lequel on vous a trouvé*, serait une insulte. Une pendaison reste une pendaison. Un suicide reste un suicide. Pas un synonyme pour *accident*. En aucun cas, un synonyme pour *hasard malencontreux*.

« Étant donné la façon dont vous avez tenté de vous supprimer, poursuivit le médecin, vos cordes vocales ont peut-être subi des dommages. Cet après-midi, je vous ferai accompagner jusqu'au laboratoire du Dr Felix Hövermeyer, un spécialiste de ces problèmes. Il vous examinera. S'il y a lieu de s'inquiéter, j'ose espérer que vous l'autoriserez à vous soigner. »

Avalanche.

« En revanche, si nous ne décelons aucun traumatisme au niveau du larynx, je m'obstinerai à vous poser mes questions jusqu'au jour où vous y répondrez. »

Les médecins aiment bien qu'on leur sourie. Ils jugent cela énigmatique. Est-ce suffisamment énigmatique, docteur ?

« Vous me comprenez, de toute évidence. »

Oui.

« Je ne suis pas votre ennemi, Mr. Pilgrim. Inutile de me résister. Je suis là pour vous aider. »

Allez-vous me proposer votre scalpel ? Un tilleul pour me pendre, aux branches solides comme l'acier ? Votre couteau de chasse ? Votre hache ? Votre revolver ?

« Vous êtes conscient, je n'en doute pas, du caractère miraculeux de votre guérison. »

Les miracles n'existent pas.

« Croyez-vous en Dieu ? »

Je ne connais aucun dieu. Dieu n'existe pas.

« D'après ce que j'ai entendu dire, c'est votre domestique – il s'appelle Forster, je crois –, qui vous a décroché, et lorsqu'il l'a fait, vous étiez déjà mort. »

Pas mort, non. Je ne peux pas mourir.

« Venons-en au Dr Greene et au Dr Hammond. J'ai ici les copies de leurs rapports. J'ai discuté à plusieurs reprises avec Greene, au téléphone. Tous les efforts déployés pour faire repartir votre cœur ont échoué. Et en dépit des moyens mis en œuvre pour vous ranimer, vous n'êtes pas parvenu non plus à respirer. Trois heures, quatre même, Mr. Pilgrim, sans le moindre battement de cœur. Cinq sans un souffle. Et pourtant, vous êtes ici aujourd'hui, et… »

Il ne s'agit pas d'un miracle, docteur. La mort serait un miracle. Pas la vie.

« Aimeriez-vous voir votre amie ? »

Je n'ai pas d'amis.

« Lady Quartermaine… »

Sybil.

« Elle est ici, et souhaiterait beaucoup vous parler, s'entretenir avec vous. En avez-vous envie ? »

Pilgrim se leva.

Tendit la main par-dessus le bureau, attira à lui les notes prises par le médecin, arracha la première page grise. Puis, l'ayant saisie, il s'approcha de la fenêtre.

Furtwängler le regardait, immobile, en attente.

Pilgrim leva la feuille vers la lumière. Après l'avoir plaquée sur la vitre, il la lissa avec ses doigts.

Furtwängler ne bougeait toujours pas.

Pilgrim pressa son front contre la page. Avec tant de force que le givre fondit sur le carreau.

Enfin, il se détourna et rendit la page à Furtwängler.

Dessus, avant les notes du médecin, on distinguait un motif – un dessin.

L'espace d'un instant, il prit presque l'apparence d'un mot – et ce mot était NON.

Les lettres n'en étaient pas tracées avec de l'encre, mais avec de la glace. Sous les yeux de Furtwängler, elles s'estompèrent peu à peu, ne laissant sur le papier qu'un vide humide.

6

Ce soir-là, Sybil Quartermaine contemplait un grand paquet rectangulaire sur une table près des fenêtres en encorbellement de son salon, à l'hôtel Baur au Lac.

L'emballage était constitué d'une épaisse toile huilée maintenue par de solides cordes rouges. Des cordes qui, grâce au domestique de l'hôtel sorti de la pièce quelques instants plus tôt avec force courbettes, étaient désormais coupées. À l'intérieur, Sybil savait le contenu protégé par d'autres épaisseurs de lin et de papier. Elle l'avait découvert en ouvrant le colis pour la première fois peu après qu'on le lui eut remis, il y avait juste une semaine.

Forster l'avait placé dans ses appartements temporaires au 18, Cheyne Walk, où elle s'était installée à la suite du suicide manqué de Pilgrim. *N'en dites rien, madame*, lui avait-il recommandé. Telles étaient les instructions données par son employeur dans une note délibérément laissée par terre devant la chambre de celui-ci, le matin où Forster l'avait trouvé pendu à l'érable dans le jardin. On le priait en outre de porter le paquet à lady Quartermaine, puis de détruire le message une fois lu et compris – ce dont Forster s'était acquitté.

Le colis avait voyagé jusqu'à Zurich avec les autres bagages de Sybil. Si Phoebe Peebles, sa femme de chambre, avait paru intriguée par la présence de cet objet, elle n'avait cependant pas osé poser de questions.

Personne n'en avait posé, d'ailleurs. Par conséquent, tout le monde ignorait que Sybil Quartermaine possédait désormais la collection complète des journaux de Pilgrim. Et qu'elle était incertaine de la conduite à tenir à leur égard.

Devrait-elle les lire ? Ils appartenaient à son ami ; ils étaient personnels. Certes, mais sinon, pourquoi aurait-il demandé qu'on les lui confiât ? D'un autre côté, si jamais ils en révélaient plus que ce qu'autrui devait savoir ? S'ils en révélaient plus que ce qu'elle-même savait déjà ? Ou désirait savoir.

Elle soupira.

Puis ferma les yeux, les rouvrit, et brusquement, s'assit à la table. Saisit la toile, commença à en écarter les plis. Procéda de même avec le lin. Et enfin, avec le papier.

Ils étaient là, reliés de cuir. *Les écrits de Pilgrim*, pensa-t-elle. *Les secrets de Pilgrim...*

Elle souleva le premier volume, le plaça devant elle. Après l'avoir ouvert, elle feuilleta les pages couvertes d'une petite écriture serrée, remarquant le soin apporté par Pilgrim au respect des marges, la façon dont tous les paragraphes s'alignaient de part et d'autre. Soudain, une date particulière attira son attention.

Deux heures du matin, près du feu. Dimanche 1ᵉʳ décembre 1901. Hartford Pryde.

Henry James a un penchant pour les listes. Il m'a confié ce soir dans le salon que les passages de son journal s'achèvent presque invariablement par des colonnes de noms.

« Ceux de personnes que vous avez rencontrées ? ai-je demandé. De lieux que vous avez visités ?

– Non, non. Rien de la sorte. Ceux de personnes et de lieux qu'il me reste à inventer. Je trouve les noms parfois tellement provocateurs... Prenez *Bleat** par exemple. Il m'est venu à l'esprit lors d'un voyage en train. Qu'évoque-t-il, de prime abord ?

– Un mouton.

– Très juste. Mais en l'occurrence, c'est le nom d'un individu. Pouvez-vous vous le représenter ?

– Sans grande gentillesse, je le crains. Il a un visage ovin, je suppose. Une tête trop proche des épaules. Il est petit, avec un regard inquiet. Ses mains restent collées à ses flancs. Il porte des gants... »

James a opiné.

« Des gants noirs.

– Noirs, en effet, ai-je approuvé.

– Des souliers noirs également ?

– Oui. Avec des guêtres.

– Des guêtres grises, bien sûr. À mon avis, Bleat n'arbore que du noir et du gris. Jamais de blanc. Les moutons ne sont jamais vraiment blancs.

– Très juste. Jamais de blanc. »

J'ai patienté quelques instants. James a détourné les yeux. Je me suis demandé si nous en avions terminé avec Bleat, mais... non.

« Quel genre de corpulence lui voyez-vous ? s'est-il enquis.

– Il est rond, ai-je répondu. Pas gros, mais rond.

---

* Le verbe « to bleat » signifie « bêler ». (N. d. T.)

– Il n'est pas grand.

– Non. Pas du tout.

– Mais ce n'est pas non plus un nain.

– Non. Il n'est pas nain.

– Et vous dites qu'il est *rond*?

– C'est ça. Rond. Il donne l'impression de devoir s'allonger par terre pour enfiler son pardessus. Il s'enroule dedans. Et il est incapable de le boutonner tout seul.

– Son domestique s'en charge, j'imagine.

– Oui, ainsi que de le remettre debout.

– Il est coiffé d'un feutre, a renchéri James.

– Il l'emporte partout. Sans trop savoir quoi en faire.

– Et il a une écharpe de laine noire.

– Tout à fait exact. De la laine d'agneau.

– Je le soupçonne de se plaindre beaucoup.

– À longueur de temps, dirais-je.

– Il a l'œil larmoyant...

– ... et inquiet. Oui.

– Vous est-il arrivé de le rencontrer?

– Eh bien, non, ai-je répondu. Il n'existe pas.

– Désormais, si. »

James a reporté son regard sur moi avant de me gratifier d'un sourire enfantin. Presque fat.

J'ai éclaté de rire.

« Vous comprenez mieux à présent la valeur de mes listes, a-t-il ajouté.

– C'est vrai. Je me suis souvent demandé comment les écrivains trouvaient le nom de leurs personnages.

– Le plus souvent, les deux naissent en même temps. Tenez, Isabel Archer, par exemple. Je n'oublierai jamais le jour où elle a surgi dans mon esprit en disant: *Je suis là, maintenant. Vous pouvez commencer*. Un peu à la manière d'un modèle venu poser dans l'atelier d'un peintre.

– D'où *Portrait de femme*.

– Oui. J'ai aussitôt su son nom. Elle aurait tout aussi bien pu me laisser sa carte de visite la veille, une semaine ou même un mois plus tôt. Il me semblait avoir attendu son arrivée. Non que j'aie percé d'emblée tous ses secrets; j'avais seulement conscience de la fascination qu'elle exerçait sur moi. Elle m'avait attirée vers elle par l'intermédiaire de divers aperçus, de visions tentatrices, d'anecdotes et de rumeurs liées à son existence. J'avais l'impression que d'autres l'avaient mentionnée dans ma tête. Comme si elle était réelle, voyez-vous, et comme si j'étais le dernier à en entendre parler. *Elle s'appelle Isabel Archer*, m'ont informé des voix intérieures. *Est-ce qu'elle t'intéresse ?* Oui, ai-je répondu. Oh, oui. *Il y a beaucoup en jeu*, ont continué les voix. Fortune, tragédies, intrigues, désespoir… J'ai dû les interrompre le temps de courir chercher du papier. Et voilà, c'est ainsi que vous tenez votre personnage. Vous comprenez ? Vous entrevoyez un visage, une silhouette, puis vous surprenez un nom, et la commère en vous veut en apprendre plus. Connaître toute l'histoire. Qu'elle soit sordide, triste, ou merveilleuse. Peu importe. Isabel Archer, belle et fortunée – ou quelconque et sans le sou ? Que choisir ? C'est une Américaine, évidemment, entraînée dans les méandres sociaux d'une trahison européenne sophistiquée et d'une cupidité cultivée dans son pays d'origine. Que va-t-il advenir d'elle ? Elle est là, assise devant vous, souriante et posée en apparence ; c'est tout ce que vous savez. Ensuite, eh bien… vous commencez à écrire.

– À vous écouter, cela paraît presque trop facile », ai-je répliqué.

Je n'avais pas aimé l'histoire d'Isabel Archer, ce qu'il m'était bien entendu impossible de lui avouer. La fin était trop douloureuse, quoique fidèle à la vie, et j'avais refermé l'ouvrage en proie à un profond sentiment de frustration morale. Si je ne suis pas moi-même d'une moralité exemplaire, je n'en attends pas moins que les autres le soient. Comme nous tous, n'est-ce pas ?

« Vous n'avez qu'à regarder tous les gens rassemblés dans ce salon pour mesurer à quel point c'est difficile, a souligné James. Difficile de déchiffrer l'expression d'un visage. Ou un geste. Que pouvez-vous me dire sur n'importe laquelle des personnes présentes ? Moins que vous ne l'imaginez, Pilgrim, même si vous pensez les connaître sur le bout des doigts. Chacun de nous est un menteur – d'une certaine manière et dans une certaine mesure. Nous sommes *incapables* de dire la vérité sur nous-mêmes. C'est absolument impossible. Il y a toujours quelque chose à justifier. *Toujours*, croyez-moi. Nous nous faisons terriblement souffrir parce que nous refusons de justifier les faiblesses d'autrui ; seules les nôtres trouvent grâce à nos yeux. C'est fort triste. Et… » Une lueur ardente animait son regard lorsqu'il a conclu : « … C'est là que j'interviens. Car j'ai la capacité de percevoir, de formuler et de justifier les mensonges d'autrui.

– Les vôtres aussi, Mr. James ? Vos propres mensonges ?

– Je n'en entretiens aucun, a-t-il répliqué. Il ne m'en reste plus. Je les ai tous divulgués sur le papier.

– Je vois.

– Surtout, n'allez pas vous méprendre, Mr. Pilgrim. Je ne veux pas dire par là qu'il n'y a plus de duplicité en moi, mais uniquement que je ne cherche plus à me mentir. Ni à me justifier. Je me contente de tout transcrire. »

Je le crois. Et au risque de paraître présomptueux, je lui pardonne aujourd'hui le destin d'Isabel Archer. S'il avait écrit la fin à laquelle j'avais cru aspirer, il nous aurait tous trahis en brossant le *Portrait d'une fleur*, non d'une *femme*.

Au moment de nous séparer pour participer à d'autres conversations, il m'a glissé :

« Merci pour Mr. Bleat. J'espère que j'aurai de nouveau le plaisir de le rencontrer. » Il a souri. « En ville, peut-être.

– Oui, ai-je déclaré. En ville. Je lui téléphonerai et vous l'amènerai.

– Vêtu de son pardessus, j'espère.

– Certainement. Je veillerai à le rouler moi-même dedans. »

Harry Quartermaine a emmené James dans la bibliothèque afin de lui montrer sa collection d'ouvrages anciens. J'aurais peut-être été tenté de me joindre à eux si je n'avais pas vu Harcourt s'élancer derrière eux. Harcourt le raseur. « Harcourt, de la Bibliothèque bodléienne », dit-il toujours quand il se présente, en imitant de manière involontaire – du moins, je l'espère – l'attitude d'Uriah Heep* : tout en courbettes au-dessus de la pointe de ses chaussures, agité de soubresauts tel un machin mort ballotté par les flots. Et, de fait, il se frotte les mains à la manière « heepienne », comme s'il les passait sous l'eau. Je ne supporte pas cet homme, pas plus que je ne supporte sa péroreuse de femme, la redoutable Rose. Je ne m'explique pas ce qu'ils font ici, surtout après avoir vu Sybil subir en permanence leur présence à Portman Square. C'est sûrement Quartermaine qui les a invités, puisqu'il subit avec tant de bonne grâce la présence des imbéciles. Des imbéciles et des intrigants. Des voleurs aussi. Avant la fin de la soirée, j'en ai bien peur, Harcourt risque de solliciter un don pour la bibliothèque bodléienne, prélevé parmi les ouvrages anciens de Harry.

Eleanor et Stephen Copland ont été expédiés de bonne heure dans la salle de jeux avec Margot et David. Étant cousins, et à peu près du même âge, ils se connaissent depuis toujours. Les autres enfants Quartermaine – « nos Pryde », comme les appelle Sybil en utilisant leur nom de famille** –, nous ont rejoints brièvement pour le thé, mais Margot

---

* Personnage fourbe, qui se dit « humble » dans *David Copperfield*, de Charles Dickens. (N. d. T.)
** Jeu sur « pride » qui signifie « fierté. ». (N. d. T.)

et David ont obtenu l'autorisation de s'asseoir à table avec les adultes au dîner. En les regardant partir – sous la houlette de Susan Copland, encore et apparemment à jamais vêtue de noir –, je n'ai pu m'empêcher d'éprouver de la compassion pour eux qui ont perdu un père et un oncle il y a deux mois, sans même savoir pourquoi. Je soupçonne Susan de les avoir accompagnés dans le souci de s'assurer que personne ne posait la mauvaise question, et que Margot ne se laissait pas aller à des spéculations irresponsables.

La mort est toujours provocatrice, et les jeunes réclament tant de réponses qu'aucun de nous ne peut fournir… Peut-être moins *Qu'est-ce que c'est ?* que *Pourquoi ?* Et bien sûr, dans le cas de Symes Copland, chaque interrogation offre la terrible possibilité d'une vérité pervertie.

Je le connaissais, quoique pas très bien. Il a effectué un travail remarquable à la Tate, inaugurée récemment. Une telle tragédie, après un tel triomphe… L'opinion publique veut que l'épuisement l'ait tué, le laissant sans forces, à la merci d'une bonne dizaine de maladies. *Il s'est rendu à Venise, où la peste rôde dans chaque égout, sous chaque pierre*, selon une version. *Il s'est rendu à Biarritz, que le prince de Galles et Mrs. Keppel ont rendu si populaire, où* comme certains l'affirment, *il est mort après avoir avalé une moule empoisonnée !* Autant d'histoires dignes de romans à deux sous, de ces histoires que Rose Harcourt adore entendre et répandre dans les salons. *Et bien sûr*, ajoute-t-elle sûrement avec malice, *il était parti sans sa femme. Nous savons tous ce que cela signifie…* Dans les journaux, on a simplement écrit que *Mr. Copland, appelé à recevoir de façon imminente le titre de chevalier en hommage au talent déployé pour constituer les collections britanniques du seizième et du dix-septième siècles présentées à la Tate Gallery inaugurée depuis peu, a fait un voyage d'affaires à Paris, où il a succombé à une forme de pneumonie particulièrement virulente.* Ou quelque chose d'approchant.

C'est ce qui a été dit aux enfants. S'il ne s'agit pas d'une version digne d'un roman à deux sous, du moins s'agit-il d'une vérité digne d'un roman à quatre sous.

La vérité, c'est qu'il s'est pendu dans sa chambre d'hôtel près de Vauxhall Station, de l'autre côté du fleuve, juste en face de sa chère galerie. Son corps a été découvert par son secrétaire, un certain Exeter Riley, à qui Symes avait demandé de réserver cette chambre de temps à autre afin de pouvoir se reposer une heure ou deux avant de retourner ployer sous le joug pesant de sa tâche. Ce week-end-là, il avait annoncé sa décision de se rendre à Paris afin d'acquérir une miniature de Hillyard jusque-là inconnue – laquelle, bien entendu, n'a jamais existé. C'est Exeter Riley en personne qui s'est chargé d'expliquer tout cela à Susan, dans le salon où elle l'avait reçu en ce jour de septembre, alors que le soleil brillait et que l'on avait prévu une partie de plein air hors saison.

Sybil m'a confié qu'une lettre d'adieu avait été trouvée, mais qu'Exeter Riley l'avait détruite. Susan ne l'a jamais vue. *Exeter Riley a juré de garder le secret*, d'après Sybil, *et il n'est pas une loi dans ce pays qui puisse le forcer à parler*. Cela vaut peut-être mieux. Au cas où Symes aurait mené – d'une manière quelconque, à un niveau quelconque – une double vie, voire aurait été atteint d'une maladie épouvantable, quel intérêt de le révéler à son épouse? Ce qu'il a pu advenir de sa volonté de vivre est encore, et demeurera à jamais un mystère. Et au plus profond de mon cœur, je considère que c'est une bonne chose. Lors d'un moment dont lui seul a perçu le caractère tragique, il a voulu mourir – et il a réussi. Mais il a laissé derrière lui un précieux monument à l'art, une femme et des enfants qui se rappelleront toujours ce qu'il y avait de meilleur en lui, et le souvenir d'une décence forçant l'admiration. Au moins, le malheureux a eu la possibilité d'exaucer son désir de mort. Rien qu'en cela, il a eu de la chance.

* * *

Sybil repoussa le journal et se servit un doigt de whisky, sa boisson préférée. Elle l'avala d'un trait, sans grimacer. L'alcool glissa dans sa gorge comme de l'eau sur du velours. Ensuite, elle alluma une cigarette.

L'espace d'un instant, les silhouettes de Symes et de Pilgrim s'imposèrent à son esprit – d'abord floues, puis de plus en plus nettes, à l'instar d'une photographie apparaissant dans un bac de révélateur. Aucun élément, dans ce qu'elle venait de lire, n'était nouveau pour elle – y compris l'opinion de Pilgrim sur Symes et la mort de celui-ci. Et pourtant... *Là encore*, pensa-t-elle, *s'exerce cette fascination pour ce qui a été et ceux que nous avons aimés, qui nous pousse à remonter le temps, toujours plus loin, jusqu'à ces moments de crise où se rejoue une vie tout entière. Ces moments dont on tire l'inévitable conclusion que plus rien ne sera jamais pareil.*

Non, pensa-t-elle. *Non, n'y pense pas. Restes-en là*. Après s'être servi une seconde mesure de whisky, elle attira de nouveau le journal sous le halo lumineux.

Rêve, transcrit à six heures du matin.
Image d'un mouton. Un seul.

Dois-je m'en amuser ? Je n'en suis pas sûr. D'une certaine façon, cette vision me paraît moins liée à ma conversation avec James au sujet de Mr. Bleat qu'à mes autres rêves de terrains boueux et de lointaines explosions de lumière. En outre, le mouton est silencieux. N'émet pas le moindre bêlement. Il se tient de profil, la tête tournée pour me regarder – me dévisager d'un air presque accusateur. *Pourquoi m'as-tu amené ici ?* semble-t-il me demander. Pourtant, son mutisme est absolu.

En examinant les environs, je prends peu à peu conscience de l'endroit où je suis. Pas d'êtres humains, cette fois. Le sol autour de moi est détrempé, mais sans aucune trace de boue. Les herbes sont emmêlées, couchées par la pluie. Je me trouve apparemment au centre d'une étendue si vaste que rien ne m'indique ses limites. Il n'y a pas d'horizon, seulement la terre à perte de vue. Je me contemple peut-être d'en haut. J'ai cette impression, bien que – les songes sont ainsi faits –, je puisse voir en même temps ce mouton non du dessus, mais devant moi.

Alentour, me semble-t-il, des fossés s'étirent sur des kilomètres. Ils ne ressemblent cependant pas à ceux qui bordent les routes. Ils sont beaucoup plus profonds, et ont l'air d'avoir été creusés – dans un dessein quelconque – par des mains humaines armées de pioches et de bêches. Les parois en sont bien droites, comme pour répondre à un but précis. S'agit-il de tranchées destinées à recevoir des canalisations d'égout ? À moins qu'on ne les remplisse un jour de pierres et de ciment – posant ainsi les fondations de quelque édifice gigantesque. Ou celles de murailles appelées à clore ce champ dans lequel je suis. Est-ce le jardin d'un prieuré ? Un cimetière quelque part en Europe, où l'on érige de tels remparts autour des morts ?

Je n'ai toujours pas bougé. Et j'ai beau me savoir habillé, je n'ai pas la moindre idée de ce que je porte. Je ne distingue aucune couleur sur ma manche. Ni ne perçois en aucune manière la texture ou la coupe de ma tenue – seulement la sensation de son poids qui me semble, dans mon immobilité, lourd comme du plomb.

Il se passe quelque chose. J'ignore quoi. Mais un objet énorme tombe, ou explose. Brusquement, la pluie devient brûlante. Je m'essuie les yeux, sans toutefois me déplacer, et lorsque je regarde autour de moi, je m'aperçois qu'une rivière de moutons a commencé à envahir les fossés. *Rivière* est bien le terme approprié. Ils affluent de tous côtés, leurs dos ondulent, se soulèvent et s'abaissent – ondoient presque à mesure qu'ils avancent. Une fois les fossés pleins, les moutons demeurent immobiles, comme en attente d'un ordre que moi aussi j'anticipe.

Rien ne vient rompre le silence. Même si, depuis tout ce temps, le murmure du vent se fait entendre au loin, il n'enfle ni ne diminue. Pas plus qu'il ne modifie sa tonalité. Il est là, tout simplement. Le vent souffle dans tous mes songes les plus récents – quoique toujours distant. Quant aux arbres dont les branches lui confèrent sa modulation particulière, on ne les voit jamais.

> *Agnus Dei, qui tollis peccata mundi,*
> *dona eis requiem.*

Ces mots naissent sous mes doigts comme par magie et vont sur la page au gré du vent. Dans le rêve, je n'ai pas conscience de les connaître. Je me contente de les transcrire.

À l'intérieur des fossés, les dos s'ébranlent, puis s'immobilisent de nouveau.

> *Agnus Dei, qui tollis peccata mundi,*
> *dona eis requiem sempiternam.*
> *Agneau de Dieu, qui enlève les péchés du monde,*
> *Accorde-leur le repos éternel.*

Le silence est maintenant universel.

De quoi ai-je rêvé ?

De quoi suis-je en train de rêver ?

Où est cet endroit si lugubre et implacable, toujours bondé et pourtant vide et triste en apparence, comme si la terre elle-même avait pris le deuil ? C'est un abattoir, j'en ai bien peur, avec nous pour moutons.

Sachant ce que je sais du passé, mon malaise vis-à-vis de l'avenir constitue désormais un fardeau dont je ne pense plus pouvoir supporter le poids. Je me réjouis de voir la lumière du jour et d'entendre une autre voix que la mienne.

* * *

Sybil referma le journal. Elle pleurait. Sans savoir pourquoi, au début – mais ensuite, elle comprit. C'était à cause des mots : *accorde-leur le repos éternel*. La quête de Pilgrim.

Avant de se retirer, elle demanderait à Phoebe Peebles de ranger les volumes dans un des placards. De même que leur emballage.

Jusqu'à la prochaine fois.

7

« Êtes-vous bien certaine de m'avoir tout dit ?

– À quel sujet ?

– Votre relation avec Mr. Pilgrim. »

Furtwängler, campé en face de Sybil le lendemain matin, évoquait moins un praticien amical qu'un avocat général avec sa froideur et ses questions frisant l'impertinence.

« J'ignore ce que vous avez en tête, docteur, mais je peux vous assurer que Mr. Pilgrim et moi ne sommes pas amants, ni ne l'avons jamais été.

– Je n'ai jamais prétendu une chose pareille.

– Toutefois, vous y pensiez.

– Je l'admets, oui. Cependant, je ne me serais jamais permis de vous demander des détails. Ce que vous faites, Mr. Pilgrim et vous...

– Inutile de vous justifier, *Herr Doktor*. Je comprends parfaitement votre réaction. Mais il se trouve que Mr. Pilgrim et moi, nous ne faisons rien. N'avez-vous jamais entendu parler de simples amitiés ?

– Les simples amitiés entre hommes et femmes sont plutôt rares, lady Quartermaine. Je ne doute pas que votre expérience vous l'ait enseigné.

– Je n'ai rien appris de tel.

– Et votre mari, le marquis... A-t-il lui aussi des dames pour amies ?

– Avoir des dames pour amies, ce n'est pas la même chose qu'avoir des femmes pour amies. Je ne doute pas, *Herr Doktor*, que *votre* expérience vous l'ait enseigné. »

Le Dr Furtwängler était resté debout jusque-là. Lady Quartermaine et lui se trouvaient dans l'une des salles de réception du rez-de-chaussée, où l'on avait allumé un feu. Il alla s'asseoir, et de leurs fauteuils garnis d'une housse verte, tous deux se dévisagèrent, également sur leurs gardes, également circonspects. Pour sa part, Furtwängler était convaincu que lady Quartermaine lui avait déjà menti. Pour sa part, Sybil avait commencé à perdre confiance en lui. Il y avait des limites aux suppositions qu'elle pouvait tolérer.

« Vous affirmez ne pas être amants, reprit le médecin. Dans ce cas, j'ai besoin de déterminer la nature exacte de vos relations. »

Jugeant la question aussi sotte qu'agaçante, Sybil Quartermaine la balaya d'un geste et garda le silence.

« Voulez-vous bien me dire, au moins, depuis combien de temps vous vous connaissez ?

– Depuis toujours.

– Je vous en prie, lady Quartermaine. Plus vous m'en apprendrez, plus j'aurai de chances de l'aider. *Depuis toujours* n'est pas une réponse.

– Pourquoi ? Je l'entends peut-être ainsi.

– Compte tenu de ce que je cherche à savoir, *depuis toujours* n'est pas instructif. L'expression peut donner lieu à n'importe quelle interprétation. »

Sybil soupira.

« Très bien..., fit-elle. J'avais douze ans. Il en avait dix-huit.

– Douze et dix-huit. Cela se passait donc en...

– 1880. L'année où mon père est mort.

– Et pour Mr. Pilgrim... ?

– Je l'ai trouvé dans le jardin.

– Pardon ?

– Je l'ai trouvé dans le jardin. À Chiswick.

– À Chiswick, vous dites ?

– Oui. C'est le quartier de Londres où j'ai grandi. Dans la partie ouest de la ville. Près du fleuve. La Tamise.

– Êtes-vous née là-bas ?

– Non. Du moins, je ne crois pas. À vrai dire, j'ignore où je suis née. Personne ne m'en a jamais parlé.

– Je vois. Donc, vous avez trouvé Mr. Pilgrim dans le jardin.

– Oui. En été. Au mois d'août. Mon père était décédé la veille, et ma mère, éperdue de chagrin, ne cessait de réclamer la présence de Symes, mon frère. Elle ne voulait pas de la mienne. J'en concevais du soulagement, étant moi aussi éperdue de chagrin. Ce matin-là, donc, je suis sortie de bonne heure. Je n'avais pas dormi. J'étais en chemise de nuit. Sans pantoufles. Je garde un souvenir très vivace de cette sensation – celle de l'herbe humide de rosée sous mes pieds nus. Je portais une sorte de châle, ou peut-être une couverture de laine. De couleur bleue. Auriez-vous une cigarette ? J'en accepterais une avec plaisir. »

Le Dr Furtwängler se leva pour lui présenter son étui en argent. Lui-même en prit une, et il les alluma toutes les deux à l'aide d'une longue bougie fine enflammée dans l'âtre.

Sybil s'adossa aux coussins de son fauteuil, puis jeta un coup d'œil au feu. La fumée de sa cigarette décrivait des volutes autour de son visage. À la lumière du jour, sa beauté était encore plus saisissante, bien qu'elle-même n'en parût pas consciente. On ne décelait nulle trace d'un artifice quelconque dans son apparence. Son teint laiteux, son abondante chevelure ramenée en arrière et ses yeux violets étaient autant de dons de la nature reconnus comme tels, mais aucunement mis en valeur. Pour seuls bijoux, elle arborait un simple rang de perles, sa bague de fiançailles, son alliance et un petit éclat de jade serti dans une monture d'argent épinglée à sa robe. Furtwängler remarqua également une marque de naissance à l'intérieur de son poignet gauche – un dessin sinueux, un peu comme un serpent, mais à peine esquissé. Et rouge.

« Vous étiez sortie dans le jardin, dites-vous, reprit Furtwängler. De bonne heure, si j'ai bien compris ?

– À l'aube. Il faisait jour, mais le soleil n'était pas encore levé. Un mur entourait le jardin, à Chiswick. Un vieux mur gris envahi par le lierre. Le lierre et la vigne vierge. À l'automne, il se parait de pourpre et d'orange ; il s'embrasait littéralement. Mais ce matin-là, il était vert. Couvert d'une végétation luxuriante, fournie. On ne distinguait presque pas les pierres et… Il y avait aussi des arbres. C'était ravissant. Magnifique. Une échelle était appuyée contre l'un de ces arbres, un chêne. Je ne me souviens plus pourquoi, mais je me souviens de sa présence. Et…

– Oui ?

– À côté de l'échelle, étendu sur l'herbe en dessous du chêne, se trouvait un jeune homme.

– Mr. Pilgrim ?

– Oui. Mr. Pilgrim. Pilgrim. De toute ma vie, je n'avais jamais vu un être d'une telle beauté. Ni les statues ni les tableaux ne m'avaient préparée à pareil spectacle. Et certainement aucun autre humain. Il avait des cheveux cuivrés, flamboyants, et un visage… Eh bien, vous l'avez vu, vous aussi. Teint diaphane, lèvres pleines, nez aquilin… Il portait un blazer bleu. Un pantalon gris clair. Pas de cravate. Une chemise blanche. Je… Il était endormi, vous comprenez. Et en le regardant, j'ai pensé qu'un dieu s'était égaré dans le jardin. Qu'il avait été abandonné.

– C'est alors qu'il s'est réveillé ?

– C'est moi qui l'ai réveillé. Je ne supportais plus de le savoir couché dans la rosée. Certaine qu'il allait attraper la mort, je lui ai touché le pied de mes orteils. Lorsqu'il m'a découverte, il a souri, et dit : *Je rêvais…*

– Il rêvait.

– Oui. Il s'était endormi, m'a-t-il confié, et avait rêvé.

– Mais que faisait-il dans ce jardin ? Comment y était-il arrivé ?

– Je lui ai posé la question, sans toutefois le brusquer. Il ne m'inspirait aucune crainte. Seulement de la curiosité. De plus, je ne voulais pas qu'il s'en aille.

– Et quelle a été sa réponse ?

– Il a affirmé n'avoir aucune idée de la façon dont il était arrivé là.

Ni même de l'endroit où il se trouvait. Je lui ai donné mon nom, mais celui-ci ne signifiait rien pour lui. Et quand je lui ai demandé qui il était, il a commencé par déclarer qu'il l'ignorait aussi. Ensuite, il m'a dit s'appeler Pilgrim.

– C'est donc ainsi que vous vous êtes rencontrés.

– En effet. Dans un jardin en plein été, l'année où mon père est mort. En 1880. »

Des bruits s'élevaient à présent dans le vestibule, témoignant d'une soudaine activité. On entendait des gens se saluer, taper des pieds pour se débarrasser de la neige. L'air froid du dehors, chargé d'odeurs, franchit le seuil. Dans la cheminée, les flammes vacillèrent. Sybil se pencha pour effleurer ses chevilles.

« Vous sentez ce courant d'air ? fit-elle avec un sourire. N'est-ce pas merveilleux, la façon dont il vous parle ?

– Pardon ?

– Oh, c'est juste une image. N'y a-t-il rien qui vous parle, docteur ? Parmi les choses de la nature, je veux dire. Le vent, peut-être ? Une averse ? Ou encore, le passage d'un animal ?

– J'ai bien peur que non. Mes sens ne doivent pas être suffisamment aiguisés.

– Pas nécessairement. Il s'agit d'un don, j'imagine. Comme la musique. Certaines personnes le possèdent, d'autres pas. Je doute qu'il y ait grand mal à cela. »

Elle ne s'était pas départie de son sourire. Mieux valait se montrer aimable. Pourquoi risquer de déclencher chez lui une réaction d'hostilité ? Pour le moment, le Dr Furtwängler était son seul interlocuteur.

« Et que vous aurait révélé ce courant d'air, lady Quartermaine ? Je suis curieux.

– Une personne d'importance vient d'arriver, à ce qu'il m'a appris Il m'a parlé de détermination, d'opiniâtreté. Je ne sais pas trop comment formuler cela. Mais quelle qu'en soit l'origine, c'était tout à fait rafraîchissant.

– Sans doute. »

Le Dr Furtwängler consulta ostensiblement sa montre et, ayant vu l'heure, prit un air contrit.

« Un patient m'attend, lady Quartermaine. Je vous prie de bien vouloir m'excuser.

– Mais certainement. »

Il se leva, rajusta son gilet et sa veste.

« Vous reverrai-je cet après-midi ? s'enquit-il.

– Une nouvelle visite de ma part s'impose-t-elle ? Si, comme vous me l'avez expliqué, Mr. Pilgrim ne souhaite pas ma présence pour le moment, pensez-vous qu'il puisse la souhaiter plus tard ?

— Revenez donc à l'heure du thé. Avec un peu de chance, il sera plus réceptif.

— Dans ce cas, je passerai à quatre heures et demie.

— Néanmoins, je ne saurais trop vous recommander d'envisager l'éventualité d'un autre rejet. Mr. Pilgrim se trouve présentement dans une position précaire. Je crois qu'il se sent menacé. Peut-être le danger vient-il de l'intérieur, peut-être vient-il de l'extérieur. Mr. Pilgrim n'a toujours rien dit.

— Je vois. »

Furtwängler hocha la tête, puis se tourna vers la porte.

« Puis-je ajouter quelque chose, docteur, avant que vous ne partiez ?

— Bien sûr. »

De nouveau il lui fit face, et attendit.

« Lorsqu'il parlera, reprit Sybil, il mentionnera des faits, ou des situations, à la limite de l'impossible. En vérité, certains événements… » Elle détourna les yeux. « … *sont* impossibles. Pourtant… » Elle jeta sa cigarette dans les flammes. « Dans son intérêt, je vous supplie de ne pas le contredire, au moins au début.

— Vous le croyez fou ?

— Je ne crois rien de tel. Je vous demande simplement de ne pas détruire ses convictions. Ce sont ses seuls repères.

— Merci, lady Quartermaine. Je prendrai votre conseil en considération. À cet après-midi, donc ? »

Elle acquiesça.

« Oui. À cet après-midi.

— Bonne journée à vous.

— À vous aussi. »

Dans le hall d'entrée, le Dr Furtwängler échangea quelques mots avec le vieux Konstantine, le concierge. Sybil entendit le psychiatre mentionner son nom, mais ni son esprit ni ses connaissances en allemand ne lui permirent de faire une traduction précise de leurs propos.

Elle se leva.

Elle se sentait épuisée.

Elle n'avait pas dormi.

En approchant ses mains du feu pour les réchauffer, elle vit la marque de naissance sur son poignet.

Et la contempla tristement.

« Soyez maudits, murmura-t-elle. Maudits. Maudits. Soyez maudits. »

8

En vérité, Furtwängler n'avait pas rendez-vous avec un patient. Au lieu de quoi, lorsqu'il regagna son bureau, il trouva le Dr Jung et le Dr Menken qui l'attendaient, comme il le leur avait demandé.

C'était l'arrivée de Jung dans le hall qui avait suscité les remarques de lady Quartermaine à propos des courants d'air capables de produire une certaine impression. Le sachant, Furtwängler s'en était quelque peu irrité. Jung, apparemment, avait le chic pour ne pas passer inaperçu, même lorsqu'il faisait son entrée en coulisses.

Menken, venu d'Amérique où il avait compté parmi les derniers étudiants de William James à Harvard, était nouveau à la clinique. Encore jeune – trente-deux ans –, c'était un esprit brillant, mais d'un sérieux à toute épreuve. Jung s'était donné pour mission d'amener un sourire par jour sur les lèvres de son confrère, mais jusque-là, il avait échoué. James eût-il encore été de ce monde, Jung lui aurait écrit pour se plaindre : *Serait-il donc impossible de sourire, et sourire encore, lorsque l'on est pragmatiste ?*

Carl Gustav Jung, à l'approche de la quarantaine, débordait d'un enthousiasme vibrant qui semblait sans limites. Il avait déjà acquis une certaine notoriété après la publication, en 1907, de *Psychologie de la démence précoce*. Cette étude de la schizophrénie avait ouvert de nouveaux horizons et contribué à attirer l'attention de Sigmund Freud – ce qui, à l'avenir, se révélerait désastreux.

En tant que clinique psychiatrique, Burghölzli n'avait pas de rivale – et certainement pas en Europe. Ayant pour vocation la recherche théorique et pratique depuis 1860, elle avait gagné une dimension internationale sous la direction d'Auguste Forel, qui avait pris ses fonctions en 1879. Après le départ en retraite de Forel, le directeur actuel, Eugen Bleuler, avait été nommé à la tête de l'établissement.

Bleuler était un spécialiste de la schizophrénie, mot qu'il avait lui-même inventé pour décrire la *démence précoce*. Il professait une théorie simple. Les hommes et les femmes souffrant de *démence précoce* étaient autrefois considérés comme incurables. Mais ceux qui souffraient de schizophrénie – littéralement, d'une dissociation de la personnalité –, pouvaient sinon guérir, du moins avec de l'aide, reprendre pied dans le monde réel, loin de l'univers imaginaire dans lequel ils avaient tendance à se retrancher pour vivre leur vie.

Célibataire, Bleuler avait fait de la clinique sa résidence officielle, et il passait tout son temps avec ses patients ou avec les membres du personnel – pour qui sa présence permanente constituait plus ou moins un fardeau. « Je me demande parfois s'il ne tient pas le compte quotidien du nombre de fois où nous allons aux toilettes », avait dit Jung.

Forel et Bleuler ne buvaient jamais d'alcool. *L'alcoolisme ne peut être soigné par des praticiens qui ne font pas eux-mêmes abstinence*, affirmait entre autres choses Forel. « Et si un patient souffre de priapisme, le médecin qui le soigne doit-il également renoncer au sexe ? » avait répliqué Jung.

Ce jour-là, dans son bureau inondé de soleil, Furtwängler salua de la main ses deux collègues.

« Je vous en prie, messieurs, asseyez-vous », dit-il.

Après s'être approché de sa vitrine, il la déverrouilla, révélant une bouteille de brandy et plusieurs verres. De tels objets ne pouvaient être exposés ouvertement. Tous les praticiens de la clinique Burghölzli avaient récemment reçu une note interne sévère émanant du directeur : *Des rumeurs circulent, selon lesquelles certains membres de l'équipe médicale estiment approprié, voire nécessaire, de conserver une réserve de boissons alcoolisées dans leurs bureaux. J'ai tout lieu de croire que de telles rumeurs sont dénuées de fondement, ayant déjà exprimé mon opinion sur des habitudes aussi déplorables. Signé : Bleuler.*

Bien que dépourvu d'humour et d'une compagnie plutôt ennuyeuse, le Dr Bleuler suscitait le respect. Pour autant, il ne suscitait pas le respect au point de forcer ses confrères à renoncer à leur penchant pour les spiritueux. Chaque cabinet recelait donc une cachette spéciale.

Menken s'assit, mais Jung resta debout.

« Vous avez l'air perplexe, Carl Gustav, commença Furtwängler.

– Je le suis, répondit Jung. Tatiana Blavinskeya a sérieusement régressé, et je me sens partagé entre la colère et la déception. Quelque chose, je ne sais pas encore quoi, l'a amenée – par force ou par persuasion – à renoncer au langage. Elle se trouve maintenant dans une semi-catatonie, ce qui ne laisse pas de m'intriguer dans la mesure où elle accomplissait jusqu'ici des progrès remarquables. L'un de vous a-t-il connaissance d'une cause possible à cet état ? »

Menken répondit *non* en prenant son brandy qui, par pure coïncidence, reproduisait la nuance exacte du costume à carreaux qu'il avait choisi de porter ce jour-là.

Furtwängler traversa la pièce pour tendre un verre à Jung, posté près de la fenêtre centrale.

« Eh bien, commença-t-il, j'ai peut-être une explication à proposer, mais... »

Il retourna s'asseoir à sa table de travail.

« Mais...? le pressa Jung avec une pointe d'impatience. Mais quoi...?

— Ce que je m'apprête à vous dire n'est que pure spéculation de ma part », répondit Furtwängler avant d'avaler une gorgée d'alcool.

Visiblement nerveux, Jung s'absorba dans la fouille minutieuse de ses poches à la recherche d'un cigarillo ; lorsqu'il l'eut trouvé, il l'alluma, puis se débarrassa de l'allumette consumée.

« Oh, je vous en prie ! s'exclama Furtwängler d'un ton irrité. Évitez de jeter vos allumettes par terre. Et utilisez donc un cendrier. Vous laissez une traînée de cendres derrière vous partout où vous allez. »

Jung prit le cendrier et, son verre à la main, les dents serrées sur son cigare, siffla :

« Veuillez poursuiiiivre.

— La comtesse Blavinskeya s'imagine qu'on lui a envoyé un messager venu de la lune, expliqua Furtwängler.

— Ah bon ? fit Jung, qui se pencha en avant.

— Oui. C'est faux, évidemment.

— Si elle est persuadée que c'est vrai, c'est que *ça l'est*, affirma Jung d'un ton péremptoire. Une opposition systématique à toutes les certitudes de la comtesse ne nous mènera nulle part. Qui était ce messager ? Quelqu'un l'a vu ? S'agit-il d'un homme ? D'une femme ? L'a-t-elle précisé ? Alors, quoi ? Qu'a-t-elle dit ?

— C'était un homme, répondit Furtwängler. Et je l'ai vu de mes yeux.

— Aha !

— Ne vous réjouissez pas trop vite. Il s'agit d'un nouveau patient. On lui a attribué la suite 306, dans le même couloir que Tatiana Blavinskeya. Apparemment, ils se sont rencontrés.

— Mais c'est merveilleux ! Absolument merveilleux. Dois-je comprendre qu'ils se sont reconnus ?

— Elle seule prétend l'avoir reconnu.

— Et...? Il vit sur la lune, lui aussi ?

— Carl Gustav, je vous en prie...

— Vous savez très bien ce que je veux dire : se prétend-il descendu de la lune ?

— Non. Il ne prétend rien du tout. Pour la bonne raison qu'il est muet.

– Des muets lunaires ! Deux, de surcroît ! s'exclama Jung. Si ça se trouve, il y aura bientôt un congrès ! »

Menken faillit sourire, mais se ravisa.

« Quand est-il arrivé, ce messager ? reprit Jung.

– Hier après-midi. Et ce n'est pas un messager. Il vient de… Enfin, on l'a amené d'Angleterre.

– D'aucuns affirment que l'Angleterre pourrait tout aussi bien être la lune ! » lança Jung en adressant un clin d'œil à Menken.

Celui-ci demeura impassible et silencieux. Il se sentait comme le juge arbitre d'un match de tennis. Lors de rencontres de ce genre, il semblait destiné à assumer ce rôle : pas tout à fait celui d'un participant, mais un peu plus que celui d'un simple spectateur. En fin de compte, ce serait cependant lui qui, ne se ralliant à aucune opinion et n'en formulant aucune, ferait le compte rendu le plus fiable de leur réunion.

« Comment s'appelle-t-il, cet homme ? s'enquit Jung.

– Pilgrim.

– Pilgrim*… Intéressant. Je me demande…

– Oui ?

– Que savez-vous de lui ? Outre le fait que Tatiana Blavinskeya le prenne pour un citoyen lunaire, tout comme elle ? Y aurait-il une chance pour qu'il appartienne au monde de l'art et des artistes ?

– Grands dieux, oui ! s'exclama Furtwängler. Vous en avez entendu parler ?

– Quel est son prénom ?

– Il n'en a pas. On ne le connaît que sous le nom de *Pilgrim*.

– C'est ainsi qu'il signe. J'ai lu ses ouvrages. C'est un historien de l'art. Brillant. Auteur d'une remarquable monographie sur Léonard de Vinci. Un esprit tout à fait éblouissant. Alors, quel est son problème ? Dans quel état se trouve-t-il ?

– Il a des tendances suicidaires.

– Oh… Comme c'est navrant. A-t-il déjà attenté à ses jours ?

– Oui. Plusieurs fois, même. La dernière par pendaison. Dans des circonstances tout à fait extraordinaires, croyez-moi. Cet homme devrait être mort. »

Furtwängler leur exposa les grandes lignes des rapports médicaux établis par le Dr Greene et le Dr Hammond, que Sybil Quartermaine lui avait laissés afin qu'il pût les examiner à loisir.

---

* « Pilgrim » signifie « Pèlerin ». (N. d. T.)

« J'aimerais le rencontrer, déclara Jung. J'aimerais même beaucoup le rencontrer. Cela me serait-il possible ?

– Bien sûr. C'est pour cette raison que j'ai sollicité votre présence à tous les deux.

– Et vous dites qu'il aurait dû mourir, mais que sa survie s'explique par des circonstances extraordinaires ? intervint Menken.

– C'est ce qu'il semblerait, en tout cas, répondit Furtwängler. Les deux médecins l'ayant examiné avaient déjà signé le certificat de décès et quitté les lieux quand, tout à coup, cinq, six ou sept heures après la pendaison, il est revenu à la vie.

– Peut-être qu'il ne voulait pas vraiment mourir…, fit Menken.

– Pourtant, vous affirmez qu'il avait déjà tenté de se supprimer, reprit Jung.

– Exact.

– Par pendaison ?

– Non. Par des moyens différents. Noyade. Poison. Les méthodes habituelles.

– Extraordinaire, en effet. À moins, bien entendu, que Menken n'ait raison, et que notre homme n'ait jamais vraiment agi avec détermination.

– Je dirais qu'offrir l'apparence de la mort pendant sept heures témoigne d'une détermination indéniable, objecta Furtwängler.

– Et maintenant, Tatiana Blavinskeya s'imagine qu'il a fait le voyage depuis la lune pour lui rendre visite.

– Oui. Hélas… » confirma Furtwängler, dont elle n'était pas la patiente préférée.

Jung s'adossa à son siège et se frappa le genou d'un air résolu.

« Parfait ! s'exclama-t-il. Quand puis-je le voir ?

– Maintenant, si vous le souhaitez.

– Je le souhaite vivement. Allons, dépêchons-nous de finir nos verres. Nous irons tous ensemble. À la lune, messieurs ! » Jung fit mine de porter un toast, puis avala son brandy. « Et maintenant, direction la lune, fissa ! »

Tout en buvant, Furtwängler crispa la main sur son verre. Mr. Pilgrim était son patient, à la suite des dispositions antérieures prises avec lady Quartermaine et avec l'accord implicite de Bleuler. Pourtant, alors qu'il se levait pour rejoindre les autres après avoir terminé sa boisson, il fut saisi d'un mauvais pressentiment. Il avait déjà dû céder d'autres patients à Jung – notamment la comtesse Blavinskeya, d'où la contrariété que suscitait en lui son absence de progrès vers la guérison. Jung manifestait parfois un enthousiasme excessif capable, pour peu qu'on ne le surveillât pas, d'anéantir la structure entière du traitement mis en place par un autre analyste.

Au moment de partir, Furtwängler tourna la clé dans la serrure en pensant : *Un de ces jours, je trouverai peut-être un moyen de l'évincer de la clinique pour de bon.*

9

Tel un enfant, Pilgrim se tenait debout au milieu de la pièce pendant que Kessler fixait un col à sa chemise.

Furtwängler fut le premier à prendre la parole.

« N'est-il pas capable de s'acquitter lui-même de cette tâche ? »

Kessler, enfin parvenu à insérer un bouton récalcitrant, haletait quelque peu sous l'effet de la frustration.

« Il s'y efforce, monsieur, dit-il. À mon avis, il préférerait s'habiller seul, mais trois boutons se sont égarés quelque part sur le sol après qu'il les a lâchés. Je vais juste lui nouer sa cravate, si vous n'y voyez pas d'inconvénient. »

L'aide-soignant avait déjà sélectionné une superbe cravate de soie bleue, qu'il avait jetée sur son épaule. De la tête, il salua les deux autres médecins en blouse blanche, immobiles et silencieux près de la porte.

« Bonjour, messieurs », dit-il. Puis, indiquant Pilgrim d'un coup d'œil, il expliqua : « Nous avons fait notre promenade et attendons maintenant notre déjeuner. » Après avoir passé la cravate autour du cou de son patient, il entreprit de former le nœud. « Nous n'avons pas bien dormi, et nous sommes restés un long moment ici, près des fenêtres, à contempler le ciel. À six heures, une heure avant le lever du soleil, nous nous sommes assis en tournant le dos à la pièce, les genoux plaqués contre le mur. À sept heures et quart, nous avons dû prendre en compte la nécessité d'utiliser les toilettes, et ensuite, nous sommes revenus près des carreaux. Lorsque le soleil a paru, nous avons remué la main en signe de bienvenue. Ce fut tout à fait extraordinaire... Il n'a esquissé aucun autre geste. Il garde les bras ballants la plupart du temps, et ses doigts sont maladroits, comme en témoignent les trois boutons perdus. »

Kessler tira sur le nœud pour le resserrer, mais Pilgrim tendit les mains afin de l'en empêcher.

Aussitôt, Kessler recula.

« Ah, dit-il. Une autre tentative. »

Pilgrim acheva lui-même le nœud, qu'il poussa de côté.

À cet instant, Furtwängler fit quelques pas sur le tapis.

« Mr. Pilgrim, commença-t-il avec son plus beau sourire de commande, j'ai amené mes collègues pour qu'ils puissent faire votre connaissance : voici le Dr Jung et le Dr Menken. »

Pilgrim, qui abaissait les revers de son col, se tourna vers le miroir au-dessus de la commode.

« Mr. Pilgrim…, reprit Furtwängler en avançant la main comme pour toucher son patient.

— Non, intervint Jung après s'être approché à son tour. Ne vous en mêlez pas. Laissez-le tranquille. »

Les bras de Pilgrim retombèrent le long de ses flancs.

Kessler lui apporta une veste de tweed Harris.

Posant un doigt sur ses lèvres, Jung lui prit le vêtement. Kessler s'écarta et attendit avec les autres.

« Votre veste, Mr. Pilgrim », annonça Jung.

L'intéressé se détourna légèrement – pas assez cependant pour croiser le regard de Jung –, et enfila les manches doublées de satin.

« Je sais qui vous êtes », dit Jung.

Déjà, Pilgrim essayait de fermer les boutons.

« Je m'appelle Carl Jung, et j'ai lu votre ouvrage sur Léonard de Vinci. Je l'ai trouvé excellent. Tout à fait excellent. Et… »

Pilgrim pivota brusquement puis, passant devant les autres, entra dans la salle de bains, dont il ferma la porte derrière lui.

« Y a-t-il une clé ? s'enquit Jung.

— Non, monsieur, répondit Kessler. Je conserve toutes les clés dans ma poche.

— Y a-t-il un rasoir ?

— Non. Je l'ai emporté. J'ai moi-même rasé Mr. Pilgrim ce matin.

— Et comment a-t-il réagi ? Quand vous l'avez rasé, j'entends.

— À un certain moment, il a fait tomber le rasoir de ma main. Un peu comme tout à l'heure avec la cravate.

— A-t-il essayé de le ramasser ?

— Non. Je m'en suis chargé. Ensuite, j'ai achevé de le raser, et tout s'est passé sans encombre.

— Que pense-t-il de vous ? interrogea Jung. Éprouve-t-il du ressentiment à votre égard ?

— Il ne parle pas. À une ou deux reprises, je l'ai surpris à m'observer, mais son regard était inexpressif. Il semble savoir qui je suis, que mon travail consiste à l'aider, mais hormis cela, c'est à peine si je décèle dans ses yeux une lueur d'intérêt.

— S'est-il déjà comporté de la sorte ? S'enfermer dans la salle de bains, je veux dire.

— Seulement lorsqu'il utilise les cabinets. Je suis resté avec lui le temps qu'il prenne son bain. Je ne laisse jamais un patient procéder seul à sa toilette. Non, jamais.

– Très bien. Cela vaut mieux, en effet. Même s'il n'a pas l'intention de se nuire, on ne peut écarter l'éventualité d'un accident. Ainsi donc, Mr. Pilgrim n'a pas prononcé une parole?

– Non, monsieur. Pas une seule.

– A-t-il pris son petit déjeuner?

– Oui. Une moitié de pamplemousse, un toast beurré et une tasse de café.

– Rien d'autre?

– Rien d'autre. »

Jung considéra un moment la porte de la salle de bains avant de se tourner vers Furtwängler qui, après tout, était le médecin de Pilgrim.

« Vous permettez? » demanda-t-il.

Son collègue s'efforça de ne pas s'exprimer avec trop de brusquerie.

« Qu'avez-vous en tête, Carl Gustav?

– J'aimerais le rejoindre. Et si cela me paraît approprié, je fermerai la porte derrière moi. Avec votre autorisation? »

Se tournant vers Menken, Furtwängler arqua un sourcil.

« Apparemment, je suis sur le point de perdre encore un patient », marmonna-t-il. Et d'ajouter, à l'adresse de Jung : « Rappelez-vous tout de même qu'il est à moi, Carl Gustav.

– Bien sûr, répliqua Jung. Je veux juste établir un lien.

– Dans ce cas… Puisque vous l'estimez nécessaire, allez-y. » Furtwängler regarda de nouveau Menken, qui pivota vers les fenêtres. « Nous attendrons ici.

– Merci. »

Jung esquissa un salut hésitant, puis s'approcha de la salle de bains. Après avoir frappé lentement trois coups légers, il entra.

10

Il n'y avait pas de lumière. La pièce était plongée dans l'obscurité.

Ignorant la géographie des lieux, Jung resta près de la porte, la main gauche sur la poignée.

« Préférez-vous que je n'allume pas, Mr. Pilgrim ? » interrogea-t-il.

Sans obtenir de réponse.

Immobile, Jung attendit.

Il guetta la respiration de Pilgrim, mais en vain.

« J'ai toujours trouvé l'obscurité digne d'intérêt, commença-t-il. Quand j'étais petit, j'en avais peur, bien entendu, comme la plupart des enfants. Mon père était ministre du culte – pasteur de l'Église protestante suisse. Je l'ai souvent vu dans le cimetière local dire le service funèbre et, étant impressionnable de nature, il m'arrivait fréquemment de revoir la scène dans mes rêves. Mais jamais il n'y avait de lumière. L'atmosphère était toujours lugubre, sombre, ténébreuse. C'étaient les tombes, je suppose, qui m'effrayaient le plus dans le contexte du service funèbre. *On vous met dans le noir, et on vous y laisse.* Ce genre de choses. Peut-être avez-vous fait des rêves semblables lorsque vous étiez petit. Ou comparables, du moins. Presque tous les enfants en font. »

Jung attendit encore.

« Mr. Pilgrim ? »

Aucune réponse, ni aucun bruit à l'exception de l'écho presque imperceptible d'un écoulement d'eau quelque part dans le bâtiment.

Jung lâcha la poignée, avança d'un pas.

Rien.

Il fit encore un pas.

Toujours rien.

« Plus tard, je dirais au moment de la puberté, l'obscurité a pris une nouvelle signification pour moi. Je ne la craignais plus ; au contraire, je l'accueillais avec plaisir. Il n'était plus question de tombes. De fait, je n'en rêve pratiquement plus aujourd'hui. Il y a des chances pour que cela se reproduise à l'avenir, évidemment – en vieillissant. Mais pour le moment, le berceau a remplacé la tombe ; ou, en d'autres termes, *la force de vie.* Après tout, c'est le plus souvent dans l'obscurité que nous procréons... »

Au loin, quelqu'un tira une chasse d'eau. Les canalisations se mirent à vibrer.

« Je n'avais jamais mené d'entretien dans le noir, observa Jung. Cela m'amuse. Vous aussi, peut-être. »

Rien.

« Mr. Pilgrim ? »

Jung fit un troisième pas.

« Pourquoi vous obstinez-vous à garder le silence ? demanda-t-il. N'y a-t-il vraiment rien que vous souhaitiez dire ? »

Apparemment pas.

« Si j'étais sûr que le sujet présente un quelconque intérêt pour vous, je continuerais ma dissertation sur l'obscurité, mais je présume que... »

À cet instant, on frappa à la porte.

« Allez-vous-en, ordonna Jung.

– Mais...

– Allez-vous-en. Un peu de patience. Attendez. »

Il entendit le bruit d'une conversation de l'autre côté du battant, mais sans distinguer les propos.

Depuis combien de temps se trouvait-il là ?

Il n'en avait pas la moindre idée.

Si seulement il savait où était l'interrupteur...

Il palpa le mur derrière lui.

On le place généralement près de l'entrée, pensa-t-il. Pourtant, sa main ne rencontra que le vide.

« Accepteriez-vous de m'aider, Mr. Pilgrim ? J'ai besoin de localiser l'interrupteur, car il va me falloir utiliser les toilettes... »

Il s'agissait d'une ruse, bien entendu, mais Jung la croyait susceptible de fonctionner. À ce stade, tout était susceptible de fonctionner. Peut-être devrait-il appeler au secours. Ou crier : *AU FEU !*

À cette pensée, un petit rire lui échappa.

« Il me vient les idées les plus étranges, les plus farfelues, Mr. Pilgrim, avoua-t-il. Je me disais que je pourrais sans doute crier *Au feu !* afin de vous obliger à réagir – sauf que s'il y avait le feu, forcément, vous vous en apercevriez... »

Des allumettes.

Dieu ce que j'ai l'esprit lent !

Alors qu'il fouillait ses poches – mettant la main sur tout sauf ses allumettes –, Jung éprouva soudain la curieuse impression que, d'une façon ou d'une autre, Pilgrim lui avait échappé, et que depuis son arrivée, il n'avait fait que se parler à lui-même.

Il trébucha, puis s'immobilisa net. En proie à une brusque nausée.

De la pointe de sa chaussure, il avait touché quelque chose – peut-être un bras ou une jambe.

« Mr. Pilgrim ? »

Jung donna un léger coup de pied à l'obstacle.

« Mr. Pilgrim ? »

Il s'agenouilla.

Ce faisant, il se rendit compte qu'il avait commis une erreur en évaluant l'état d'esprit de Pilgrim – et qu'il l'avait perdu à cause de son orgueil. Sa certitude d'avoir raison, celle que Pilgrim ne nourrissait pas réellement le désir d'attenter encore une fois à sa vie, l'avait emporté sur le bon sens. *Un homme qui veut vraiment mourir renouvellera encore et encore ses tentatives… comme l'a fait cet homme.*

Tout cela lui traversa l'esprit tandis qu'il se baissait. De plus…

Ses genoux heurtèrent le sol.

Douleur.

Carrelage.

Dur, froid.

Jung reprit son souffle, tendit les deux mains devant lui et laissa glisser ses paumes sur ce qui ressemblait à l'étendue de glace battue par les vents dans son enfance – celle, cauchemardesque, du lac de Constance.

Ses doigts agrippèrent une manche.

Du tweed.

Rugueux.

Vide.

Il tira la veste à lui.

Puis une chemise au col arraché.

Il fouilla frénétiquement chacune de ses poches.

Des allumettes. Des allumettes. Mais où sont-elles ?

Sous sa blouse blanche, Jung portait une veste, un gilet et une chemise. Des poches. *Toutes ces poches. Beaucoup trop de poches…*

Là, crétin !

Bien sûr.

Dans la poche inférieure gauche du gilet, à l'endroit exact où tu les as laissées.

Après trois tentatives infructueuses, la quatrième allumette, enfin, s'enflamma.

À sa lueur, Jung constata qu'il dérivait sur un océan d'habits abandonnés : pantalon, cravate, sous-vêtements, chaussures, chaussettes, veste, chemise…

Oh, Seigneur… Où est-il ?

L'allumette se consuma jusqu'à ses doigts. Il la jeta dans un coin, en craqua une autre et se redressa avec peine.

L'interrupteur se trouvait sur la lampe au-dessus du lavabo.

Ô merveille des merveilles ! Comme c'est astucieux ! Un interrupteur sur une lampe ! Imbécile !

Il tira la chaînette.

Dans un coin de sa mémoire, il nota : penser à convoquer *Le Concepteur Universel des Salles de Bains* devant *Le Tribunal Universel des Mesures de Sécurité*. Des interrupteurs se balançant au-dessus des robinets dans un établissement psychiatrique… *De la pure folie !*

Pilgrim.

Jung le voyait dans la glace. En partie, du moins. Le sommet de sa tête. Une épaule.

Il était étendu dans la baignoire. Nu.

Jung demeura pétrifié.

Il aurait dû appeler les autres, il le savait, mais impossible d'ouvrir la bouche.

Après quelques secondes qui lui parurent des heures, il se cogna de nouveau les genoux en tombant à côté de Pilgrim.

Le fond de la baignoire était écarlate.

Mon Dieu… Il a réussi.

Mais non.

Au moment où Jung s'apprêtait à saisir les poignets de Pilgrim, celui-ci fut pris d'une brusque convulsion et parvint presque à s'asseoir.

Il agita les mains, puis les laissa retomber de chaque côté de son corps, où elles s'activèrent frénétiquement sous ses cuisses et ses fesses imprégnées de sang. Enfin, sa main droite s'éleva, triomphante.

Serrant une cuillère. Une petite cuillère à la bordure crantée.

Les mots *Une moitié de pamplemousse pour le petit déjeuner* traversèrent l'esprit de Jung. Une moitié de pamplemousse, à manger avec une petite cuillère crantée.

De sa main gauche, Pilgrim attrapa Jung par le revers de sa blouse pour l'attirer près de son visage.

Il ouvrit la bouche.

Tendit la cuillère.

Leva des yeux emplis d'une angoisse indicible.

« Je vous en prie, chuchota-t-il. *Je vous en prie*, répéta-t-il en brandissant la cuillère pathétique en direction de Jung. Tuez-moi. »

Jung desserra les doigts crispés sur son vêtement et se mit debout.

Après avoir rassemblé plusieurs serviettes, il en enveloppa le corps de Pilgrim, puis en fourra d'autres dans le lavabo, où il avait déjà fait couler de l'eau froide.

Plaçant la cuillère dans sa poche, il se dirigea vers la porte et l'ouvrit.

Avant de retourner près de la baignoire, il jeta un coup d'œil dans la pièce adjacente, éclatante de soleil, et lança à ses collègues :

« Vous pouvez entrer, maintenant. Il a parlé. »

11

Ce furent Menken et Kessler qui accompagnèrent Pilgrim à l'infirmerie, où l'on s'occupa des entailles à ses poignets. Bien qu'il eût perdu une grande quantité de sang, les lésions n'étaient pas aussi sérieuses que s'il avait utilisé un couteau. Mais ceux placés sur les plateaux destinés aux patients qui prenaient leurs repas dans leur chambre comportaient des bouts arrondis et des bords non tranchants – rendant ainsi vaine toute tentative pour se blesser.

Après le départ des autres, Furtwängler poussa un soupir et leva les bras en un geste d'impuissance.

« Bon, dit-il en s'affalant sur le lit de Pilgrim. Que vais-je bien pouvoir faire de vous ?

– De *moi* ? répéta Jung. Pourquoi ?

– Sans votre intervention, nous aurions été en mesure de prévenir son geste.

– Vous n'auriez rien prévenu du tout, répliqua Jung. Je veux dire... Imaginez un peu ! Cet homme a essayé de se tuer avec une cuillère. Son acte me paraît dicté par un désespoir sans nom. Ça n'a aucun rapport avec moi.

– Vous avez tenté de vous attirer ses bonnes grâces. À la minute où vous lui avez tendu sa veste, il a compris qu'il vous tenait dans le creux de sa main. Franchement, je suis découragé. Vous avez agi de la même manière avec Blavinskeya : vous vous êtes extasié sur les merveilles de la lune. Et vous avez agi de la même manière avec l'Homme-chien : vous avez permis à son surveillant de le promener en laisse. Quant à l'Homme-au-crayon-imaginaire, vous lui avez affirmé qu'il était l'auteur des plus beaux écrits que vous ayez jamais lus ! À croire que vous ne voulez pas les ramener parmi nous ! Que vous voulez absolument les garder prisonniers de leurs rêves ! »

Jung se tourna vers la commode et effleura une photographie dans un cadre d'argent. Elle montrait une femme apparemment en deuil – yeux baissés, tête penchée, arborant une robe et des perles noires.

« Ce n'est pas vrai, se défendit-il. Je n'ai jamais voulu les abandonner à leurs rêves. Mais ceux-ci sont réels, il faut bien que quelqu'un le leur dise. » Et d'ajouter, après un instant : « Réels, comme le sont aussi leurs cauchemars.

— Faux. Ils ne sont pas réels. Ils sont ce qu'ils sont : les manifestations de la folie.

— La lune est réelle, objecta Jung. La vie d'un chien aussi. Tout comme le monde tel qu'ils l'imaginent. S'ils en sont persuadés, nous devons adhérer à leurs convictions... Du moins, jusqu'à ce que nous ayons appris à parler leur langage et à entendre leurs voix.

— Oh, oui. » Furtwängler soupira de nouveau. « Je sais tout cela. Mais vous poussez les choses trop loin. Lorsque Pilgrim a parlé, que vous a-t-il dit ? *Tuez-moi.* Ce n'est pas à moi qu'il aurait adressé pareille requête. Ni à Menken. Ni à Bleuler. Il ne l'aurait adressée à aucun autre médecin de cette institution. À aucun de nous, non ; uniquement à vous. Et à vous seul, parce que vous vous placez toujours en position d'allié, de complice du patient.

— Je suis l'allié du patient. D'où la raison de ma présence. De notre présence à tous, Josef.

— Non. Nous n'avons pas à être des alliés. Ou des complices. Des amis, oui. Prêts à leur accorder notre sympathie, oui. Mais pas à intriguer avec eux, ni à leur permettre d'établir les règles. Les règles, c'est *nous* qui les établissons. C'est *la réalité* qui les établit. Pas eux. Pas les fous... les aliénés...

— Je croyais que nous étions convenus de ne pas employer ces termes, fit Jung. Nous n'employons jamais le mot *fou*, et nous n'employons jamais le mot *aliéné.* C'était notre accord.

— Eh bien, je dis *fou* et *aliéné* lorsque *fou* et *aliéné* me paraissent pertinents. Et en l'occurrence, je pense que c'est *vous* qui êtes *fou.* » Furtwängler se leva. « Grands dieux ! Il n'est arrivé que depuis deux jours, et il commet déjà une nouvelle tentative de suicide.

— C'est dans la nature de sa nature. Apparemment.

— Voilà, vous recommencez ! *Apparemment !* Que signifie "apparemment" dans le cas de Pilgrim ? Vous l'avez à peine vu.

— Je prends ce que l'on me donne, répliqua Jung. Je prends ce qu'ils ont à m'offrir. Lui, il m'a offert ses poignets taillagés. Et alors ?

— Alors, laissez-le tranquille, et laissez-le-moi.

— Dans ce cas, pourquoi avoir sollicité ma présence ? Et celle d'Archie Menken ? Pourquoi nous avoir demandé de venir ? »

Pour un peu, Furtwängler se serait giflé, et il aurait répondu : *Parce que je suis un idiot.* Au lieu de quoi, il déclara :

« Je l'ignore. Sans doute à cause de cette croyance désuète selon laquelle l'opinion d'un confrère se révèle parfois utile. J'aurais pourtant dû savoir à quoi m'en tenir. Surtout considérant mes précédentes expériences avec vous.

– Je regrette que vous réagissiez ainsi.

– Je n'ai pas d'autre solution, n'est-ce pas ? Vous ne me donnez pas le choix, Carl Gustav.

– Et ?

– Et je vous prierai donc de ne plus chercher à entrer en contact avec Mr. Pilgrim jusqu'à nouvel ordre. »

Sur ces mots, Furtwängler se détourna, s'approcha de la porte séparant les deux pièces, s'attarda un instant sur le seuil puis, avant de partir, lança par-dessus son épaule :

« Bonne journée à vous.

– Bonne journée à vous aussi », répondit Jung – mais dans un souffle.

Lorsqu'il entendit les portes de la suite se fermer, il se dirigea de nouveau vers les fenêtres. Avant de s'asseoir et de contempler ses mains. *J'ai des mains de paysan*, songea-t-il. *Des mains de paysan, des manières gauches de paysan.*

Moins d'une minute plus tard, Kessler revenait lui annoncer que Mr. Pilgrim passerait le reste de la journée à l'infirmerie.

« Les blessures sont graves ? s'enquit Jung.

– Elles n'ont pas un caractère irrémédiable, bien qu'il se soit infligé des coupures assez profondes pour un homme armé seulement d'une cuillère. Avant tout, ils veulent garder un œil sur lui. J'ai rencontré le Dr Furtwängler dans le couloir juste avant d'entrer, et il m'a dit qu'il allait lui rendre visite.

– Oui.

– À présent, si vous le permettez, je vais remettre un peu d'ordre dans la salle de bains.

– Bien sûr. »

Jung demeura dans la chambre, où il déambula sans but apparent entre le lit, la commode et le bureau, inspectant toutes les surfaces d'un doigt désinvolte comme pour vérifier la présence ou l'absence de poussière. Devant la commode, il s'immobilisa le temps d'ouvrir et de fermer les tiroirs les uns après les autres, de fourrager parmi les mouchoirs, les chemises, les sous-vêtements, les cravates et les foulards pliés avec soin.

Manifestement, Pilgrim était un homme fortuné. Il faisait également preuve de discernement dans ses critères de choix : la qualité l'emportait sur la quantité. Chez la plupart de ceux qui naissent dans un monde où richesses et élégance vont de pair, l'idée même de posséder plus que le strict nécessaire passe en effet pour vulgaire, voire indécente. Les chemises disposées sous les doigts inquisiteurs de Jung dureraient dix, peut-être quinze ans – du moins, tant que la corpulence de leur propriétaire n'augmenterait pas. Il n'en irait pas de même pour les cols et les mouchoirs, évidemment; ils n'étaient pas appelés à durer aussi longtemps. Même chose pour les chaussettes. Les sous-vêtements simples et pratiques exposés à sa vue serviraient sans doute trois ou quatre ans. Quant aux cravates, elles se gardaient éternellement.

Éternellement... Pourquoi ce mot ne cessait-il de lui revenir à l'esprit ce jour-là? se demanda Jung. *Éternellement.* Il n'y avait pas songé la semaine précédente. Pas la veille non plus. Non, seulement aujourd'hui: *éternellement.*

Eh bien...

De nouveau, il regarda le visage de la femme dans le cadre d'argent. Son apparence évoquait une autre époque, un autre style – vingt ou trente ans plus tôt, avant le début du siècle. Et de qui portait-elle le deuil? Un enfant? Son mari? Elle-même, peut-être?

Dans la salle de bains, Kessler ramassait les habits éparpillés, qu'il emporterait à la buanderie.

« C'est drôle, dit-il à Jung en s'approchant du lit pour les trier, comme les vêtements abandonnés par un suicidé donnent l'impression d'être d'une certaine manière souillés. J'ai moi-même habillé Mr. Pilgrim ce matin, et je sais que chaque élément de sa tenue était impeccable lorsqu'il l'a enfilé. Pourtant, mes mains ont beau me dire que c'est propre, une sorte d'instinct me souffle que ça ne l'est pas.

– C'est ce qu'on appelle *une réaction atavique*, Kessler. De la même façon, un enfant, ou même un bébé, comprend qu'une vipère est dangereuse. Cependant, Mr. Pilgrim ne s'est pas suicidé. Il est toujours vivant.

– Certes, mais... Ceux qui ont essayé et échoué essaieront encore. C'est ce que m'a enseigné mon expérience, en tout cas. Et ce que vous a enseigné la vôtre, j'imagine.

– Je le reconnais, en effet. Il est fort probable que Mr. Pilgrim renouvellera sa tentative. »

Kessler maintint devant lui la chemise de Pilgrim, dont il écarta au maximum les manches crème. On aurait dit des ailes.

« Il n'est pas petit, cet homme-là.

– Non. Il me domine d'au moins une tête, déclara Jung. Laissez-moi regarder, s'il vous plaît. »

Il tendit la main à Kessler, qui lui passa la chemise.

« Ils appellent ça du coton égyptien, précisa-t-il. Doux comme le baiser d'un enfant, ajouta-t-il en portant le tissu à ses narines.

– Si je puis me permettre, monsieur, ça me paraît plutôt bizarre de renifler le vêtement d'un autre homme.

– Citron, décréta Jung. Cette chemise sent le citron. Le citron, et aussi... »

Il jeta le vêtement à Kessler, qui le huma à son tour.

« Le citron, oui, approuva-t-il. Mr. Pilgrim porte une espèce d'eau de toilette. Il s'en tapote les joues quand j'ai fini de le raser. Vous la trouverez dans la salle de bains. »

Après avoir franchi la porte, Jung repéra le flacon sur la tablette en marbre au-dessus du lavabo. Un bouchon rond, en verre, le fermait, et il s'ornait d'une étiquette grise rédigée en anglais.

Penhaligon's of London, lut Jung. *By Appointment to His Majesty, King Edward VII, Perfumers.**

Dessous, en lettres enluminées, il déchiffra : *Blenheim Bouquet.*

Après avoir ôté le bouchon, Jung inhala la fragrance. *Citron. Orange. Citron vert et mousse. Et peut-être une touche de romarin...*

« Il y avait une femme ici ce matin, dit-il. Avec le Dr Furtwängler, dans la salle de réception... » Il inclina le flacon, versa un peu de son contenu sur le bout de son doigt. « Sauriez-vous par hasard de qui il s'agit ?

– Vous voulez sans doute parler de lady Quartermaine, répondit Kessler. J'ai reconnu son automobile. C'est cette dame qui a amené Mr. Pilgrim de Londres, hier. »

Jung reparut sur le seuil.

Kessler, près de la penderie, suspendait à un cintre la veste de tweed. Il tenait une brosse à vêtements.

« Quartermaine, vous dites ?

– Oui, monsieur.

– Alors, elle doit porter aussi ce parfum. Je l'ai senti sur le Dr Furtwängler lorsqu'il est entré dans le vestibule. »

Son interlocuteur pivota, l'air choqué.

« J'ignore à quoi vous faites allusion, monsieur. Cette suggestion est inconcevable. »

Après avoir gratifié l'habit d'un ultime coup de brosse, il ferma l'armoire.

« Non, non..., fit Jung, avant d'éclater de rire. Je ne sous-entendais pas qu'ils s'étaient enlacés ! Pas du tout. C'est juste que j'ai le flair

---

* Littéralement : « Penhaligon, Parfumeurs à Londres. Fournisseurs officiels de Sa Majesté, le roi Edouard VII. » (N. d. T.)

d'un limier. Lady Quartermaine a dû serrer la main de Furtwängler, dont les doigts se sont imprégnés de cette senteur.

– Eh bien, c'est un talent remarquable, monsieur. Je suis impressionné.

– Avez-vous une idée d'où loge lady Quartermaine ?

– À l'hôtel Baur au Lac, monsieur. D'après ce que j'ai entendu dire.

– Merci. »

Jung se dirigeait déjà vers le couloir.

« Docteur ? »

Il se retourna.

« Avant que vous ne partiez, je crois nécessaire d'attirer votre attention… » Kessler avait l'air embarrassé. « Voilà, j'ai constaté une autre particularité chez Mr. Pilgrim, monsieur. Outre son refus de parler et ses efforts pour se tuer…

– Et c'est… ?

– Il y a une marque sur lui, monsieur. Derrière…

– Sur ses fesses ?

– Non, monsieur. Juste entre les deux omoplates.

– Quel genre de marque ?

– Assez semblable à un tatouage. Vous avez déjà vu des tatouages, je suppose. Je mentionne ce détail, car en le découvrant, je me suis demandé si Mr. Pilgrim n'avait pas pris la mer. Vous savez comment sont les marins ; certains ont des dessins partout sur le corps.

– Que représente-t-il, ce tatouage ?

– Un papillon, monsieur. Et il y a encore autre chose.

– Oui ?

– Vous comprenez, docteur, il est d'une seule couleur. Rouge. C'est tout à fait inhabituel. Ça ressemble à des piqûres minuscules – comme si on l'avait tracé sur le dos de Mr. Pilgrim avec une aiguille ou une épingle. Toute une série de petits points. Vous me suivez ? Étrange, non ? Aucun rapport avec le tatouage naval typique. J'ai pensé qu'il fallait vous en informer. Il a essayé de le dissimuler. De vite enfiler sa chemise avant que je ne m'en aperçoive. Mais j'ai surpris son reflet dans le miroir, clairement. Alors, j'ai pensé…

– Oui ?

– Eh bien, j'ai pensé que c'était peut-être une sorte de – je ne sais pas –, d'insigne. Qu'il appartenait à une espèce de club ou de société secrète. Ce genre de chose. Que c'était un signe ou un signal de reconnaissance destiné aux gens du même cercle.

– Merci, Kessler. Tout cela est très intéressant.

– Oui, monsieur. De même qu'on pourrait dire aussi que Mr. Pilgrim lui-même est très intéressant. Différent du fou moyen, quoi, si vous voyez ce que je veux dire.

— Oui, je vois très bien. Bonne journée.

— Bonne journée, docteur. »

Lorsque Jung eut quitté la pièce et refermé la porte derrière lui, Kessler retourna vers le lit, ramassa la chemise de Pilgrim, en écarta les manches comme il l'avait fait précédemment et la leva vers le soleil qui pénétrait à flots par les fenêtres.

Donc, les anges sentent le citron. Bien, bien, bien. Ils sentent le citron, et à l'endroit où viennent se fixer leurs ailes, Dieu a dessiné un papillon. Juste entre les omoplates.

La chemise toujours devant lui, il regarda la lumière vacillante du soleil jouer dans les plis du tissu. Baissa les manches, les releva. Les baissa, les releva, encore et encore. Mimant le vol d'un ange.

12

Johannes Kessler vivait avec sa mère et sa sœur Elvire dans une maison étroite, tout en hauteur, située à mi-chemin de la pente séparant la clinique de la Limmat. C'était le seul garçon d'une famille qui s'enorgueillissait par ailleurs de six filles, dont cinq étaient bien mariées. La sixième, Elvire, avait été choisie pour veiller sur ses parents jusqu'à leur mort, tenir la maison à leur place, s'occuper des commissions et jouer le rôle de gouvernante auprès de son cadet.

Ils étaient pauvres. Leurs parents travaillaient tous deux à l'extérieur – Johannes senior à la minoterie, *Frau* Eda comme cuisinière chez un certain *Herr* Munster, un avocat n'ayant jamais pris femme. Son statut de célibataire ne constituait cependant pas une menace. Jamais *Frau* Eda n'aurait toléré ne serait-ce que la plus discrète des avances. Elle avait de l'ambition pour ses enfants, qu'aucun soupçon de scandale ne devait entacher. Ils se feraient une place au sein de la classe moyenne, place que ses propres parents avaient passé leur vie à se faire avant eux.

Le principal atout dont disposaient les jeunes Kessler était la dot de *Frau* Eda, à savoir la maison dans laquelle ils vivaient, legs de son père à l'agonie. Sans cette demeure, sise au cœur d'un quartier petit-bourgeois, ils n'auraient eu d'autre solution que d'habiter à la périphérie de la ville, où les pauvres s'entassaient dans des taudis et autres logements ouvriers coincés entre diverses usines. C'était là-bas que Johannes senior se rendait chaque jour, et d'où, chaque jour, il revenait.

Les premiers souvenirs du petit Johannes concernaient son père assis seul le soir, l'air épuisé, le regard perdu dans le vague au-dessus d'un bol de soupe – ne voyant rien, ne disant rien, se bornant à porter une cuillère à sa bouche puis à la laisser redescendre jusqu'à vider le bol. Alors, Elvire lui ôtait la cuillère de la main pour la remplacer par une fourchette. Saucisse, chou et pommes de terre suivaient – mangés de la même manière absente entre quelques gorgées de bière pâle et bouchées de pain trempé.

Pendant ce temps, installé sur sa chaise haute, Johannes junior tripotait une assiette de bouillie préparée avec ce qui composait le dîner servi à son père – saucisse, chou et pommes de terre, ou pommes de terre, saucisse et chou. Les membres de la famille ne connaissaient pas d'autre alimentation, bien qu'Elvire s'efforçât de varier les modes de préparation – faisant parfois griller, parfois cuire au four, parfois braiser la nourriture.

Ce que Johannes voyait de son père, c'étaient deux yeux noirs, deux narines sombres et le trou béant d'une bouche ouverte dans l'ovale d'un visage blanchi par la farine, surmonté d'une masse de cheveux foncés à l'endroit où la casquette les avait protégés, mais blancs partout ailleurs. Épaules voûtées, coudes sur la table, mouvements réduits au strict minimum, presque mécaniques – un père automate à remontoir, de la taille d'un homme, assis en compagnie de sa progéniture ; un automate dont le ressort se détendait peu à peu sous les yeux de ses enfants jusqu'au moment où, chaque soir, il finissait par s'arrêter, se contentant de rester immobile tandis que plats, couteaux, fourchettes et cuillères étaient retirés autour de lui. Ensuite, il se levait, puis allait se coucher. Personne ne parlait. Jamais. C'était la maison de la fatigue et du silence éternels.

En ce temps-là, *Frau* Eda rentrait bien après que son fils était lui-même au lit. Il ne voyait sa mère que le matin, et toujours de la perspective privilégiée offerte par sa chaise haute, pendant qu'elle buvait sa dernière tasse de café, baissait ses manches et enfilait son manteau avant de disparaître de son horizon pour pénétrer dans un univers différent – celui d'une autre maison, où elle passait la journée dans une autre cuisine.

Johannes avait six ans quand une des meules de l'usine happa la manche de son père ; comme il n'y avait personne à proximité pour lui porter secours, il fut inexorablement attiré parmi les engrenages qui le broyèrent. À l'époque, l'enfant ne sut rien de tout cela ; on lui dit seulement que son père était parti et ne reviendrait pas.

Plus tard, il apprit la vérité à l'école, de la bouche d'un garçon plus âgé dont le père travaillait lui aussi à la minoterie. Des années durant, il ne parla ni à sa mère ni à ses sœurs de ce qu'il avait découvert. Et puis, vers onze ans, peut-être douze, il se mit à poser des questions qu'il n'avait jamais songé à poser jusque-là. *Où est allé Père, lorsqu'il est parti ?* Et : *Pourquoi est-il parti seul alors qu'il aurait pu nous emmener avec lui ?* Et : *Pourquoi ne nous a-t-il jamais écrit ? Pourquoi n'est-il jamais revenu ?*

Autant d'interrogations qui lui valaient toujours les mêmes réponses. *Il est parti retrouver son père et sa mère… vivre avec ses frères en Argentine… il n'avait pas assez d'argent pour nous emmener avec lui… il n'y a pas de services postaux en Amérique du Sud…*

Un mensonge s'ajoutait au précédent et entraînait le suivant. Sa mère avait fini son deuil, l'avait mis derrière elle. Le mensonge était plus facile, et en le formulant, elle-même pouvait presque y croire aussi – imaginer l'existence menée par son mari en Argentine, évoquer le souvenir des frères et, en leur compagnie, recréer les jours heureux de leur jeunesse quand, avec son époux, ils vivaient sans crainte de l'avenir. Admettre sa mort après tout ce temps revenait pour elle à faire vers sa propre tombe un pas qu'elle ne se sentait nullement prête à faire, et même lorsque le jeune Johannes eut seize ans, elle ne se disait toujours pas veuve.

Quant à Elvire, elle s'était réjouie du décès de son père. Le fardeau qu'il représentait pour elle était trop accablant, trop épuisant. Au moment de sa disparition, elle n'avait que quatorze ans ; depuis qu'elle en avait neuf, elle subvenait aux besoins de Johannes senior – s'occupait de ses repas, de sa lessive, de l'eau de son bain et de ses courses, tout en supportant son manque total de reconnaissance pour les tâches qu'elle effectuait. Non qu'elle l'eût haï. C'eût été injuste, elle en avait conscience, compte tenu de ce qu'elle savait des circonstances de sa misère – à quel point le travail se faisait rare dans le monde où ils vivaient, et à quel point les bénéfices étaient maigres une fois ce travail accompli. Pourtant, elle se félicitait de son absence. Elle n'avait ainsi plus qu'à assurer sa subsistance et celle de son frère, leur mère se réduisant à une présence presque fantomatique tant ils la voyaient peu.

Frau Eda gardait en cage des chardonnerets qui chantaient pour elle le matin avant qu'elle ne quittât la maison afin de prendre son service dans la cuisine de *Herr* Munster. Elle commençait chaque journée en enlevant leur toile pour la nuit, et la terminait en la remettant à sa place.

Un soir, alors que le jeune Johannes n'avait pas encore tout à fait seize ans, *Frau* Eda revint de chez l'avocat pour découvrir la cage vide.

Elvire et Johannes furent interrogés. Tous deux affirmèrent n'avoir aucune idée de la façon dont les oiseaux avaient pu s'échapper.

Deux jours plus tard, dans la chambre de son cadet, Elvire ouvrit un tiroir de la commode en vue d'y ranger des chemises fraîchement repassées. Le tiroir était rempli d'ailes. Des ailes de chardonnerets.

Frappée d'horreur, elle s'assit sur le lit de son frère. Il était midi. Johannes allait bientôt rentrer de l'école et réclamer son déjeuner.

Elle se redressa, referma le tiroir et descendit l'escalier.

Alors que Johannes était assis à table, le visage penché vers son assiette de soupe, elle le regarda en songeant combien il ressemblait désormais à leur père : même présence silencieuse, mêmes pensées inaccessibles, même manière de ne rien dire, de ne rien montrer, de se borner à lentement étancher sa soif et assouvir sa faim.

« Sais-tu ce qu'il est advenu des chardonnerets de Mère ? lui demanda-t-elle en tirant une chaise pour s'installer en face de lui pendant qu'il mangeait.

– Non. Et toi ?

– Oui. Je crois.

– Ah bon ? Et qu'est-ce qui leur serait arrivé, à ton avis ?

– Je pense que tu les as tués. »

Un court instant seulement, il se figea, maintenant au-dessus de l'assiette sa cuillère tout juste vidée. Puis il plissa les yeux et les leva vers sa sœur avant de s'exprimer d'une voix sans timbre, de prononcer des paroles dénuée d'inflexions.

« Oh, ça, dit-il. C'est vrai, je l'ai fait avant-hier. »

Il recommença à manger.

Pendant quelques instants, il n'y eut plus que des bruits de soupe.

Puis : « Tu as l'intention de le lui avouer ? demanda Elvire.

– Non. Bien sûr que non.

– Faut-il que je lui apprenne la vérité ?

– Non. Personne ne lui apprendra quoi que ce soit. Il nous suffira de dire : *Ils sont partis*. Elle comprendra. »

Elvire se mit debout et lui tourna le dos. Sans souffler mot. Elle aurait voulu quitter la pièce, mais ne le pouvait pas. Il lui était impossible de bouger tant elle avait peur.

« J'ai gardé leurs ailes, déclara Johannes.

– Je sais.

– De toute ma vie, je n'avais jamais rien vu d'aussi beau. Tu n'es pas d'accord ? »

Sa sœur garda le silence.

« J'ai commencé une collection », poursuivit Johannes, s'interrompant à peine entre deux phrases pour avaler sa soupe, s'étranglant presque avec les mots – des mots pourtant prononcés d'une voix monocorde, avec une régularité de métronome. « J'aime la sensation procurée par les plumes, et la manière dont elles sont si joliment disposées... tu vois ce que je veux dire ? Les unes sous les autres... bien alignées... et quand tu les écartes, elles forment un éventail parfait... exactement comme ceux des dames espagnoles dans les magazines… exactement comme ceux des danseurs espagnols qui…

– Arrête.

– Comment ?

– ARRÊTE !

– De ?

– De parler, de raconter toutes ces choses horribles. Arrête !

– Mais ça n'a rien d'horrible. Pourquoi dis-tu ça ? Regarde. Regarde, Elvire. Regarde. Tourne-toi et regarde. J'en ai un autre ici. »

Affolée, elle pivota.

Johannes, le visage inexpressif, n'avait pas bougé ; son assiette était vide, sa cuillère posée à côté et, dans sa main, il tenait un oiseau mort depuis peu.

Elvire contempla son frère.

Il avait sombré dans la folie, ce n'était que trop évident.

Elle tendit la main, saisit l'oiseau – un jeune pigeon –, et s'adressa calmement à Johannes :

« Je vais le garder pour toi, d'accord ? Tu ne peux pas l'emporter à l'école, les autres garçons risquent de lui faire du mal. Ils ne te le laisseront pas. »

Johannes ne répondit rien.

Après le départ de son frère, Elvire fourra l'oiseau dans le poêle pour le brûler.

À cinq heures ce soir-là, lorsque Johannes rentra de l'école, *Frau* Eda l'attendait en compagnie d'un médecin de la clinique Burghölzli. Le long du trottoir était garé le célèbre fourgon jaune qui allait emmener l'adolescent.

Au bout de trois ans, Johannes Kessler fut déclaré guéri. Émergea alors de Burghölzli un jeune homme dont la violence obsessionnelle avait été complètement évacuée. Au fil du temps, sa gentillesse envers les autres patients lui avait valu, outre le respect de ses surveillants, l'intérêt des psychiatres. Ce ne serait pas la première fois que l'on décelait chez un ancien malade le potentiel d'un employé de la clinique.

Quand la proposition lui fut soumise de suivre la formation qui permettrait de l'embaucher comme aide-soignant, Johannes accepta avec calme et reconnaissance. À ce stade, il se sentait mieux dans l'établissement que n'importe où ailleurs, et même s'il était retourné vivre avec sa mère et sa sœur, comme le lui avaient conseillé ses médecins, il avait toujours l'impression que son véritable foyer se trouvait à la clinique.

En particulier parce qu'il y avait des blancs dans ses souvenirs de l'époque pré-Burghölzli. Des années entières s'étaient envolées à tire-d'aile de son esprit – y compris le massacre des oiseaux. Ne subsistait de son obsession qu'une perpétuelle admiration pour la beauté des créatures ailées.

Les ailes. Tout ce qui était doté d'ailes. L'image même des ailes. L'univers de Kessler devenait magique grâce au vol des oiseaux, des papillons et – merveille des merveilles – des anges.

13

Deux jours après que Pilgrim eut été emmené à l'infirmerie, Jung se retrouva installé en face de lady Quartermaine dans la salle à manger de l'hôtel Baur au Lac.

Il y avait un orchestre. Il y avait des palmiers. Il y avait aussi un plafond voûté et des fenêtres de quatre mètres de haut, avec vue sur le lac et les montagnes.

Jung avait souvent eu l'occasion de manger dans cet établissement, domaine presque exclusif des familles fortunées et titrées venues à Zurich voir leurs proches ou des amis soignés à la clinique.

Dans les premières années de leur amitié, avant que le schisme actuel n'eût commencé à faire son œuvre, Freud s'était souvent assis avec lui dans l'une des alcôves privées, où il exposait ses idées au sujet de la schizophrénie et couvrait Jung d'éloges pour avoir exploré *cette maladie traîtresse*.

Cette maladie traîtresse était devenue une sorte de talisman verbal pour Jung – quasiment un mantra. Jamais ces mots ne résonnaient dans sa tête sans que la voix de Freud se fît entendre à son oreille. Impossible d'imaginer formule plus appropriée, ou plus concise pour définir la schizophrénie : l'esprit trahi par des images échappant à son contrôle et obligé d'obéir aux ordres d'inconnus qui refusaient de décliner leur identité.

« Vous supposez mon ami Pilgrim atteint de cette maladie, je présume, docteur Jung. Je me trompe ? »

Sybil Quartermaine était assise en face de Jung à une table dont il dirait plus tard dans ses notes qu'elle *occupait le centre de la scène*, contrairement aux endroits où il avait l'habitude de s'installer avec Freud. Lady Quartermaine était entièrement vêtue de violet mêlé à différentes nuances de bleu. Son chapeau, de taille modeste, ne comportait pas de voilette, mais elle arborait des lunettes de soleil, ce qui ne manquait pas de susciter l'intérêt des autres convives.

« Mes yeux n'ont jamais pu supporter la lumière d'hiver, lui dit-elle, alors même que j'en raffole. La lumière d'hiver constitue une source de joie particulière, et je n'ai pas de mots pour décrire son effet sur moi, docteur Jung. Peut-être le terme *revivifiant* s'en rapproche-t-il le plus.

Ou peut-être *fortifiant*, ou peut-être *reconstituant*... Mais aucun ne suffit à en rendre compte. J'en suis convaincue, quelque chose meurt en nous quand vient l'hiver – un peu comme si nous étions censés hiberner à la manière de certaines espèces animales. Ici cependant, avec toutes ces fenêtres et toute cette neige, la lumière – malgré mon attirance pour elle – devient parfois fatigante. Dès le milieu de l'après-midi, son influence sur mes yeux m'aura indisposée, et je devrai me retirer dans une pièce sombre. Néanmoins, je la vénère. La lumière.

– De fait, je lui voue moi-même une véritable passion, confia Jung.

– Mr. Pilgrim, en revanche, est un enfant des ténèbres. »

Jung se laissa aller contre le dossier de sa chaise. Cette dernière remarque le déconcertait. Elle donnait lieu à des interprétations trop diverses. Désignait-elle Satan lui-même, ou sa progéniture ? Vraisemblablement ni l'une ni l'autre de ces possibilités. Mais Jung, fils d'un pasteur austère, ne parvenait pas à chasser l'image du diable. Pourtant, le dilemme de Pilgrim n'avait certainement rien à voir avec Satan... Avec les ténèbres, oui, mais avec le mal, jamais. Cet homme était trop poignant pour être malfaisant, trop vulnérable.

« Peut-être, madame, devriez-vous m'expliquer ce que vous entendez par enfant des ténèbres, dit-il en s'efforçant de sourire.

– Je vais le faire, si j'en suis capable », répliqua Sybil. Et d'ajouter, après un instant : « On vous a raconté comment nous nous étions rencontrés, Mr. Pilgrim et moi ? Et quand ?

– Oui. Sous un arbre, lorsque vous aviez douze ans, et lui, dix-huit.

– C'est exact. Eh bien, ces ténèbres que je viens d'évoquer décrivent la période antérieure à notre rencontre. Dix-huit années manquantes, durant lesquelles il prétend avoir vécu dans une sorte de brouillard, ou de brume, ou de crépuscule permanent, comme il l'a dit lui-même un jour. Une forme d'obscurité, en d'autres termes.

– Et sa famille ?

– Il a mentionné des parents – une mère, un père –, et quelques vagues remarques sur son enfance. Mais sans donner de détails. Pour lui, d'une certaine façon, tout cela appartient "au passé".

– Le passé ?

– En effet. À ma connaissance, depuis le jour où je l'ai découvert étendu sur l'herbe, il n'a jamais eu la moindre nouvelle d'aucun membre de sa famille. Pourtant, il subsiste grâce à un héritage assez considérable. Il ne manque de rien, bien qu'il travaille peu. L'écriture, je vous l'accorde, est un travail. Mais ses œuvres, quoique remarquables, ne pourraient lui permettre de mener une telle existence, et sur un tel pied.

– Aucune indication sur cette famille mystérieuse ?

– Absolument aucune. À ceci près. Il m'a raconté une fois qu'avant de se réveiller sous cet arbre dans mon jardin, il avait fait un rêve significatif. Mais il ne m'en a jamais révélé la teneur. Il s'est contenté de dire que ce rêve avait précédé son *accession à la conscience*. Ce sont ses propres termes. Un jour, il a accédé à la conscience.

– Je vois.

– Et donc… Vous pensez que mon ami est – je ne voudrais pas commettre d'erreur – *schizophrène*, c'est cela ? Est-ce bien le terme ?

– Lorsque je ne sais rien, lady Quartermaine, je ne crois rien, répondit Jung avec un sourire.

– Une réponse habile, docteur, mais vous éludez ma question.

– Ce n'est pas délibéré. N'oubliez pas, madame, que j'ai à peine eu le temps de me familiariser avec l'état de votre ami.

– Il n'est pas question d'état spécifique, déclara Sybil en plaçant son couteau à gauche de son assiette. Ce n'est pas une maladie qui s'est emparée de lui. »

Elle poussa la fourchette vers la droite avant de la reposer avec brusquerie, comme pour mieux ponctuer ses propos. Mais elle ne se sentait pas encore prête à expliquer sa véhémence.

En entrée, on leur apporta des huîtres.

Elles étaient disposées sur un lit de glace, parsemées de tranches de citron, et accompagnées d'une vinaigrette et de petits carrés de pain grillé.

« Aimez-vous les huîtres, docteur Jung ? Pour ma part, je m'en ferais volontiers servir à tous les repas. » Sybil rapprocha stratégiquement le plateau. « Si vous ne commencez pas, je vais toutes les finir.

– J'espère bien que non. J'ai moi aussi un faible pour elles. »

Chacun prit une coquille puis, l'ayant arrosée de jus de citron et de vinaigrette, la vida de son contenu.

« Exquis !

– Entièrement d'accord. »

Pendant quelques instants, ils mangèrent en silence, usant de leurs serviettes protectrices, piquant de leur fourchette le pied des mollusques, avalant chacun d'eux comme si c'était le dernier.

« Une douzaine ne suffit pas, déclara Sybil. Pourtant, il faudra s'en contenter. J'ai commandé des *ris de veau**. Mes espions m'ont informée qu'ils étaient excellents, ici.

---

* En français dans le texte. (N. d. T.)

– Très juste. Et il se trouve que c'est un de mes plats préférés.

– Je le savais déjà. »

Pour la première fois depuis son arrivée, Jung éprouva un malaise indéniable. *N'y a-t-il donc rien que cette femme n'ait soumis à une recherche ?*

« J'ai lu votre livre, docteur Jung. *Psychologie de la démence précoce.* En vérité, je l'ai même apporté, mais je ne vous embarrasserai pas en l'exposant à tous les regards. Une personne anonyme me l'a fait parvenir hier matin, s'imaginant sans doute que cette lecture m'intéresserait – ce qui est le cas. Les gens se montrent parfois si gentils, vous ne trouvez pas ? Vous laisser ainsi de petits présents significatifs à méditer…

– Vous comprenez sûrement, lady Quartermaine, que mon livre ne s'adresse pas aux amateurs, souligna Jung. Il a été rédigé par un psychologue à l'intention d'autres psychologues, non des profanes.

– Pourtant, j'ai l'impression de progresser sans trop de difficultés. »

À ce stade, Sybil fouilla dans son sac, dont elle retira un cahier relié d'un fin cuir vénitien vert à motifs dorés. Dans sa reliure était inséré un crayon avec une fine chaîne en or.

Alors que l'on débarrassait le plateau de coquilles vides, lady Quartermaine ajusta ses lunettes de soleil, but une gorgée de vin, puis consulta son carnet. Jung suivait des yeux chacun de ses gestes, fasciné par la précision et la grâce avec lesquelles elle les accomplissait.

« Vous consacrez un assez long passage à la *désintégration*, déclara-t-elle, telle que vous avez pu l'observer chez vos patients ici même, à la clinique.

– En effet. À mon avis, les gens atteints de schizophrénie souffrent en réalité d'une désintégration de la personnalité.

– C'est ce que vous appelez la *fragmentation*.

– Exact.

– Ces fragments seraient semblables à *des éclats de verre*, pour reprendre votre expression.

– Oui.

– *Fragments… Fragmentaire… Fragmentation.* Ou *une désintégration de la personnalité*, comme vous dites. Vous pensez vraiment que c'est ce qui est arrivé à Mr. Pilgrim ?

– Je pense que c'est une possibilité.

– Une forte possibilité ?

– Je serais tenté de répondre par l'affirmative.

– Y a-t-il quelque chose dans son comportement qui vous le laisse supposer ? Cela m'intéresse.

– Son détachement vis-à-vis de la réalité. Son refus d'établir le contact.

– Son silence ?

– Oui. »

Jung avait jugé préférable de ne pas informer lady Quartermaine de la seconde tentative de suicide. Ni des paroles prononcées par Pilgrim. S'il le faisait, elle ne manquerait pas de l'interroger sur ce que son ami avait dit, et il n'était pas encore prêt à le lui révéler. Le moment venu, il la mettrait au courant, mais pas maintenant. De même, il avait passé sous silence le décret du Dr Furtwängler, selon lequel Pilgrim était *intouchable*. En vérité, il n'avait pas prévenu non plus Furtwängler de ce déjeuner avec Sybil Quartermaine, dont elle était l'instigatrice. En apprenant que le Dr Jung exerçait à la clinique, et le connaissant de réputation, elle avait pris sur elle de lancer cette invitation le matin même.

Les *ris de veau* arrivèrent, et furent disposés sur les assiettes par deux jeunes serveurs, sous l'œil vigilant du maître d'hôtel.

Lorsque les plats de légumes furent découverts, Sybil s'enquit :

« Avais-je commandé des épinards ?

– Oui, madame. Expressément. Épinard et panais.

– Parfait. J'avais oublié les épinards. Et le vin ? Le blanc était excellent. Et pour le rouge ?

– Il est là, madame. Un bordeaux, comme vous l'avez demandé.

– Eh bien... » Sybil se tourna vers Jung. « J'espère que vous n'y voyez pas d'objection. Je préfère un vin sec avec les ris.

– Cela me paraît tout à fait approprié. »

Sybil hocha la tête à l'intention des serveurs.

Ceux-ci s'éloignèrent et, après avoir décanté et servi le vin rouge, le maître d'hôtel s'éclipsa à son tour. Après leur départ, Sybil avoua :

« Je suis toujours soulagée lorsqu'il n'y a pas de sommelier dans un restaurant. De cette façon, l'on n'a pas à défendre ses choix. »

Elle le regarda avaler une première bouchée de *ris de veau*.

« Sont-ils bons, docteur Jung ?

– Excellents.

– J'en suis ravie. Quand on reçoit des invités à sa table dans un établissement étranger, on ne peut jamais savoir...

– N'ayez crainte. Mangez, et soyez satisfaite. »

Ce qu'elle fit, et ce qu'elle fut.

« Délicieux. Absolument délicieux. Une vraie merveille. »

Elle a tant de qualités infantiles, pensa Jung. Tour à tour conspiratrice et innocente, charmante et manipulatrice, attachante et dangereuse. Exactement comme un enfant intelligent qui aurait observé les manières des adultes et les reproduirait avec un art consommé sans renoncer pour autant aux privilèges de son jeune âge.

« Vous avez dit tout à l'heure, lady Quartermaine, qu'il n'était pas prisonnier d'un état, ou d'une maladie quelconque. Mr. Pilgrim, j'entends.

– C'est vrai, je l'ai dit. Et je le crois.

– Sur quoi se fonde cette affirmation ?

– Je le connais tellement bien, et depuis si longtemps... Sa nature profonde m'est plus familière qu'à quiconque, j'en suis persuadée. Je n'ignore rien de ses passions, ni de ses peurs. Pas plus que de ses faiblesses, de ses humeurs – bonnes et mauvaises –, de son caractère attendrissant... ou de la tristesse en lui, si vous préférez. De son désir d'être délivré de la nécessité d'exister. Vous me suivez ?

– Je pense, oui. »

Sybil détacha son regard de Jung pour le porter vers les montagnes derrière les vitres. Elle tenait toujours son couteau et sa fourchette, bien que de toute évidence elle les eût oubliés en cet instant.

« Aucun état ne peut le revendiquer, docteur. Aucun état, ni aucune maladie. Ce n'est pas admissible. Je ne l'autoriserai pas. »

Une déclaration absurde, évidemment, mais lady Quartermaine l'avait formulée avec une telle simplicité que Jung se sentit touché par la force de sa conviction. Elle la lui avait confiée, se plut-il à imaginer, sur le même ton et de la même manière que les saints confient leurs visions à leurs confesseurs – car avoir foi en Dieu est une chose, mais le révéler en est une autre.

Le charme fut rompu lorsque Jung, saisi d'une petite toux, dut prendre son verre d'eau.

« Tous les gens sont-ils fous, à votre avis ? demanda Sybil en recouvrant une contenance. D'une façon ou d'une autre, cela vous paraît-il possible ? »

Jung esquissa un haussement d'épaules avant de répondre :

« Il existe différents degrés de folie, bien sûr. J'ai en décelé quelques traces en moi, je l'avoue. » Il agita la main. « Mais la folie est une bête pleine de ruse que l'on ne peut attraper avec des théories. Au fil du temps, j'ai d'ailleurs appris à me méfier des théories, voire à les combattre activement. Ce qui compte, ce sont les faits. Et au regard de chaque individu, nous ne disposons que de ces faits. Les théories générales sur la folie ne servent qu'à nous empêcher de découvrir sa véritable nature en chacun de nos patients, au cas par cas. Ma propre folie est contenue entre parenthèses. Pour cette raison, j'ai acquis la capacité non seulement de la gérer, mais aussi de vivre avec elle. Et surtout, à l'instar d'autrui, à fonctionner en sa présence. Elle est à moi; c'est la mienne, et la mienne uniquement. Mr. Pilgrim, lui, ne peut plus fonctionner; reste à déterminer si c'est à cause de la folie, ou d'une autre raison encore inconnue.

– J'ai peur pour lui.

– C'est parfaitement compréhensible.

– Je ne veux pas qu'on lui fasse de mal.

– Personne ne lui fera de mal. » Jung éclata de rire. « Comment une telle chose serait-elle possible ?

– Il existe différentes façons de faire du mal à quelqu'un, docteur Jung. Vous le savez aussi bien que moi. Je dois vous avouer, et je déplore d'avoir à en arriver là, que je n'aime pas le Dr Furtwängler. Je ne me fie pas à son jugement, et pour être tout à fait honnête, je n'ai pas apprécié son attitude. »

De nouveau, Jung agita la main. Tout ce qu'il pourrait dire en cet instant relèverait de la trahison, il le sentait.

« Il m'a donné l'impression éminemment désagréable de ne pas me croire.

– Sur ce point, lady Quartermaine, je suis sûr que vous vous trompez. Le Dr Furtwängler vous croit.

– Quoi qu'il en soit, je n'ai pas confiance en lui. Ni en son jugement, répéta-t-elle. Il m'a été recommandé en termes on ne peut plus élogieux, et pourtant, je n'ai pas confiance en lui. Il sourit trop. Il sourit aux moments les plus inopportuns. Il sourit sans plaisir. Sans émotion. Sans considération. Je déteste l'obséquiosité. Elle me déconcerte, avive ma méfiance. Et se méfier de son médecin, ou du médecin responsable de votre meilleur ami, c'est insupportable. »

Sybil posa couteau et fourchette, puis s'adossa à son siège.

« Je suis fatiguée, dit-elle. Fatiguée, et plus que déroutée par tout cela. La psychiatrie, docteur Jung, reste un complet mystère pour moi. Mais si elle contient la réponse à la survie de Mr. Pilgrim, je m'en accommoderai jusqu'à ce qu'il soit délivré de son mal. »

Un silence s'abattit entre eux, que Jung n'osa rompre.

Enfin, Sybil reprit la parole :

« Ce ne serait pas convenable, j'en ai conscience, de retirer un patient au Dr Furtwängler. Peut-être ai-je réagi de manière excessive à son comportement. Une trop forte propension à sourire, si vous voyez ce que je veux dire, devient presque répulsive, docteur Jung. »

Celui-ci dut réprimer son propre sourire. Il ne connaissait que trop bien le charme mielleux de Josef Furtwängler.

« Mais je dois néanmoins vous demander – de fait, je suis résolue à vous demander –, si vous accepteriez d'ajouter Mr. Pilgrim à vos patients, docteur Jung. J'apprécie les propos que vous tenez, même si je ne suis pas séduite par certains d'entre eux. Pourtant, je décèle en vous une attitude créative dans votre façon de percevoir Mr. Pilgrim et, à mon avis, c'est avant tout ce qu'il lui faut. Quelqu'un qui le prendra tel qu'il est sans lui assigner une étiquette et le reléguer dans un coin. »

Jung s'absorba dans la contemplation de son assiette. Il n'en avait pas terminé le contenu, mais il n'en voulait plus. Il posa ses couverts, porta sa serviette à ses lèvres, puis l'étala sur ses cuisses.

« J'aimerais accepter votre offre, lady Quartermaine, déclara-t-il enfin, mais je crains d'être obligé de la décliner.

– La décliner ? Mais c'est impossible, voyons ! Je vous l'interdis.

– Pourtant, lady Quartermaine, bien contre mon gré, je dois vous dire non. »

Il lui expliqua alors, sans trop insister sur le jugement souvent erroné de Josef Furtwängler, que celui-ci avait choisi de travailler seul sur le *cas Pilgrim*, et qu'*il nourrit un antagonisme particulier vis-à-vis de mes méthodes...*

Il ne s'arrêta pas là. Il parla, sans mentionner de noms, de la comtesse Blavinskeya, de l'Homme-chien et des autres aussi, en soulignant que *l'on peut toujours se tromper*, que *l'on peut donner une mauvaise interprétation d'un cas*, que *l'on est faillible*. Il évoqua son intérêt profond pour le *dilemme de Mr. Pilgrim*, etc., etc., etc., jusqu'au moment où il sentit Sybil totalement conquise, convaincue que seul le Dr Jung était capable d'aider son ami et déterminée, s'il n'allait pas trouver le Dr Bleuler de son propre chef, à s'en charger elle-même. Et au besoin, à tancer le Dr Furtwängler.

« Dans ce cas, dit Jung, je vous remercie, et vous promets de tout mettre en œuvre pour lui porter assistance.

– Nous sommes donc faits pour nous entendre », répliqua Sybil. Elle leva son verre. « Et afin de célébrer notre rencontre, buvons à notre ami absent.

– À notre ami absent. »

Comme s'il obéissait à un signal, l'orchestre attaqua les *Légendes de la forêt viennoise*.

« Oh, quelle journée parfaite ! s'exclama Sybil. Votre décision d'accepter ! Ce vin ! Une valse ! Et pour finir, des profiteroles ! »

En la regardant faire signe au maître d'hôtel, Jung pensa : *Et ainsi, l'enfant revient triomphante de sa mission parmi les Médecins, et va bientôt recevoir le délice suprême du festin organisé en l'honneur de sa victoire. Un dessert au chocolat.*

Quant à lui, il porta un toast silencieux au concierge de l'hôtel Baur au Lac qui, la veille au matin, avait reçu des mains d'un certain Dr Jung un petit volume glissé dans une enveloppe brune toute simple, à remettre à la marquise de Quartermaine « Avec les compliments d'un inconnu. » La garantie de son anonymat lui avait coûté trois francs.

14

Dans le couloir, Dora Henkel guidait la comtesse Tatiana Blavins-keya vers l'ascenseur. Tous les deux jours, elles visitaient ainsi les profondeurs de l'établissement, où la comtesse recevait divers soins d'hydrothérapie destinés à calmer ses nerfs et à soulager sa tension.

Dora Henkel appréciait beaucoup la compagnie de Tatiana Blavins-keya. Conquise dès le premier instant, elle aurait voulu ne jamais la quitter, rester éternellement auprès d'elle.

« Si vous souhaitez venir avec moi sur la lune, avait dit la comtesse, il vous faudra un visa. Ou un passeport diplomatique. »

Dora avait dû admettre qu'elle n'avait ni l'un ni l'autre.

« Dans ce cas, n'y pensez plus, lui avait conseillé sa patiente. Personne n'a le droit de se rendre sur la lune, à moins de justifier d'un passeport diplomatique, ou d'un parent né là-bas. »

Or, à l'instar de leur fille, les parents de Dora étaient nés dans le village de Kirschenblumen, au bord du Zürichsee. Les nuits claires, Kirschenblumen était visible – tout comme l'était la lune –, ses lumières brillant tels des cristaux de givre dans le lointain.

La lune avait toujours fasciné Dora. Enfant déjà, elle lui vouait un véritable culte, pressentant dans sa lueur féminine la possibilité d'une éventuelle histoire d'amour. À six ans, elle n'imaginait pas sa passion pour la lune vouée à l'échec. Elle avait grandi avec la certitude que tout était possible, du moment qu'on avait la foi. Le temps, bien sûr, devait lui prouver que la plupart des croyances sont contrariées par la réalité. Lui assener cette vérité avec une obstination implacable.

Par exemple, elle avait huit ans lorsque sa mère l'avait informée qu'*on ne peut pas espérer vivre une véritable histoire d'amour avec un chat*. Pas plus qu'à quatorze ans, avec un cheval, ou à dix-huit, avec la reine Alexandra. Ces aventures imaginaires étaient à la fois un fléau et un tourment constant: les chats, les chevaux, les reines, les déesses grecques, la Lorelei, la lune…

Et aujourd'hui, il y avait la comtesse Tatiana Blavinskeya, authentique expatriée de la lune. Dora savait bien que ce n'était pas vrai, mais elle prenait plaisir à prétendre qu'elle y croyait.

Ce matin-là, la comtesse portait une ample robe de chambre bleu lune, ainsi que des pantoufles également bleu lune. Et un ruban bleu lune dans les cheveux… Sous le peignoir, son corps était revêtu d'une lingerie crème confectionnée spécialement pour elle à Paris. Chaque pièce comportait son monogramme : *T.S.B.*

Dans l'ascenseur qui descendait, Tatiana Sergeyevna Blavinskeya resserra autour d'elle sa robe de chambre en vue de faire sa sortie. Comme si la petite cage était une scène miniature, et le liftier un régisseur. Elle n'avait toujours pas prononcé une parole. Peut-être la séance d'hydrothérapie lui serait-elle de quelque secours. Au moins en permettant à ses orteils et à ses doigts de se décrisper, voire à ses yeux de se fermer enfin.

Il y avait des lustres en cristal dans le couloir qu'elle devait emprunter avec Dora Henkel, et au moment où elle foulait le tapis recouvrant le sol en marbre, la comtesse leva le bras comme pour se protéger d'une attaque. Les lustres étaient peut-être des étoiles – et les étoiles étaient ses ennemies.

Le sachant, Dora la poussa vers les portes vitrées dont la surface miroitante était agrémentée d'arabesques de fer forgé.

« Venez, dit-elle. Nous devons nous dépêcher. »

Au-delà des portes, le bruit et l'odeur de l'eau étaient partout. Des cabines bordaient un corridor faiblement éclairé, chacune aménagée en vestiaire avec miroirs et patères, brosses à cheveux, peignes et rubans permettant de réparer les dégâts éventuels subis par les coiffures lors des bains. Dans chacune également se trouvait une chaise longue pour le patient, et une chaise à dossier droit pour l'aide-soignant ou l'infirmière de service.

La numéro 10 était libre, et Dora s'effaça pour laisser entrer la comtesse. À l'intérieur, après avoir fermé la porte, elle entreprit de lui enlever sa lingerie pièce par pièce, qu'elle plia ou suspendit avec soin avant d'envelopper à nouveau Tatiana Blavinskeya de sa robe de chambre.

Dans d'autres établissements psychiatriques ou stations thermales, on fournissait généralement un costume de bain à ceux qui s'apprêtaient à prendre les eaux. Mais à la clinique, c'était nus que les patients recevaient leurs soins. On leur donnait de grands draps blancs et quantité de serviettes, autant pour protéger leur pudeur que pour les empêcher d'attraper un refroidissement.

Non qu'un refroidissement fût à craindre.

Le monde dans lequel Dora et Tatiana Blavinskeya allaient pénétrer, au bout du corridor, était celui, vaporeux, des bassins et des bains, des étuves, des saunas et des fontaines d'eau chaude.

Dora adorait cet univers, et chaque fois qu'elle y amenait des patients pour un traitement, elle regrettait de ne pouvoir elle aussi entrer dans l'eau en tenue d'Ève. Elle n'avait jamais compris pourquoi, dans d'autres centres d'hydrothérapie, on tolérait les costumes de bain. Ils étaient si restrictifs, si brutalement entravants et si irritants qu'au lieu de les soulager, ils ajoutaient aux désordres nerveux des patients. *Autant les obliger à se baigner avec une camisole de force*, affirmait Dora.

Après la seconde série de portes, les deux femmes atteignirent une vaste étendue presque caverneuse, peuplée de silhouettes spectrales qui évoluaient parmi des cônes de lumière floue sans que l'on entendît aucun son, hormis le doux bruissement de pieds chaussés de pantoufles et le clapotis de l'eau qui coulait. Hormis aussi le chant d'un fantôme.

Un chant qui s'élevait à une certaine distance, bien qu'il résonnât distinctement dans l'air humide, dépourvu de résonance. Il n'y avait pas de paroles, juste une ligne mélodique liquide, harmonieuse.

La comtesse Blavinskeya tendit la main à Dora Henkel comme si elle acceptait une invitation à danser, mais observa par ailleurs une immobilité totale. *Je suis perdue*, semblait-elle dire. *Est-ce une salle de bal ? Suis-je courtisée ? Je ne vous connais pas.*

C'était une femme qui chantait.

Mezzo – mezzo – mezzo-soprano !

Saviez-vous que la lune est une mezzo-soprano ?

Alors que le flot argenté du son circulait à travers le sous-sol, d'autres se figèrent dans la vapeur pour écouter.

Dora se tourna vers Tatiana Blavinskeya.

Comme elle est belle, songea-t-elle, *avec ses cheveux rose pâle et ses yeux d'enfant. Si seulement... Oh, si seulement...*

La chanson touchait à sa fin, ses derniers accents se fondirent dans la brume – jusqu'à la note finale, qui demeura un moment en suspens avant de disparaître, comme dissoute.

Tatiana Blavinskeya lâcha la main de Dora.

À côté d'elles, et devant elles, les autres se détournaient.

Si seulement il y avait toujours de la musique, pensait Dora, *plus personne n'aurait besoin de parler.*

La comtesse cilla. Elle semblait attendre la permission de bouger.

Dora l'invita à avancer. Elle cherchait un bassin vide, mais partout où se portait son regard, les bassins étaient occupés. Des aides-soignants et des infirmières, debout ou assis près de leurs patients, ouvraient des robinets et maniaient des tuyaux comme s'ils étaient assis ou debout dans des jardins, en train d'arroser des fleurs fanées dans l'espoir de les ramener à la vie.

Enfin, elles approchèrent d'un bassin vide, et Dora se posta derrière la comtesse, sachant qu'il y aurait un moment de panique avant que sa patiente n'acceptât de se défaire de la robe de chambre pour s'immerger.

Les bains faisaient un mètre vingt de profondeur, et ils étaient en marbre Connemara d'Irlande, dont les veines et autres enjolivures vertes rappelaient les algues flottant à la surface des flaques sur une plage. Remplis d'une eau salée, adoucie, ils dégageaient des vapeurs semblables à celles de l'Atlantique et émettaient une lueur phosphorescente. On avait ainsi l'impression de se tenir sur une côte rocheuse par une chaude journée brumeuse.

Il n'y a pas d'eau sur la lune, avait dit la comtesse. *Ni eau, ni marée, ni rien hormis la poussière et les cendres. Nous nous baignons dans les cendres ! Nous prenons des bains de cendres !* s'était-elle exclamée d'un ton triomphant. *Nous prenons des bains de cendres, et nous nous saupoudrons le corps de poussière !*

Dora s'était alors demandé comment ils étanchaient leur soif.

La soif n'existe pas, lui avait encore dit la comtesse. *Ni la soif, ni la faim, ni rien d'humain. Pas de manques. Pas de désirs. Pas d'aspirations. Rien. Nous sommes libres.*

Comme ce doit être triste de n'avoir aucun désir, avait répliqué Dora. Vous avez forcément envie de *quelque chose.*

Jamais. De rien. Seulement de danser. De flotter, d'échapper à l'emprise de la gravité.

Faut-il que le bonheur soit indicible là-bas pour que vous souhaitiez autant repartir.

À ces mots, la comtesse s'était détournée, mais l'espace d'un instant seulement.

Dora lui plaça les mains sur les épaules. Le moment était venu de la débarrasser de sa robe de chambre et de la guider vers les marches menant jusqu'à l'eau.

« Déshabillez-vous », ordonna Dora.

Aussi obéissante et docile qu'une enfant, la comtesse défit la ceinture et les boutons du peignoir, puis s'écarta de Dora. Celle-ci plia le vêtement sur son bras, puis regarda la Femme-lune descendre les degrés.

Elle avança soudain, la main tendue, prête à rattraper la comtesse au cas où celle-ci perdrait l'équilibre. Tatiana Blavinskeya avait les pieds menus, cambrés et souples – les jambes et les bras ronds et charnus – les jambes et les bras d'une danseuse –, les fesses aussi fermes que des globes de porcelaine. Quant à ses seins... Dora ferma les yeux. Leur seule pensée lui était intolérable.

Avec un soupir, la comtesse s'immergea.

Sans la quitter des yeux, Dora s'assit au bord du bassin. En dessous, sa patiente s'était assise sur un banc encastré, les bras largement écartés, la tête rejetée en arrière, les paupières baissées, les lèvres entrouvertes – presque comme si elle attendait un baiser.

C'était impossible. Aimer quelqu'un et ne pas pouvoir l'embrasser, le toucher, l'embrasser…

Impossible et, pourtant, endurable.

15

Pilgrim était assis dans un fauteuil roulant, une couverture en tissu écossais sur les genoux. Il portait un pyjama bleu, un peignoir hospitalier gris, des chaussettes blanches et des pantoufles en chamois doublées de laine. Ses poignets, enveloppés de gaze chirurgicale, reposaient sur ses cuisses – un rappel de son bref séjour à l'infirmerie.

Suivant les instructions du Dr Furtwängler, Kessler l'avait emmené sur la terrasse vitrée qui surplombait le jardin. Au loin, par-delà les arbres, on distinguait les montagnes à l'extrémité du Zürichsee, mais pas le lac lui-même. À présent, Pilgrim était muré dans un silence absolu, le visage inexpressif, dénué en apparence de toute émotion. Les montagnes ne signifiaient rien pour lui. Le ciel ne signifiait rien non plus. Le soleil, qui avait déjà passé le zénith et bien amorcé son déclin, lui était étranger. Il y avait pourtant eu un temps où il le comprenait, allait même jusqu'à le considérer comme un ami, mais aujourd'hui, l'astre n'avait plus de nom et échappait à toute identification.

Mes poignets m'élancent.

Lui faisaient mal.

Il ne savait pas pourquoi.

Ne se souvenait de rien.

Des bandages.

Blancs.

De la neige… ?

Il connaissait le mot pour désigner *la neige*, et avait conscience de sa présence derrière les vitres.

Il connaissait aussi les mots pour désigner *la montagne* et *la fenêtre*. Mais pas les mots pour désigner *la ville, les bâtiments, les maisons, les gens.*

Les hommes et les femmes ?

Peut-être.

Il y avait d'autres patients – un ou deux dans des fauteuils roulants à dossier haut, d'autres appuyés contre le mur ou postés près des vitres. Ils rappelaient un peu à Pilgrim des pions sur un échiquier.

Un échiquier.

La partie a-t-elle commencé ?

Un jeu.

Il s'agit d'un jeu. Quelqu'un me déplacera. Une main descendra. *Des doigts.*

Je serai menacé.

Quelqu'un toussera.

Les doigts me toucheront. Me soulèveront presque. Se raviseront.

Décideront en fin de compte que je suis plus en sécurité là où je suis.

Pilgrim regarda les autres, autour de lui.

Trois pions, un fou, deux cavaliers, une reine et un roi.

Le roi et la reine étaient séparés – la reine seule et vulnérable, le roi protégé par ses troupes, qui formaient un rempart. *Blanc.*

Un roi blanc, des pions blancs, une reine blanche.

Où étaient donc les pions noirs ? Aucun n'était visible ; tous étaient blancs. À quel moment son adversaire allait-il lancer la prochaine offensive ?

Le Dr Jung s'approcha de lui par-derrière, un doigt sur les lèvres pour intimer le silence à Kessler.

Celui-ci hocha la tête, puis s'écarta.

Jung avança en diagonale pour venir se placer à la droite de Pilgrim, saluant de la tête ou de paroles articulées en silence divers aides-soignants de sa connaissance debout près de leurs patients.

Il était quatre heures.

Le soleil atteignait son ultime position avant son déclin derrière les montagnes. C'était un soleil hivernal, bas, teinté d'une nuance rouge curieuse, presque estivale. Orange.

Il y a une orange là-bas, pensa Pilgrim. *Peut-être cela fait-il partie du jeu. Un joueur. Ou un manipulateur. Dieu.*

Un dieu.

C'était ça.

Dieu était une boule de feu dans le...

Comment ? Comment ? Comment ? Oh, comment l'appelait-on ?

Jung voyait désormais Pilgrim de profil. Il ne dit rien. Se contenta de regarder.

Pilgrim remua les mains. Ses poignets s'étaient engourdis.

Ils ont gelé dans la neige.

Ils vont mourir.

Une partie de moi va mourir.

Quel bonheur...

Jung prit note du fait que les lèvres de Pilgrim s'étaient entrouvertes, mais il ne le vit pas essayer de former des mots.

Le crépuscule. Le meilleur moment. L'entre deux moments.

Ainsi songeait Jung dans la perspective de Pilgrim, en se remémorant les propos de lady Quartermaine au sujet du *crépuscule permanent* de ses dix-huit premières années.

Sans doute n'y avait-il alors aucune pensée suicidaire chez lui. D'après les renseignements glanés par Jung au cours de sa longue étude sur la schizophrénie, il semblait que, le plus souvent, celle-ci se déclarait à l'âge de dix-sept ou dix-huit ans. Dix-neuf, peut-être, ou vingt.

Pilgrim avait-il réellement vécu aussi longtemps dans l'ombre de la maladie ? Cela paraissait impossible ; personne ne peut demeurer souffrant sur une telle période sans que l'on s'en aperçoive. Il devait avoir aujourd'hui dans les cinquante, cinquante-cinq ans. Non. La crise – si tant est qu'il y ait eu crise – avait dû se produire plus tard ; auquel cas, c'était tout à fait inhabituel, compte tenu de la norme.

Mais il s'était certainement passé quelque chose lorsque Pilgrim avait dix-huit ans. Un traumatisme, sous une forme ou sous une autre – accident, mort soudaine, maladie, rupture brutale d'une relation. Quelque chose. Et ce traumatisme, quel qu'il fût, était à l'origine de cette perte soudaine de la maîtrise de soi. Or, la perte de la maîtrise de soi, quoi que ce fût par ailleurs – une maladie ou pas –, relevait sans aucun doute d'un *état psychotique*.

Et voilà qu'elle surgissait de nouveau, la *bête noire** de lady Quartermaine, la suggestion inacceptable que Mr. Pilgrim était peut-être malade.

Or, il l'était bel et bien.

Jung en avait la certitude.

L'homme désormais sous surveillance dans son fauteuil roulant n'était rien moins que malade. Jamais un simple moment de dépression ou de désespoir n'aurait suffi à l'affecter de la sorte. Son maintien seul démentait cette possibilité, comme en témoignaient la raideur de son dos et de sa nuque, l'immobilité de ses pieds que l'on aurait pu croire entravés, et les mouvements rigides, mécaniques de ses mains.

Après s'être approché des fenêtres, Jung se plaça le dos à la lumière, devenant ainsi méconnaissable. La lumière, cependant, inondait Pilgrim assis sur son siège. En cet instant, il évoquait un roi sculpté dans la pierre avec son nez aquilin, ses grands yeux fixes, la masse de ses cheveux retombant sur son front, ses lèvres si désireuses de parler, et pourtant incapables d'y parvenir.

---

* En français dans le texte. (N. d. T.)

De la tête, Jung ordonna à Kessler de reconduire Pilgrim jusqu'à ses appartements.

Au moment où l'aide-soignant desserrait le frein, puis commençait à pousser le fauteuil, Pilgrim hurla, ou du moins, crut hurler : *NON, NE FAITES PAS ÇA!* en désignant le soleil. *IL N'EST PAS ENCORE MORT!*

Mais rien ne vint troubler le silence ; pas un bruit, hormis le léger couinement produit par les roues en mouvement lorsque Kessler ramena son patient vers l'ombre.

16

La comtesse Blavinskeya était allongée dans son bassin. Ses pieds, noueux et abîmés par la danse, flottaient loin, très loin d'elle dans la brume. Des pieds minuscules, autrefois si parfaits… Ainsi le disait toujours sa mère. Et son père. Son frère aussi.

Alexei.

Il a glissé les mains sous les couvertures, saisi mes pieds dans ses doigts glacés, pressé de ses pouces ma voûte plantaire, et murmuré: En rond, rond, rond nous tournons, et nul ne peut savoir où nous nous arrêterons.

Il y avait longtemps, très longtemps.

N'est-ce pas?

Oui, très, très longtemps.

Je n'en ai pas l'impression. Il me semble toujours percevoir le froid de ses doigts.

Tu n'avais que douze ans.

Douze ans? Je ne m'en souviens pas. Mais je me souviens que j'étais danseuse. De cela, je suis sûre.

Oui. Une très bonne danseuse, même. À dix ans déjà, tout le monde disait que tu deviendrais une grande ballerine.

C'est vrai, et je le suis devenue.

Tatiana sentait ses cheveux se déployer autour de ses épaules et s'échouer sur ses seins, dont les mamelons s'élevaient vers leur caresse. Dora Henkel lui avait recommandé de ne pas dénouer les rubans, mais Tatiana s'était détournée avant de dériver un peu plus loin, hors d'atteinte.

Il y avait du sel dans cette eau. *Un agent apaisant*, à en croire le thérapeute, et *un relaxant* – terme que Dora n'avait encore jamais entendu jusque-là. *Il rend le corps plus léger*, avait ajouté le thérapeute. *Ce qui, en soi, favorise la relaxation.*

Indéniablement, la comtesse paraissait désormais moins tendue – tout ensommeillée et alanguie qu'elle était dans la mer des Sargasses formée par sa chevelure. Avec un sourire, Dora se cala contre le dossier de sa chaise.

D'après le Dr Furtwängler, Tatiana Blavinskeya avait d'abord dansé à Saint-Pétersbourg, puis avec les Ballets russes de Diaghilev. Mais il s'était passé quelque chose – le médecin n'avait pas précisé quoi –, et sa carrière s'était achevée quelques mois après son mariage avec le comte Blavinsky. Cette même année, elle avait été élevée au rang de ballerine. Une chorégraphie pour un nouveau ballet avait été créée spécialement à son intention par Fokine. La musique composée par Stravinsky. On commençait à travailler sur les décors et les costumes quand quelque chose…

Il s'était passé quelque chose.

Il s'était passé quelque chose, et Tatiana Blavinskeya était partie vivre sur la lune. Retrouver sa mère, disait-elle. *Ma mère, Séléné, déesse de la lune.*

Les dieux eux-mêmes étaient amoureux de Séléné. Tous les dieux. Mais elle, elle était tombée amoureuse d'un homme – un mortel –, et on l'avait bannie de son royaume. Elle avait épousé son bien-aimé mortel *en présence du tsar de Russie !* Telle était du moins la version donnée par la comtesse. Et plus tard, ils avaient eu deux enfants : Alexei Sergeyevitch et Tatiana Sergeyevna.

Au début, tout allait bien. À en juger par ce que racontaient le Dr Jung et le Dr Furtwängler, qui connaissaient si bien son histoire, tout portait à croire que Séléné et Sergei Ivanovitch, son mari, avaient vécu un véritable conte de fées.

Et puis, quelque chose… Il s'était passé quelque chose.

Quelque chose, mais personne ne savait quoi.

Le Dr Jung était persuadé que la comtesse le savait, mais ne voulait, ou ne pouvait, en parler. Une opinion que ne partageait pas le Dr Furtwängler. Pour lui, il ne s'était rien passé du tout. Elle était malade, et susceptible – certaine – de guérir. *Il n'y a aucun problème chez Tatiana Blavinskeya auquel, à force de temps et de patience, on ne puisse remédier. Personne ne vit sur la lune. C'est impossible.*

Sur la lune, avait expliqué la comtesse à Dora Henkel, *nous ne pesons rien. C'est pour cette raison que j'aime tant l'eau. J'ai l'impression de rentrer chez moi – comme si je franchissais en flottant la distance entre ici et là-bas.*

Quant à son mari…

Non.

Elle n'aborderait pas le sujet de son mariage. Aucun enfant n'était né de cette union. *Comment aurait-il pu y en avoir ?* avait-elle mystérieusement dit.

Le comte Nicolas Blavinsky n'était plus. Quelqu'un l'avait tué – peut-être son beau-père, d'après certaines rumeurs.

Tatiana entrouvrit les lèvres, coinça entre elles une mèche de cheveux. Elle fixait la vapeur d'un regard vide ; il n'y avait personne en ces lieux dont elle souhaitât la présence. Tous ceux dont elle souhaitait la présence avaient disparu. Seuls demeuraient ceux dont elle ne souhaitait pas la présence. Son frère, son père, elle-même.

Alexei a glissé les mains sous les couvertures, et saisi mes pieds pendant que quelqu'un...

Qui ?

Pendant que quelqu'un regardait.

Oh, quoi ? Quoi ? Quoi, quoi, QUOI ?

Tatiana commença à se débattre dans l'eau, avalant des mèches de cheveux.

Un gémissement monta de sa gorge, mais aucune parole ne franchit ses lèvres. Elle s'étouffait.

Dora Henkel se précipita au bout du bassin.

« Comtesse ! Comtesse ! » siffla-t-elle entre ses dents.

Elle n'avait pas le droit d'élever la voix, au risque d'inquiéter les autres patients.

« Vite ! appela-t-elle *sotto voce*. Venez m'aider ! »

Deux surveillants accoururent, suivis par un aide-soignant et une infirmière.

L'aide-soignant descendit dans le bassin, où il attrapa Tatiana Blavinskeya par les bras. Malgré la force qu'il déployait, elle continuait d'agiter les jambes, de faire pleuvoir sur lui des coups de talon. Il parvint néanmoins à la maîtriser pendant que Dora Henkel et l'autre infirmière la hissaient hors de l'eau, puis l'immobilisaient dans un semblant de camisole fabriquée en hâte avec des serviettes.

La tête renversée en arrière aussi loin que le lui permettait sa nuque, la comtesse hurla :

« Aidez-moi ! Aidez-moi ! Aidez-moi ! À l'aide ! »

Mais personne ne se porta à son secours. Personne. Sauf ceux qui étaient déjà présents, et ceux-là lui dirent : *Vous n'avez pas besoin d'aide. Tout va bien. Nous sommes avec vous. Là, là, là... Calmez-vous.*

C'est toujours la même histoire. Il n'y a que vous qui voyez vos ennemis, et vos ennemis ne voient que vous.

17

Le lendemain matin, Pilgrim refusa de se nourrir.

Il sentait pourtant l'odeur de la marmelade dans le petit pot placé à côté de l'assiette contenant un toast – toast que Kessler avait beurré avec soin, exactement comme il avait vu Mr. Pilgrim le faire : en couche ni trop épaisse ni trop fine, bien répartie jusqu'aux bords.

Il y avait une théière emplie d'un mélange de Lapsang Souchong et d'English Breakfast – l'association préférée de Pilgrim, d'après les instructions laissées par lady Quartermaine.

Pas de pamplemousse ; juste du thé, de la marmelade et un toast.

Auxquels il ne toucha pas.

Lorsque le Dr Jung arriva, une demi-heure plus tard, Kessler avait posé le plateau sur le lit.

« Nous ne voulons pas manger, déclara-t-il. Nous avons utilisé les toilettes avec un certain succès, nous avons pris un bain et nous nous sommes brossé les dents. J'ai jugé préférable de ne pas le raser. Il m'a semblé que ce n'était peut-être pas une bonne idée de lui laisser voir l'instrument pour le moment.

– Peut-être, en effet, fit Jung. Mais à votre place, je ne m'inquiéterais pas trop. Et dès demain, je recommencerais à le raser.

– Bien, monsieur.

– A-t-il dormi ?

– Il n'a pas fermé l'œil. Pas plus que moi.

– C'est fort regrettable. Pensez-vous tenir le coup ?

– Je m'accommoderais volontiers d'une sieste quand j'aurai emporté cette nourriture. À vrai dire, il se pourrait bien que j'avale moi-même ce petit déjeuner. À force de regarder Mr. Pilgrim s'affamer, j'ai l'estomac dans les talons.

– Dans ce cas, prenez le plateau et régalez-vous. Profitez-en, reposez-vous. Il est neuf heures. Revenez à midi.

– Merci, monsieur. »

Kessler alla chercher le plateau sur le lit, puis s'en alla en passant par le salon.

Pilgrim portait son pyjama habituel, la même robe de chambre grise, les mêmes chaussettes blanches et pantoufles en chamois. On avait changé ses bandages, bien qu'aucune raison d'ordre médical ne justifiât plus leur présence. Ils n'étaient là que pour épargner au patient la vue des cicatrices.

Avec un sourire, Jung s'approcha de lui.

« Vous devriez essayer de dormir, vous savez, dit-il. Nous avons tous besoin de sommeil, encore que je dorme très peu moi-même, je l'avoue. Mais je ne pourrais cependant m'en passer complètement. »

Pilgrim bougea les yeux.

Il y avait des pigeons sur les...

... remparts.

Des pigeons sur...

... le pas de la porte...

... le foyer...

... l'endroit au-delà de...

... là. Juste là. Au-delà de...

... de...

« Mr. Pilgrim ? »

Des pigeons.

« Est-ce que vous me voyez ? »

Oui. Vous êtes là.

« Parlez-moi, si vous en êtes capable. »

Je n'en suis pas capable.

« Avez-vous peur de moi ? »

Comment ?

« Avez–vous–peur–de–moi ? »

Bien sûr. Pas vous ?

« Regardez-moi, Mr. Pilgrim. »

Non. Pilgrim dirigea son attention vers les pigeons sur les rebords des fenêtres et le balcon, sans parvenir à identifier l'endroit où ils s'étaient posés.

Les remparts.

« Si vous me comprenez, hochez la tête. »

Rien.

« Si vous me comprenez, faites-moi un signe. Peu importe lequel ; faites-moi juste un signe. »

Rien.

« Vous pouvez bouger, Mr. Pilgrim, je le sais. Je vous ai vu. Servez-vous de vos doigts, de vos pieds, de votre tête, mais adressez-moi un signe. Est-ce que vous me comprenez ? »

Rien.

« Est-ce que vous m'entendez ? »

Une des mains de Pilgrim se porta à la rencontre de l'autre.

« Est-ce que vous m'entendez ? »

La pointe d'une pantoufle frappa un léger coup. Un seul.

Jung fouilla ses poches.

« Vous fumez, Mr. Pilgrim ? »

Rien.

« J'espère que vous ne verrez pas d'objection à ce que je m'offre un cigarillo. Il s'agit là d'une faiblesse face à laquelle, je le crains, je me trouve démuni. Les cigarillos et le brandy sont pour moi une sorte de nourriture. »

Ayant déniché la boîte de cigares, il en retira un.

« Mmm... Quel arôme ! Divin ! » s'exclama Jung en humant le cigarillo sélectionné.

À aucun moment son regard n'avait quitté le visage de Pilgrim.

« Je pourrais vous en donner un, si vous le désirez. »

Rien.

« Non ? Eh bien... »

Jung empocha de nouveau la boîte et prit des allumettes.

« Le feu, fit-il avec un sourire. Un véritable don des dieux », ajouta-t-il avant d'en craquer une.

Les prunelles de Pilgrim s'animèrent. De toute évidence, la flamme avait éveillé son intérêt.

Jung alluma son petit cigare, puis en tira deux bouffées avant de reprendre la parole :

« Aimez-vous les cigares ? Ou les cigarettes, peut-être ? À moins que vous ne fumiez la pipe ? »

Toujours aucune réponse.

« J'ai remarqué que votre amie lady Quartermaine avait un certain penchant pour les cigarettes. J'ai déjeuné en sa compagnie, hier. Elle vous transmet ses amitiés. »

Les pigeons s'étaient tassés dans la lumière matinale. Le soleil lui-même demeurait invisible.

Le soleil n'existe pas. Dieu n'existe pas.

Le soleil se levait tous les matins derrière la clinique, et tous les matins, ainsi qu'en cet instant, il s'y attardait comme pour tourmenter le monde en attente. Ses rayons obliques effleuraient la longue vallée boisée où se nichait le Zürichsee, dissimulé aux regards ; plus loin, à une distance incalculable, le fantôme de la *Jungfrau*, enveloppé d'un linceul de nuages sombres, se dressait à l'endroit où la vallée disparaissait dans l'oubli.

« Mr. Pilgrim ? »

Jung alla chercher une chaise, qu'il plaça à droite de son patient.

« J'aimerais beaucoup connaître votre opinion sur la vue. Souvent, l'idée que l'on se fait des montagnes dépend de l'endroit où l'on a grandi. Y avait-il des montagnes dans votre enfance, Mr. Pilgrim ? Il y en avait dans la mienne, mais elles étaient différentes. Celles-ci sont plus larges, plus hautes, plus audacieuses que les montagnes de ma jeunesse. Vous me suivez, j'espère. »

Pilgrim cilla.

Ses mains remuèrent ; elles reposaient toutes les deux sur ses genoux, paumes vers le ciel.

« J'ai toujours voulu vivre au bord de la mer, poursuivit Jung, bien qu'elle n'ait jamais figuré parmi les choix qui se sont offerts à moi. Je suis en mesure, évidemment, d'aller voir la mer, ou l'océan. Comme tout le monde. Mais pas d'habiter à proximité. La mer est un privilège que je dois laisser à ceux qui, par leur métier, peuvent y accéder quotidiennement... »

Il coula un regard furtif en direction du profil de Pilgrim.

Celui-ci demeurait impassible. Immobile. Attentif, pourtant.

« Moi, mon travail est ici. Mais il y a de l'eau dans cette région, Dieu merci ! Le Zürichsee, la Limmat, les lacs et les rivières dont nous sommes environnés... N'est-ce pas ? Pourtant, ce n'est pas la mer. Ce n'est pas l'océan non plus. Et je dois m'en contenter. »

Pigeons.

« Avez-vous déjà envisagé de périr par l'eau, Mr. Pilgrim ? Par noyade ? »

Oui.

« En rêve, je me suis noyé. Cela dit, j'ai péri de diverses manières en rêve. Comme nous tous, je suppose. Oui, de diverses manières. »

Vous arrive-t-il de vous tuer en rêve, docteur ?

« Vous avez vous-même écrit sur la mort, sur l'agonie. J'ai lu votre livre sur la vie et la mort de Léonard de Vinci. Un ouvrage excellent. Tout à fait remarquable de sagacité. Extrêmement instructif. Remarquable de colère aussi. Cela m'a fasciné. Pourquoi une telle colère envers Léonard de Vinci ? »

Pourquoi pas ?

« Et pourtant, il y a une si grande conviction dans vos propos que l'on serait presque tenté d'y adhérer. »

Presque ?

« Comment expliquer, se demande-t-on forcément, cette conviction ? »

Je l'ai connu.

« C'est assez facile de critiquer, et à raison qui plus est, mais le génie de votre ouvrage – et je parle ici à dessein de *génie* – réside dans la clarté avec laquelle vous distinguez votre condamnation de l'homme de votre admiration pour son œuvre. »

Ce n'est que justice.

« Je suis fasciné, répéta Jung. Absolument fasciné. »

Pilgrim tourna ses paumes vers l'intérieur, un geste que Jung ne manqua pas de noter.

« Peut-être aurons-nous une conversation intéressante à propos de votre livre lorsque vous aurez décidé de vous exprimer, Mr. Pilgrim. À moins, bien sûr, que vous n'estimiez avoir épuisé le sujet – ce dont je doute fort. La virulence passionnée de vos attaques contre Léonard me laisse supposer qu'il y encore beaucoup à dire. »

Pilgrim compta les pigeons. *Six.*

Le soleil s'élevait à gauche du bâtiment, mais bien que l'on fût en avril, il ne recelait encore aucune promesse de printemps.

Jung, qui avait suivi le regard de Pilgrim, observa :

« Ici, en Suisse, on a parfois l'impression que l'hiver ne s'achèvera jamais. Pourtant, la neige a commencé à fondre. Je l'ai entendue ce matin former des rivières qui coulent sous la surface. D'ici à trois semaines, je vous le promets, jonquilles et crocus se montreront au bord du lac. Une fois le processus déclenché, les fleurs sont là en un clin d'œil, et à peine avez-vous le temps de vous en apercevoir qu'elles ont déjà disparu. »

Ils ne sont plus que cinq, maintenant. L'un d'eux s'est envolé.

Jung se leva.

« Je me demande bien ce que Léonard pouvait penser de la neige là-bas, à Florence, où les montagnes sont à peine plus hautes que des collines… Il la connaissait surtout, j'imagine, par les terribles inondations qu'elle provoquait au moment des crues de l'Arno, le printemps venu. Boue, neige fondue, saletés – rien de comparable avec la neige par ici. Il n'en a jamais peint, pour autant que je le sache ; mais naturellement, son œuvre m'est moins familière qu'à vous, Mr. Pilgrim. Rien, chez lui, ne l'attirait vers la neige. Elle ne figurait pas dans son imagination. Celle-ci était imprégnée d'autres vues, d'autres images. N'est-ce pas ? Non celles de la neige, mais celles du vent et de la pluie – ces nuages d'orage tellement typiques, tous ces drames qui se jouaient dans ses paysages… Toujours dépourvus de neige. Peut-être serez-vous d'accord avec moi, Mr. Pilgrim. Nous ne sommes pas libres de choisir les objets de notre attention. Ce sont eux qui nous choisissent. C'est ainsi que j'ai été choisi par vous, Mr. Pilgrim. Vous êtes ma neige. »

Sur ces mots, Jung s'écarta du dos rigide de Pilgrim pour se diriger vers la porte.

« Maintenant, je vous laisse, dit-il. Je reviendrai lorsque vous solliciterez ma présence. Pas avant. Bonne journée, Mr. Pilgrim. »

La porte s'ouvrit.

La porte se referma.

Les mains de Pilgrim quittèrent ses genoux pour se crisper sur les accoudoirs de son fauteuil roulant.

Il tremblait.

Ses lèvres s'entrouvrirent.

Il parla.

« Le ciel », dit-il.

Et de répéter : « Le ciel. »

Il se protégea les yeux pour regarder le soleil.

Le soleil le guérirait.

Le ferait fondre, s'il était vraiment de la neige.

18

« Carl Gustav ? »

C'était Furwängler.

« Oui, Josef. »

Furwängler avait vu son confrère de dos au moment où celui-ci, après avoir fermé la porte des appartements occupés par Pilgrim, s'apprêtait à s'éloigner dans le couloir.

« Attendez-moi, je vous prie », dit-il en pressant le pas.

Jung se prépara au pire – une nouvelle diatribe glaciale, de nouvelles accusations paranoïaques.

« Eh bien, attaqua Furtwängler, vous avez encore réussi à me voler un de mes patients ! »

Nous y voilà, songea Jung.

« Exact, répliqua-t-il. Sauf qu'il ne s'agit pas d'un vol.

– Et de quoi s'agit-il, d'après vous ?

– De l'acceptation d'un engagement professionnel. Comme d'habitude, on m'a demandé de répondre par *oui* ou par *non*. J'ai répondu *oui*.

– Pas comme d'habitude, non. Cette fois, vous avez vous-même tiré quelques ficelles. Bleuler m'a convoqué dans son bureau à huit heures et demie ce matin pour m'annoncer que vous alliez reprendre le dossier Pilgrim – sur l'insistance de lady Quartermaine. Au moins, il a eu la décence de me présenter ses excuses.

– Et vous voulez que je vous en présente à mon tour, Josef ? Dans ce cas, vous les avez, je vous les offre sans hésitation. »

Ils étaient arrivés devant l'escalier, qu'ils commencèrent à descendre.

« Je ne les accepte pas, riposta Furtwängler. Si je les croyais une seconde sincères, je le ferais. Mais je vous connais trop bien, Carl Gustav. Vous avez intrigué dans cette affaire. Vous avez intrigué, comploté et sapé mon autorité. Pour y parvenir, vous vous êtes adressé directement à lady Quartermaine afin de me mettre hors jeu.

– Où êtes-vous allé chercher cela ?

– Hier, on vous a vu déjeuner avec elle. Et dans la soirée, m'a-t-on rapporté, elle a rendu visite au directeur, qu'elle a manifestement convaincu en un seul entretien du caractère inadéquat et inacceptable à la fois de mon diagnostic et du traitement que j'envisageais pour Mr. Pilgrim. *Inadéquat et inacceptable !* Qu'ai-je bien pu faire pour mériter de telles critiques ?

– Vous avez méjugé votre patient.

– *Je ne l'ai pas méjugé !* Comment osez-vous dire une chose pareille ? »

Ayant atteint le palier, ils durent se taire et s'écarter pour laisser passer deux infirmières qui montaient. Sourires et hochements de tête courtois furent adressés à la cantonade. Surtout, ne pas montrer au personnel que l'on avait un différend. Du moins, tant qu'il ne serait pas réglé.

Sans bouger, Jung reprit après un moment de silence :

« Oui, j'ai déjeuné hier avec lady Quartermaine. À son instigation, non à la mienne. Je n'ai rien fait pour faciliter ce transfert, prétendit-il. Rien du tout. »

Cette fois, il descendit les marches.

Furtwängler, qui ne supportait pas de perdre la face ou de paraître à son désavantage, dut résister à la tentation de s'élancer derrière lui. Au lieu de quoi, il s'engagea à son tour dans l'escalier en donnant l'impression d'aller à la rencontre d'un comité d'accueil rassemblé au pied pour le saluer.

« Force m'est de reconnaître, Carl Gustav, que vous excellez dans ce genre de chose, lança-t-il d'un ton glacial.

– Quel genre de chose ?

– Poignarder les gens dans le dos et, ensuite, agir comme s'ils s'étaient contorsionnés pour se porter eux-mêmes le coup fatal.

– Je regrette que vous le preniez ainsi, Josef. J'espérais – et lady Quartermaine aussi, je me dois de vous le dire – que vous continueriez d'intervenir sur ce cas en tant que principal consultant. »

Ils se trouvaient désormais dans le hall inondé de soleil. Quelques patients en compagnie de leurs proches, des aides-soignants et des infirmières allaient prendre leur déjeuner de bonne heure. En cette première journée de mai, quelqu'un avait placé sur le comptoir de la réception plusieurs pots de bulbes forcés – des jacinthes, des narcisses et des jonquilles –, dont les couleurs et le parfum donnaient un avant-goût prometteur de la saison sur le point d'éclore au-delà des portes.

Furtwängler était momentanément à court de mots. Enfin, il demanda :

« S'agit-il d'une offre de réconciliation sincère ?

– Bien sûr, répondit Jung avec un sourire.

– Il n'est ici que depuis une semaine et, pourtant, je me suis en quelque sorte attaché à lui. À Pilgrim, je veux dire. Après tout ce qui s'est passé au cours de ces quelques jours… Bref, son cas m'intrigue, et je détesterais perdre tout contact avec lui.

– Inutile d'en arriver là. Croyez-moi. »

Furtwängler lui adressa un sourire hésitant.

« Eh bien…, fit-il. Je vous souhaite bonne chance avec lui, alors. »

Son confrère feignit une révérence.

« Merci. »

Ils demeurèrent un moment plantés là, ne sachant trop ni l'un ni l'autre si le sujet était clos, ou s'il y avait encore des choses à ajouter. Puis Furtwängler, comme toujours lorsqu'il avait besoin de temps pour réfléchir, sortit son mouchoir avec lequel il entreprit de nettoyer une paire de lunettes qu'il gardait dans sa poche uniquement pour se donner un certain prestige – arborant ainsi l'insigne d'un intellectuel.

« Vous étiez avec Mr. Pilgrim il y a quelques instants, déclara-t-il enfin. Comment l'avez-vous trouvé ? Pour ma part, j'ai passé une heure en sa compagnie hier après-midi, et je n'avais encore jamais vu le regard d'un homme refléter une telle angoisse.

– Exact. J'en conviens. Et ce matin, je n'ai constaté aucun changement. Il n'a pas prononcé un mot. Il s'est contenté de tourner les mains ainsi, fit Jung en mimant le geste, sans quitter des yeux les montagnes. Il scrute l'horizon avec une sorte de fanatisme, si je puis dire, comme si quelqu'un, là-bas, devait s'adresser à lui. Alors, j'ai tenté une ruse. Je lui ai parlé un bon moment, essentiellement de la vue depuis la fenêtre, de la neige et de Léonard de Vinci. J'ai le sentiment, après avoir relu son livre, que ma meilleure chance de l'amener à communiquer consiste à me référer à ce peintre. Je voudrais provoquer une dispute. Voir si je peux l'ébranler suffisamment pour l'obliger à s'exprimer. Mais je l'ai aussi informé que je ne retournerais pas le voir tant qu'il ne réclamerait pas ma présence.

– N'est-ce pas risqué ?

– Peut-être. Néanmoins, je le sens désireux de parler. Ce qui l'en empêche… Dieu seul le sait. Il possède la capacité motrice de la parole. Je n'ai constaté aucun signe d'attaque ou d'une quelconque défaillance physique. Il est en bonne santé, bien qu'il se nourrisse rarement et ne dorme jamais. Il semble posséder la constitution d'un cheval de bataille. »

Furtwängler rangea ses lunettes dans sa poche, puis commença à plier son mouchoir.

« Josef, lança soudain Jung, j'ai une faveur à vous demander.

– Aïe. Ça ne me dit rien qui vaille. Mais allez-y, demandez toujours.

– Je voudrais que vous vous absteniez de rendre visite à Mr. Pilgrim pendant un jour ou deux. Et ce, afin d'aviver son désir de parler. Il ne dira rien à Kessler. En aucun cas il ne lui dira ce qu'il souhaiterait nous transmettre, à vous ou à moi. Et j'insiste pour que ce soit à moi. Je suis désolé, mais j'espère que vous comprendrez. »

Son collègue esquissa un pauvre sourire improvisé, désabusé.

« Un jour, Carl Gustav, c'est vous qui dirigerez cette clinique. Et lorsque cela arrivera, je ne suis pas sûr d'avoir envie de rester.

– Vous voilà de nouveau en colère.

– Oui. J'ai droit à une part de Pilgrim, comme vous me l'avez promis. En tant que principal consultant, je dois conserver un lien avec lui.

– Deux jours, Josef. Deux jours seulement. Ensuite, nous nous le partagerons. »

Furtwängler détourna les yeux.

« Il faut donner la priorité à la science. Sinon, le patient nous échappe complètement.

– Absurde, rétorqua Jung. C'est au patient qu'il faut donner la priorité.

– Si vous le dites… Néanmoins, je vous ferai remarquer qu'à mon avis, vous avez déjà rompu l'accord que nous avions conclu sur ce point il y a quelques minutes. Bonne journée. »

Déjà, Furtwängler tournait les talons.

En le regardant, Jung songea : *Eh bien, c'est fort dommage, mais au moins, cela me permet de ne plus l'avoir sur le dos.*

Alors qu'il se dirigeait vers son bureau, il se mit à fredonner l'air des *Légendes de la forêt viennoise*, et ne tarda pas à s'apercevoir qu'il dansait.

19

Vers onze heures ce soir-là, Kessler avait enfin réussi à persuader Pilgrim d'aller se coucher. Le fauteuil roulant avait été repoussé dans un coin, et son occupant était désormais au lit.

Pour sa part, Kessler avait pris l'habitude de dormir sur un petit lit de camp au fond du salon – un lit pliant qu'il dissimulait derrière l'armoire durant la journée. Il éteignit toutes les lampes sauf une, placée sur une table éloignée, et dont la lueur était suffisante en cas d'urgence, mais pas assez forte pour troubler le sommeil.

« Bonne nuit, Mr. Pilgrim », dit-il avant de se glisser tout habillé sous la couverture.

Mais il n'obtint pas de réponse.

Évidemment qu'il ne répond pas, pensa Kessler avec amertume en se débarrassant de ses chaussures. *Son silence durera jusqu'à la fin des temps.*

À minuit, il entendit l'horloge sonner douze fois, mais il se trouvait déjà à l'orée des songes et se contenta de compter les coups comme d'autres comptent les moutons.

À deux heures du matin, il dormait profondément.

« Vous êtes là ? » dit soudain une voix.

Venue d'un rêve ?

« Est-ce vous, mon ami ? »

Non. La voix ne venait pas d'un rêve. Réveille-toi.

Kessler se redressa tant bien que mal, prit appui sur un coude et prêta l'oreille.

« Parlez. Êtes-vous là ? »

Kessler n'avait jamais entendu la voix de Pilgrim. Elle aurait tout aussi bien pu appartenir à un inconnu.

Il se leva, tâtonna jusqu'à son patient.

« Mr. Pilgrim ?

– Il y a quelqu'un ? Un docteur ? »

Kessler alluma la lampe de chevet.

« Mr. Pilgrim ? »

Celui-ci lui tournait le dos.

« Mr. Pilgrim ? »

Cette fois, il n'y eut pas de réponse.

Voulant éviter de le surprendre, Kessler passa de l'autre côté du lit, où il serait visible, avant de demander :

« Êtes-vous réveillé ? »

Toujours aucune réponse. De plus, la position de Pilgrim ne permettait pas de déterminer précisément dans quel état il se trouvait. Pour Kessler, il paraissait néanmoins peu probable qu'il fût conscient. Il n'y avait chez lui aucune réaction motrice, sinon une respiration à peine perceptible.

Kessler s'approcha du bureau, où il écrivit en allemand : *A commencé à parler aux environs de deux heures cinq du matin.* Après quoi, il s'assit, l'avant-bras posé sur la page qu'il venait d'annoter, le stylo toujours décapuchonné. Il attendait.

« Parlez, Mr. Pilgrim, dit-il enfin. Parlez encore. »

Rien de tel ne se produisit.

Kessler consulta la pendule sur le bureau, puis se pencha de nouveau vers la feuille. *A cessé de parler aux environs de deux heures quatorze,* écrivit-il. Puis il remit le capuchon du stylo, éteignit la lumière et demeura assis dans le noir.

Quand tout le monde l'abandonne, pensa-t-il, *je reste. C'est moi qui veille à son chevet – pas le Dr Jung, ni le Dr Furtwängler, ni son amie lady Quartermaine. C'est moi qui suis assis ici. Je suis son gardien. Son tuteur. Son protecteur. Mais ce sont eux qui s'attribueront tout le mérite. Pour eux, je ne suis rien d'autre que son surveillant. Pourtant, moi seul – Je – saurai quand viendra la guérison. Pas les autres, pas ses médecins, mais moi seul, qui ai passé la nuit auprès de lui.*

Un ronflement s'éleva, signe d'un sommeil profond.

Kessler se redressa, retourna vers son lit de camp.

Il était fatigué. Incapable de demeurer éveillé une seconde de plus. Il guetta un bruit d'ailes, et lorsque celui-ci se fit entendre, comme toujours avant qu'il ne s'endorme, Kessler sombra dans le sommeil.

20

Au matin, lorsque Jung apprit que Pilgrim avait parlé dans son sommeil, il demanda à Kessler de lui trouver un lit semblable au sien et de l'installer au pied de celui occupé par son patient.

« Je coucherai ici ce soir, déclara-t-il, avec l'espoir qu'il parlera de nouveau. » Dans le salon, où Pilgrim ne pouvait les entendre, Jung demanda ensuite : « Êtes-vous sûr qu'il m'a réclamé ?

– Il n'a pas mentionné votre nom, répondit Kessler. Non. Pourtant, il a dit *docteur*. Il a dit, très exactement : *Il y a quelqu'un ? Un docteur ?* Mais sans donner de nom. »

Pour Jung, c'était aussi bien. Il bénéficiait ainsi d'une certaine marge de manœuvre pour le moment. Après tout, Pilgrim aurait pu faire allusion à n'importe quel médecin – Greene, Hammond, ou quelqu'un d'autre. Si Jung lui avait précisé son nom, Pilgrim ne l'avait cependant jamais prononcé. Rien ne prouvait donc qu'il l'eût mémorisé. En déclinant une identité inopportune, Jung risquait d'anéantir cette chance d'établir la communication, alors qu'en conservant l'anonymat, il se ménageait la possibilité d'être pris pour un confrère.

Au cours de la journée, l'attention de Pilgrim fut détournée par une visite aux bains pendant que deux jeunes internes installaient dans sa chambre la couche requise par Jung et lui préparaient des couvertures. Lorsque Pilgrim revint, toujours en robe de chambre, il s'allongea sur le lit de camp comme si on l'avait apporté à son intention, et y sommeilla une bonne partie de l'après-midi.

Il se réveilla à sept heures du soir, prit un léger repas composé d'œufs brouillés, puis se retira dans son propre lit. Sans avoir prononcé un mot. De fait, il paraissait à peine conscient au moment de dîner, bien qu'il eût soulevé sa serviette et l'eût remise en place après s'en être servi. Autant de mouvements effectués sur le mode automatique.

Ce ne fut qu'après le lever de la lune, désormais à son dernier quartier, que Jung se présenta à la porte de la suite 306 et frappa un léger coup avant d'entrer.

« Est-ce qu'il dort ? demanda-t-il.

– Oui, monsieur.

– Parfait. »

Dans la chambre, Jung déballa un pyjama, un peignoir, une paire de pantoufles, un cahier et une bouteille de brandy.

« Ce sera tout, Kessler, dit-il. Je vais aller me coucher, maintenant, et je vous invite à faire de même. Si j'ai besoin de vous, je vous appellerai.

– Bien, monsieur. »

La suite 306 était devenue une sorte de campement militaire – du moins Kessler avait-il cette impression, au point d'éprouver le désir presque irrésistible de claquer des talons et d'incliner le buste devant Jung. Il parvint cependant à s'abstenir en présence du médecin, mais ne put réprimer un léger claquement de talons au moment de tirer la porte entre eux.

Jung passa dans la salle de bains, où il ôta ses vêtements pour les troquer contre son pyjama et ses pantoufles. Il se brossa les dents, utilisa les toilettes et se lava les mains. Puis il plia soigneusement ses habits avant de les emporter dans la chambre, où il les disposa sur une chaise. Il plaça ensuite ses chaussures côte à côte sous son lit, et ouvrit les couvertures. Il n'avait pas dormi seul depuis si longtemps que la vue des draps vides faillit presque le troubler, jusqu'au moment où il pensa, avec un sourire : *Ce sera un peu la même chose que de coucher à la caserne une fois l'an durant le service – quand s'alignent une centaine de lits vides qui attendent une centaine d'hommes mariés, tous arrachés à leur foyer et à leur épouse. Quelle pénible épreuve c'est toujours que d'affronter l'obscurité quand quatre-vingt-dix-neuf individus autour de vous se tripotent jusqu'à s'endormir dans un soupir...*

Avant d'éteindre la lampe sur le bureau, Jung se servit une mesure minimum de brandy, puis resta un moment à contempler son patient.

« Parle, chuchota-t-il, avant d'avaler l'alcool. Et Dieu fasse que je me réveille pour t'entendre. »

Enfin, il pressa l'interrupteur et se glissa sous les couvertures.

Il était onze heures et demie.

Une cloche sonna quelque part, qui l'en informa.

À quatre heures du matin, Pilgrim prit la parole.

Jung se réveilla, et attendit.

Il y avait un rai de lumière pâle en provenance du salon, où Kessler laissait toujours une lampe allumée en cas de besoin.

« Il y a quelqu'un ? »

Jung dégagea ses jambes de sous les couvertures et tâtonna à la recherche de ses pantoufles.

« Oui, répondit-il. Je suis là.

– Qui êtes-vous ?

– Un ami. »

Il s'approcha du lit de Pilgrim, puis alluma la lampe de chevet.

Pilgrim paraissait endormi ; pourtant, il parla de nouveau.

« Donnez-moi un stylo », dit-il.

Mieux valait s'abstenir de contrarier la voix, Jung le savait. Après tout, il était possible que Pilgrim fût un médium. Jung avait entendu tant de voix semblables dans le passé – sépulcrales, détachées de leurs utilisateurs parce qu'elles appartenaient à quelqu'un d'autre…

Cette expérience s'était produite au cours de ses recherches sur le spiritisme – un sujet qu'il avait abandonné au profit de son intérêt pour la schizophrénie. Il avait rencontré des hommes qui s'exprimaient avec une voix de femme, des femmes qui s'exprimaient avec une voix d'homme, et d'autres personnes qui s'exprimaient dans une langue étrangère alors qu'elles parvenaient tout juste à maîtriser la leur. Or, cette voix-là offrait la même résonance désincarnée ; c'était celle d'un autre, émanant d'une source inconnue.

Pourtant, rien dans le comportement de Pilgrim tel que Jung l'avait observé ne laissait supposer jusque-là qu'il fût *possédé* – selon le terme consacré par le folklore. Rien n'indiquait non plus que c'était un médium, un prophète, un « porte-parole ». Quoique distant, diminué, il donnait néanmoins l'impression de s'appartenir entièrement.

Jung alla chercher son propre stylo et son cahier sur le bureau, puis les emporta près de la lampe. Il plaça le stylo dans la main de son patient avant de lui tendre le papier.

Le stylo tomba sur le couvre-lit. Les doigts semblaient incapables de le tenir.

« Écrivez », ordonna la voix.

Jung retourna s'asseoir devant le bureau.

Pilgrim lui tournait le dos, et Jung, par nécessité, tournait le dos au lit. Il se versa une dose généreuse de brandy, décapuchonna son stylo et lissa son cahier ouvert à une page vierge.

« D'accord, dit-il en élevant à peine la voix. Je suis prêt. Je vais écrire. »

Un long soupir résonna dans la pièce lorsque Pilgrim roula sur le dos. Si Jung avait pivoté pour le regarder, il aurait vu, en travers des yeux du patient, une de ses mains ainsi qu'un poignet bandé. Il aurait vu aussi l'autre main sur les couvertures, paume vers le ciel – crispée, le bandage autour du poignet imprégné de sang.

« Il y a un fauteuil orienté vers la fenêtre, reprit la voix. Sculpté, avec des pieds de lion et un siège rembourré. Un jeune homme l'occupe, renversé comme s'il dormait. Il est nu, à peine sorti de l'adolescence et pourtant mature. Il a des poils sous les aisselles et à l'aine. D'un bras, il paraît se protéger les yeux. L'autre pend le long de sa jambe. Quelqu'un... »

Jung arrêta d'écrire et attendit.

Pilgrim poussa un soupir de frustration.

« Quelqu'un, que je ne parviens pas à distinguer, est... »

Rien.

Silence.

Un autre soupir, puis: « Il y a un morceau de papier. Une page tournée dans un cahier – le cahier est large, épais, cousu à la main, relié de cuir. Et... »

Oui?

« Sur le papier – sur la page – figure un dessin. Je le vois en même temps qu'il est créé. Je le vois, je vois aussi la main qui le trace – mais rien d'autre, comme s'il s'agissait de ma propre main. À moins que je ne me trouve juste derrière ce bras et cette main qui ébauchent... »

Oui?

« Ils sont éclairés, mais pas par le soleil. Par une sorte de lumière boréale, plutôt. Diffuse. Diffuse à dessein, peut-être – masquée, voilée d'une manière ou d'une autre –, mais bonne, ample, suffisante. Et le dessin représente la silhouette du jeune homme. Mais il est incomplet. Il n'a pas de visage. Et puis... »

Oui?

« Et puis... »

Oui?

Stylo en l'air, Jung patientait.

« Le visage commence à se dessiner. Lui-même. Il n'y a pas de doigts, de main, ou de bras pour guider le... le quoi? Le fusain... Non, pas de main pour guider le fusain et, pourtant, le visage se dessine. Oh, mon Dieu... »

Oui?

« Angelo. Angelo... »

Silence.

Jung attendit, mais le silence se prolongeait. Enfin, il se tourna vers le lit.

Pilgrim avait les deux poignets ensanglantés, bien qu'il fût toujours profondément endormi. De toute évidence, celui qui s'était exprimé par sa bouche l'avait maintenant quitté.

Le saignement était sans gravité. Cela ne faisait aucun doute, bien que l'écoulement eût été suffisamment abondant pour imprégner les deux bandages. Jung souleva les mains de Pilgrim pour vérifier qu'il dormait, défit la gaze et l'emporta dans la salle de bains. Lorsqu'il eut actionné l'interrupteur, il la jeta à la poubelle et ouvrit le robinet d'eau chaude. Puis d'eau froide. Après avoir mouillé le coin d'une serviette, il retourna près du lit, où il nettoya et sécha les poignets de son patient, avant de les lui poser sur la poitrine. Ce faisant, il créa l'image d'un chevalier médiéval au repos dans sa tombe, surmonté par sa représentation sculptée dans la pierre.

Jung sourit.

Sculptée, songea-t-il, *dans la pierre qui a finalement parlé.*

Il se réjouissait que ce moment fût désormais derrière lui. Ce genre d'expérience, quand il assistait au spectacle d'un patient sous l'emprise d'une autre personnalité, s'accompagnait toujours d'une profonde exaltation suivie par un sentiment de vide. Un peu comme si quelqu'un avait actionné en lui une chasse d'eau, le privant d'un seul coup de toute son énergie.

S'étant servi deux doigts de brandy, Jung alluma un dernier cigarillo et revissa le capuchon de son stylo, qu'il posa à côté de lui.

Ensuite, il s'écarta de la table, éteignit la lampe et se leva. Il étira ses bras au-dessus de sa tête puis, se haussant sur la pointe des pieds, il poussa un profond soupir avant de se rasseoir.

Par la fenêtre, il constata que la lune avait disparu. Ne subsistaient que la neige ombrée de bleu et la plus infime lueur stellaire.

Il jeta un coup d'œil en direction du salon, où Kessler s'était assoupi, confortablement blotti sous les couvertures, donnant l'impression que sa mère l'avait bordé pour la nuit en lui souhaitant un bon voyage jusqu'au lendemain.

Ma mère disait toujours que le sommeil est une traversée, et qu'il faut parvenir sain et sauf de l'autre côté de la mer des Ténèbres.

Sur laquelle Pilgrim dérivait lui aussi, comme s'il était soulagé d'un poids – comme si, lorsque son rêve s'était achevé, un passager avait débarqué avec tous ses bagages.

Angelo. Qui était-ce ? Qui était le jeune homme nu alangui dans son fauteuil, et quand avait-il vécu ? Et ce n'était pas tout, loin s'en fallait. Qui était l'auteur de ce dessin ? Pilgrim, ou quelqu'un d'autre ? Que d'énigmes stimulantes, intrigantes, riches de possibilités !

Jung vida son verre, rassembla ses affaires et passa dans la salle de bains, d'où il ressortit quelques instants plus tard chargé de son pyjama, de sa brosse à dents et de ses pantoufles. Il les rangea dans son sac – un Gladstone – avec la bouteille de brandy, le cahier et le stylo.

Dans le salon, prenant garde à ne pas réveiller Kessler, il enfila son pardessus et chaussa maladroitement ses vieilles galoches miteuses.

Il envisagea de laisser un message à l'aide-soignant, mais se ravisa en imaginant Pilgrim en train de le lire – par erreur ou par malice. Alors qu'il se tournait de nouveau vers la chambre, il se demanda si Pilgrim se rappellerait avoir réclamé un médecin, voire la présence de ce médecin au cours de la nuit.

Puis, la main levée en direction de Kessler, il lui dit en silence *Au revoir et bonne journée* avant de quitter la suite.

Il était six heures. Ou presque.

Alors qu'il pressait le pas dans le couloir, Jung pensa : *L'air frais sera le bienvenu. Même le froid sera le bienvenu. Même la neige. Même le pénible trajet en auto.*

Il y avait tant à faire.

Lady Quartermaine à consulter, un petit déjeuner à avaler – qui se souciait dans quel ordre ? Et un contact à rétablir avec cette personnalité inconnue rencontrée au cours de la nuit.

Sans compter la question à élucider. LA question. *Qui était Angelo ?*

21

Kessler bataillait pour émerger d'un rêve peuplé de battements d'ailes.

Derrière les carreaux, les premiers pigeons et colombes venaient d'arriver.

Une odeur flottait dans l'air. Une odeur de quoi ?

La fumée d'un cigare. D'un cigarillo. Le Dr Jung.

« Docteur Jung ? »

Pas de réponse. Kessler s'allongea de nouveau et ferma les yeux.

Les ailes dans sa tête produisaient un doux bruissement. Féminin. Semblable à celui des jupes que les femmes repoussent à chaque pas. Celles de sa mère. Et de sa sœur Elvire. Il les entendait parler – chuchoter.

Est-ce qu'il dort ?

Non, non, il fait semblant. Comme toujours, ce fainéant !

Quelque part, une porte claqua. Dans le couloir, des voix résonnaient. C'était le matin.

Kessler rouvrit les yeux et, cette fois, se redressa complètement.

Ne te rendors pas.

En chaussettes, toujours désorienté, il passa dans la chambre, s'approcha du lit de Jung et se demanda pour quelle raison il était vide.

Où ? Quand ? Comment ?

Reportant son attention sur la silhouette alitée, il demanda :

« Désirez-vous du café ? »

Pas de café, jamais. Seulement du thé, toujours.

« Désirez-vous du thé ? »

La forme roula sur le ventre, laissant voir sur l'oreiller un poignet dépourvu de bandages.

« Des toasts ? De la confiture ? »

Pilgrim leva son autre main et porta deux doigts à ses lèvres.

« Est-ce un *oui* ou un *non* ? »

Pas de réaction. Les doigts demeurèrent en place.

Kessler pivota, puis retourna à pas feutrés près de son lit de camp. Il était bien réveillé, désormais, ce qu'il déplorait. *Je déteste me réveiller. Je préfère rêver*, pensa-t-il. *En songe, je peux enfin m'envoler, m'échapper. Les laisser tous derrière moi – ma mère, Elvire, mon père absent, ces sœurs que de toute façon je ne vois jamais…*

Il contempla son reflet dans le miroir sur le mur. *C'est moi,* pensa-t-il, *cet homme qui a l'air d'un candidat pour le fourgon jaune… Mais non, j'ai déjà connu ça. Aujourd'hui, c'est terminé. Je suis en sécurité. En vie. En possession de mes facultés. Du moins, à ce qu'ils me disent.*

À présent, il lui fallait commencer la journée.

Kessler alla de nouveau se poster au pied du lit, où il effleura les orteils de Pilgrim.

« Êtes-vous en vie ? demanda-t-il. Parlez, faites-vous connaître. »

Le corps ne répondit pas.

Ce fut seulement à cet instant que Kessler se rappela avoir entendu la voix de Pilgrim flotter dans l'obscurité – et vu la lumière qui ressemblait à celle d'une bougie de l'autre côté de la porte entrebâillée.

Que s'est-il passé ? Qu'a-t-il dit ? Un nom. Celui de quelqu'un.

Derrière la vitre, une brusque rafale fit s'envoler les oiseaux.

Des anges.

Des anges.

Angelo.

LIVRE DEUX

*

1

LORSQUE JUNG rentra chez lui, il trouva sa femme Emma encore endormie. Elle se réveilla en l'entendant chanter dans la salle de bains, d'où émanait une lumière suffisante pour guider ses pas.

Parvenue devant la porte, elle l'ouvrit, puis scruta l'intérieur de la pièce envahie par la vapeur. Carl Gustav, assis dans la baignoire, se frottait le dos.

« Voulez-vous que je le fasse ? demanda-t-elle.

– Non, non. Retournez plutôt vous coucher. Tout va bien.

– À vous entendre, je n'en doute pas, répliqua Emma. Vous n'aviez pas chanté depuis des semaines. C'est à cause de Mr. Pilgrim ? A-t-il de nouveau parlé dans son sommeil ?

– OUI ! rugit Jung, tel un enfant triomphant. OUI ! OUI ! OUI ! »

Les bras croisés, Emma sourit.

« Je me réjouis pour vous, dit-elle.

– Réjouissez-vous pour le monde ! s'exclama Jung en riant. L'un de ses citoyens les plus intéressants revient à la vie.

– Puis-je vous aider d'une manière quelconque ?

– Oui. Téléphonez donc à l'hôtel Baur au Lac pour leur demander de délivrer un message à lady Quartermaine dès son réveil. Ne mentionnez pas Pilgrim, surtout. Laissez-moi m'en charger. Dites seulement que je suis en route, et que je veux la voir.

– Maintenant, Carl ? Il n'est que sept heures du matin !

– Oui, maintenant. Évidemment, maintenant. J'insiste – maintenant ! »

Emma partit donner le coup de téléphone. À sept heures et quart, Jung enfilait écharpe et pardessus dans le vestibule. Au moment de glisser dans ses galoches ses pieds protégés par des chaussettes, il lança en direction de l'étage :

« Mes chaussures ! Mes chaussures ! J'ai oublié mes chaussures ! »

Quelques secondes plus tard, Emma apparaissait sur le palier, d'où elle lui envoya une paire de brodequins.

« Merci. Merci beaucoup. Je me sauve. »

Il souffla un baiser en direction de sa femme, fourra ses souliers sous son bras, attrapa sa sacoche et quitta la maison.

« Et le chapeau ! cria Emma. Il fait froid ! Vous allez avoir les oreilles gelées ! »

Mais Jung était déjà loin.

Une main sur son ventre, Emma descendit dans le vestibule.

« Tu as un père des plus insouciants », confia-t-elle au bébé à naître en se dirigeant vers la cuisine.

Quand Jung arriva à l'hôtel Baur au Lac, lady Quartermaine l'attendait dans le hall.

« Vous voilà bien matinal, commença-t-elle. Mais peu importe. Avez-vous pris votre petit déjeuner ? Moi pas. En général, je le fais monter dans ma chambre. Mais aujourd'hui... Juste ciel, docteur ! Il n'est même pas encore huit heures ! Êtes-vous venu m'apporter des nouvelles ?

– Veuillez m'excuser pour l'heure, lady Quartermaine. Mais oui, j'ai des nouvelles cruciales. Mr. Pilgrim a enfin parlé, et j'ai besoin de votre aide pour interpréter ce qu'il a dit. Et non, je n'ai pas encore pris mon petit déjeuner. Je meurs de faim.

– Dans ce cas, allons-y. Vous me mettrez au courant des derniers événements. »

Ils se dirigèrent vers la salle à manger, où Jung fut soulagé de son écharpe et de son pardessus.

« Vous avez gardé vos galoches, docteur. Ne devriez-vous pas les ôter ?

– Impossible. Je ne porte que des chaussettes, dessous.

– Je vois. Bon, je ne vous demanderai pas d'explication, même si je suis persuadée qu'il y en a une. »

Jung songea aux brodequins oubliés sur le siège avant de la Fiat, et ne souffla mot.

Sybil Quartermaine pria le maître d'hôtel de les conduire à une table « à l'écart d'une trop grande lumière ».

L'on commanda des moitiés de pamplemousse. Ainsi que du café, des toasts et de la confiture de fraises. Jung réclama également une omelette et du jambon.

En face de lui, Sybil portait une robe du matin violette agrémentée de boucles d'oreilles en opale gris clair. Mais pas de chapeau.

« Je trouve prétentieux de se coiffer d'un chapeau simplement parce que l'on paraît dans un lieu public. Vous n'êtes pas d'accord ? Évidemment, en tant qu'homme, vous n'avez jamais à vous soucier de ce genre de chose. J'ai remarqué que vous étiez arrivé nu-tête, docteur Jung. Pas de chaussures. Pas de couvre-chef non plus. En plein cœur de l'hiver. Vous m'étonnez.

– Nous sommes en mai.

– Si vous le dites... Mais ce n'est pas une excuse. À en juger sur les apparences, nous pourrions tout aussi bien être en plein cœur de l'hiver. Croyez-moi, je serai heureuse de retrouver l'Angleterre, où les jonquilles avaient déjà fleuri et fané avant notre départ de Londres. »

On leur apporta du café. Une fois les tasses remplies, la cafetière fut laissée sur la table.

« Alors ? Quelles sont ces nouvelles ? s'enquit lady Quartermaine.

– Je ne sais même pas par où commencer.

– Il a parlé, m'avez-vous annoncé. Commencez donc par là.

– Eh bien, en effet, il s'est exprimé dans son sommeil. Cela s'est produit après minuit. Vers quatre heures du matin, je crois.

– Dans son sommeil ? Mais cela nous arrive à tous. Est-ce tout ce que vous avez à m'apprendre ?

– Non, non, lady Quartermaine. Non, vous ne comprenez pas. La nuit précédente, Mr. Pilgrim m'avait réclamé pendant qu'il dormait. Et...

– Et ?

– La nuit dernière, je suis resté dans sa chambre, et il a de nouveau pris la parole... » Jung s'interrompit, porta la main à sa tempe. « Je dois avoir une tête épouvantable. Dans mon enthousiasme, j'ai oublié de me coiffer.

– Oh, je vous en prie, cessez de faire des manières ! Racontez-moi plutôt ce qu'il a dit. »

Jung se pencha en avant.

« Mr. Pilgrim vous a-t-il déjà entretenue d'un jeune homme nommé Angelo ? »

Sybil prit le temps de reposer sa tasse, de presser sa serviette sur ses lèvres, puis de l'étaler sur ses genoux.

« Non, répondit-elle.

– Non ?

– Non.

– Quel dommage. J'espérais que vous pourriez m'expliquer de qui il s'agit.

– Angelo, vous dites. D'où peut venir ce nom ?

– Il est italien, je suppose.

– Italien… Bien sûr qu'il est italien. Je ne suis pas encore bien réveillée, j'en ai peur. »

De son sac, elle sortit un étui à cigarettes et un briquet.

Jung la trouvait moins ensommeillée que nerveuse, ce qui ne laissait pas de l'étonner.

« Cela vous rappelle quelque chose ? demanda-t-il.

– Je crains que non. Rien du tout. »

Elle alluma sa cigarette.

« Que vous a donc raconté Pilgrim sur cet Italien, cet Angelo ?

– Il a évoqué un dessin de lui. Un nu. »

Sybil Quartermaine écarta l'étui et le briquet avant de répliquer d'un ton assez sec :

« Êtes-vous bien certain que le nom s'appliquait au sujet du dessin ? Et pas à l'artiste ? Il est fort possible qu'*Angelo* désigne Michel-Ange, qui se dit *Michelangelo* en italien. Ce peintre vouait une véritable passion aux jeunes gens fort peu vêtus, me semble-t-il…

– Michelangelo…

– Eh bien oui, pourquoi pas ? Il vivait à cette époque dont Pilgrim est un spécialiste ; vous imaginez le nombre de dessins de ce genre qui ont dû lui passer sous les yeux ? Des nus par centaines. Très franchement, je préfère le terme *dénudé* plutôt que *nu*, mais faites à votre guise. Après tout, c'est vous qui en avez décidé ainsi.

– Vous avez l'air fâché, observa Jung. Je me trompe ?

– Mais non, je ne suis pas fâchée. » Elle écarta les doigts, haussa les épaules. « Pour quelle raison le serais-je ?

– Je n'en conçois aucune. Pourtant, vous l'êtes. »

Sybil entreprit de disposer différemment ses couverts en esquissant une moue qui lui donnait un peu l'air d'une enfant boudeuse.

« Lady Quartermaine, il n'est pas facile pour moi d'avoir à traiter un patient dont j'ignore pratiquement tout. Sinon la façon dont vous vous êtes rencontrés, le métier qu'il exerce et l'excellence avec laquelle il l'exerce, car j'ai lu son livre. Je sais aussi qu'il en est maintenant à sa seconde tentative de suicide…

– Il y en a eu plus. »

Jung cilla.

Son interlocutrice laissa son regard dériver vers les fenêtres, près desquelles un jeune homme et une jeune femme séduisants occupaient une table. Manifestement mariés depuis peu, ils se quittaient à peine des yeux.

Sybil se détourna pour fouiller dans son sac, dont elle retira cette fois ses lunettes noires.

« La lumière…, expliqua-t-elle, laconique. Sur la neige. »

Après avoir ajusté les lunettes, elle avala encore un peu de café, puis demanda :

« Êtes-vous marié, docteur Jung ?

– Oui. Ma femme s'appelle Emma. Elle est aujourd'hui enceinte de notre cinquième enfant.

– Félicitations. Emma, vous dites.

– Oui.

– Un nom plein de douceur. Un nom ravissant…

– Lady Quartermaine ? Il y a un problème ?

– Non. » Elle s'absorba dans la contemplation de ses bagues. « Non. Aucun problème. Je préférerais que vous n'insistiez pas.

– Pourtant, vous m'avez dit… »

À présent, elle considérait sa cigarette.

« Je vous ai dit que Pilgrim avait tenté de se suicider plus de deux fois. Ce qui, à mon grand regret, est la pure vérité. Si vous voulez de plus amples détails, adressez-vous au Dr Greene. Pour ma part, je ne peux me résoudre à revivre tout cela. » Après avoir écrasé sa cigarette, elle ajouta : « Il souhaite désespérément mourir. Et je…

– Et vous… ? »

Un serveur ganté de blanc leur apporta les moitiés de pamplemousse, qu'il posa devant eux. Chacune était placée sur un lit de glace dans une coupe d'argent à la bordure treillissée. Et chacune s'ornait en son centre d'une cerise au marasquin glacée au sucre. Sybil la mit de côté.

Brusquement, elle parut sur le point de fondre en larmes.

« Oh, Seigneur, fit-elle. Seigneur, je suis désolée. En vérité, je ne me suis pas montrée honnête envers vous, docteur Jung… » Elle retourna sa cuillère, puis agita la main. « Je vous prie de me pardonner, mais croyez-moi, j'avais – et j'ai toujours – de bonnes raisons pour agir ainsi.

– Je vous en prie. Ça n'a pas d'importance.

– Au contraire. C'est important. Très important. Si seulement je savais comment formuler les choses… »

Elle extirpa un mouchoir de sa manche pour se tamponner les yeux après avoir enlevé ses lunettes. Puis, les ayant de nouveau chaussées, elle plaça sur la table ses deux mains légèrement crispées, dont l'une serrait toujours le mouchoir. Lorsqu'elle reprit la parole, Jung eut l'impression que le chagrin voilait sa voix.

« Un grand, très grand mystère entoure mon ami – et je n'en connais qu'une partie seulement. J'ai beau hésiter à vous révéler cette information, il le faut. Vous devez savoir que Pilgrim a laissé des journaux. Des journaux intimes. Il m'a autorisée à en consulter certains. Ils contiennent le récit de divers – comment dire ? – *épisodes* de sa vie. Et quand vous m'avez demandé... » Elle repoussa le pamplemousse intact. « Quand vous m'avez demandé si j'avais déjà entendu mon ami mentionner un certain Angelo, j'ai répondu *non*. Ce qui est la vérité. La pure vérité, au sens le plus strict. Sauf que... s'il n'a jamais prononcé ce nom à haute voix, je l'ai cependant vu écrit. Dans ses journaux. »

Jung poussa un soupir. *Nous y voilà.*

Une petite parcelle de lumière brillait désormais. On avait ôté une brique du mur érigé autour de son patient.

Il creusa son pamplemousse.

« Est-il réel ? Ce jeune homme ? Angelo ? interrogea-t-il.

– Il ne l'est pas. Il *l'était*.

– Pardon ?

– Oui. C'est un nom surgi du passé. D'un passé très lointain.

– Ce n'est pas un nom fictif ? Celui d'un personnage imaginaire ?

– Non. Il est très réel, au contraire.

– Qui était-ce, dans ce cas ?

– Un parent de Mr. Pilgrim.

– Un parent, donc. Italien de surcroît. Intéressant.

– Sans doute. »

À présent, Jung avait terminé son pamplemousse et Sybil leur resservit du café.

« Je me demande qui a inventé le café, dit-elle soudain.

– Dieu, j'imagine.

– Dieu, oui. Bien sûr. Comme c'est amusant. » Elle porta sa tasse à ses lèvres. « Croyez-vous en Dieu, docteur Jung ?

– Chaque fois que l'on me pose cette question, lady Quartermaine, je ressens la nécessité impérieuse de donner une réponse ironique. Tenez, par exemple, j'ai été tenté de consulter ma montre et de dire que je ne croyais pas en Dieu avant neuf heures du matin. »

Sybil lui sourit.

« En d'autres termes, cela ne me regarde pas.

– Vous vous trompez. Je voulais simplement dire que... Ah ! »

Le serveur ganté de blanc venait d'apporter l'omelette et le jambon commandés par Jung.

Celui-ci le remercia d'un hochement de tête avant de poursuivre :

« C'est juste que je ne me sens pas capable de prendre part à une discussion aussi sérieuse avant d'avoir avalé mon petit déjeuner.

– *Touché**.

– Parlez-moi de ces journaux, dit-il en découpant une omelette baveuse à souhait. Comment avez-vous obtenu le privilège de les lire ? »

Lady Quartermaine jeta un coup d'œil à son pamplemousse, le rapprocha d'elle, puis entreprit de le manger sans lâcher son mouchoir.

« On me les a apportés dans un paquet.

– Ah bon ?

– Oui. Préparé par Forster. Le majordome de Pilgrim

– Et ceci s'est passé... quand ?

– Juste après que Pilgrim a tenté de se pendre. La semaine précédant son arrivée ici, pendant qu'il récupérait et que je prenais les dispositions nécessaires en vue de ce voyage.

– Je comprends. Et aujourd'hui, ils sont...

– Les journaux se trouvent ici même, dans ma suite. »

Jung la regarda en silence.

Au bout de quelques instants, il coupa un petit morceau de jambon, l'avala, en coupa ensuite un autre qu'il poussa dans son assiette pour saucer le jus de son omelette.

De son côté, Sybil grignotait son pamplemousse par quartiers, qu'elle comptait presque inconsciemment. *Douze... treize... quatorze...*

Ils ne se regardaient pas. Sans le savoir, ils offraient l'image même de la routine conjugale – un homme et une femme assis à une table pour prendre leur petit déjeuner, discutant des relations – ou éventuelles relations – d'un ami commun avec une mystérieuse personne. À tout moment, l'un d'eux allait prier l'autre de lui passer la confiture de fraises, l'accepterait sans même un remerciement et en verserait une cuillerée sur une assiette.

« À propos de ces journaux..., reprit Jung.

– Oui ? Eh bien ?

– J'hésite à vous le demander...

– Mais vous aimeriez savoir s'il vous serait possible de les consulter.

– Exactement. »

Les yeux toujours fixés sur elle, Jung tenta de porter sa fourchette à ses lèvres, mais manqua son but.

---

* En français dans le texte. (N. d. T.)

« Vous avez fait tomber un morceau de jambon sur votre cuisse, docteur Jung.

– Oh, désolé.

– Ce n'est pas à moi qu'il faut présenter des excuses, mais plutôt au jambon... »

Jung récupéra le fragment égaré, qu'il remit dans son assiette.

« Vous n'avez pas répondu à ma question, lady Quartermaine.

– Quelle question ?

– Concernant les journaux, et la possibilité pour moi de les voir. Si je veux guérir Mr. Pilgrim...

– Personne ne vous a demandé de le guérir, docteur Jung. Je vous ai demandé de *l'aider*. Il y a une différence. Une énorme différence.

– Mon travail...

– Votre travail consiste à obéir aux ordres de ceux qui vous emploient. »

Lady Quartermaine prit son étui et son briquet sur la table, puis alluma une autre cigarette.

Alors que la fumée dérivait, Jung cilla et se calma peu à peu.

« Vous me décevez, lady Quartermaine. Vous êtes une femme remarquablement intelligente, et pourtant, vous ne semblez pas avoir la moindre idée, la moindre intuition de ce que la médecine exige de ses praticiens. Nous ne sommes pas libres de refuser la quête de la guérison. Nous devons au contraire faire tout notre possible pour l'atteindre, patient après patient. C'est la raison de ma présence. La justification de mon existence – de mon existence tout entière. »

À travers ses lunettes noires, Sybil le fixa d'un air impénétrable. La fumée de cigarette s'élevait en volutes devant ses lèvres pour aller se perdre dans un rayon de soleil au-dessus de sa tête.

« Mr. Pilgrim ne peut pas guérir, déclara-t-elle d'une voix dénuée d'émotion. Aucun de nous ne le peut, docteur Jung. Il nous est impossible de guérir de la vie. »

Jung s'adossa à son siège avant de délaisser ses couverts. Il osait à peine croiser les yeux de son interlocutrice, tant les propos qu'elle venait de lui tenir résonnaient comme un écho de ceux qu'il avait lui-même tenus à la comtesse Blavinskeya : *On ne peut pas guérir de la lune.*

Il contempla un moment la nappe et ses mains, désormais vides, posées dessus.

« Aidez-le, reprit lady Quartermaine. C'est tout ce que je vous demande. Aidez-le à surmonter la maladie de l'existence. Non, pas la maladie, les conditions dans lesquelles il doit continuer d'exister. Il faut trouver un moyen de l'aider à survivre... La survie, docteur Jung. C'est tout ce que je demande. Un simple rayon d'espoir. Une *raison*, n'importe laquelle, de vivre.

– Si je pouvais disposer de ces journaux, lady Quartermaine... »

Jung s'interrompit et demeura dans l'expectative.

Brusquement, Sybil se leva.

« Très bien. » Elle éteignit sa cigarette, saisit son sac et son châle de cachemire. En le drapant autour de ses épaules, elle ajouta : « Je vais voir ce que je peux faire. »

Après avoir repoussé sa chaise, Jung s'inclina au-dessus de la main que lui tendait lady Quartermaine.

« Merci, dit-il. Et bonne matinée.

– Bonne matinée à vous aussi. Et bonne journée. »

Sur ces mots, elle s'éloigna.

Lorsqu'il se fut rassis, Jung écarta son assiette en songeant qu'avec Pilgrim, ce n'était pas une personne, mais deux, qui requéraient désormais son attention : Pilgrim lui-même, et son ombre, lady Quartermaine.

Alors qu'il reportait les yeux sur son café, puis allumait un cigarillo, il constata que les beaux jeunes mariés délaissaient leurs serviettes, se redressaient et abandonnaient leur table près de la fenêtre pour sortir précipitamment de la salle à manger, en direction du hall.

Étrange.

Du moins eut-il cette impression. C'était comme si, l'ayant vue partir, ils s'étaient lancés sur les traces de lady Quartermaine.

En découvrant le couple, se remémora-t-il, celle-ci s'était détournée et avait immédiatement chaussé ses lunettes de soleil. Lui étaient-ils familiers ? Avait-elle voulu éviter d'être reconnue ? Ou s'agissait-il d'une simple coïncidence sans aucune signification ?

Se sachant quelquefois enclin à vouloir à toute force déceler des signes et des signaux dans ce qu'il observait, Jung conclut qu'il poussait trop loin l'interprétation de leur brusque départ. La matinée ne faisait que commencer. Les gens avaient hâte d'entamer leurs différentes activités. Rien de plus. Ces deux inconnus allaient se promener dans les champs de neige, ils n'étaient pas du tout à la poursuite de lady Quartermaine.

Contrairement à lui. Il en avait désormais la certitude.

2

Jung respirait avec peine. L'arrivée soudaine d'une vague de chaleur estivale, en plein mois de mai, était tout à fait extraordinaire.

Il était minuit, et par les fenêtres ouvertes entrait une indéniable odeur de printemps. Mêlée à celle, âcre, des feux que Jung avait lui-même étouffés. Dans le salon, la chambre et son bureau, les poêles qui avaient brûlé toute la journée avaient été éteints avec l'eau d'un arrosoir.

À l'étage, Emma dormait comme une enfant. Jung l'avait laissée dans leur lit de si bonne heure qu'il avait peine à la croire déjà assoupie. Mais : *Je suis fatiguée, Carl Gustav, après tous les bavardages et l'excitation de cette soirée…*

Ainsi reposait-elle là-haut, une ébauche de sourire aux lèvres, vêtue de sa chemise de nuit en flanelle aux manches à l'ampleur généreuse et au col boutonné jusqu'en haut – les mains et la gorge encerclées par un rempart de tissu, prisonnières de sa crainte du froid.

En ce dimanche 5 mai 1912.

Une nuit de printemps – un matin de printemps.

Jung ne prit pas la peine de rectifier la date dans le cahier ouvert devant lui sur la table de son bureau où, environné de papiers, d'allumettes, de bouteilles, de verres, de boîtes de cigares à moitié vides et de cendriers à moitié pleins, il occupait une chaise cannée.

Au milieu d'un véritable bric-à-brac – les restes éparpillés, à peine identifiables, de ce qui encombrait d'ordinaire le plateau – se trouvait un élégant volume relié de cuir, aux pages écrites à la main, dont le frontispice arborait l'ex-libris centré du dénommé PILGRIM.

Le journal était ouvert à la page sélectionnée par lady Quartermaine, et marquée d'un ruban violet en harmonie avec la palette qu'elle avait choisie pour sa garde-robe. Ces feuillets habillés de cuir lui étaient parvenus en fin d'après-midi, apportés par Otto, le chauffeur de lady Quartermaine, dans la Daimler gris argent. Qu'il s'appelât *Otto*, étant donné sa fonction, enchantait Sybil. *De cette façon, l'automobile et lui ne font qu'un*, avait-elle observé.

Otto n'avait rien à dire de particulier, sinon que *Le Dr Jung reconnaîtra le contenu de cette enveloppe*. Aucune explication ne s'imposait.

À l'intérieur de l'enveloppe, outre le journal, il y avait une lettre de lady Quartermaine :

Ci-joint ce que j'ai lu, et que vous trouverez peut-être utile. Vous comprendrez, je l'espère, qu'il me paraît à la fois juste et nécessaire de ne pas vous confier l'ensemble des volumes. L'accès au reste pourra faire l'objet d'une discussion ultérieure. Sous certaines conditions. Mais autant vous avertir tout de suite, il est peu probable que je penche dans le sens de la générosité.

Comme vous le constaterez, j'ai signalé le passage par lequel, selon moi, vous devriez commencer votre lecture. Ce journal, à l'instar des autres, relate différents aspects de l'expérience acquise par mon ami au cours de sa vie : ses pensées et ses rêves, de même que son existence quotidienne. C'est toutefois le passage indiqué qui répondra à certaines de vos questions les plus pressantes. Ainsi, vous y trouverez l'identité du jeune homme qui vous intéresse. Je me bornerai à vous donner son nom : Angelo Gherardini. Et à vous préciser qu'il est né à Florence dans la seconde moitié du quinzième siècle. En 1479, pour être exacte. Dans ces lignes, vous rencontrerez également l'artiste qui a fait du jeune Angelo le sujet de ses esquisses. Je ne vous en dis pas plus pour le moment.

Il est vital, à mon avis, que vous découvriez le reste par vous-même. Alors seulement, vous serez en mesure d'appréhender ce qui est longuement décrit dans ce récit. Vous êtes conscient, je n'en doute pas, de toute la différence entre l'appréhension et la compréhension. Se contenter de comprendre mon ami reviendrait à l'ignorer complètement. Ceux dont le fardeau consiste à être compris se retrouvent trop facilement relégués dans un coin, condamnés à figurer dans la catégorie AFFAIRE CLASSÉE. Vous n'en aurez jamais fini avec Pilgrim si vous ne partez pas du principe qu'en l'état actuel des choses, je suis la seule à véritablement croire en lui. À moins d'appréhender d'emblée ce dilemme, vous ne serez d'aucun secours à votre patient.

J'ai placé mon entière confiance en vous. C'est tout ce que j'ai à vous offrir. Outre, bien entendu, les sommes requises pour avoir l'assurance que vous ne ménagerez pas vos efforts dans son intérêt.

> *Votre dévouée,*
> *Sybil Quartermaine*

À présent, les pages étaient étalées devant lui.
Jung entama sa lecture.

3

Florence, 1497. L'année de la Peste – l'année de la Famine.

La magnifique église de Santa Maria Novella domine la *piazza*. Il y a des feux de camp allumés un peu partout, et des groupes nerveux qui circulent entre eux. Devant l'un de ces feux, une bagarre a éclaté. Des armes – essentiellement des bâtons – et des voix s'élèvent en contre-point – d'abord les premières, ensuite les secondes. Quelqu'un a volé quelque chose – de la nourriture, vraisemblablement –, et une horde de silhouettes déguenillées a cerné l'auteur du larcin, une femme.

D'autres sur la place, attirées par toute cette agitation, se dirigent à leur tour vers la cohue, désormais une masse de bras dansants et de vêtements oscillants dont les mouvements fluides pourraient être mis en musique.

La voleuse se dégage, puis tente de gagner le centre de la *piazza*. Des enfants se lancent à sa poursuite, déchirent ses jupes, mais elle les repousse avant de se tourner vers les portes ouvertes de l'église. Le sanctuaire. Si elle parvient à atteindre ne serait-ce que les marches, elle sera sauvée.

Mais elle est maigre, affaiblie, déjà épuisée, et elle est rapidement dépassée par une bande d'hommes jeunes et d'adolescents qui contournent la place, suivis par une meute de chiens aux abois et accompagnés par des cris humains d'encouragement. Parvenus à proximité de l'édifice du culte, qui exsude toujours la messe des morts, ils forment une phalange, privant ainsi la femme de son refuge.

Ses jupes sont maintenant réduites en lambeaux, et elle ne dispose plus que d'un fin châle déchiqueté pour se protéger du froid. Elle s'en enveloppe, puis demeure indécise, parcourant du regard les alentours pour évaluer les différentes issues. Aucune ne s'offre à elle.

Quand le silence s'abat soudain sur la *piazza*, le crépitement des flammes résonne distinctement. La voix douce des enfants de chœur, qui semblait quelques instants plus tôt détachée de tout lien terrestre avec la race humaine, monte des portes.

La femme pousse un cri en levant les bras au ciel. Mais il n'y a personne, là-haut, pour lui venir en aide – ni les anges de Dieu, ni Dieu Lui-même –, seulement le ciel par-delà la fumée, les étoiles par-delà le ciel, et l'obscurité par-delà les étoiles. Résignée, elle se laisse tomber à genoux et fait le signe de la croix. Elle prie, et après s'être de nouveau signée, se couvre le visage de ses mains.

Au début, la foule muette, presque immobile, se contente de la surveiller comme un lutteur vigilant surveille son adversaire à terre pour voir s'il se relève.

Rien ne se produit. Un premier chien aboie. Puis un deuxième.

La multitude toujours silencieuse regarde la voleuse prier. Cinq ou six de ses poursuivants, n'éprouvant plus le besoin de se venger, retournent à leurs feux en hochant la tête. Pour eux, l'incident est clos.

Quand il lui semble que l'attaque n'aura pas lieu, finalement, et qu'elle va peut-être recouvrer sa liberté, la femme découvre son visage et fouille dans ses jupes, dont elle retire un morceau de pain.

Tout en mangeant, elle se laisse choir sur ses talons, fixant d'un regard vide les pavés où elle est accroupie, et elle commence à se balancer d'avant en arrière comme dans une sorte d'extase. De la nourriture. Pouvoir se nourrir enfin, se rassasier – même si, bien évidemment, sa pitance ne suffit pas à la rassasier, loin s'en faut. De nouveau, elle fourrage dans ses jupes, où ne subsistent que des miettes. Juste des miettes, qu'elle récupère une par une en une ultime moisson avant de les placer dans sa bouche avec tout le ravissement d'une dame dégustant des fraises au sucre nappées de crème.

Un homme s'avance. Un deuxième également. Sans dire un mot.

Ils font encore quelques pas. La femme, les doigts proches des lèvres, lève les yeux.

À l'intérieur de l'église, le chœur se tait. Il n'y a pas d'*amen*.

Un autre homme s'avance à son tour, et un autre, et encore un autre. Suivis par deux femmes. Et par un enfant.

Leur indigence vestimentaire et leurs corps émaciés les rangent exactement dans la même catégorie de nécessiteux que la voleuse en face d'eux. À mesure que leur nombre augmente, certains font volte-face pour s'en retourner, accablés de tristesse, auprès de leurs feux.

Peut-être deux cents personnes se sont maintenant massées à environ dix mètres de la silhouette accroupie qui les contemple, la bouche ouverte.

Quelqu'un brandit un gourdin épais, mortel, incrusté de petites branches taillées au couteau.

Un cri s'élève. Puis un hurlement – le hurlement inévitable de quelqu'un qui se sait sur le point de mourir.

Sur la *piazza*, la foule qui jusque-là se déplaçait avec une précision militaire vers la femme baissée rompt soudain les rangs. Tous ceux qui, un instant plus tôt, agissaient de concert, se transforment en une horde d'individus déchaînés. Chacun à sa manière s'élance comme pour avoir le privilège d'assener le premier coup. C'est une lutte, une course, avec un prix à remporter.

Impossible de distinguer les gémissements suraigus de la victime des clameurs triomphantes de ses assassins. Il n'y a plus qu'une seule voix inhumaine. En quelques minutes, tout est fini.

Alors, les assaillants s'en vont, les yeux rivés au sol ; certains ont les bras ballants, d'autres s'étreignent en une attitude évoquant la douleur. Ils se dirigent en silence vers les foyers, où ceux qui n'ont pas pris part à la mise à mort attendent leur retour.

Au milieu de la *piazza*, il semble ne rester de la voleuse que des vestiges de ses frusques – manches arrachées, un sous-vêtement, jupes enchevêtrées, un corsage –, tous déchiquetés, tous ensanglantés, tous vides. On l'a apparemment rendue invisible.

Des feux, à nouveau délimités par des formes humaines serrées les unes contre les autres, plusieurs chiens s'écartent en rampant pour, les oreilles couchées et la queue entre les pattes, se frayer un chemin jusqu'aux haillons, qu'ils inspectent avant de s'en éloigner.

À l'exception d'un seul d'entre eux, qui se couche par terre, pose la tête sur ses pattes et pleure, comme le font souvent les chiens, sans bruit.

Jung interrompit sa lecture.

Une inconnue avait été tuée sous ses yeux – une inconnue vivant à une époque si éloignée de la sienne qu'il n'aurait pu l'évoquer si Pilgrim n'en avait donné une description aussi détaillée dans son journal.

Un journal. Un compte rendu quotidien. Ce que Jung venait de lire était rédigé au présent, comme si...

Comme si Pilgrim avait assisté à toute la scène. Mais comment serait-ce possible ? Comment serait-ce humainement possible ?

Ça ne l'était pas. Jung se contenta de cette réponse.

L'écriture était si serrée, et ses yeux si fatigués qu'il sentait son cerveau prêt à exploser.

Quel genre de texte avait-il lu au juste ?

Il tourna encore quelques pages en se demandant quelle somme d'informations il serait encore capable d'absorber à cette heure tardive. Comment pouvait-on relater des événements du passé avec un tel sens de l'immédiateté ? Les feux, les vêtements de la femme, le chant des enfants de chœur, les chiens, les enfants... S'agissait-il d'une véritable prouesse réalisée à la suite de recherches colossales ? Ou seulement d'une fiction ? D'un roman en cours ?

Jung se frotta les yeux. Il s'apprêtait à allumer un autre cigarillo lorsque la porte de son bureau s'ouvrit lentement.

« Carl Gustav, il est trois heures du matin ! Venez vous coucher. »

Emma se tenait sur le seuil, le visage apparemment désincarné, flottant dans l'obscurité dont il émergeait. Le son de sa voix était si inattendu – presque sépulcral – que Jung referma le journal avec brusquerie, comme s'il avait été surpris le nez dans ses estampes japonaises. Derrière lui, enfermés derrière des portes vitrées, se trouvaient plusieurs exemplaires des estampes en question, qu'il conservait *uniquement pour des raisons techniques, Emmy ; uniquement dans l'intérêt de ma profession, afin de vérifier les véritables possibilités et de les distinguer des fantasmes sexuels excessifs et dangereux des patients les plus profondément perturbés. Et je...*

« Que lisiez-vous ?

– Rien.

– Ne me dites pas que vous êtes assis là à trois heures du matin sans *rien* lire !

– C'est juste...

– Oui ?

– Juste...

– Juste quoi ? »

Sa femme s'exprimait d'un ton sec. Elle avait l'intention de le ramener dans le lit conjugal, pas de l'écouter divaguer.

Jung lissa la couverture de cuir avant de se verser une nouvelle mesure de brandy.

« Vous en voulez ? demanda-t-il, remuant la bouteille en direction de sa femme.

– Bien sûr que non.

– Bien sûr que non. Bon...

– Oui ?

– Vous ne devez pas vous ingérer dans mon travail, Emmy.

– Je ne l'ai jamais fait et ne le ferai jamais. Grands dieux, j'effectue au moins la moitié des recherches dont vous avez besoin ! Je vérifie les pages de vos manuscrits et je corrige chacune de vos multiples fautes. Et vous appelez ça *une ingérence* ?

– Je ne commets pas de multiples fautes.

– Vous ne connaissez rien à l'orthographe, Carl Gustav. Ni à l'orthographe ni à la ponctuation, et votre écriture est si épouvantable que personne à part moi ne parvient à la déchiffrer. Pas même vous. Juste ciel ! Je ne compte même plus le nombre de fois où vous êtes venu me demander : *Pouvez-vous me dire ce que j'ai écrit là ?* Eh bien, puisque vous considérez cela comme *une ingérence*, je renonce sur-le-champ pour me concentrer sur l'apprentissage de la cuisine !

– Inutile de vous mettre en colère. J'essayais seulement de vous faire comprendre...

– ... que vous ne voulez rien me dire de ce que vous manigancez.

– J'enfreins la loi. »

Emma s'avança dans la pièce et alla s'asseoir en face de son mari, sur la chaise destinée aux patients.

« Vous enfreignez la loi ? répéta-t-elle en arrangeant sur ses jambes les plis de son peignoir. De quelle façon ? Comment ?

– C'est parfois nécessaire.

– D'enfreindre la loi ? Mais de quelle manière ? Et pourquoi ?

– Prenez donc un peu de brandy. Tenez. »

Il lui tendit son propre verre.

« Je suis enceinte, Carl Gustav. Je ne dois pas boire et, quoi qu'il en soit, je n'y tiens pas. »

Elle regarda son mari se verser deux doigts supplémentaires d'alcool.

« J'attends, le pressa-t-elle. De quelle façon avez-vous enfreint la loi ? Risquez-vous d'être arrêté ? Envoyé en prison ?

– J'espère bien que non.

– Alors, qu'avez-vous fait ?

– J'ai enfreint une loi morale, une loi éthique qui pourrait – si d'aventure certaines personnes mal intentionnées venaient à l'apprendre – me mettre en péril d'un point de vue professionnel. Je risque d'être sanctionné, voire de perdre ma place. Je ne sais pas.

– Carl Gustav, arrêtez de tourner autour du pot et dites-moi de quoi il s'agit.

– Ce livre..., commença-t-il en tapotant de son index le volume devant lui, est le journal intime d'un de mes patients.

– Et ?

– Et j'en ai entamé la lecture sans sa permission.

– Est-il en état de vous la donner, cette permission ?

– Non.

– Dans ce cas, où est le problème ? »

Le visage de Jung s'éclaira.

« Je vous adore, Emmy. Vous avez prononcé les mots exacts que j'espérais entendre de vous.

– Je vois. Par conséquent, lorsque vous serez arrêté, ce sera ma faute. »

Elle éclata enfin de rire, se leva et resserra autour d'elle les pans de son peignoir.

« Je remonte me coucher, Carl Gustav. Rejoignez-moi quand vous en aurez envie, mais ne venez pas vous plaindre si vous n'êtes pas en forme demain matin. Vous avez un rendez-vous à neuf heures.

– Avec qui ?

– Je l'ignore. Je ne suis pas votre secrétaire, seulement votre femme. Demandez plutôt à *Fräulein* Unger. Tout ce que je peux vous dire, c'est que c'est à neuf heures.

– Je vais essayer de ne pas trop tarder.

– Faites ce que vous avez à faire. Bonne nuit. »

Près de la porte, elle pivota.

« Carl Gustav, reprit-elle, l'épouse d'un homme sait sur lui des choses que personne d'autre ne soupçonne – pas même l'homme en question. Si j'étais la femme de Josef Furtwängler, et si je le découvrais occupé à lire les documents privés de quelqu'un d'autre, je m'inquiéterais. Cela, je veux bien l'admettre. Mais je ne suis pas – Dieu soit loué ! – Heidi Furtwängler. Je suis Emma Jung, et une fois sous les couvertures, je vais me rendormir comme un bébé. » Elle lui adressa une petite révérence moqueuse. « Bonsoir, très cher. Un jour, je l'espère, vous me révélerez de quoi il retourne.

– Je vous le promets, lui assura-t-il. Et sans doute plus tôt que vous ne le pensez, car vous aurez à effectuer quelques recherches sur le sujet. Bonne nuit. »

Cette fois, elle s'éloigna pour s'enfoncer de nouveau dans l'obscurité. Toujours assis, Jung ferma brièvement les yeux en l'écoutant gravir l'escalier.

Je suis un homme comblé, songea-t-il avant de rouvrir le journal de Pilgrim.

Alors qu'il tournait les pages à la recherche de celle où il s'était arrêté, son attention fut attirée par une phrase qui le frappa de stupeur. Entre parenthèses, Pilgrim avait soudain interrompu la narration pour noter : *Encore aujourd'hui, au moment où je rédige ces mémoires, le souvenir de la scène me revient avec une telle acuité que ma main se crispe sur ma plume à l'en briser.*

Ces mémoires... Avec une telle acuité.

Curieux.

C'était comme si ce qu'avait écrit Pilgrim concernait un événement remémoré plutôt qu'imaginé d'après un livre d'histoire. Un événement dont il donnait l'impression d'avoir lui-même fait l'expérience.

Ce qui, naturellement, était impossible. Absolument impossible.

N'est-ce pas ?

Jung attira à lui son cahier, puis écarta celui de Pilgrim. Le temps de dénicher un stylo, et il écrivit : *La vie de la psyché n'a besoin ni de l'espace ni du temps... elle fonctionne à l'intérieur de sa propre dimension, qui est sans limites. Sans contraintes. Sans confins. Dépourvue des exigences de la raison.*

Vas-y, se dit-il. *Reprends ta lecture.* Le mystère concernant la voix du narrateur finirait sans doute par se résoudre s'il lui permettait de s'exprimer librement. Pour le moment, que ce fût celle de Pilgrim ou d'un autre importait peu. Une seule chose comptait : la voix était bien là, et de toute évidence, elle possédait une identité propre.

Il se pencha en avant.

Il était quatre heures du matin ; quatre heures et quart, plus précisément.

Jung aurait préféré s'accorder une pause pour réfléchir, se poser des questions, mais Pilgrim demeurait une énigme qu'il ne parviendrait à percer que s'il tournait les pages.

Le journal était ouvert.

L'invitant à poursuivre sa lecture.

4

Le vent souffle désormais, qui soulève et fait voltiger les bannières suspendues à tous les balcons et fenêtres de la *piazza* Santa Maria Novella – autant de bannières écarlates exhibées en l'honneur du nonce papal dont la mission de réduire Savonarole au silence a si récemment échoué. Certaines sont déjà en lambeaux, déchirées par les mains désespérées des citoyens mourant de froid; alors, on ne voit que des bouts de tissu agiter leur *Adieu! Rentre à Rome!*, évoquant des hommes malmenés par les bourrasques sur les ponts d'un navire condamné à sombrer.

De tous côtés, les cloches des églises se mettent à sonner. Il y a la cloche puissante du Duomo, les cloches ténor de Santa Maria Novella, et aussi des rafales de cloches indépendantes qui semblent mises en branle par le vent lui-même. Partout sur la *piazza*, les silhouettes drapées dans leurs vêtements se pressent devant les foyers, remontant sur leurs oreilles des protections de fortune. *Lundi, lundi.* Demain, leur disent les cloches, c'est la Saint-Matthieu, le dernier jour du carnaval, l'occasion naguère de tous nous réjouir et de chanter ensemble – de festoyer, de boire et de danser. Mais cela, demain, sera interdit. Par ordre de Savonarole.

Instinctivement, Jung ferma les yeux à la lecture de ce nom. Savonarole avait été à la fois un saint et un monstre; un monstre beaucoup plus qu'un saint, de l'avis de Jung. Un fanatique, sans aucun doute – et les fanatiques revendiquent toujours leurs victimes.

Il nota: *Recherche pour Emma: Savonarole.*

Avivées par des courants d'air de plus en plus rapides, les flammes bondissent, projetant sur les murs des ombres déchiquetées. À l'intérieur de l'église, le chœur se met à chanter plus fort, comme apeuré.

> *... Chorus Angelorum te suscipit,*
> *et cum Lazaro, quondam paupere*
> *aeternam habeus requiem.*

... Puisse le chœur des Anges t'accueillir,
et avec Lazare, autrefois pauvre,
puisses-tu avoir le repos éternel.

Des chevaux gris déferlent brusquement sur la *piazza*, qu'ils traversent en diagonale à grand fracas, leurs cavaliers réduits à de simples silhouettes aux cheveux flottant derrière eux et aux bras fouettant l'air.

Puis un homme...

Jung voulut tourner la page, mais n'y parvint pas. Après avoir humecté son doigt, il en frotta le papier. Et réussit enfin.

Puis un homme paraît. Tête nue, semble-t-il à première vue. Habillé d'une cape maintenue serrée à la taille. Grand. Solide. Bien bâti, lourdement vêtu. Un voyageur, peut-être. Un pèlerin. Qui sait?

Il a abordé la *piazza* par le nord-est, où elle débouche sur la *via* Maronni. Son ombre se projette d'abord sur les bannières en lambeaux par-dessus et derrière lui, mais à mesure qu'il avance, elle se précipite au-devant de lui comme pour tracer à ses pieds un chemin qu'il foule tel un prince habitué aux cérémonies, observant sans inquiétude apparente la scène alentour.

De la périphérie des feux, des chiens s'avancent, curieux mais nullement effrayés, hésitants mais flairant leur destination, qu'ils gagnent à une allure régulière. Le pèlerin – c'est toujours l'image qu'il donne –, s'immobilise pour les regarder approcher.

Ils sont au moins dix ou douze. Ils marquent une pause dans leur progression, sans toutefois battre en retraite.

L'un d'eux commence à remuer doucement la queue.

Après, le pèlerin doit prendre la parole, car l'animal franchit d'un coup la distance qui les sépare pour le saluer en s'appuyant contre lui, les yeux levés vers son visage éclairé par les brasiers.

L'homme se penche. S'accroupit. Tend les deux mains. Les chiens se précipitent. Un veneur et sa meute.

Puis, de sous sa cape, le pèlerin retire une sacoche, et les chiens viennent plus près encore; certains grimpent par-dessus leurs semblables, tous frémissent d'anticipation.

Quoi qu'il leur offre, c'est sûrement de la nourriture, car ils se jettent dessus avec voracité, glapissant et aboyant pour en réclamer plus jusqu'à ce que la sacoche soit complètement vide.

Près de leurs feux, les citoyens se retournent pour les contempler en silence. L'homme pourrait devenir la cible universelle de leur mépris, voire de leur fureur – *oser donner de la nourriture aux chiens !* – et pourtant, personne ne prononce une parole.

Peut-être connaissent-ils le pèlerin. Les chiens le connaissent bien, eux.

Enfin, il se dirige vers le centre de la *piazza*, où seul demeure le chien en deuil – qui ne s'est pas redressé, n'a même pas bougé durant la distribution.

L'animal lève la tête vers le nouvel arrivant, mais reste couché. Tous deux se regardent. Le pèlerin s'agenouille.

Que s'est-il passé, ici ? Il s'est passé quelque chose. Quoi ?

Le chien ne bouge pas. Le pèlerin tend la main. L'animal se tapit, sans pour autant abandonner sa place.

L'homme aborde le groupe de gueux le plus proche, puis ouvre sa bourse. Un garçonnet fait un pas vers lui et, le temps d'attraper un brandon, suit le pèlerin retourné auprès du chien.

À la lueur de la torche, il est maintenant possible de distinguer les traits de ce pèlerin.

Il porte une calotte à l'arrière de la tête. Ses cheveux, assez longs, sont d'une riche nuance acajou – couleur de la terre toscane –, où brillent quelques mèches blanches ou grises. Il arbore une barbe dans le style affectionné par les rois de France et d'Espagne : façonnée et taillée tel un contour au fusain de sa mâchoire, de sa bouche et de ses joues. Il a de grands yeux largement écartés et un nez dont on aurait pu dire, s'il avait figuré sur un dessin ou un tableau, qu'*il rappelle celui de Laurent le Magnifique.* De fait, ce pèlerin est peut-être un Médicis venu réclamer sa ville. Une sorte d'autorité princière modèle chacun de ses gestes, chacun de ses mouvements, comme s'il était né pour se faire obéir.

Sous les yeux de l'enfant, le pèlerin se débarrasse de sa cape, qu'il étale par terre à côté du chien.

Avant de s'asseoir dessus et de sortir un carnet d'une poche de son long manteau tissé. Un carnet. Ainsi qu'un crayon.

Le garçonnet se rapproche. La torche flamboie, illuminant la page posée sur les genoux du pèlerin.

Enfin, celui-ci commence à dessiner.

J'ai vu cette page, lut Jung. *À mon grand étonnement, mais aussi à mon grand regret, je l'ai vue. Elle montre la tête, les épaules et les pattes de devant d'un chien en deuil. Elle montre aussi une main brutalement arrachée. Et dans cette main, un morceau de pain.*

En dessous, tracée de cette étrange écriture en miroir pour laquelle il était célèbre, se trouve cette note peut-être ajoutée plus tard :

Main d'une Florentine, dessinée à la lueur d'une torche dans la nuit du 6 février 1497. Le chien a refusé de la quitter. Il est mort là-bas au matin. Manche d'un vêtement féminin en coton bleu foncé. Un bouton en bois.

Ce fut ma première rencontre avec Léonard.

5

Dix minutes plus tard, Jung fixait toujours la page sans la voir.
Léonard.

Évidemment. Quel autre personnage Pilgrim aurait-il pu décrire à Florence au quinzième siècle ?

Ce dessin, sûrement reproduit dans son livre sur Léonard de Vinci, était sans doute le premier original de l'artiste que Pilgrim contemplait, à en croire sa dernière remarque. Et marquait peut-être aussi la première fois où il posait les yeux sur la fameuse écriture spéculaire de son auteur.

Jung éteignit la lampe. L'aube n'était déjà plus qu'un souvenir. Le soleil s'était levé.

Il avait froid. Il ne parvenait plus à lire. Le jeune Angelo allait devoir patienter. Pour le moment, la rencontre avec Léonard lui suffisait.

Après avoir remonté le col de sa robe de chambre, il demeura assis encore un moment, bras croisés comme pour s'étreindre, navré par la mort de cette inconnue disparue depuis quatre cent quinze ans.

Un bouton en bois.

Il baissa les yeux vers le journal, dont les pages toujours ouvertes semblaient attendre d'être tournées.

Non. Pas maintenant. Pas encore. Assez. Assez.

Saisissant son verre de brandy à moitié plein, Jung se leva pour s'approcher de la fenêtre.

Emma avait-elle réussi à dormir au milieu de tout ce tumulte ?

Quelle question étrange... Quelle idée étrange... Comme c'était étrange d'imaginer qu'elle avait assisté à la scène dont il venait de lire le récit, entendu le vent souffler, les sabots des chevaux claquer, les chiens aboyer, aperçu les ombres bondissantes...

Pourtant, il avait lui-même l'impression d'avoir été posté derrière une fenêtre pour la regarder, d'avoir vu la silhouette déboucher dans la lumière tel un pèlerin. Léonard.

Soudain, par la porte ouverte, Jung distingua les pas de la servante dans le couloir.

Zut ! Comment s'appelait-elle, déjà ? Mais comment s'appelait-elle donc ? Elle était nouvelle. *Frau* Emmenthal l'avait engagée la semaine précédente. Comment avait-il pu oublier son nom ? On le lui avait pourtant répété si souvent – jusqu'à huit fois par jour ! –, et avec un tel déploiement de courtoisie ! Avec force sourires, force révérences, dans un chuchotement : *Je suis… Je suis… Je suis…*, lui disait la jeune fille.

« Qui êtes-vous, nom d'un chien ? »

Chargée d'un plateau avec du pain et du chocolat chaud pour Emma, la domestique s'arrêta sur le seuil, déconcertée. Le Dr Jung avait parlé, mais la question lui était-elle adressée ?

Elle scruta les ombres derrière elle, afin de vérifier s'il y avait quelqu'un d'autre.

« Moi, monsieur ?

– Oui, vous.

– Je suis Lotte, *Herr Doktor*. Charlotte, votre nouvelle servante. *Frau* Emmenthal…

– Ah oui. » Que dire, maintenant ? Il se sentait ridicule. « Vous ai-je déjà vue ? » demanda-t-il.

À présent, il allait paraître plus ridicule encore.

« Oui, *Herr Doktor*. Je suis ici depuis une semaine entière.

– Reste-t-il un peu de ce chocolat en cuisine ?

– Oui, *Herr Doktor*.

– Parfait. Dans ce cas, apportez donc ce plateau ici, vous en préparerez un autre pour *Frau* Jung.

– Bien, monsieur. »

Lotte, dont les cheveux couleur de miel étaient tressés en une natte qui pendait dans son dos, passa devant lui avec le plateau qu'elle posa sur la table de travail parmi une foule de livres. Avant de s'éclipser en hâte.

Une horloge sonna.

Sept heures.

Le sommeil était exclu. Il se contenterait de pain et de chocolat chaud, s'accorderait un rasage bienvenu – *Je vais tailler ma moustache* – et un long bain voluptueux, puis irait directement voir Pilgrim.

En remplissant sa tasse, Jung sourit. Quelle perspective ! *J'irai directement voir Pilgrim sans même enfiler mes vêtements !* Alors qu'il neigeait de nouveau.

En avalant une première longue gorgée de cacao, Jung ferma les yeux pour mieux évoquer l'image de son corps nu, environné de vapeur, émergeant de la baignoire pour avancer sous une chute de neige silencieuse.

J'emporterai mon cahier, bien sûr. Ainsi que mon stylo. Et peut-être aussi un bâton.

Un bâton, oui.

La représentation parfaite du pèlerin nu.

6

Dans la salle de musique, ainsi nommée parce qu'elle était destinée aux patients pour qui la musique constituait une thérapie, il y avait vingt et une fenêtres. Sept, sept et sept. Hautes et étroites.

À neuf heures ce matin-là, après avoir lu le journal de Pilgrim, Jung se tenait dans cette pièce, le dos à la porte qui ouvrait sur le couloir. La neige derrière les vitres tombait dru, comme si les nuages comptaient leur pennies – des fantômes de pennies, énormes, issus de l'époque où les pennies avaient la taille d'une montre à gousset. Tel était du moins le souvenir qu'en gardait Jung.

Deux horloges égrenaient leur tic-tac, mais pas en mesure; en contrepoint.

Un piano à queue occupait un coin de la pièce, couvercle soulevé, donnant l'impression d'attendre. Un violoncelle drapé dans une étoffe était appuyé contre un mur – désolé, abandonné. Trois violons demeuraient invisibles dans leurs étuis posés sur trois chaises dorées.

Personne ne viendra donc?

Des pupitres à musique étaient rassemblés dans un angle. Semblables à des commères. *Avez-vous entendu...? Saviez-vous...?* Deux flûtes, un hautbois et une clarinette, également dans leurs étuis, avaient été placés sur une étagère; une autre, en dessous, supportait en piles bien nettes des partitions couchées de Bach et de Mozart. Celle du *Concerto pour piano en la mineur*, de Schumann, se dressait à la verticale, face au mur. À l'autre extrémité de la salle, une forme que l'on aurait pu prendre pour une oreille décollée géante se révélait une harpe.

Jung avait réservé la salle de musique par l'entremise de *Fräulein* Unger. Celle-ci, après avoir téléphoné au directeur, avait ensuite été envoyée à la suite 306 pour prier Kessler de faire descendre Mr. Pilgrim au rez-de-chaussée à neuf heures.

Il était maintenant neuf heures passées de vingt minutes. Kessler avait-il mal compris les instructions? *Fräulein* Unger lui avait-elle transmis le message?

Jung examina les images et les feuilles étalées sur une table d'un bon kilomètre de long, disposée de telle façon que s'il y prenait place maintenant, il tournerait le dos aux fenêtres les plus éclairées.

Une table d'un bon kilomètre de long. De cinq cents mètres, disons. Bon, quoi qu'il en soit, elle est longue. Tenter d'estimer ses véritables proportions, c'était manquer lui rendre justice. Il importait avant tout d'impressionner le patient, de lui imposer les dimensions écrasantes de la réalité.

Pour ce qui était de la vive luminosité, non que Jung cherchât par là à dérouter Pilgrim quant à l'identité de son interlocuteur, mais lorsqu'il parlerait, il voulait que sa voix parût désincarnée. Son intention était de provoquer une confrontation directe avec Pilgrim par des moyens indirects ; à savoir, son test des associations de mots et d'images. Jung se délectait de formules paradoxales telles que *confrontation directe par des moyens indirects.* Aussi absurde que semblât cet énoncé, il décrivait en réalité avec acuité la manière dont fonctionnait le test. *C'est exactement ce que c'est : un mot, un objet, une image. Qu'en faites-vous ?*

Furtwängler ne cachait pas son mépris pour cette technique que son confrère avait élaborée – ou plus précisément, qu'il était en train d'élaborer par tâtonnements. Au cours d'une séance donnée, Jung lançait des mots, des formules courtes, des onomatopées – *pan ! pan ! pan !* –, après que le patient eut reçu pour consigne de répondre la première chose qui lui passait par la tête. Quelquefois aussi, il ne disait rien, mais montrait des images – dessins, photographies ou peintures – en guettant une réaction. Le silence d'un patient, découvrait Jung, pouvait se révéler aussi éloquent que ses paroles.

Nerveux sans trop savoir pourquoi, Jung s'approcha du piano, puis s'assit.

Que jouer ?

Quelque chose de simple. La berceuse préférée de sa mère, pourquoi pas ? Encore faudrait-il qu'il se remémorât la mélodie… Ses doigts errèrent au-dessus des touches, mais l'air lui échappait. Peut-être parce qu'il ne voulait pas s'en souvenir. En fin de compte, il se contenta de plaquer quelques accords.

Et soudain, il entendit la voix de Kessler.

« Il n'y a plus personne, disait l'aide-soignant. Mais nous sommes en retard. Il a dû partir. »

Jung se leva.

« Bonjour », énonça-t-il en anglais.

Kessler fit claquer ses talons et hocha la tête.

Pilgrim, assis dans son fauteuil roulant, ne souffla mot.

Un sourire aux lèvres, Jung s'avança vers lui.

« Vous avez sans doute entendu la musique, commença-t-il. Et si le piano était hanté ? Croyez-vous aux fantômes, Mr. Pilgrim ? »

Celui-ci détourna les yeux.

Le médecin adressa un signe à Kessler.

Sur un nouveau hochement de tête, celui-ci s'éclipsa en refermant la porte.

Jung alla se placer derrière la table d'un kilomètre de long.

« Pourquoi ne viendrez-vous pas me rejoindre ? » demanda-t-il.

Son patient ne bougea pas.

« J'ai ici quelque chose que j'aimerais vous montrer. »

Toujours silencieux, Pilgrim ferma les yeux. Comme s'il écoutait de la musique.

« Je regarde une main humaine, déclara Jung. Pas la mienne. Celle de quelqu'un d'autre. »

Aucune réaction.

« Une main de femme. »

Les horloges égrenaient leur tic-tac.

Le soleil progressait peu à peu sur le sol en direction de Pilgrim. Tel un animal, il flairait ses pantoufles de cuir, son pantalon, ses genoux…

« Vous avez déjà vu cette main, je crois, reprit Jung, incarnation même de la désinvolture. Une main de femme, repliée sur elle-même… »

Il attendit.

Puis ajouta : « … qui tient… »

Une brusque rafale fit vibrer les carreaux.

Quelqu'un veut entrer, songea Pilgrim.

Délibérément, Jung agita le morceau de papier.

« Ce n'est qu'un dessin, poursuivit-il. Pas une véritable main. »

Il s'exprimait toujours du même ton insouciant. *Rien de tout cela n'a de réelle importance*, sous-entendait-il. *Je me disais simplement que ce serait pour vous une distraction amusante.*

Les paupières de Pilgrim se soulevèrent lentement, à la façon d'un chat somnolent qui, les yeux réduits à deux fentes, feint le sommeil.

Le papier se balançait devant lui.

« Avez-vous peur du papier, Mr. Pilgrim ? demanda Jung. Des pages ? Des cahiers ? Des croquis ? » Il saisit d'autres feuilles qu'il secoua comme il l'aurait fait d'un morceau de tissu pour le dépoussiérer. « Les redoutez-vous ? Et si tel est le cas, pourquoi ? »

Il reposa les feuilles, n'en gardant qu'une.

Pilgrim baissa la tête pour contempler ses mains abandonnées sur ses genoux.

« Pour ce dessin, Mr. Pilgrim, l'artiste devait avoir une raison bien particulière de choisir comme sujet cette main-là, reprit Jung. À votre avis, quelle pouvait être cette raison ? »

Cette main est très belle.

« Vous rappelez-vous ce que j'ai dit ? C'est une main repliée sur elle-même, qui tient… ? »

Repliée sur elle-même. Qui tient.

Jung vit son patient ouvrir la bouche, remuer les lèvres comme pour former un mot – mais sans émettre le moindre son.

Il se leva afin de franchir la distance qui le séparait du fauteuil roulant et de son occupant.

Pilgrim distinguait désormais les chaussures du médecin, le bas de son pantalon et les basques de sa blouse blanche déboutonnée. Contre lesquelles était pressé un morceau de papier. Vide. Complètement vide.

Il n'y a rien, là-dessus.

Il ment.

Il n'y a pas de main, et par conséquent, rien à l'intérieur.

Rien ne tient rien.

Peu à peu, Jung retournait la page.

D'un geste si mesuré que Pilgrim s'en rendit à peine compte. La brise – un courant d'air – avait pénétré dans la pièce, et le papier scintillant l'aveuglait.

Soudain, il jeta un bras en travers de son visage.

« Mr. Pilgrim ? »

Jung se rapprocha et, prenant le bras qu'avait levé son patient, il l'abaissa.

Autant de mouvements que l'on aurait pu croire réglés par une chorégraphie, le médecin et son patient évoquant des danseurs qui évolueraient en mesure.

Enfin, Jung plaça le papier dans la paume de Pilgrim.

« Regardez, ordonna-t-il, avec douceur cependant. N'ayez pas peur. Regardez, c'est tout. »

Lentement, Pilgrim baissa les yeux. Puis souleva la feuille pour mieux l'étudier.

Il contempla l'image quelques instants, le visage inexpressif.

Et soudain, laissant retomber sa tête, il fondit en larmes.

Jung attendit un moment avant de reprendre la parole.

« Vous voyez ? Vous n'aviez aucune raison d'avoir peur, Mr. Pilgrim. Tout va bien. »

Après avoir récupéré la feuille, il l'emporta jusqu'à l'autre bout de la table, où il s'assit.

Le dessin, tiré des cahiers de Léonard, était intitulé : *Étude des mains d'une femme. 1499.*

Pace.

L'une des mains, repliée sur elle-même, tenait l'autre.

7

RÊVE : Encore de la fumée. Encore des feux. Le feu, semblait-il, était partout. Jusque dans la pièce, à présent.

Strazzi, accroupi devant l'âtre, se réchauffait les mains. Gherardini, près de la fenêtre, contemplait la *piazza* balayée par le vent. Le pèlerin avait disparu, et l'enfant avec lui – emportant la torche et tout le reste. Seul demeurait le chien, prostré, les oreilles couchées, les pattes supportant le poids de sa longue mâchoire grise, les poils de son cou et de sa queue soulevés par les rafales. Gherardini avait fermé les yeux, mais il continuait de voir. Des ombres jouaient sur ses paupières closes ; des bras, peut-être, qui remuaient. Quelqu'un agitait la main, comme pour signifier – quoi ? *Au revoir ?*

Gherardini leva la main droite jusqu'à poser les doigts sur les panneaux de verre. Ils étaient glacés.

Agite la main en retour.

Strazzi pivota.

« Tout va bien, déclara-t-il. Tout va bien. Dis au revoir. »

Au revoir.

La tête du chien roula de côté. Il était mort.

Jung avait accompli tant bien que mal sa longue journée de travail dans la seule attente de ce moment – celui où il pourrait enfin poursuivre sa lecture du journal de Pilgrim.

Mais que lisait-il exactement ? Ce qui semblait réel dans les passages précédents était désormais décrit comme un RÊVE.

Un RÊVE.

Un rêve dans lequel, à ce qu'il paraissait maintenant, deux hommes avaient assisté à la scène sanglante sur la *piazza*. Or, l'un d'eux portait le nom que lady Quartermaine avait donné au jeune homme dont Pilgrim avait esquissé la silhouette en parlant dans son sommeil : *Angelo Gherardini.*

Ne s'agissait-il que d'un songe ? Uniquement d'un songe ? Ou est-ce que Pilgrim – s'il était réellement médium – entendait parfois des voix dans ce qu'il nommait ses *rêves* ? Il les nommait *rêves*, mais pour désigner quelque chose d'autre. Des apparitions, des visions, des messages. Des perturbations. L'irruption d'autres voix que la sienne dans sa propre réalité. C'était assurément ainsi que fonctionnaient certains schizophrènes qui, comme d'une cachette, surprenaient une conversation entre différents intrus. Tels les propriétaires d'une maison envahie par des maraudeurs, ils se retrouvaient réduits à l'impuissance, obligés d'observer et d'écouter.

À présent, tout ce qui était vu ou entendu faisait l'objet d'un récit au passé.

Alors, retour au rêve :

La fumée d'un feu de bois, pas simplement celle d'une lampe à huile. Ou de l'encens s'échappant par l'ouverture éclairée aux cierges de Santa Maria Novella. Ou du charbon clignotant dans les braseros. La fumée d'un feu de bois. Avec des odeurs de résine. De cire. Gherardini songea aux bois sur les collines florentines au-dessus de la ville et aux forêts ondoyantes de pins parasols plus au sud, derrière lui. En train de brûler. Tout brûlait… Tout, à l'intérieur de ses yeux en feu.

Une porte s'ouvrit. Un courant d'air l'effleura. Annonciateur d'une présence, imprégné d'un parfum.

« Bienvenue, dit Strazzi. Nous ne vous attendions pas. »

Gherardini souleva les paupières. Dans la vitre, il distinguait au-delà du seuil le reflet de la galerie illuminée par des torches – autant de langues dorées sur fond orange flamboyant. Une ombre, non une silhouette, les obscurcissait lentement à mesure qu'elle avançait, jusqu'au moment où elle masqua complètement l'embrasure de la porte.

Il aurait voulu se retourner, mais s'en sentait incapable. *Non, ne fais pas ça*. Est-ce que quelqu'un était venu les tuer ?

Ne fais pas ça.

Sa main se porta sur le couteau dissimulé dans la bourse attachée à la ceinture de son pourpoint.

Lorsque Strazzi reprit la parole, ce fut d'une voix lointaine, assourdie, presque indistincte :

« J'ai fait du feu. »

L'ombre pivota vers le battant pour le refermer. Avec un bruit qui semblait dire : *Maintenant, je suis là.*

Gherardini perçut le tournoiement d'une cape dont on se dépouille. Le déplacement d'air lui lécha les épaules.

Du vin fut servi. Quelqu'un le but. Le verre fut reposé et empli de nouveau.

« Je ne t'avais pas vu depuis un bon moment. »

L'alcool tout juste avalé empâtait quelque peu la voix.

Regarde-le. Il le faut.

Enfin, Gherardini fit volte-face. À la lueur des foyers sur la *piazza* derrière les fenêtres, un voile semblait avoir été levé sur la pièce, et ce qui était auparavant perdu dans l'ombre se détachait maintenant avec une netteté effrayante – *pourquoi effrayante ?* –, comme brusquement pourvu de lumière et de substance.

Un homme se tenait devant lui, vêtu d'un *lucco* violet dont le col brodé, relevé et ouvert, révélait une chemise plissée sous un pourpoint couleur lie-de-vin. Chaque détail des coutures gris argent brillait.

C'était le pèlerin. Léonard.

Celui-ci se dirigea vers la fenêtre pour placer sur le rebord son carnet ouvert, montrant la main de la morte et son chien à l'agonie. La page était orientée de telle façon que Gherardini voyait distinctement les lignes du dessin, tracées avec la rapidité et la précision d'un maître en la matière. Il ferma brièvement les yeux. Un seul regard suffisait pour mémoriser l'image à jamais.

Léonard, qui s'était encore rapproché, se pencha en souriant pour sonder les prunelles de Gherardini. Sa main libre – énorme, semblait-il – se porta vers la joue du jeune homme, sur laquelle elle se posa doigt après doigt.

Un peu à l'écart, Strazzi observait la scène comme on observerait un aigle fondant sur sa proie : figé par l'appréhension mais, en même temps, grisé par la prescience de l'inéluctable dans l'attitude de l'aigle.

La paume toujours appuyée contre la joue droite de Gherardini, les doigts frôlant ses boucles humides, Léonard inclina très légèrement la tête de côté avant de l'embrasser à pleine bouche.

« Je pensais ne plus jamais te revoir. Il s'est passé combien de temps ? Un an ? Un an et demi ? »

Gherardini était incapable de répondre.

Les cheveux et la barbe de Léonard embaumaient. Racine d'iris, romarin et aussi… Il plaça deux doigts sur les lèvres de Gherardini. Puis se plaqua contre lui, toujours plus étroitement, sa cuisse droite émergeant du *lucco* pour effleurer l'aine du jeune homme, comme le flanc d'un animal herbivore écarte les herbes dont il se nourrit.

Parcouru de frissons, Gherardini tenta de se dérober, mais la croisée derrière lui l'en empêchait.

Léonard lui entrouvrit les lèvres pour y glisser son index.

Celui-ci sentait la poussière de crayon et les gants parfumés.

« Rappelle-toi quand nous jouions à la mère et à l'enfant, quand tu tétais mes doigts pendant que je te caressais les cheveux… »

Après s'être débarrassé du *lucco*, Léonard s'avança vers l'immense commode dans laquelle étaient éparpillés ses livres et ses croquis.

Strazzi regarda Gherardini, haussa les épaules et se détourna.

Léonard fouillait les tiroirs, les ouvrant et les refermant avec une frustration grandissante.

Dans la cheminée, deux nouvelles bûches de pin avaient été enflammées comme dans ces rêves où le temps et les mouvements fluctuent sans que l'on sache comment. Si Strazzi avait nourri le feu, quand l'avait-il fait ?

De la *piazza* leur parvenait de nouveau le bruit des chevaux. À cause du carnaval, on avait fait venir du Palazzo Vecchio une troupe montée pour renforcer la garde. Les soldats arboraient des couleurs sobres. *Savonarole*. Non plus l'or et la pourpre des Médicis, mais des tuniques d'un vert olive terne et de grandes capes grises semblables à celles des moines. Leur armure d'acier non poli ne réfléchissait qu'un soupçon de lune.

L'astre lui aussi semblait surgi de nulle part.

Le vent avait dû l'apporter avec lui, chassant les nuages – nuages qui s'amoncelaient tels des châteaux de pierre grise et…

« Voilà. Je t'ai retrouvé. »

D'un grand geste, Léonard débarrassa une table de tous les objets qui l'ornaient puis, après avoir apporté des lampes, il y étala un carnet relié de cuir, aussi long qu'une demi-toise. Alors qu'il en tournait les pages épaisses, il murmura : « Ces dessins-là, tu les reconnaîtras, tu t'en souviendras ; ceux-là remontent à l'époque où je t'enseignais l'art de la séduction… doigt après doigt, cheveu après cheveu. Hein ? Oui ? Tu t'en souviendras. »

Embarrassé, Strazzi changea de position près de l'âtre.

Gherardini se rapprocha pour regarder les mains du maître voltiger au-dessus des pages. Combien de garçons, de jeunes gens et d'hommes étaient ensevelis dans ces esquisses à la craie, au fusain, à l'encre, à la peinture… ? Dont Strazzi, mais aussi des dizaines et des dizaines d'autres, tous mis au tombeau entre ces couvertures de cuir, chaque ligne de leur silhouette informée par une quête passionnée de la perfection, par un souci permanent du détail. *Dessinez d'après la nature. Dessinez la chose elle-même. Oubliez tous les professeurs. Le seul professeur, c'est la réalité.*

« Là, tu vois ? C'est toi. Oh, regarde. Regarde ! Regarde ! Le plus beau garçon que j'aie jamais vu. »

À présent, Gherardini contemplait sa propre tête de profil, les yeux baissés. Son dos aussi, des épaules aux fesses. Nu. Ses pieds. Ses bras. Sa bouche. Ses doigts.

Un autre dessin le montrait assis, une jambe tendue, une main posée sur son sein, les parties génitales exposées, les yeux mi-clos, la tête inclinée, ses cheveux lui caressant l'épaule, les lèvres entrouvertes sur un souffle, comme s'il allait s'endormir d'un instant à l'autre.

Léonard prit une profonde inspiration avant de pousser un long soupir. Il avait tourné une autre page, au-dessus de laquelle il agitait sa main ouverte comme pour repousser quelque voile ou ombre brouillant son regard ; dans ses yeux, constata Gherardini, brillaient maintenant des larmes.

Gherardini reporta son attention sur la page. De ses doigts, il traça les contours de la silhouette qui y était représentée, s'attendant presque à les découvrir tièdes.

Il y eut un courant d'air. Les bougies vacillèrent. Une porte s'ouvrit, se referma. Strazzi les avait quittés. Gherardini se retrouvait seul avec l'image de son frère, et la main qui l'avait fait apparaître reposait désormais sur son épaule.

Jung ferma les yeux.

L'image de son frère...

Bon. Il ne s'agissait pas d'Angelo, en fin de compte, mais de son frère. Parfait. Cette histoire, ce fantasme, ce rêve – quoi que ce fût – empruntait encore un nouveau détour.

Et je le suivrai, où qu'il aille.

Mais qu'en était-il de l'esprit qui avait évoqué ces scènes ? Comment accéder à un tel esprit – celui de Pilgrim ? Comment l'aider à combattre tout cela – tous ces fantasmes dont la réalité était suffisamment puissante pour avoir pris le pas sur la véritable réalité ? Le « monde réel » d'ici et maintenant. Le monde dont Pilgrim s'était coupé en se retranchant dans le silence, et dont il souhaitait se couper en se retranchant dans la mort.

En d'autres termes, songea Jung au moment de refermer le journal, *comment dois-je procéder à partir d'ici, alors qu'*ici *est le dernier endroit où Pilgrim a envie d'être ? Quant à* maintenant... *À en juger par son récit, il semblerait que pour lui,* maintenant *se situe entièrement dans le passé. Bon,* se dit-il en se levant. *C'est mon métier. Mon métier, certes. Mais comment suis-je censé l'exercer ?*

8

Pour le Noël précédent, Emma Jung avait acheté à son mari un appareil photo; *un jouet*, comme elle l'appelait. *Tous les enfants devraient en recevoir au moins un pour Noël*, avait-elle écrit sur la carte, *et celui-ci est destiné à mon plus jeune fils, le plus cher à mon cœur.*

C'était ainsi qu'elle le considérait. Non qu'il ne possédât point de génie, mais on aurait pu dire la même chose de Mozart à huit ans. *De fait*, avait-elle confié à *Frau* Emmenthal durant l'été, un jour où elles écossaient des petits pois, *c'est l'enfant en Carl Gustav qui revendique son génie. Il voit, rêve et s'émerveille comme seul un enfant en est capable : sans un soupçon de doute. Ce qu'il sait, il le sait. Ce qu'il ne sait pas, il sait ne pas le savoir. Il s'agit là d'un signe incontestable de génie : ne pas avoir peur de sa propre ignorance.*

L'appareil était un Kodak, le modèle qui s'ouvre comme un accordéon. *Mon instrument à soufflet*, l'avait baptisé Jung. *Je vous joue quelque chose ?*

Le 8 mai 1912 – il se trouva que c'était un mercredi –, alors qu'il regardait par la fenêtre au moment du petit déjeuner, Jung aperçut une jonquille dans le jardin.

« Il y a une jonquille dans le jardin, annonça-t-il à Emma. Dès que j'aurai fini de manger, j'irai la photographier.

– Ne vous laissez pas abuser par une jonquille, Carl Gustav. Mettez vos galoches et votre écharpe avant de sortir. Vous n'avez pas le temps de tomber malade, et moi, je n'ai pas le temps de vous soigner.

– Bien, m'dame. »

Avec un sourire, Jung pressa la main de sa femme.

« *M'dame ?* répéta Emma. *M'dame ?* Qu'est-ce que vous me chantez là ?

– C'est la contraction du mot *madame*, un titre donné aux femmes distinguées d'un certain âge, ma chère. Les Anglais le privent du *e* final pour se différencier des Français, qu'ils détestent. À ce qu'ils prétendent, du moins. Ils leur volent tous leurs mots, qu'ils altèrent ensuite de manière subtile – aussi subtile, à mon avis, que s'ils leur brandissaient un poing sous le nez. Ils conservent l'orthographe, mais modifient la prononciation ; ou alors, ils conservent la prononciation, mais modifient l'orthographe. Parfois aussi, ils font les deux. Leur *madam*, par exemple, se prononce *maa-dum*. Ah! On croirait entendre bêler un mouton égaré. Mais que voulez-vous, *madame* sonne beaucoup, beaucoup trop français! Terriblement étranger! Terriblement prétentieux! Et puis, il y a les termes comme *ambuscade*, qu'ils énoncent avec des intonations flûtées, francisées, sauf qu'ils l'écrivent avec un *a* au lieu d'un *e*.

– Tout à fait intéressant, Carl. Merci pour la leçon. » Emma posa sa tasse de café, puis s'essuya les lèvres. « Pourquoi avoir choisi *ambuscade*?

– Comment ça, pourquoi?

– Eh bien, pourquoi avoir choisi précisément ce mot pour illustrer votre propos?

– C'est le premier qui m'est venu à l'esprit, je suppose. Je ne sais pas.

– À votre place, je méditerais la question. En vérité, à votre place, je me ferais du souci.

– Du souci? Mais pourquoi, grands dieux? Ce n'est qu'un mot!

– Pas seulement. C'est aussi une déclaration comminatoire. Un avertissement. Une indication sur votre état d'esprit. Sur votre inquiétude pour cette malheureuse jonquille dehors, dans la neige. Vous êtes assis là, en train de déterminer votre trajet dans le jardin, et tout ça afin de pouvoir *mitrailler* cette pauvre petite chose qui ne se doute de rien. N'est-ce pas ce que l'on dit des photographes acharnés sur leur sujet? *Carl Gustav a mitraillé une jonquille ce matin!* Eh bien, quelle histoire! »

Emma souriait, Jung aussi. Lorsqu'elle recouvra son sérieux, il conserva son expression amusée.

« Cela dit, reprit-elle en lui tendant des allumettes, il est possible aussi que vous redoutiez quelque chose ou quelqu'un tapi dans l'ombre, n'attendant que le moment de se jeter sur vous. Pensez-y. Et maintenant, pendant que je m'occupe de votre recherche sur Savonarole, allez donc mitrailler votre jonquille. »

Dans le jardin, avec ses galoches ouvertes qui se remplissaient peu à peu de neige, Jung s'adressa à la jonquille, précisant qu'il voulait seulement la prendre en photo, et non la couper pour l'exposer dans la maison. « Sois tranquille », dit-il à voix haute.

Emma, derrière la fenêtre, le vit remuer les lèvres. *Il recommence*, songea-t-elle. *Il parle aux choses*. Et de conclure, avec un sourire: *Encore un signe incontestable de génie.*

À la clinique, Jung vit lady Quartermaine se promener dans le jardin.

Zut. Mr. Pilgrim l'accompagne. Dans ces conditions, impossible de l'interroger sur le journal.

Le couple déambulait apparemment sans but le long des allées dégagées menant à la pinède, par-delà la statue de Psyché et le buste d'Auguste Forel sur son piédestal. Le Dr Forel avait attiré l'attention du monde entier sur la clinique Burghölzli. Il jouissait d'une réputation monumentale ; de l'avis de Jung, cependant, c'était un homme qui avait fait son temps mais refusait de lâcher prise. Il multipliait les visites, toujours à l'improviste, manifestant un appétit insatiable pour l'ingérence. *Ne vous rendez-vous donc pas compte de ceci ou de cela ? Ne voyez-vous donc pas où conduit tel ou tel traitement ? Au désastre !* À partir de là, il fallait passer des heures à défendre ses méthodes. C'était à devenir fou.

Lady Quartermaine guidait maintenant Pilgrim vers la pelouse enneigée qui remontait en pente douce jusqu'au portique sous lequel son automobile attendait. On aurait pu la prendre pour sa mère, à la voir se comporter ainsi. En les regardant, Jung estima fort possible qu'ils aient été amants.

Pilgrim, enveloppé des pieds à la tête dans son manteau, traînait derrière lui les pans d'un nombre incalculable d'écharpes ; son long visage était ombré par le bord d'un feutre teinté qu'il maintenait en place d'une main. De l'autre, il agrippait le bras de lady Quartermaine comme s'il avait peur de tomber.

Jung les rattrapa près de Psyché.

« Bonjour ! lança-t-il. Vous permettez que je me joigne à vous ? »

Sybil Quartermaine n'avait pas de sourire à lui adresser ce jour-là.

« Si vous voulez », répondit-elle.

Elle avait l'air de ne pas avoir dormi depuis des semaines. Son visage avait perdu toute couleur. Sous la poudre pourtant appliquée avec soin, les cernes bleutés subsistaient. Ses yeux, tels ceux d'un animal, étaient hantés par la peur de la lumière diurne.

« Bonjour, Mr. Pilgrim, insista Jung. Vous faites une petite promenade de santé ? N'est-ce pas la formule consacrée chez les Anglais ?

– En effet, docteur Jung, nous l'utilisons fréquemment, confirma Sybil. Comment vous portez-vous, aujourd'hui ? »

Il lui répondit qu'il se portait comme un charme et ajouta qu'il s'était muni de son appareil photo.

« J'ai photographié une jonquille ce matin, au petit déjeuner, expliqua-t-il. La première de la saison. Le signe indéniable que le printemps sera bientôt là. D'ici peu, elles fleuriront partout.

– Je l'espère, dit Sybil. Cette neige qui n'en finit pas, c'est tellement déprimant... Je me demande comment vous pouvez la supporter. »

Jung leva les yeux vers Psyché.

Elle était sculptée dans le marbre, ce qui lui seyait à merveille. Sur fond de neige, elle paraissait presque irréelle, spectrale même, penchée comme elle l'était vers sa mare gelée bordée de bouleaux élancés. Ses ailes de papillon étaient prises dans un fourreau de glace.

« Du blanc, murmura Jung. Du blanc partout.

– Oui, approuva Sybil. Du blanc. » Et d'ajouter : « Y a-t-il un endroit où nous pourrions nous asseoir un moment, docteur ? Un banc, peut-être ? J'ignore pourquoi, mais je me sens complètement épuisée.

– Il y a un banc à côté du Dr Forel, là-bas. » Jung y conduisit le couple. « Vous savez, reprit-il, si vous vous fatiguez aussi rapidement, c'est sans doute à cause de l'altitude. À cette hauteur, voyez-vous, les gens s'essoufflent toujours très vite. Surtout ceux qui viennent des basses terres.

– Sans doute, oui. Je n'y avais pas pensé.

– Nous sommes à quatre cent vingt mètres au-dessus du niveau de la mer, lui révéla Jung. Je vous en prie, asseyez-vous. »

Sybil Quartermaine demeura à l'écart pendant que Jung débarrassait avec son mouchoir la neige recouvrant le banc. Il ne portait pas de gants. L'appareil photo pendait à son cou.

On dirait un oiseau mort, pensa Pilgrim.

Une fois l'opération achevée, Sybil prit place et Pilgrim s'installa près d'elle.

En reculant, Jung les regarda avec un mélange d'inquiétude et de plaisir. De toute évidence, lady Quartermaine était soit souffrante, soit profondément troublée ; quant au silence persistant, quasi agressif de Pilgrim, il commençait à devenir irritant. Tous deux n'en formaient pas moins un couple superbe, assis dans un jardin enneigé avec derrière eux Psyché qui contemplait sa mare gelée. En contrebas, Jung aperçut une autre silhouette qui se dirigeait vers les portes de la clinique.

Archie Menken, son collègue américain.

Que penserait Archie du journal de Pilgrim ? s'interrogea-t-il.

Bah ! dirait-il probablement. *Ce ne sont que les divagations d'un esprit dérangé, C. G. Cessez donc de vouloir à toute force donner un sens à la folie.*

Jung reporta son attention sur ses compagnons.

« Cela vous dérangerait-il si je prenais une photographie de vous ?

Vous êtes magnifiques, tous les deux. Et j'aimerais garder le souvenir de cet instant. À titre strictement privé, bien entendu. Sans compter que la journée est si belle, avec ce soleil, cette neige… Oserais-je dire que c'est une remarquable journée pour photographier des amis ? »

Sybil consulta du regard Pilgrim.

« Cela vous dérange-t-il d'être photographié ? »

Son compagnon baissa les yeux à la façon d'un enfant que l'on vient de prier de rester sage.

« Oui, s'il vous plaît, répondit lady Quartermaine. Une photographie, ce serait merveilleux. Comme souvenir pour nous tous. »

Dans son bureau, Archie Menken s'approcha de la fenêtre et contempla un moment le trio dehors.

Puis il remua la tête et traversa la pièce pour aller s'asseoir à sa table. Il avait bien assez de travail comme ça sans se préoccuper de ce bon vieux C. G. et de ses problèmes.

Archie Menken était un disciple de William James. Ses études avec James à Harvard l'avaient laissé dans un état de dévotion qui le réduisait pratiquement à l'impuissance. Tout ce qu'il faisait, tout ce qu'il pensait – y compris tout ce qu'il faisait et pensait dans l'intérêt de ses patients – obéissait au précepte du Maître, selon lequel *Il n'y a que ce qu'il y a. Rien de plus.*

Il concevait ainsi le cas de la comtesse Blavinskeya : *Il n'y a pas de vie humaine sur la lune ; rentrez à la maison.* Et ainsi celui de Pilgrim : *Vous êtes parvenu à atteindre le silence que vous cherchiez dans la mort, alors que vous vivez au milieu d'un courant de conscience. Parlez, et finissons-en.* Pour toute réaction, Pilgrim avait esquissé un sourire énigmatique en songeant à part soi que *le flot du courant de conscience est glacial.*

Quant à Jung, tout en admirant sa passion, Archie Menken n'en demeurait pas moins persuadé que cette passion pourrait être appliquée à des fins plus pratiques. Compte tenu de son jeune âge, lui-même ne se rendait pas compte que sa propre « passion » se conformait tellement aux préceptes de son mentor qu'il ne possédait même pas de vocabulaire personnel. Ses références continuelles, à la fois dans ses notes et dans ses conversations, aux formules de James – *Il n'y a que ce qu'il y a* et *le courant de conscience* – prouvaient son incapacité à se libérer de l'étudiant qu'il avait été pour laisser place à l'analyste qu'il lui restait à devenir. James était mort depuis deux ans maintenant, mais Menken agissait comme s'il le croyait toujours assis dans la pièce voisine, attendant d'être consulté.

Jung rendait Archie presque fou avec son éternel désir de s'adapter aux termes selon lesquels les patients négociaient leur capitulation.

« Votre travail, lui avait-il crié un jour, consiste à les ramener en notre compagnie, et non à leur tenir compagnie dans leurs fantasmes ! Mettez fin à toutes ces expéditions lunaires, C. G. ! Ramenez Blavinskeya dans le cercle de la vie, où la pesanteur l'emporte, où les existences sont vécues, pas seulement rêvées ! »

Et pour ce qui était de Pilgrim : « Vous savourez son dilemme. Vous vous en délectez. Vous avez volé ce patient à Josef, qui l'aurait peut-être déjà amené sur la voie de la guérison, parce que vous ne supportiez pas l'idée qu'un autre puisse recevoir le bénéfice de toute cette *Sturm und Drang* cachée l'ayant poussé au suicide et au silence. Vous êtes comme un enfant jaloux de la poupée parlante offerte à son voisin. Si elle parle, c'est forcément selon vos conditions ; pas selon les siennes, et certainement pas sous la supervision d'autrui. À bien des égards, avait lancé Archie, vous êtes un monstre, C. G. ! *C'est à moi* est votre expression favorite et, bonté divine, vous laisseriez mourir un homme plutôt que de lui permettre de ressusciter sous l'égide de Josef, ou de la mienne, ou *de n'importe quel autre praticien !* »

Ces arguments avaient tous été formulés à tue-tête. Pour Jung, cette faculté de crier figurait parmi les qualités les plus attachantes de son confrère. *C'est son côté gamin insolent, adolescent excitable qui semble toujours sur le point d'avoir un orgasme intellectuel...*

En ce 8 mai, jour où Jung prit sa photographie de Sybil Quartermaine et de Pilgrim, les deux médecins n'avaient plus grand-chose à se dire. Quant à Josef Furtwängler, il n'avait plus rien à dire du tout. Il avait fermé sa porte à Jung, point final.

Mais Jung était sourd au silence. Il ne l'admettait pas, tout simplement. Chaque heure « silencieuse » passée avec Pilgrim équivalait pour lui à autant de conversations engagées avec un patient plus loquace. Tous deux avaient « évoqué » en silence l'état de Pilgrim, la musique qu'il préférait entendre sur le Victrola, les paysages qu'il aimait contempler derrière les fenêtres de la clinique, son goût pour le vin et son aversion pour de nombreux aliments. Et aussi, ses idées bien arrêtées en matière de cravates, son refus de porter des rayures. Dans la perspective de Jung, les refus et les préférences, même exprimés par un simple geste, constituaient un substitut parfaitement valide à la discussion verbale. Quant aux nuances, un regard baissé, un haussement d'épaules ou un changement de position faisaient office d'adjectifs. Les commentaires résidaient entièrement dans l'attitude, non dans les mots. Jung estimait que son travail consistait à observer autant qu'à écouter. Ce que Menken ne comprenait pas.

Jung s'était désormais pris d'affection pour Pilgrim, malgré l'obstination de ce dernier à ne pas parler et ses réactions agacées face aux demandes de renseignements psychiatriques. Il allait lui manquer, une fois guéri et retourné en Angleterre. Pour autant que cela se produisît un jour.

Pour autant que cela se produisît un jour...

Pourquoi une telle pensée ?

Voilà, c'était ça, l'embuscade.

Une embuscade tendue par le désespoir.

Il ne se remettra pas.

Tu ne peux rien faire pour lui.

Non. Ne dis pas ça. Il ne faut pas.

D'accord. Il se remettra. Bien sûr. Et nous irons tous vivre sur la lune. Youpi !

Seigneur.

Oh, Seigneur.

Que signifiait donc tout ceci ? Qui parlait ? Une voix importune s'était élevée dans l'esprit de Jung, négative et railleuse, insinuant l'éventualité d'un échec quand lui-même ne l'envisageait pas.

Serait-ce possible, suggérait maintenant la voix, *que tu sois l'un d'entre eux, et non l'un d'entre nous, Carl Gustav ? Puis-je te remettre en mémoire le souvenir de ta mère ? Songe à ta mère. À toutes ses nuits sans sommeil, à toutes ses imprécations assourdies, à toutes ses mises en garde et autres avertissements lancés devant chaque porte, dont la tienne. Pense à ses rêves, à ses cauchemars, à ses cris et à ses chuchotements dans l'obscurité. Elle était l'une d'entre* eux, *et non l'une d'entre nous, Carl Gustav. Tu l'as dit toi-même, ou du moins, tu l'as pensé, n'est-ce pas ? N'as-tu pas...*

Oui.

Alors, pourquoi pas toi ? Rien ne dit qu'un médecin ne peut pas tomber malade.

De sa paume, Jung se frappa le front.

« Tais-toi, murmura-t-il. Tais-toi, là-dedans. Va-t'en. »

Je veux juste t'aider, reprit la voix. *Juste me rendre utile.*

Tu seras plus utile en te taisant.

Très bien. Je garderai donc le silence.

Il y eut une pause presque imperceptible.

Pour le moment, ajouta la voix. *Mais je ne m'en irai pas. J'y suis, j'y reste, Carl Gustav. J'y suis, j'y reste.*

Cette remarquable « conversation » – Jung ne trouva pas d'autre terme pour la qualifier – eut lieu aux environs de onze heures en cette matinée du 8 mai, après qu'il eut pris ses photographies de Pilgrim et de lady Quartermaine, et de la jonquille à qui il s'était adressé dans le jardin.

Jung ne retourna pas à Küsnacht pour le déjeuner, mais resta seul dans son bureau où, assis dans une attitude de contemplation, comme s'il attendait qu'on lui adressât la parole, il but une petite quantité de brandy et fuma un cigarillo.

9

À trois heures cet après-midi-là, Archie Menken venait de regagner son bureau après une heure éprouvante en compagnie d'un patient qui ne pouvait et ne voulait pas se taire. Au fil des semaines, d'innombrables séances avaient été passées à écouter, et d'innombrables autres à essayer l'éther, l'hydrate de chloral, le laudanum, les bains, les entraves et divers moyens de mettre un terme à l'hystérie du patient. Sans toutefois parvenir au silence, mais seulement au babillage, quoiqu'un babillage intelligent : l'histoire danoise, les rues de Londres dans l'ordre alphabétique, la vie de la reine Alexandra, une explication de l'échec de la guillotine à museler l'aristocratie – un sujet qu'Archie Menken trouvait particulièrement attrayant, dans la mesure où son patient était lui-même fils d'un duc royal.

À trois heures cinq, alors qu'il se servait une mesure de bourbon illicite et allumait une cigarette, on frappa à la porte.

« Non, dit-il en s'empressant de cacher bouteille et verre, au cas où le visiteur serait Bleuler. Pas maintenant. Je suis occupé. »

La porte s'ouvrit néanmoins.

C'était Jung.

« Allez-vous-en, C. G. J'ai besoin de rester seul un moment », déclara Archie.

Son confrère, hors d'haleine, était livide.

Dans sa main, il serrait une liasse de photographies tout juste développées.

Parvenu du côté de la table réservé aux patients, il s'affala sur la chaise comme s'il avait couru.

« Mais enfin, qu'est-ce qui vous prend ? demanda Archie. Je ne peux pas vous recevoir, je vous le répète. J'ai besoin de rester seul.

– Ne vous gênez pas. » Jung agita la main. « Prenez votre temps. Je me contenterai de rester assis.

– Mais non, il n'est pas question que vous restiez assis ! Seul, ça veut dire seul, bon sang !

– Vous n'avez qu'à imaginer que je ne suis pas là. »

Ayant récupéré son verre, Archie avala une gorgée de bourbon.

« Qu'est-ce que vous avez fait ? Gravi des montagnes ? s'enquit-il. Pourquoi êtes-vous aussi essoufflé ?

– Je vous expliquerai tout quand vous en aurez terminé avec votre moment d'intimité. Ignorez-moi, tout simplement. »

Après s'être carré dans son fauteuil, Archie poussa un profond soupir résigné.

« Vous voulez boire quelque chose ? demanda-t-il.

– Évidemment.

– Évidemment. Évidemment, puisque c'est vous. »

Archie se détourna, sortit un autre verre, le remplit de deux doigts de bourbon et le tendit à Jung par-dessus la table. Le temps de se resservir et il reposa la bouteille.

Puis il regarda son confrère avaler sa boisson. Jung n'avait pas lâché les photos. Ses lèvres remuaient. Ses genoux aussi, se touchant puis s'écartant comme ceux d'un adolescent en proie à une nervosité excessive.

« Alors ? Allez-y, C.G., je vous écoute.

– Vous en avez déjà assez de votre intimité ?

– Ne faites pas l'enfant. Dites-moi plutôt ce qui vous amène. »

Jung déploya en éventail les clichés, comme s'il s'agissait d'un jeu de cartes.

« Ceci, répondit-il. J'aimerais que vous y jetiez un coup d'œil. »

Archie Menken se pencha pour récupérer huit tirages quelque peu collants.

« Je les ai pris ce matin, expliqua Jung, et je les ai apportés à Vallabreque pour qu'il les développe. Il me les a donnés il y a une demi-heure.

– Vous voulez parler de Jürgen Vallabreque ?

– À votre avis, combien de Vallabreque travaillent ici ? Quatre-vingts ? Bien sûr que je voulais parler de Jürgen, espèce de...

– Je vous en prie, C.G., défoulez-vous.

– Espèce d'idiot !

– Merci. Je pensais depuis longtemps que c'était votre opinion sur moi.

– Oh, bonté divine ! Regardez plutôt ces photographies ! »

Jung se leva, vida d'un trait son bourbon et contourna le bureau afin de se resservir. Il se retrouva ainsi juste derrière l'épaule droite d'Archie Menken.

Celui-ci approcha la lampe, puis disposa les tirages sur son sous-main, en deux rangées de quatre. Pendant près d'une minute, il les étudia un par un.

Trois jonquilles; trois lady Quartermaine-Pilgrim; une Psyché; une automobile (une Daimler).

Enfin, Jung demanda :

« Vous ne remarquez rien ?

– Eh bien... », commença Archie avant de s'interrompre et de conclure, un instant plus tard : « Ces photos sont bonnes, très bonnes même.

– Je ne parlais pas de ça. Rien d'inhabituel ? »

De nouveau, Archie s'absorba dans la contemplation des images.

« Vous avez une loupe ? s'enquit Jung.

– Non », déclara Menken. Puis : « Cette lady machin-chose m'a l'air un peu triste. Est-ce cela que j'étais censé observer ? Elle n'est pas bien ?

– Exact. Mais ce n'est pas la réponse que j'attendais. »

Archie scruta avec attention chaque photographie, qu'il plaça sous la lumière.

Jung se pencha au-dessus de lui.

« Alors ? le pressa-t-il.

– Les images de jonquilles ne sont pas concernées, je suppose.

– Non.

– Elles montrent toutes la même fleur ? Franchement, elles sont excellentes. Vous devriez les publier. La neige, les ombres...

– Oubliez les images de jonquilles. »

Docilement, Archie les écarta.

« Psyché ?

– En partie.

– Elle apparaît sur quatre des clichés : trois avec lady machin-chose et Pilgrim, et un en solo.

– Oui.

– Bon. Ses ailes sont recouvertes de glace. Aucun doute. Et...

– Regardez Pilgrim. »

Après avoir posé les trois photographies de lady machin-chose et de Pilgrim directement sous la lampe, Archie se redressa, puis se pencha pour les examiner.

« Toujours rien ? l'encouragea Jung.

– Non. »

Puis : « Eh bien... »

Puis : « Sur celle-là... »

Archie sélectionna la photographie du milieu et, l'approchant de ses yeux, alla se poster près des fenêtres, à la lumière naturelle – hivernale, moins jaune.

« Eh bien, reprit-il enfin, sur celle-là, il y a près de l'épaule de Pilgrim quelque chose qui ne figure pas sur les autres clichés.

– Dieu soit loué! s'exclama Jung avant de se laisser tomber dans le fauteuil de son confrère.

– Pourquoi *Dieu soit loué*?

– Je sais maintenant que je ne suis pas fou. »

Archie éclata de rire.

« Uniquement parce qu'il y a quelque chose sur l'épaule de Pilgrim?

– Dites-moi ce que c'est.

– Impossible. C'est à peine discernable.

– Regardez encore. Regardez encore, Archie!

– Franchement, C.G., ça devient ridicule!

– REGARDEZ ENCORE! »

Surpris par la brusque véhémence de Jung, Archie Menken obtempéra sans un mot et emporta de nouveau la photographie près de la fenêtre.

« On dirait… un papillon, fit-il. Cela ne se peut pas, naturellement. C'est sans doute de la neige, mais on dirait un papillon. »

Fermant les yeux, Jung joignit les mains, qu'il pressa contre ses lèvres.

Son confrère regagna son bureau, où il reposa le cliché parmi les autres.

« Alors? De quoi s'agit-il? »

Jung ne répondit pas.

Il se leva, desserra ses mains, rassembla les photographies, les rangea dans sa poche, termina son bourbon puis, parvenu près de la porte, il agita la main et lança :

« Merci, Mr. Menken. »

Sur ce, il sortit.

Archie Menken se rassit.

« Ça ne peut pas être un papillon, dit-il à voix haute. Impossible. »

Pourtant, c'en était bien un.

Le lendemain, à midi, Jung rentra déjeuner à Küsnacht.

« *Psyché*, lut Emma dans l'ouvrage ouvert près de son assiette de soupe. *Personnification d'une âme tout entière vouée à la passion amoureuse, et en tant que telle, représentée sous la forme d'une jeune fille ailée ou, parfois, sous celle d'un papillon.* »

Elle tourna la tête vers la fenêtre, près de laquelle son époux contemplait la jonquille.

« Voilà, dit-elle. Est-ce tout ce que vous vouliez savoir? »

– Oui. Merci. »

Il avait répondu d'une voix presque inaudible.

« Vous le voyez aussi, n'est-ce pas ? » demanda-t-il.

Elle reporta son attention sur la photographie controversée, dont elle approcha une loupe afin d'en avoir une vision plus nette.

« Oui, Carl Gustav. Je le vois.

– Pour Archie, c'est juste un peu de neige.

– C'est aussi ce que j'ai cru au début. Après tout, il gèle, dehors. Comment un papillon pourrait-il survivre ? Ces insectes n'hibernent-ils pas, ou quelque chose comme ça, lorsqu'il fait froid ? Ils sont immobilisés. D'où pourrait provenir celui-là ?

– Psyché. »

Emma faillit sourire. Elle referma le livre, prit sa cuillère à soupe. Soudain, Carl Gustav, qui se tenait de dos, lui parut étrangement touchant. Triste.

Il ne peut pas vraiment le croire, songea-t-elle. *Et cependant, il y croit. Il croit, ou souhaite croire, que la statue de Psyché a généré le papillon sur l'épaule de Mr. Pilgrim. Ce qui, bien entendu, est absurde et tout à fait impossible.*

« Venez plutôt manger, Carl Gustav. Avez-vous rendez-vous avec d'autres patients aujourd'hui ?

– Oui. Un.

– Je vois. Eh bien, mangez. Cela vous donnera des forces. »

Jung s'assit à table, déplia sa serviette, la coinça dans son col à la façon d'un enfant. Ou d'un paysan.

« Leveritch et ses ours, précisa-t-il.

– Oh, Seigneur ! Mr. Leveritch déborde d'une telle énergie… Êtes-vous sûr de vous en sentir capable ? Vous avez l'air fatigué.

– Je le suis. Mais je m'en sens capable. Il le faut, de toute façon. Tant qu'il ne lâche pas ses chiens sur moi…

– Je pensais vous avoir entendu dire qu'il y avait renoncé.

– Tout dépend de son état de paranoïa. Mais cela va faire une semaine maintenant qu'il n'y a plus de chiens, c'est vrai. »

Otto Leveritch croyait vivre dans une fosse aux ours. Une hallucination sans doute issue de son enfance à Berne. D'après la légende, lors de la création de Berne au douzième siècle, son fondateur avait déclaré que la cité porterait le nom de la première créature tuée au cours de la chasse suivante. C'est ainsi que sur le blason de la ville figure un ours.

Des ours dansants, des ours en cage, des ours dans leur fosse et des ours de combat. Les compagnons permanents de Leveritch, quand il n'était pas lui-même un ours. Dans les phases les plus terribles, il s'imaginait subissant l'attaque des chiens, et il était alors nécessaire de l'en-traver. Au début, Jung avait été intrigué par l'état du malheureux, mais aujourd'hui, après trois mois de traitement, il trouvait épuisantes ses séances avec Leveritch. Trop de chiens.

« Quelle heure est-il? demanda Jung.

– Pas tout à fait une heure. Cessez donc de vous agiter. Mangez. Vous devez vous accorder le temps de vivre. »

Jung souleva sa cuillère vide, pour la reposer aussitôt.

Feignant de s'intéresser au jardin derrière les vitres, Emma l'obser-vait. *Tout va s'arranger*, pensa-t-elle. *Tout va s'arranger. Ça passera.*

Les ours, les chiens, les papillons. Les hommes qui auraient dû être morts mais qui refusaient de mourir. Les femmes qui vivaient sur la lune… C'était l'existence que Carl Gustav avait choisie, et c'était à son épouse de tout mettre en œuvre pour lui permettre de la mener au mieux. Les pires moments, tel celui-ci, finiraient par passer. Il était sur-mené, surexcité et sur… quoi? *Surtendu* était le terme adéquat. Son esprit se portait plus loin qu'il ne pouvait aller. Mais lui était toujours là et, en le regardant avec fierté, Emma pensa: *Il s'en sortira. Comme toujours.*

10

RÊVE :
Peut-être y avait-il de la musique. C'était l'impression donnée. Quelqu'un qui chantait.

Léonard se dirigea vers les fenêtres, le pourpoint ouvert, tous les boutons défaits et les pans de sa chemise flottant librement. Le ruban avait disparu de ses cheveux, sa ceinture gisait à terre.

Le feu éclairait son dos, rayant d'orange le velours lie-de-vin de son justaucorps comme si les flammes, tels des doigts, l'avaient griffé.

Viens ici.

Gherardini hésita.

Viens ici. Je veux te montrer quelque chose.

Quoi ?

Viens voir. Approche-toi.

Immobile près de la table, Gherardini fixait du regard les dessins du jeune homme nu. *Mon frère.* Était-ce ainsi que ça s'était passé ? Une invitation apparemment innocente – *Viens ici* –, les lampes qui commençaient à vaciller, la lueur des flammes qui s'étendait sur le sol et, partout, l'odeur de la racine d'iris, du romarin et des oranges.

Gherardini alla près de la fenêtre rejoindre Léonard, qui lui passa aussitôt un bras autour des épaules.

Là-bas. Tu vois ? La messe est finie.

Des silhouettes portant capes et capuches se pressaient par les portes ouvertes de Santa Maria Novella.

Le bras de Léonard descendit jusqu'à la taille de Gherardini.

Je suis fatigué. Il faut que tu m'aides.

Je ne sais pas comment.

Quelle piètre excuse. Bien sûr que tu sais comment.

Léonard se pencha pour déposer un baiser sur les lèvres du jeune homme. En même temps, il l'attira plus près de lui, bataillant de sa main libre pour dénouer les aiguillettes du pourpoint.

Gherardini s'écarta.

J'ai un couteau.

Léonard recula, l'air stupéfait, mais souriant.

Un couteau ?

Oui.

Tu es devenu fou. Qu'ai-je fait ? Qu'ai-je donc fait que je n'aie fait naguère des dizaines de fois ?

Vous ne comprenez pas. J'ai peur.

Mais tu n'as jamais eu peur. Jamais. Jamais. Pas de moi.

Vous ne comprenez pas ! Je ne suis pas…

Pas quoi ? Amoureux de moi ?

Léonard éclata de rire.

Gherardini jeta un coup d'œil en direction de la *piazza*. Le chien était mort. La foule en deuil s'était dispersée. Les portes de l'église étaient désormais fermées. Les feux brûlaient toujours, mais tous les gens assis dans leur lumière se tenaient voûtés, glissant déjà vers le sommeil. Rien d'humain ne se dégageait de leur silhouette collective, que l'on aurait pu confondre avec un paysage de collines et de montagnes vues de loin.

De nouveau, Léonard plaça une main sur l'épaule de Gherardini.

Je commençais toujours par te prendre par-derrière. Tu te rappelles ? Debout. Exactement comme ça.

Il se plaqua avec insistance contre le dos de Gherardini, puis introduisit de force ses doigts dans la bouche du jeune garçon en susurrant :

Là, là, là. Tu aimes ça, n'est-ce pas ?

Ses lèvres se pressaient contre l'oreille gauche de Gherardini. De sa main gauche, il lui retira son pourpoint, le laissa tomber près d'eux et tira sur les cordons qui maintenaient les chausses à la taille de son compagnon.

Ton odeur n'a pas changé, poursuivit Léonard. *Tes cheveux, ton cou, ta peau sentent comme avant.*

Léonard prit la main de Gherardini, dont il posa la paume sur son pénis en érection.

NON !

Gherardini fit volte-face et frappa Léonard en plein visage.

Le coup qu'il reçut en retour le fit tomber.

Léonard se pencha, remit son jeune compagnon sur pied et lui déchira sa chemise.

Instinctivement, Gherardini leva les mains pour se protéger.

Le maître le gifla deux fois. Deux fois, puis une troisième.

Le jeune garçon avait croisé les bras, et ses coudes s'enfonçaient dans sa poitrine.

La voix de Léonard était désormais à peine audible.

Personne ne me dit jamais Non. *Personne. Agenouille-toi et implore ma clémence.*

Gherardini s'effondra.

Je regrette.

Répète-le. Comme il faut.

Je regrette, maître.

Relève-toi.

Mais Gherardini était incapable de bouger.

RELÈVE-TOI !

Léonard le saisit par les cheveux pour le forcer à se redresser. Puis, l'ayant pris par le bras, il le traîna jusqu'à la table, où il l'allongea de force avant de le dépouiller de ses chausses, de ses bottes et de tout le reste, qu'il jeta au feu.

Son compagnon plaça une main sur son entrejambe et ferma les yeux.

Trop tard.

Léonard avait déjà vu et s'était détourné.

Gherardini s'assit.

« J'ai essayé de vous le dire, murmura-t-elle. Mais vous n'avez pas voulu m'écouter. »

11

Jung lut ce récit à minuit, assis dans son bureau, en pyjama et robe de chambre. Il tâtonna à la recherche de ses cigarillos, en retira un de leur étui et craqua une allumette.

À peine conscient de ce qu'il faisait, il porta l'allumette enflammée à sa bouche et suspendit son geste juste avant de la glisser entre ses lèvres.

« Ouch, marmonna-t-il. Bon sang de bonsoir ! »

Il se leva et remplit de brandy son verre.

Tu te comportes comme un ivrogne, Carl Gustav.

Et alors ? J'en ai besoin. De plus, je suis tout à fait sobre.

Manquer se brûler, ce n'est pas vraiment une preuve de sobriété. Ben dis donc… Un plein verre de brandy, maintenant ! Tu ne vas pas rester sobre longtemps.

Laisse-moi tranquille.

Tu bois trop, Carl Gustav. Tu ne devrais pas. Un esprit aussi raffiné que le tien…

« Oh, pour l'amour de Dieu, laisse-moi tranquille ! »

Le cri de Jung fit vibrer les vitres.

À qui parles-tu, Carl Gustav ? Il n'y a personne ici, à part toi et moi.

Des fantômes.

Les fantômes n'existent pas.

Si tu le dis…

Je le dis.

Jung se rassit, avala une gorgée d'alcool, puis reporta son attention sur le journal exaspérant de Pilgrim, avec son histoire exaspérante écrite de sa main exaspérante qui insinuait des horreurs exaspérantes sur le compte d'un des plus grands hommes que la terre eût jamais portés, et ce, avec un tel calme, une telle absence de réflexion que l'on avait l'impression de lire un compte rendu pornographique dicté dans un tribunal.

Et voilà. Encore un rebondissement.

« J'ai essayé de vous le dire », murmura-t-elle.

Elle. Elle. Elle.

Depuis le début, il s'agissait d'une fichue bonne femme !

Hé, doucement. Les femmes ne t'ont rien fait. Pourquoi ne pas reprendre ta lecture pour découvrir qui elle est ?

Je ne veux pas le savoir. Ce n'est qu'un fichu imposteur.

Toujours les grands mots, Carl Gustav. Franchement, tu ne devrais pas t'abaisser à ce genre de diatribe. C'est malséant.

M'en fiche. M'en fiche complètement.

Sans aucun doute. N'empêche, tu ne devrais pas. Tu te laisses aller. À propos, pendant que tu lisais, il ne m'a pas échappé que tu avais la main qui s'égarait, *comme on disait à l'université. Tu te souviens de cette expression ? Pour décrire la faculté d'un jeune homme à s'absorber dans ses activités, poliment désignée sous le nom de masturbation.*

Je ne me caressais pas. Je procédais juste à un ajustement. C'était inconfortable.

Comptes-tu fumer ce cigarillo ?

Oui. Et comment !

Jung plaça le cigare entre ses lèvres et l'alluma.

Pour paraphraser ton célèbre ami – ex-ami – le Dr Freud : il arrive qu'un cigare ne soit qu'un cigare.

Ça suffit. Ce n'est pas phallique.

C'est bien ce que je disais.

Tu sous-entendais que... Bon, écoute-moi bien : le charme des jeunes garçons ne m'excite pas. Fin des sous-entendus.

Sauf que ce n'est pas un garçon. Mais une fille.

Peu importe. Je ne suis pas excité.

Alors, tu n'es pas normal.

« Oh, je t'en prie, tais-toi ! »

Et voilà, tu recommences à crier.

Parfait. Puisque tu refuses de me laisser tranquille, je vais me remettre à lire pour tâcher de savoir ce qui se passe exactement dans ce fichu journal, et pourquoi !

Silence.

Troublé seulement par le froissement des pages.

Puis, par un son satisfait.

Là.

Une sorte de robe – vraisemblablement une partie d'un costume...

Une sorte de robe – vraisemblablement une partie d'un costume – fut jetée dans sa direction. Elle reçut l'ordre de l'enfiler, et Léonard lui rappela d'un ton à la limite du dégoût qu'il n'avait aucun intérêt pour le corps féminin à moins de choisir de l'étudier dans une perspective anatomique.

Mettez cela.

La jeune fille se redressa tant bien que mal, avant de lui tourner le dos. Jamais encore elle n'avait été ainsi exposée aux regards d'un homme.

Le costume avait peut-être été porté par un des jeunes compagnons de Léonard pendant le carnaval avant l'arrivée de Savonarole. Il était bleu, parsemé d'étoiles – des étoiles découpées dans du papier, argentées et collées sur le tissu selon des motifs qui rappelaient les constellations : la Ceinture d'Orion à la taille, les Pléiades au niveau de la poitrine, la Chaise de Cassiopée tout le long du dos et, autour de l'ourlet, la Voie lactée. N'eût-elle pas été aussi effrayée et épuisée, elle l'aurait sans doute admiré, voire loué pour la gaieté de son aspect. Mais pas maintenant.

Au lieu de quoi, après s'être drapée dans ce vêtement extravagant, elle fit volte-face, puis dirigea son regard vers la silhouette qui se tenait désormais avec raideur devant la fenêtre.

Enfin, elle leva la tête.

M'autorisez-vous à prendre la parole ?

Silence.

Permettez-moi de vous dire qui je suis. Pourquoi je suis venue comme ça...

Sa voix trembla. Ses mains se crispèrent sur la robe.

Léonard ne bougeait ni ne parlait. Le seul bruit perceptible provenait de la cheminée. Un crépitement furieux.

Je vous en prie, laissez-moi au moins essayer de vous expliquer. Et vous parler d'Angelo.

Enfin, trois mots furent prononcés d'un ton sec, entre des dents serrées.

Je vous écoute.

Et le fil de l'histoire se déroula.

Angelo était mon frère jumeau.

Notre père...

Peu importe la raison, mais je le haïssais. Inutile d'essayer de déguiser cette vérité, ou de la dissimuler. Ma haine était là, en moi. Elle s'y trouve toujours. Désormais, elle est ancrée en moi. Toute ma vie, j'ai haï les hommes. Tous, sauf un. Mon Angelo.

Mon Angelo. Mon ange.

Un ange de l'Enfer ! Comme je l'aimais pour cela. Je vénérais sa malice. Son esprit de rébellion. Son plaisir dans l'espièglerie.

Au fond, ce n'était rien d'autre qu'une espièglerie charmante, délicieuse. *Allons nous amuser !* disait-il.

Et une façon pour nous de nous amuser consistait à revêtir les habits de l'autre. Il était – oh ! – si beau… Il faisait une fille ravissante.

Pas *ravissante*, non. Le terme ne lui rend pas justice. Sa beauté était si remarquable que même assis au milieu d'un groupe de « filles », il était capable d'en imposer à toute une assemblée d'hommes. Il adorait ce jeu. Il faisait une bien meilleure fille que moi ; et moi, je faisais un bien meilleur garçon que lui.

C'est vrai. Du moins, ça l'était.

Il y avait quelque chose dans la manière dont nous jouions à ce jeu qui dévoilait l'autre parfait en nous. Ce n'était sans doute même pas conscient. C'était juste notre façon d'être.

Ce fut seulement après avoir échangé nos vêtements que j'ai mesuré la sensation de liberté que doivent éprouver les hommes à porter chausses et pourpoint. Enfin, je pouvais bouger !

Et, oh ! Quel bonheur de se voir enfin ! De ne plus avoir à se cacher. Ni à se masquer.

De se montrer !

Là, devant moi dans la glace, il y avait mes jambes ! Mes pieds !

Ils étaient beaux, élégants, bien tournés – et *visibles* !

Alors que pour Angelo, se glisser dans mes habits offrait l'occasion de se dissimuler et d'avancer à son propre rythme, sans se sentir obligé de courir afin de rattraper les autres. Sans se sentir obligé d'adopter une posture virile.

Au début, ce n'était qu'un jeu – un véritable jeu. Personne ne nous voyait, à l'exception du miroir. Et personne ne savait, à l'exception de nos vêtements.

Et puis, un jour où nous avions échangé notre tenue, une sorte de folie s'est emparée de nous. Comme si le jeu lui-même nous mettait au défi de le jouer devant un public. C'était le printemps, cette saison extravagante où peuvent se produire toutes sortes de choses folles et merveilleuses. Les hirondelles revenaient, et l'air de Florence vibrait de leur présence ; elles étaient des milliers à voler en cercle au-dessus de nos têtes en criant : *Sortez ! Sortez, venez danser avec nous dans le ciel !* Toutes les fenêtres étaient ouvertes, tous les arbres en fleur dans les jardins, et Angelo a dit : « Il est temps de nous montrer dans la rue.

– Mais les gens remarqueront la supercherie, ai-je répliqué. Ils nous reconnaîtront.

– Comment ? Comment pourraient-ils nous reconnaître ? La plupart seront des étrangers, et quant à ceux qui nous ont déjà rencontrés, ils penseront que tu es moi et que je suis toi. »

Il m'a attirée vers le miroir, à côté de lui.

« Regarde, a-t-il dit. Et réponds-moi franchement : si tu ne savais pas, saurais-tu ? »

La question m'a fait rire. Et nous l'avons adoptée comme devise de notre jeu : *Si tu ne savais pas, saurais-tu ?*

Je l'avoue. En toute sincérité. Même moi, j'avais l'impression de contempler mon reflet à côté de mon reflet.

Et lorsque je me suis vue ce jour-là – peu importe quel jour c'était –, j'ai senti quelque chose s'éveiller en moi, une bouffée d'assurance nouvelle, insoupçonnée. Une bouffée d'*arrogance*, si vous préférez, que je n'avais jamais éprouvée quand j'étais Betta. Jamais. Mais devenue Angelo, il m'a semblé qu'au plus profond de moi, ma personnalité s'épanouissait pour la première fois. C'était ici – juste ici, au niveau du plexus solaire –, semblable à une sorte de nœud d'où émanaient des vagues de puissance dont, en tant que fille – que femme –, je n'avais jamais fait l'expérience.

Notre *palazzo* se dresse sur l'une des collines les plus escarpées qui dominent la ville. De là, il était facile de se rendre à pied jusqu'au Campo di Santa Maria Della Salute, où tout le monde avait tendance à se rassembler, et d'où l'on pouvait voir le fleuve. Angelo me répétait sans cesse de ralentir le pas. Dans mon exaltation, j'avais le plus grand mal à contenir mon impatience.

Les rues, qu'elles fussent larges ou étroites, grouillaient toujours de monde, mais ce jour-là, les gens, les chiens et les chevaux s'y pressaient en telle abondance que la cité tout entière semblait souffrir de la fièvre printanière.

« Tu marches du mauvais côté, lui ai-je fait remarquer. Tu devrais te trouver à ma gauche, et deux pas en retrait. »

Angelo s'est tourné vers moi, puis il a esquissé une révérence.

« Veuillez me pardonnez, *signor*. Cela ne se reproduira plus. »

Nous avons procédé aux ajustements nécessaires avant d'entrer dans le Campo.

Il y avait des musiciens de rue qui jouaient sous les porches de Santa Maria Della Salute, mais nous les entendions à peine parmi le chœur des hirondelles et la foule en liesse. Tous les chiens avaient décidé d'aboyer, et ce bruit, loin d'être inquiétant, ajoutait à la gaieté ambiante.

Je ne voulais plus jamais, jamais, jamais redevenir femme. Rien ne m'empêchait de courir si j'en avais envie. De sauter sur la balustrade pour déclamer des vers. De gratifier d'une bourrade le dos d'un autre homme et de recevoir sa main en retour. De montrer mes jambes et de soulever les pans de mon pourpoint pour exhiber mes fesses, sans que personne se doute que je n'étais pas un homme.

Soudain, j'ai pris conscience d'une voix suffisamment proche, derrière nous, pour se distinguer des autres.

« Voilà un dos pour toi, disait-elle. Un dos à la Donatello. Un David. »

C'était un homme qui parlait.

« Oui, a répondu une autre voix masculine plus jeune. Un dos bien dessiné et des épaules plaisantes. Une vision attrayante.

– Tu le connais ? a demandé la première voix.

– Je ne sais pas, il faudrait que je voie son visage. Il y a quelque chose de familier en lui. »

Les deux interlocuteurs se sont tus.

De qui parlaient-ils ?

De quel dos ? De quel dos *à la Donatello* ?

J'ai jeté un coup d'œil sur ma gauche, par-delà le profil d'Angelo – mon double –, et découvert un petit groupe d'hommes et de jeunes gens rassemblés dans cette direction.

Parmi eux, et apparemment au centre de l'intérêt général, se trouvait un homme grand à la barbe et aux cheveux roux, portant un chapeau de velours. Il regardait droit vers moi.

Jamais auparavant je n'avais ressenti l'impact d'un tel regard. De toute évidence, l'inconnu était captivé par mon apparence, mais il y avait une nuance de menace dans son expression, une lueur dans ses prunelles laissant supposer qu'il avait autant envie de me mettre dans son lit que de me frapper, à la façon dont l'on frapperait un jeune insolent.

Un frisson m'a parcouru l'échine. Ma nuque s'est raidie. Impossible de détourner les yeux, pourtant. C'était à la fois stupéfiant et redoutable, excitant et terrifiant. Je n'aurais su dire ce que j'éprouvais, car aucun sentiment ne m'habitait, sinon une admiration mêlée de crainte. Mon esprit avait comme volé en éclats, et j'ignorais comment le reconstituer.

Cet homme était entouré par six ou sept jeunes gens d'une beauté et d'une arrogance extraordinaires, qui me dévisagèrent avant de se forcer à détourner les yeux. C'était déjà amplement suffisant que leur maître m'ait vue, car cet homme était sans conteste leur maître d'une manière ou d'une autre. Ils évoquaient de gracieux barzoïs avec leurs longues jambes et leur abondante crinière bouclée. Trois ou quatre hommes plus âgés – mais plus jeunes que le maître – se tenaient auprès de lui, et l'un d'eux m'était familier. Il s'agissait d'Antonio Pelligrini, le fils d'un des marchands appartenant à la guilde de mon père.

Allait-il nous reconnaître dans nos rôles inversés ? Ou se bornerait-il à remarquer notre ressemblance avec les enfants de certain marchand de soie ?

Je me suis écartée des grilles de fer forgé pour aller m'abriter dans l'ombre des voûtes. En vain. Ils nous avaient repérés tous les deux.

Pourtant, c'est mon nom qu'il a prononcé.

Il a fait un geste dans ma direction, et je l'ai entendu dire au maître : « C'est le jeune Angelo Gherardini. Avec sa sœur, Elisabetta. »

J'aurais voulu crier : *Je suis sa sœur ! Lui, c'est Angelo !*

Et j'aurais voulu crier également au maître avec ses yeux affamés : *Arrêtez de me regarder comme ça ! Je veux qu'on me laisse tranquille !*

Mais bien sûr, je n'ai rien dit de tel. Pas un mot.

Antonio Pelligrini m'a tourné le dos afin de parler en aparté avec le maître, ce qui n'a pas empêché ce dernier de poursuivre son examen approfondi de toute ma personne, centimètre par centimètre.

Je l'ai vu caresser sa barbe, méditer sa réponse, puis remuer la tête en signe de dénégation. Ensuite, il a pris Antonio par le bras pour le conduire à l'écart. Les beaux jeunes gens leur ont emboîté le pas.

« Qui était-ce ? ai-je demandé à Angelo. Qui étaient ces hommes ? Et celui avec le chapeau, qui était-ce ? »

Je tremblais.

N'ayant prêté aucune attention à la scène qui venait de se dérouler, Angelo n'a pu me répondre.

Mais un moine qui avait surpris ma question a souri avant de me dire :

« Vous n'aurez peut-être plus jamais l'occasion de le contempler ainsi. C'était Léonard, le plus grand artiste de notre temps. »

Léonard.

Oui.

C'était vous. Vous m'aviez vue. Vos yeux m'avaient dévorée vivante.

Il est mort, mon Angelo. Tué par la peste qui a suivi l'inondation de l'année dernière.

Et à la mort de mon bien-aimé frère, je me suis juré de prendre sa place dans le monde et de devenir ce qu'il aurait pu devenir : un artiste, un cavalier hors pair, un musicien, ou même un soldat ! Peu m'importait, du moment que je n'étais pas reléguée dans le rôle exigé par mon sexe. La perspective de me retrouver amoindrie, commandée, rabaissée à jamais sans pouvoir me faire entendre m'était intolérable. Vous devez comprendre une chose : pour moi, c'est une malédiction que d'être née femme. J'ai toujours, toujours voulu être un homme.

Dans ma chambre, je revêtais les habits de mon frère. Ma chatte, Cornelia, couchée sur mon lit, me regardait me transformer, abandonner Betta pour Angelo. Je dissimulais mes cheveux dans mon dos, sous mes vêtements, et me coiffais d'une des calottes d'Angelo. J'aplatissais ma poitrine, portais un pantalon rouge en signe de rébellion et enfilais des bottes jusqu'à mi-mollet.

Je n'éprouvais aucune honte. J'attachais une coque à l'intérieur de mes sous-vêtements afin de rendre totale l'illusion de virilité. C'était merveilleux.

Quant à Cornelia, elle ronronnait encore et encore, donnant l'impression de chanter. La nuit, lorsque que tout le monde dormait, je sortais dans les rues que j'arpentais comme un homme, délivrée du poids de mes jupes, libre de remuer mes bras à ma guise.

Et c'est dans ce costume – je refuse de le qualifier de déguisement – que j'ai décidé de vous rencontrer une seconde fois. Mais j'avais besoin d'aide. Et je me suis souvenue d'avoir entendu raconter qu'un des amis d'enfance d'Angelo était devenu un de vos... jeunes compagnons. J'étais encore naïve au point de ne pas comprendre que les hommes pouvaient aimer les hommes. On ne me l'avait jamais appris, tout simplement. Alors, j'ai mis les vêtements d'Angelo pour partir à la recherche de ce jeune homme, Alfredo Strazzi. Je ne lui ai pas parlé de la mort d'Angelo, et il m'a prise pour mon frère. Il le croyait sincèrement, je pense. Du moins ai-je eu ce sentiment. Il s'est également conformé à mon désir de ne pas me rendre seule dans votre atelier. Il devait savoir, pour Angelo et vous, je m'en rends maintenant compte, mais il a gardé le silence. Il devait supposer qu'après une séparation pour une raison quelconque, je voulais tenter de me réconcilier avec vous – si j'avais été Angelo, ce qui n'est pas le cas.

En vérité, j'ignore encore ce qui m'a poussée à organiser ce face-à-face. Tout ce que je peux dire, c'est que je ne suis jamais parvenue à effacer complètement de ma mémoire le souvenir de vos yeux affamés, et la vénération dont vous faisiez l'objet auprès des autres, comme si vous étiez un dieu.

Jung contemplait la page.

Il était maintenant une heure et demie du matin.

Un oiseau chanta. Une première fois, puis une seconde. Un rossignol ?

Après avoir étiré ses bras au-dessus de sa tête, Jung se frotta les yeux, ajusta ses lunettes et se pencha de nouveau sur le journal.

Léonard avait sombré dans une humeur détachée, presque clinique, froide et dénuée d'émotion. Il s'exprimait d'une voix sans timbre, questionnant la jeune fille à la manière d'un médecin, ou peut-être d'un avocat énonçant des formalités. *Votre nom ? Votre âge ? Quel âge avait votre frère Angelo quand il est mort ?*

Betta Gherardini.

Dix-huit ans aujourd'hui, dix-neuf en juin.

Dix-huit ans.

Êtes-vous fiancée ?

Non. Mais il y a des prétendants.

Êtes-vous vierge ?

Une interrogation lancée d'un ton méchant, avec un sourire, comme s'il n'existait pas plus grande tare que la virginité.

Bien sûr.

Bien sûr ? Quelle étrange réponse dans la bouche d'une jeune fille de votre âge, étant donné l'époque à laquelle nous vivons.

Je ne suis pas une traînée.

Ai-je insinué que vous l'étiez ?

C'est ainsi que vos paroles ont résonné à mes oreilles.

De plus en plus curieux. Non seulement vous utilisez les mots comme des armes, mais vous les entendez comme des attaques.

Votre description d'Angelo, et certains des dessins que vous avez faits de lui le montrent sous les traits d'un débauché. Ce qu'il n'était pas.

Sauf avec moi, Dieu merci.

Je ne vous crois pas. Je m'y refuse.

C'était le dernier des menteurs. Il est temps que vous le sachiez.

Il ne m'a jamais menti.

Il ne vous a peut-être pas menti, signorina, mais de toute évidence, il vous a caché nombre de vérités.

L'aimiez-vous ?

Léonard ne répondit pas. Au lieu de quoi, il lui tourna le dos, se posta près d'une fenêtre et orienta de manière différente son interrogatoire.

Donc, vous vous appelez Betta ?

Oui.

Encore une curiosité. Peut-être avez-vous des parents excentriques.

C'était le nom que me donnait Angelo.

Je vois. Betta…

*Il s'agit du diminutif d'Elisabetta, mon prénom. Caterina Elisabetta
Francesca Gherardini. Il m'appelait Betta, je l'appelais 'Gelo.*

'Gelo. Comme c'est charmant.

Je suis devenue lui.

'Gelo, oui. Angelo, l'ange, non. Bien que je l'aie un jour doté d'ailes…

La voix de Léonard mourut.

En le regardant, Betta fut frappée par la jeunesse de son apparence ;
large de dos et d'épaules, il avait les jambes bien galbées d'un cavalier
et le buste d'un homme ayant la moitié de son âge. Ses cheveux, désormais complètement dénoués, semblaient flamboyer. Sa chemise humide
de transpiration lui collait au corps, pareille à une aile de papillon
finement veinée et translucide, révélant la pâleur de sa peau et les ten-
dons de son cou. Ses mains pendaient, impuissantes, le long de ses
flancs, les doigts repliés sur une forme absente – une autre main, peut-
être, une mèche de cheveux ou un mot… Elles se refermaient sur l'air,
s'ouvraient et se refermaient encore – sur le vide.

Une faible part d'elle-même – presque négligeable – voulait lui pardonner. Au plus profond de son être, Betta la sentait désireuse de
prendre la défense de Léonard, comme s'il y avait un vote en cours –
comme si, alors qu'une majorité écrasante criait *Quelle honte !*, une
voix dissidente aspirait à s'élever. *Il a le cœur brisé*, songeait-elle. *Le
mien l'a été aussi, pour des raisons qui n'ont cependant rien de commun
avec les siennes. Sans doute qu'à sa façon, Léonard aimait mon frère. Ses
dessins de lui révèlent clairement qu'il adorait Angelo d'une manière
propre aux seuls amants : sans aucune crainte. Chaque trait, chaque
nuance le représente tel qu'il était. Ou du moins, tel qu'il devait être en
présence de Léonard – un débauché, peut-être, ce que je n'admettrai
jamais. Mais même si c'était vrai, Angelo faisait certainement un glorieux
débauché qui se délectait de son pouvoir.*

Ainsi se réconcilia-t-elle avec ce frère qu'elle n'avait jamais connu, cet
Angelo qui, entre le moment où Léonard avait aperçu celle qu'il avait
prise pour lui et le moment de sa mort, était devenu le favori de l'artiste. *Pace. Pace.* En tout cas, il avait eu une vie. Que ce fût au cours de
ces heures alanguies, accablées de chaleur, où il reposait tel que le montrait la page, ou au cours des heures d'ivresse où il était culbuté, Angelo
arborait sur les dessins un sourire qui en disait long. *Je ne suis là que pour
vous, qui que vous soyez.* Pas seulement Léonard, mais tous ceux dont les
yeux tombaient sur cette image. À cet égard, la réalisation de ces portraits
apparaissait comme un acte de bravoure de la part de Léonard. En y
appliquant les ressources de son fusain et de son crayon, il avait offert son
bien-aimé en partage à tous ceux qui prenaient la peine de regarder.

Elle se servit un verre de vin en se demandant si le bruit ferait se retourner Léonard.

Enfin, il prit la parole.

Angelo aussi adorait le vin. Trebbiano. Malvasia. Coli Florentini. *Un jour, je l'ai emmené voir les vignobles.*

Nous en possédons un.

Il ne me l'a jamais dit. À mon avis, il ne tenait pas à ce que je sache trop précisément qui il était. Il n'a jamais évoqué une sœur jumelle – seulement des frères et des sœurs. Il prétendait que son père était un tyran…

C'est vrai.

… et que sa mère était morte.

C'est faux.

Léonard éclata de rire.

Une vérité parmi les mensonges! Il était tellement merveilleux… Vous avez un guépard apprivoisé?

Non. Une chatte de gouttière. Cornelia.

Il m'a raconté qu'une de ses sœurs avait un guépard appelé Poppée, comme la femme de Néron. Ce n'est pas vrai?

Absolument pas. Cornelia a deux ans et son pelage est presque uni.

Pas la moindre tache?

Pas la moindre.

De nouveau, Léonard éclata de rire, puis il remua la tête.

Quel menteur extraordinaire! La seule vérité qu'il m'ait confiée, apparemment, c'est que son père était un tyran.

Comme tous les pères.

Arquant un sourcil, Léonard se tourna vers elle.

Vous avez probablement raison.

Il détacha d'elle ses yeux.

Tous les enfants doivent payer le prix de leur liberté, ajouta-t-il.

Si tous étaient des garçons, je vous le concéderais. Pour les filles et les femmes, il n'y a pas de liberté; juste un autre tyran.

Haïssez-vous les hommes?

Oui.

De la même façon que je hais les femmes. Ma mère était serveuse. Elle m'a abandonné. J'avais dix ans quand mon père m'a emmené la voir. Elle lui a demandé de l'argent. Sans m'accorder un regard.

Il se pencha pour ouvrir toutes les fenêtres une par une. Trois. Quatre. Cinq.

Betta s'était assise dans un fauteuil dont le siège de cuir dégageait une certaine fraîcheur. Le dessous de ses seins la démangeait. Ses mamelons, agacés à chacun de ses mouvements par les oscillations des étoiles qui les recouvraient, semblaient frappés par une maladie répondant au nom de *chaleur*. Elle aurait voulu plonger ses doigts dans quelque chose de glacé pour les poser sur sa poitrine, ou encore, y appliquer un mouchoir trempé dans l'eau vive.

Le feu finit par s'éteindre. Betta ferma les yeux. Une odeur presque imperceptible d'encens lui parvenait par les croisées ouvertes. Malgré le départ de tous Ses acolytes, Dieu était encore là-bas, quelque part sur la *piazza*, avec Sa sébile de mendiant et Son encensoir qu'il balançait devant le visage des dormeurs : *Réveillez-vous ! Réveillez-vous ! Prêtez attention !* Bien que Son église fût enténébrée, Il était partout, les derniers échos de Sa messe résonnant encore dans l'air. *Car j'aimais les hommes au point de leur offrir le seul Fils que j'aie engendré afin de les nourrir. Mangez sa chair et buvez son sang...*

Certains des vieillards et des enfants sur la *piazza* seraient morts au matin. Morts de faim, en dépit du carnaval. Comme tous les jours, désormais. Betta avait vu cette scène si souvent au cours de l'année écoulée qu'elle se sentait engourdie par l'impuissance. Elle rouvrit les yeux, redoutant de former dans son esprit l'image des cadavres.

Mille croûtons de pain, mille litres de lait ou de vin, mille bacs de fromage étaient autant d'insultes à la nécessité. On ne pouvait rien faire. Lors des émeutes de décembre, lorsque l'on avait enfin ouvert les greniers pour qu'ils fussent vidés, mères et enfants avaient péri sous les pieds les uns des autres. De plus, jusqu'à maintenant, il avait plu ; et avec la pluie, il y avait eu les vents glaciaux ; la boue ; les chiens terrifiés, mourant de faim ; les humains terrifiés, mourant de faim ; et la seule chose épargnée par la terreur : la Peste. Le lendemain, après le carnaval, il y aurait un autre Bûcher des Vanités, suivi par un autre carême, une autre Pâque. Christ mourrait de nouveau, et rien ne changerait – sauf peut-être pour le pire. Mais tout ceci, Léonard l'avait évité avec soin durant son séjour à Milan, où il avait passé ses journées à dessiner des masques et des costumes pour un bal. Ici, à Florence, son attention s'était immédiatement portée sur une main humaine et un chien à l'agonie.

Mais bon, conclut Betta, c'est un artiste. Qu'est-il censé faire d'autre ? *La vie*, pour lui, c'est fondamentalement *sa vie*, avec tous ses travestissements, toutes ses surprises.

Ainsi, vous détestez les femmes. Votre mère en est-elle la seule raison ?
C'est une raison suffisante pour moi.
Pourtant, vous avez dû rencontrer des dizaines, des centaines de femmes. Quel âge avez-vous ?
Quarante-cinq ans. Pour ce que cela vaut.

Cela vaut certainement quelque chose. À seulement quarante-cinq ans, vous êtes déjà considéré comme le plus grand artiste de votre époque.

Peuh !

Peuh ?

Pourquoi pas ? Bien sûr, peuh ! Imaginez un peu combien nous sommes – Filippino Lippi, Botticelli, Perugino, Michelangelo... Tous différents les uns des autres. Comment évaluer la grandeur devant tant de génie ? C'est ridicule. J'y renonce. Moi-même, je suis en situation d'échec.

Qui vous croira ? Quand le prince de Milan dépense une fortune pour votre travail. Quand les Médicis...

Il ne s'agit pas de grandeur, signorina. Il s'agit de gloire, et la gloire est une tout autre histoire.

Et ne... n'allez-vous jamais prendre femme ?

Prendre femme ? Je ne pense pas, non ! Réfléchissez donc à ce que vous dites. Au moins, ayez la bonne grâce de manifester un peu de bon sens.

Elisabetta sourit, sachant que Léonard, toujours de dos, ne pouvait s'en apercevoir. *Au moins, ayez la bonne grâce de manifester un peu de bon sens !* C'était merveilleux. Cette indignation. Cette manière éclatante de l'afficher. Qu'il l'admît ou non, le maître possédait dans une certaine mesure la faculté de rire de lui-même.

Aucune femme n'est jamais tombée amoureuse de vous ?

Je ne m'autorise pas à être aimé.

Je vois. C'est interdit.

À votre place, signorina, je me montrerais prudente. Vous abordez un dangereux sujet de conversation.

Pourtant, on vous a aimé.

L'amour des garçons et des hommes n'est en rien comparable à celui des femmes.

Si vous le dites.

Les hommes et les jeunes garçons sont des amants sans peur. Les femmes sont des lâches, des conspiratrices capables de tout dans leur quête de richesses. Tout pour les parures – les bagues, les chaînes, les broches, les chaussures ; tout pour l'argent, l'or et la soie ; pour les domestiques, les palais, les chevaux et le pouvoir. Les femmes se servent de leurs corps comme les Médicis se servaient de leurs banques : comme des caveaux où accumuler leur fortune. Les femmes sont des usurières accordant des prêts pour lesquels un homme peut se tuer à rembourser les intérêts ! Non, ne parlez pas ! Je vous le défends ! Vous êtes l'une d'elles, prête vous aussi à employer votre ruse pour avoir de l'ascendant ! Vous êtes venue ici déguisée en garçon ! Vous avez même utilisé son nom – le nom d'un jeune garçon défunt – pour réaliser votre ambi-

tion, quelle qu'elle soit, et à présent vous vous révélez femme. Que voulez-vous de moi ? Que voulez-vous ?

Rien. Seulement vous connaître. Seulement comprendre.

Comprendre ? Comprendre quoi ? Comment j'ai séduit votre frère ?

Peut-être.

Il aimait se sentir aimé ! Il aimait se sentir aimé ! Sa vie avec moi n'avait pas d'autre raison d'être. Mais il m'a offert seulement son corps – pas son cœur. Il n'aimait personne.

Léonard se mit à arpenter la pièce, ramassant des livres pour les reposer aussitôt, versant du vin, donnant des coups de pied dans les tables, écartant les chaises qu'il remettait ensuite à leur place initiale. Derrière les vitres, les chiens aboyaient. À l'étage supérieur, de jeunes garçons entonnèrent des chansons paillardes en jetant leurs bottes contre les murs. À trois reprises consécutives, un bruit de verre brisé s'accompagna de rires sonores.

Vous entendez ?

Du doigt, Léonard indiquait le plafond.

Ils m'invitent à les rejoindre. Dans une demi-heure, si je ne suis pas monté les retrouver, ils vont descendre me chercher. Ils franchiront cette porte uniquement vêtus de leur chemise et me supplieront de les prendre. Culs nus, offerts ! Le jour où une femme se conduira de la sorte, sans réclamer d'argent, sans exiger auparavant une dizaine de robes en soie, ce sera la fin du monde ! Toutes des voleuses, des intrigantes à qui il ne faut jamais, au grand jamais, accorder sa confiance ! Et vous osez vous présenter devant moi vêtue de ses habits ? Vous êtes ignoble ! C'est ignoble ! Vous êtes ignoble !

Elisabetta, qui s'était bouché les oreilles et avait fermé les yeux pour tenter d'ignorer la colère de Léonard, n'avait pas remarqué à quel point il s'était rapproché. Elle ne vit ni le rouge lui monter au visage, ni la façon dont il tendait les mains vers elle. Elle comprit seulement qu'une soudaine tempête entrée par les fenêtres l'avait jetée sur la table, lui cognant la tête contre les planches jusqu'à ce que toutes les lampes autour d'elle fussent éteintes, et qu'elle-même manquât perdre connaissance.

Le temps passa, dont elle perçut ou non l'écoulement, jusqu'au moment où elle se retrouva allongée sur la table, vaguement consciente du sang sur ses cuisses, les yeux fixés sur ses genoux écartés, effrayée à l'idée de ce qui avait pu arriver au reste de sa personne.

Ses entrailles l'élançaient. Elles étaient meurtries, semblait-il, et la faisaient souffrir, sans qu'elle parvînt à situer avec précision la douleur ;

celle-ci émanait de l'intérieur, d'une partie inconnue de son corps. Elle était mouillée et, convaincue qu'il s'agissait de son sang, elle n'osait regarder.

De Léonard, elle ne voyait désormais plus que l'ombre au plafond. Sans doute projetée par la lueur d'une lampe qui, pour une raison quelconque, l'éclairait par en dessous. Mais où ?

Betta roula comme elle le pouvait vers le bord de la table afin de laisser pendre ses jambes – si toutefois elle parvenait à les diriger. Il lui semblait impératif d'atteindre le sol, de se redresser, de recouvrer son équilibre. Impossible, cependant. Elle dut se servir de ses mains pour rassembler ses genoux, puis pousser ses mollets jusqu'à ce que ses chevilles, pareilles à des poids morts, tombent en lui donnant l'impression de se détacher d'elle, comme si elles avaient été tranchées.

En s'asseyant, elle sentit la robe chiffonnée cascader tel un liquide sur ses seins et son estomac, avant de former une sorte de flaque sur ses cuisses.

Une flaque bleue. Avec des étoiles argentées – désormais sanglantes, comme tout son corps.

À peine debout, elle se retourna aussitôt pour se cramponner à la table. Sous l'endroit où elle gisait quelques instants plus tôt, le carnet toujours ouvert montrait son frère nu, maintenant taché de sang lui aussi. La flaque de tissu se répandit le long de ses cuisses, de ses genoux, de ses tibias, puis frappa le sol. Avec le même bruit que faisait Cornelia lorsqu'elle sautait du rebord d'une fenêtre. Si seulement elle pouvait se réveiller pour découvrir la chatte blottie contre son dos, songea Betta, et s'apercevoir que tout cela n'avait été qu'un rêve, un cauchemar...

Mais quoi que ce fût, ce n'était plus.

Léonard, uniquement vêtu de sa chemise, était accroupi devant le feu. Il avait dû remettre du bois, car il y avait de nouveau des flammes, et c'était leur lueur qui projetait son ombre au plafond. Il ne prononça aucune parole, ne se retourna même pas.

Je n'ai pas de chaussures ! aurait voulu crier Betta. *Je n'ai pas de chaussures !*

Pendant un moment, elle le regarda comme un chien battu regarde le premier humain qu'il rencontre. Puis elle pivota, traversa la pièce jusqu'à l'armoire d'où Léonard avait retiré la robe qu'elle portait. À l'intérieur, il y avait des chaussures, des bottes, des chapeaux, des capes, des capuches et d'autres costumes. *Autant de tenues pour les victimes de son crayon*, pensa-t-elle.

Elle enfila des bottes qui avaient dû appartenir à un jeune garçon.

Elles lui montaient plus haut que les mollets, qu'elles épousaient comme des gants. Elle choisit ensuite une lourde cape avec capuche – une capuche de moine, peut-être – et la resserra autour de ses épaules.

Je vais vous quitter, à présent, pensa-t-elle. *Je vais vous quitter, et je jure de ne plus jamais vous revoir.*

Parvenue près de la porte, Betta se retourna pour jeter un ultime regard à ce lieu qu'elle avait visité et à l'homme auquel elle avait été accouplée avec tant de violence. Le maître, ses chaises et ses tables se trouvaient maintenant au plafond, où ils ondoyaient, semblables à des algues dans une flaque d'eau de mer.

Le battant était ouvert, à présent. Sans doute l'avait-elle poussé sans s'en rendre compte. Il se referma, et le maître disparut de sa vue. Comme elle-même disparut de la sienne.

Sur la *piazza*, Betta s'immobilisa à côté du chien mort, craignant de baisser les yeux, effrayée à l'idée que la main de la femme fût encore visible – *une manche en coton bleu, un bouton en bois*. Mais elle ne l'était plus, même si elle devait rester à jamais gravée dans l'esprit de Betta.

Après s'être signée, elle se tourna vers l'est, longea les silhouettes de dos, blotties les unes contre les autres devant les feux, jusqu'à ce qu'il n'y eût plus aucun signe d'elle – ni aucun son.

* * *

À son grand désarroi, Jung constata qu'il avait atteint l'avant-dernière page du journal de Pilgrim.

Pourquoi ne pas regarder ?

Je ne veux pas. Pas encore.

Il est certainement très tard. Ou très tôt. Ne vaudrait-il pas mieux aller au lit après avoir lu la dernière page ?

J'irai au lit quand bon me semblera. Et c'est à moi de choisir ce que j'ai envie de lire et quand.

De quoi as-tu peur ?

De rien.

Plutôt de tout, me semble-t-il.

D'OÙ VIENS-TU ? POURQUOI NE ME LAISSES-TU PAS TRANQUILLE ?

Je suis ce matériau dont sont faits les rêves psychotiques…

Ah !

Quant à mon refus de te laisser tranquille, pourquoi ne pas envisager qu'au moins l'un de nous deux ait un certain sens éthique des responsabilités ?

Je vois. Furtwängler t'a chargé de m'espionner.

Juste ciel! Quel extraordinaire sens de l'humour!

Tu t'exprimes exactement comme lui.

On appelle ça la schizophrénie paranoïde, je crois. Si un agent ennemi pénètre ton esprit armé d'un pistolet, il est tout à fait capable de te brûler la cervelle de l'intérieur. Je me trompe? Pourquoi ne tournes-tu pas la page, Carl Gustav? Es-tu immature au point de ne pas oser tourner la page?

Immature?

Ce n'est qu'un mot. Un mot qui signifie : « d'une vulnérabilité infantile dans des situations tout à fait ordinaires. » Comme ouvrir une fenêtre. Tourner une page...

JE N'AI PAS PEUR DE TOURNER LES PAGES!

Alors, vas-y, tourne-la.

JE LA TOURNERAI QUAND BON ME SEMBLERA!

Très bien. À ta guise. Nous allons rester assis là...

Jung se leva.

... alors que la stabilité mentale de notre patient Pilgrim dépend peut-être d'une page tournée.

Il était maintenant quatre heures et demie du matin. Jung jeta un coup d'œil par la fenêtre. À tout moment, le monde allait pivoter, laissant paraître le soleil.

Le soleil se lèvera à six heures quarante-trois très précisément. Il te reste encore deux heures et treize minutes.

Sur le point de se servir un plein verre de brandy, Jung se ravisa et, finalement, ne le remplit qu'au tiers.

Deux heures et douze minutes.

Il retourna à son bureau, devant le journal.

Sur la piazza, Betta s'immobilisa à côté du chien mort...

Qui était-elle, bonté divine? Et pourquoi Pilgrim relatait-il son histoire? Pourquoi calomniait-il ainsi Léonard de Vinci? Pourquoi, grands dieux? Il le présentait sous les traits d'un violeur, ni plus ni moins!

Si je puis me permettre, nous avons écrit le passage suivant, ou quelque chose d'approchant, en 1907 : « Le patient nous a d'abord donné l'impression d'être parfaitement normal... » – je cite – « ... il pourrait tout aussi bien être au pouvoir, occuper une fonction lucrative, ou même exercer comme praticien dans un célèbre hôpital psychiatrique. Nous ne soupçonnons rien. Nous conversons normalement avec lui, jusqu'au moment où nous laissons échapper le mot Léonard. Soudain, le visage ordinaire devant nous change: une expression perçante, emplie d'une méfiance abyssale et d'un fanatisme inhumain, se porte sur nous. Il est devenu un animal dangereux, hanté, cerné par des ennemis invisibles – dont certains sont armés de fusils. L'autre ego *est remonté à la surface...* » Fin de citation, plus ou moins. Un concept intéressant, cet autre ego.

Les yeux clos, Jung se pencha au-dessus de la page.

Je te rappelle que la tâche la plus récente de Pilgrim a consisté a rédiger une monographie sur Léonard de Vinci. Nous l'avons nous-mêmes admirée, jugeant cependant le ton parfois ouvertement provocateur. Lorsqu'il s'agissait de défendre l'homosexualité de Léonard, par exemple... Néanmoins, c'était un plaidoyer habile, bien construit, qui ne défendait pas tant son homosexualité que son droit à être qui et ce qu'il était. Tu te souviens qu'en avril 1476, Léonard dut comparaître devant les membres de la Seigneurie de Florence et répondre à leurs questions concernant son goût beaucoup trop manifeste pour les beaux jeunes gens ?

Oui.

Tu te souviens aussi que bon nombre de ces jeunes garçons avaient tout d'abord été repérés par Léonard lors de ses visites aux bains, où il se rendait chaque samedi dans le but spécifique de les voir nus ? Mr. Pilgrim a présenté des arguments plutôt vigoureux en faveur de cette habitude décadente, que tu désapprouves avec une vigueur au moins égale. N'est-ce pas ?

Bien sûr ! Je la désapprouve, parce que c'est une chose méprisable chez un vieillard.

Mais ce n'était pas un vieillard, Carl Gustav ! Il n'avait même pas vingt-cinq ans !

Quoi qu'il en soit, et quand bien même il n'en aurait eu que *dix*, cela reste méprisable d'agir ainsi, de se glisser en douce dans les bains pour épier les hommes nus. Chacun a droit à son intimité.

Aux bains ?

Tu sais très bien de quoi je veux parler ! Je veux parler du droit à échapper au regard indiscret d'un pervers.

Alors, maintenant, Léonard est un pervers.

OUI !

Grands dieux. Quelle réaction ! Calme-toi.

Je suis parfaitement calme.

Tu en es loin. À propos, puis-je souligner la présence d'une érection ? Serait-il possible que la seule évocation des bains suffise à t'exciter ?

Comment le saurais-je ? Je n'y ai jamais mis les pieds.

Carl Gustav...

D'accord ! J'y suis allé deux fois.

En effet. Et pour quelle raison ?

Jung ne dit rien. Ne pensa rien.

Nous savons tous les deux pourquoi tu y es allé. Nous le savons même très bien. Tu voulais voir si, par comparaison avec les autres hommes, tu souffrais de certaine déficience. N'est-ce pas ? Il n'y a pas de quoi avoir honte. Tous les hommes souhaitent obtenir une réponse à cette question. C'est la chose la plus normale du monde.

Peut-être. Oui. D'accord. Pour autant, je ne me suis pas dissimulé dans l'ombre comme un voyeur. Je ne me suis pas tapi...

Non. Tu t'es contenté de quelques coups d'œil furtifs. J'étais là. Je m'en souviens. Mais pourquoi penses-tu que Léonard s'est dissimulé dans l'ombre, qu'il s'y est tapi, comme tu le dis si sournoisement ? Ce que tu refuses d'admettre, Carl Gustav, c'est que certains hommes ont envie de se montrer. Surtout les jeunes. C'est une façon pour eux de proclamer : Il faut compter avec moi, maintenant, et voici ce que j'ai à offrir – pas au sens homosexuel, mais au regard de la virilité, de la faculté d'engendrer. Amenez-moi vos filles, et je leur donnerai des fils.

Je trouve ça dégoûtant.

À ton aise. Mais si tu étais homosexuel...

Ne t'avise pas d'insinuer une chose pareille.

Si tu étais homosexuel, tu trouverais cela éclairant. Encourageant. Comme Léonard. Sauf qu'il a payé le prix fort. Toi, tu n'as jamais eu à payer pour tes propres petites incursions dans le monde de la luxure. Il a été arrêté, conduit devant la Seigneurie de Florence, qui l'a humilié et condamné à une amende. Vilipendé. Deux mois après ses premiers démêlés avec les autorités, on l'emprisonnait. On ne l'avait pas surpris en flagrant délit, pas plus que quelqu'un ne s'était plaint de son comportement. Ils l'ont fait simplement parce qu'ils le savaient homosexuel et qu'ils voulaient le couvrir d'opprobre. Ce que Mr. Pilgrim a dit concernant ce point, c'est que l'emprisonnement de Léonard était injuste. Que cette condamnation l'avait aigri à vie, qu'il n'avait jamais, jamais oublié, et jamais pardonné non plus à la société qui autorisait de telles choses. Mais les recherches de Mr. Pilgrim, quelle que soit la façon dont elles ont été menées, ont révélé au grand jour cet épisode que tu viens juste de lire, où il est question d'une fille. Et comme, pour une raison ou pour une autre, il ne pouvait se résoudre à l'inclure dans son traité, il l'a placé dans son journal. Par conséquent, puis-je suggérer en toute humilité que globalement, la rencontre entre Mr. Pilgrim et le maître – avec d'une part sa souffrance et son génie, et de l'autre sa violence et son manque d'humanité – ait pu en quelque sorte le bouleverser, le laissant à la fois angoissé et muet ?

Mais tout de même pas suicidaire.

Regarde le dernier paragraphe.

Jung ouvrit les yeux et, tout en lisant à voix haute, suivit du doigt les mots : « Après s'être signée, elle se tourna vers l'est, longea les silhouettes de dos, blotties les unes contre les autres devant les feux, jusqu'à ce qu'il n'y eût plus aucun signe d'elle – ni aucun son. »

Jusqu'à ce qu'il n'y ait plus aucun signe d'elle – ni aucun son.

Et ?

Cela n'évoque-t-il rien pour toi ? La possibilité que Pilgrim sache quelque chose sur cette femme – quelque chose qu'il préférerait ne pas savoir, qu'il préférerait effacer –, qui lui ait fait toucher le fond ?

Si elle a jamais existé, bonté divine, ce dont je doute ! Elle est morte depuis plus de quatre cents ans. Comment l'histoire d'une femme morte depuis plus de quatre cents ans pourrait-elle faire toucher le fond à un homme vivant en 1912 ? C'est totalement déraisonnable.

Tu en es sûr ?

Absolument.

Tourne la page.

Avec un soupir, Jung se carra dans son fauteuil.

Deux heures et cinq minutes, Carl Gustav.

Il se pencha, posa son pouce sur le coin inférieur droit du papier. Puis il ferma les yeux, les rouvrit, tourna la page et lut.

Extrait des carnets de Léonard. L'acte de procréation et les membres qui y concourent sont d'une telle hideur que sans la beauté des visages, les ornements des acteurs et la retenue, la nature perdrait l'espèce humaine.

En dessous figurait ce qui ressemblait à l'annotation d'une pensée après coup, marquée d'un petit astérisque laissant supposer que ladite pensée était attribuable à Pilgrim.

*S'il avait écrit ces mots avant lundi matin, ils auraient pu assurer mon salut. En l'occurrence, le mercredi venu, j'étais en manque de cendres, pas seulement pour mon front, mais pour mon être tout entier, et pour mon esprit.

Dans la marge, Pilgrim avait écrit : *Date : vendredi 10 février 1497, deux jours après le mercredi des Cendres. Trois jours après le Bûcher des Vanités, où j'aurais dû m'immoler.*

12

De toute évidence, il y avait un problème avec Madame. La porte de sa chambre restait fermée la plupart du temps. Lui apporter son petit déjeuner tenait du cauchemar. Madame le commandait la nuit précédente, et lorsque le garçon d'étage montait le plateau le lendemain matin, ponctuel à la seconde près, elle répondait : *Non, pas maintenant.* Phoebe Peebles n'avait plus qu'à essayer de maintenir la nourriture au chaud sur le radiateur.

Une entreprise qui, bien entendu, ne se révélait guère couronnée de succès. Si les œufs étaient à la coque, ils durcissaient. Brouillés, ils coagulaient. En cocotte, le lait et le beurre se scindaient, les jaunes coulaient. Les toasts se desséchaient, leurs bords se racornissaient, le thé, le café ou le chocolat devenus tiédasses perdaient toute saveur. Les confitures et autres gelées se recouvraient d'une fine pellicule, le pamplemousse se flétrissait et se desséchait lui aussi. Une horreur.

Tous les matins, Phoebe frappait aussi doucement qu'elle l'osait – *mais après tout, l'on devait bien être entendue* –, s'approchant de la porte d'abord toutes les quinze minutes, puis toutes les demi-heures, jusqu'au moment où, enfin, elle renonçait et téléphonait en cuisine. Quand le garçon revenait chercher le plateau, elle haussait les épaules en disant : *Il n'y a rien que je puisse faire.*

Ce rituel débutait chaque jour à huit heures et se prolongeait jusqu'à dix heures trente, quand le plateau était débarrassé. À onze heures, Phoebe, qui mourait de faim, entendait le verrou tourner, puis la voix de Madame demander : *Où êtes-vous ?*

Comme si l'on pouvait ne pas être là.

Dans la chambre, il fallait d'abord tirer les rideaux et allumer le radiateur. Madame préférait dormir dans une pièce glaciale, et ensuite, elle se plaignait toujours d'avoir froid, comme pour insinuer que c'était la faute de Phoebe.

Le petit déjeuner est-il servi ? Telle était la question suivante posée par Madame, qui bataillait avec les draps et les couvertures, puis s'asseyait avec force contorsions, repoussant et bourrant de coups les oreillers comme elle aurait repoussé et bourré de coups les autres passagers sur un navire en perdition.

Phoebe devait alors informer Madame que *le petit déjeuner avait été remporté en cuisine, puisqu'il était gâché.*

Eh bien, commandez-en un autre.

Oui, madame.

Quatre jours d'affilée, la même scène s'était reproduite. Quatre jours d'affilée, le second petit déjeuner avait été commandé, monté et ignoré. Quatre jours d'affilée, seuls le café, le thé ou le chocolat avaient été touchés – et encore, même pas terminés.

L'on avait cependant fumé quantité de cigarettes, et Phoebe remarqua un certain nombre de bouteilles de vin vides. Sur trois de ces quatre jours, Madame ne souhaita ni être habillée ni être dérangée. Après avoir *pris son bain*, comme elle disait, elle demandait à Phoebe de lui frotter le dos et les épaules avec une huile légèrement parfumée (à la rose), réclamait une chemise de nuit propre, puis son peignoir mauve et lilas. Elle passait ensuite une demi-heure ou plus assise, à contempler les montagnes derrière les vitres.

Phoebe Peebles en concevait suffisamment d'inquiétude pour se sentir obligée de consulter Mr. Forster sur ces questions. Elle se lança donc à sa recherche un après-midi, pendant que Madame restait cloîtrée avec ses bouteilles et ses cigarettes.

« Que peut-il bien lui arriver ? demanda-t-elle lorsqu'elle lui eut rapporté son histoire. Elle est si peu elle-même que cela m'effraie. »

La chambre de Forster se trouvait au dernier étage ; *sous les combles,* se plaisait-il à dire. *Sous les combles, comme il sied à un domestique de carrière.*

Phoebe occupait l'unique chaise. Forster occupait le lit. Quand il lui proposa un verre de bière, elle déclina l'offre.

« J'ai vu assez d'alcool ces derniers temps avec Madame, même si je dois bien avouer que je m'accommode volontiers d'un petit verre avec mon souper, le soir. Mais je ne boirai jamais en compagnie d'un gentleman, dans sa chambre. J'espère que vous n'êtes pas offensé.

– Pas du tout. »

Elle détourna les yeux en se mordant la lèvre.

« Oh, que vais-je devenir ? demanda-t-elle.

– Si j'étais vous, je prendrais mon mal en patience. C'est ce que je suis moi-même obligé de faire – de patienter ici, alors que Dieu seul sait ce qu'ils lui infligent, là-bas. »

D'un geste, il indiqua la fenêtre.

« À Mr. Pilgrim, vous voulez dire ?

– Oui, Mr. Pilgrim. J'ai tenté à cinq reprises de le voir, mais on ne me laisse pas l'approcher. On m'a rapporté qu'il restait silencieux et ne parlait à personne. Et aussi, que les docteurs s'affairaient autour de lui. À toute heure du jour, quelqu'un le surveille. Comme s'ils avaient peur qu'il ne recommence, en somme. Pauvre homme. À sa place, j'aimerais rentrer chez moi.

— Moi aussi, j'aimerais rentrer chez moi, affirma Phoebe. Je n'aime pas cet endroit. Je n'aime pas non plus la façon dont les gens se comportent. Tous ces étrangers, sauf vous-même et Madame… Personne ne vous sourit. Ils parlent tous allemand. Ils me traitent avec mépris, comme si j'étais moins que rien, et je ne le supporte pas. Sans parler de ces messages envoyés par des inconnus. Il y en a eu trois jusqu'à maintenant, remis à la porte. Un valet les apporte sans rien dire.

— Savez-vous de qui ils proviennent ?

— Bien sûr que non ! Je ne peux tout de même pas les ouvrir, n'est-ce pas ? D'autant qu'ils arrivent tous dans des enveloppes cachetées ; si j'essayais de regarder, Madame s'en apercevrait tout de suite.

— L'autre jour, elle a fait une rencontre dans le hall, révéla Forster. Un jeune couple charmant. Elle a bavardé avec eux un moment. Vous êtes au courant ?

— Non. Madame, vous êtes sûr ? Quand ? Quel jour ?

— Avant-hier. Ou le jour d'avant. Je ne m'en souviens plus. Je passais par là pour tenter une nouvelle fois d'approcher Mr. Pilgrim quand je l'ai aperçue en compagnie de parfaits inconnus. Cela m'a paru fort étrange. Elle m'a vu, je crois, mais n'en a rien laissé paraître. J'ai continué jusqu'au bar, où j'ai pris un verre ; lorsque je suis ressorti, elle était toujours là.

— Combien de temps y êtes-vous resté ? Au bar, je veux dire.

— Vingt minutes, peut-être vingt-cinq. Je vous le répète, c'était un couple charmant. Bien habillé. De sa condition, à n'en pas douter. Lui, il avait une sorte de maintien militaire. Il aurait pu passer pour le fils de votre maîtresse. Si je ne connaissais pas son fils, j'entends, le comte de Hartford. Il avait à peu près le même âge. Ç'aurait pu être un de ses amis, à la réflexion. Un camarade d'université. Vous savez, le genre de relations qui s'établit à Sandhurst*…

— Mais il s'agissait d'inconnus. Vous l'avez vous-même affirmé.

— Oui. De toute évidence, elle ne les connaissait pas. C'était manifeste. Mais peut-être qu'eux la connaissaient – par l'intermédiaire du

---

* Village du Berkshire, en Angleterre, près duquel se trouve l'Académie militaire royale. (N. d. T.)

comte, vous voyez, son fils. C'est possible. Sauf que… maintenant que j'y repense, ils s'exprimaient dans une langue étrangère quand je les ai croisés la première fois. Peut-être en français. Je n'ai pas très bien entendu.

— Les avez-vous revus, depuis ?

— De loin, oui. Sortant de l'hôtel, y entrant, attendant l'ascenseur. En ce genre d'occasions.

— Avez-vous eu l'impression qu'ils s'entretenaient d'un sujet grave ?

— Avec lady Quartermaine ? Oui. Relativement grave, je dirais. Oui. Le jeune homme ne s'est pas assis, mais la jeune femme – son épouse, je suppose – a pris place sur la chaise voisine de celle de lady Quartermaine.

— Alors, ce sont eux qui envoient les messages. Dans l'hypothèse où ce serait l'un des médecins de Mr. Pilgrim, il y aurait une adresse au dos. Or, ce que nous avons reçu à la porte de la suite était écrit sur le papier à lettres de l'hôtel. Ce sont donc bien eux.

— Essayez de jeter un coup d'œil à l'une de ces missives quand votre maîtresse ne regardera pas. Mieux vaudrait savoir de quoi il retourne. Dans l'intervalle, gardez la tête haute. Et si la situation empire, venez me chercher. »

Phoebe se leva pour prendre congé. Sur le seuil, elle pivota afin de remercier Forster de l'avoir écoutée.

« Je me sens bien seule là-bas, avec Madame pour toute compagnie – et dans cet état.

— Ne vous inquiétez pas, répliqua Forster. Imaginez un peu ce que je ressens ici, quand mon maître est enfermé dans ce qui pourrait tout aussi bien être une prison. Mais nous surmonterons tous cette épreuve. Vous verrez. Sur ce, je vous salue.

— Moi aussi, dit Phoebe avec mélancolie. Je vous salue, Mr. Forster. Et bon après-midi. »

Le troisième jour, lady Quartermaine se fit monter du papier à lettres de l'hôtel pour renflouer sa réserve de vélin Portman Place bleu et gris, qui s'épuisait. *Avec des enveloppes, s'il vous plaît.* Ce jour-là, elle ne mangea rien, mais commanda du vin et du whisky, qu'elle but régulièrement à petites doses tout l'après-midi jusqu'au crépuscule. Des appels téléphoniques furent passés plus d'une fois, sans que Phoebe pût distinguer les paroles prononcées – à l'exception d'une seule : *messager*. Lorsqu'elle entra pour demander si Madame souhaitait dîner, elle la découvrit allongée par terre, une cigarette allumée se consumant dans le cendrier.

Sur le bureau, il y avait des lettres adressées à chacun de ses cinq enfants, à son mari, à Mr. Pilgrim et une aussi au Dr Jung. Cette dernière, apparemment inachevée, émergeait à moitié de son enveloppe. Aucune n'avait pour destinataires des inconnus.

Phoebe tenta en vain de réveiller lady Quartermaine. Elle envisagea de téléphoner pour solliciter de l'aide afin de la ranimer, mais se ravisa. *Pense au scandale*, se dit-elle, avant d'étaler sur sa maîtresse, à l'endroit même où elle gisait, une couverture en cachemire à bandes violettes et bleues, tissée à la manière d'un tartan, qui constituait pour Madame un talisman dont elle ne se séparait jamais.

À neuf heures, Phoebe, voulant s'assurer que tout allait bien, trouva cette fois lady Quartermaine au lit. Elle laissa la porte entrebâillée, la lumière de la salle de bains allumée, et prit la liberté de téléphoner en cuisine pour commander des sandwiches et de la bière. À minuit, elle se retira dans sa propre petite chambre voisine du salon, et quand elle se leva à six heures, la porte de Madame était une nouvelle fois verrouillée.

Le quatrième jour, lady Quartermaine réclama du papier d'emballage, de la ficelle et des ciseaux.

Elle prit un repas léger, composé d'une douzaine d'huîtres arrosée d'une bouteille de champagne.

Dans l'après-midi, à quatre heures, Phoebe fut chargée d'aider sa maîtresse à s'habiller pour le thé. Un invité était attendu – mais aucun invité n'arriva. Ce qui arriva, en revanche, ce fut une autre enveloppe.

Forster était-il disponible ?

Phoebe partit à sa recherche, mais constata son absence. Elle avait emporté l'enveloppe avec elle. À présent, elle la serrait dans sa main. Comment la décacheter, puis la refermer sans laisser de traces ?

Par l'une des portes ouvertes à l'étage de Mr. Forster, elle aperçut soudain une femme de chambre qui repassait des taies d'oreiller.

Le temps de la rejoindre, et Phoebe lui montra l'enveloppe en souriant.

« *Bitte ?** » fit la femme de chambre.

Phoebe feignit de soulever le rabat. Puis, brandissant l'enveloppe, elle indiqua le fer à repasser. La femme de chambre s'en empara avec un sourire entendu.

Après avoir jeté quelques gouttes d'eau sur l'enveloppe, elle y appliqua doucement le fer. De la vapeur s'éleva. Puis, triomphante, l'employée glissa un doigt sous le rabat :

---

* « Vous désirez ? » (N. d. T.)

« *Sie wollen wissen… ? Ja ?** »

En récupérant l'enveloppe, Phoebe la gratifia d'un « *Danke*** », le seul mot allemand qu'elle maîtrisât pour l'avoir utilisé si souvent en réceptionnant les nombreux petits déjeuners. Sur ce, ne sachant que faire d'autre, elle esquissa une révérence et retourna dans le couloir.

En haut de l'escalier, elle s'immobilisa et retira une seule feuille de papier pliée sur laquelle on avait écrit: *Demain.* Et signé: *Messager.* Rien d'autre. *Demain, Messager.* Ça n'avait aucun sens.

Phoebe replia la page, la remit en place, lécha le rabat de l'enveloppe, le scella de nouveau, puis l'aplatit contre sa jupe avant de descendre les marches.

Une demi-heure plus tard, un coursier fut appelé, et lorsqu'il se présenta, Madame lui remit une enveloppe destinée à *Herr Doktor C. G. Jung*, clinique psychiatrique Burghölzli, Zurich. Ainsi que six paquets enveloppés de papier brun, également adressés au médecin.

Après le départ du coursier, dont Phoebe Peebles avait étudié avec attention les jambes habillées d'une légère étoffe et les fesses musclées, Madame verrouilla sa porte, expliquant qu'elle souhaitait se reposer jusqu'à sept heures. À sept heures trente, elle demanda pour le souper du rosbif froid, des haricots verts d'Espagne, un gratin de pommes de terre sur un chauffe-plat, deux bouteilles de vin et une carafe de cognac. À huit heures, le repas arriva; il serait pris dans le salon, à la table près de la fenêtre. Lorsque tout fut en place et le serveur congédié, Phoebe fut informée qu'elle pouvait disposer de sa soirée, à condition de revenir à dix heures.

Elle dîna au bout de la rue, dans la salle à manger d'un *Bierlokal* où elle s'attarda jusqu'à neuf heures trente, espérant et rêvant tout à la fois que son coursier viendrait y boire une dernière bière. Mais la chance ne lui sourit pas. Néanmoins, sa rêverie se révéla bien agréable. Dehors, constata-t-elle en rentrant à l'hôtel Baur au Lac, l'air recelait pour la première fois la promesse du printemps.

Il ne restait presque plus rien du souper de madame, et une des bouteilles était vide. La seconde bouteille de vin, ainsi que la carafe, avaient été emportées dans la chambre.

Sur son propre lit, Phoebe trouva une enveloppe avec à l'intérieur la note suivante: *J'ai demandé l'automobile pour onze heures demain*

---

* « Vous voulez savoir, n'est-ce pas ? » (N. d. T.)
** « Merci » (N. d. T.)

matin, afin de me rendre dans les montagnes. Je compte rentrer en fin d'après-midi. Vous pourrez occuper comme il vous plaira la moitié de la journée. J'espère que vous avez passé une soirée agréable.

Le message s'accompagnait d'un billet de cinq francs. Presque une semaine de gages.

Au matin du cinquième jour, le 14 mai, Madame déverrouilla sa porte à huit heures. Un léger petit déjeuner avait été commandé ; il fut consommé. Après que sa maîtresse eut pris son bain, Phoebe l'aida à enfiler son tailleur bleu en tweed, ses bottes noires et son manteau de laine d'agneau.

À onze heures, Otto arriva dans la Daimler gris argent. À la grande surprise de Phoebe, Madame l'embrassa *on ne peut plus gentiment* sur la joue avant de partir.

Ce fut la dernière fois qu'elles se virent. Le lendemain, un mercredi, Phoebe fut priée de choisir une robe noire dans la garde-robe de Madame et de l'apporter à la morgue.

Haut dans la passe d'Albis à l'ouest du Zürichsee, sur une route sinueuse qui semblait monter directement jusqu'au soleil, une avalanche s'était déclenchée, ensevelissant Sybil Quartermaine, son chauffeur Otto Mohr et la Daimler gris argent.

Sur le secrétaire d'où elle avait envoyé son ultime message au Dr Jung se trouvaient sept enveloppes – certaines bleues et grises, d'autres beiges, fournies par l'hôtel – et une lettre pliée.

Ladite lettre était adressée à *Miss Phoebe Peebles*, et se terminait par : *Faites au mieux et suivez les conseils de Mr. Forster. Tout ira bien, vous verrez. En attendant, merci, très chère. Au revoir.*

C'était la première chaude journée de l'année. Autour du lac, comme l'avait annoncé Jung, jonquilles et crocus affleuraient parmi les vestiges de neige, et en ville, les colombes de la cathédrale vinrent se poser sur la place, où elles se promenèrent parmi les passants.

Tard dans la soirée, en ce mardi 14 mai, Jung était rentré depuis peu à Küsnacht après avoir rempli ses fonctions à la clinique quand Lotte pénétra dans son bureau pour l'informer qu'un coursier venait d'arriver et ne partirait pas avant d'avoir parlé au maître de céans.

« Comme c'est contrariant ! Qui l'envoie ?

– Lady Quartermaine, à l'hôtel Baur au Lac, *Herr Doktor*. Il affirme qu'elle lui a recommandé de vous remettre en mains propres ce qu'il a apporté. À vous, et à personne d'autre.

– Très bien. Faites-le entrer. »

Une fois en présence de Jung, le coursier plaça sur la table six paquets enveloppés de papier brun, puis tendit au médecin une enveloppe.

« J'ai pour consigne de veiller à ce que vous preniez connaissance de son contenu avant de m'en aller, *Herr Doktor*.

– Je vois. »

Ayant fendu l'enveloppe avec une paire de ciseaux, Jung en retira la lettre pour la lire pendant que le messager, à côté de lui, se grattait la cuisse.

> *Cher docteur Jung,*
>
> *Ce fut un immense plaisir, et un immense réconfort, de vous rencontrer. Bien que je doive aujourd'hui laisser mon vieil ami entre vos mains, c'est en toute confiance que je le fais. J'ai le sentiment que personne n'est mieux qualifié que vous pour l'aider à traverser sa crise actuelle.*
>
> *Soyez patient. Il finira par réagir. Je n'ai aucun doute à ce sujet, et je compte sur vous pour persévérer dans l'intérêt de sa raison. Il est fort regrettable que je ne puisse jouer plus longtemps mon rôle de confidente dans ce domaine, mais des circonstances indépendantes de ma volonté m'obligent à m'en aller.*
>
> *En conséquence, je vous adresse par coursier les six derniers journaux de Pilgrim, chacun sous pli séparé. Ceci pour une bonne raison, que je vous demande de ne pas négliger. L'ordre dans lequel il faut les lire est de la plus haute importance. S'il était en mon pouvoir de garantir votre obéissance sur ce point, je prendrais les mesures*

nécessaires, et je pensais d'ailleurs vous les remettre un par un. Hélas, les choses ne se passeront pas ainsi. Alors, je vous en prie, croyez-moi: l'ordre est vital. Sans lui, il est impossible de comprendre le dilemme auquel se trouve confronté Mr. Pilgrim. Sur certaines questions qui gouvernent notre existence, il y a des décisions que nous devons arrêter seuls, et parmi elles, certaines exigent le plus grand secret. Telle est présentement ma situation. Rien de ce qu'il m'est permis de vous confier ne saurait expliquer mes actes en ce moment. Le temps apportera peut-être toutes les réponses, ou peut-être pas. Nous verrons bien.

J'ai dit un jour, à vous ou au Dr Furtwängler, que certains aspects de l'état dans lequel se trouve désormais Mr. Pilgrim ne pouvaient être clarifiés par des moyens rationnels. Je vous adjure d'accorder votre confiance aux fabulations apparentes de mon ami, ne serait-ce qu'au motif de son besoin désespéré d'être cru. Alors même qu'il semble mentir, il lutte pour énoncer des vérités. J'espère que cette explication vous sera utile. Il aspire à la délivrance de ce qu'il appelle l'effroyable nécessité d'être – d'assumer une identité dont le fardeau lui est désormais insupportable. Je ne vous révélerai rien de plus profond à propos de mon ami.

Au cours d'une de nos précédentes conversations, je vous ai demandé si vous croyiez en Dieu. Votre réponse, me semble-t-il vous avoir dit sur le moment, était comique. Vous m'avez fait remarquer que vous ne pouviez pas croire en Dieu avant neuf heures du matin. Prenant ceci au pied de la lettre, j'en déduis que l'évocation du Tout-Puissant suscite quelque inquiétude en vous, et qu'à vos yeux, une simple causerie ne suffit pas à Le cerner. Je serais tentée d'en convenir, même si je déplore que nous n'ayons pas eu l'occasion d'approfondir le sujet. J'aurais aimé connaître votre opinion avant mon départ. Vous parlerez de Dieu avec Mr. Pilgrim, je puis vous l'assurer. Dites-lui, le moment venu, que ma dernière pensée concernant la foi a été la suivante: en pleine contrée sauvage, j'ai découvert un autel avec cette inscription: AU DIEU INCONNU... Et j'ai fait mon sacrifice en conséquence.

Je vous remercie pour tout ce que vous avez accompli et pour tout ce qu'il vous faudra encore accomplir dans l'intérêt de Mr. Pilgrim.

Votre dévouée
Sybil Quartermaine

P. S.: Le chèque ci-joint devrait couvrir un certain temps les frais occasionnés.

S. Q.

Le chèque en question représentait une grosse somme d'argent; il était établi à l'ordre de la clinique Burghölzli, non à celui de Jung. Néanmoins, ce dernier éprouvait des réticences à l'accepter.

Il se tourna vers le messager qui, occupé à lire les titres des ouvrages sur les étagères, avait atteint les œuvres de Goethe.

« Si vous voulez bien patienter encore un moment, je vais vous confier une lettre pour lady Quartermaine... » commença Jung.

De fait, il avait l'intention de lui retourner le chèque.

« J'ai reçu pour consigne de ne pas accepter de réponse.

– Comme c'est curieux.

– Madame était *cat'gorique*, m'sieur. C'est le mot qu'elle a employé: *cat'gorique*.

– Je vois. Eh bien, merci. »

Jung gratifia le jeune homme d'un modeste pourboire pour sa peine, puis le congédia.

Il y avait six paquets, chacun contenant vraisemblablement un volume du journal de Pilgrim. Chacun était numéroté. Jung les disposa dans l'ordre sur la table, avant de les regarder comme on regarderait une flopée inespérée de cadeaux de Noël offerts par des inconnus. Qu'y avait-il à l'intérieur?

« Un à la fois, dit-il à voix haute. Un seul. »

Naturellement, s'il les ouvrait tous en même temps, qui le saurait?

Moi, je le saurais.

Exact. Je me disais bien aussi que tu ne tarderais pas à intervenir.

C'est mon travail.

Et il consiste en quoi, au juste? À me rendre fou?

Peut-être.

Jung empila les journaux pour les emporter sur son bureau, où il les enferma – tous à l'exception du numéro un – dans le dernier tiroir, avant de glisser la clé dans sa poche.

Il s'approcha ensuite de la fenêtre pour contempler le jardin.

La première jonquille, celle qu'il avait photographiée, se fanait déjà, devenait sèche, cassante. Dans la nuit, un souffle de vent risquait de l'emporter. Mais d'autres, une foule d'autres, se frayaient un chemin vers la lumière.

Ses pensées revinrent à la lettre de lady Quartermaine. Si triste, si étrange...

En pleine contrée sauvage, j'ai découvert un autel avec cette inscrip-tion: AU DIEU INCONNU... *Et j'ai fait mon sacrifice en conséquence.*

Elle était souffrante, conclut-il. Après tout, plus d'une semaine auparavant, il lui avait trouvé fort mauvaise mine. Elle avait l'air tourmentée. Privée de sommeil, peut-être. Angoissée, sans aucun doute. Si seulement il avait maintenu son rendez-vous avec elle dans l'après-midi de la veille, pour le thé… Mais le destin s'en était mêlé, une des manifestations lunaires provoquant une crise chez la comtesse Blavinskeya ; de ce fait, l'invitation de lady Quartermaine lui était complètement sortie de la tête.

Bon.

Inutile d'y penser pour l'instant. Il y avait du vin à boire, un dîner à avaler et toutes les recherches d'Emma sur Savonarole à étudier. Sans parler des enfants, des chiens et de la décision à prendre concernant le mobilier de jardin maintenant que le printemps était revenu.

Au matin, il poursuivrait sa lecture.

Au matin. Au matin.

Puis le soleil se coucha.

LIVRE TROIS

1

DANS LA MATINÉE du mardi 14 mai, au moment où Otto Mohr aidait Sybil Quartermaine à s'installer sur la banquette arrière de la Daimler gris argent, Kessler aidait Pilgrim à monter dans l'ascenseur au troisième étage de la clinique Burghölzli.

Sur les genoux de Sybil était étalée sa couverture en cachemire bleu et violet, reçue du bras d'Otto Mohr ; de celui de Kessler pendaient deux grandes serviettes dans lesquelles il draperait son patient après le bain. Deux enveloppes.

Pendant que Sybil, calée contre le dossier, admirait un panorama de ponts, de rues pavées et d'eau, Pilgrim, assis tout droit devant Kessler, comptait les étages qui disparaissaient au-dessus de lui. Un. Deux. Trois. Quatre.

Otto Mohr tourna à gauche, changea de vitesse.

Lorsqu'ils furent arrivés au sous-sol, le liftier, le regard aussi vide que de coutume, repoussa la grille.

« Vous voyez ? dit Kessler. Vous n'avez rien à craindre. »

Dans la Daimler, Sybil saisit la barre d'appui qui, constata-t-elle, était en marbre couleur lie-de-vin. Posé dessus, son gant en chevreau gris évoquait une main peinte à l'aquarelle, avec des doigts au tracé semblable à des coutures d'encre noire. *Je suis aussi immatérielle qu'une tache sur une feuille de papier*, songea-t-elle. Puis : *Comme c'est étrange de se sentir aussi intangible, et pourtant, aussi vivante…*

Le fauteuil de Pilgrim roula hors de la cage et s'arrêta sur le tapis qui recouvrait le sol de marbre. *Nous sommes dans un mausolée*, songea-t-il. *Quelqu'un est mort.* Une brume salée imprégnait l'air. Pilgrim en décelait le goût.

Tandis qu'ils gagnaient les hauteurs, Sybil se retourna pour voir le Zürichsee. *C'est tellement beau,* pensa-t-elle, *avec tous ces arbres sur la rive, toutes ces fleurs exposées au regard… Exactement comme le Dr Jung l'avait décrit.*

« Par ici, je vous prie. »

Kessler adressa un signe de tête à l'infirmière de garde assise à son bureau, le visage fermé. De son dos, il poussa la lourde porte vitrée que sa collègue avait pour mission de défendre contre les envahisseurs. Et les évadés. À en juger par son expression, ces derniers auraient de la chance d'en réchapper vivants.

Après avoir fait pivoter le fauteuil roulant, Kessler le poussa.

Des portes, des portes, encore des portes. Des cabines, des rideaux, des chaises longues occupées, du moins semblait-il, par des morts en peignoir de bain. De la vapeur, et partout le bruit de l'eau qui coule.

Au loin, la comtesse Blavinskeya chantait de sa voix de mezzo-soprano :

> *Si vaste est la rivière,*
> *Que je ne peux la traverser,*
> *Et je n'ai pas d'ailes,*
> *Pour m'envoler…*

Sybil se pencha en avant. Il y avait un chien sur la route.

Il est venu me saluer, songea-t-elle. *Quelqu'un, quelque part, a eu la gentillesse de le détacher…*

« Où sommes-nous ? demanda-t-elle.

— De l'autre côté du lac, madame, vous ne tarderez pas à apercevoir le village de Küsnacht. Nous allons bientôt atteindre la forêt.

— Ce chien n'est pas blessé, au moins ?

— Non, madame.

— Veuillez actionner l'avertisseur pour le prévenir, je vous prie. Il ne paraît pas décidé à s'écarter.

— Oh, il va s'écarter, madame. Je peux vous l'assurer », déclara Otto.

Il s'agissait peut-être d'un saint-bernard. Jamais encore Sybil n'avait vu de chien aussi gros. Et en effet, il se poussa au passage de la Daimler. Sybil se retourna pour le regarder les observer, la queue en panache, la tête inclinée comme pour humer l'odeur de leur départ.

Quelque chose l'incita à lever la main en signe d'amitié – et d'adieu ; au même moment, l'animal redressa la tête et aboya.

Comme c'est étrange, et comme c'est heureux. Quelle prévenance de la part de son maître de l'avoir libéré pour l'envoyer à notre rencontre !

Lorsqu'elle jeta un nouveau coup d'œil derrière elle, le chien avait disparu. En reportant son attention sur la route devant elle, Sybil constata que l'automobile s'engageait dans une forêt mêlant des essences diverses : trembles et peupliers, pins ombreux aux branches de candélabre et aussi, le *Tannenbaum* de l'enfance. Il y avait des asphodèles en fleur. C'était impossible, évidemment ; pourtant, elles étaient bien là. Et on aurait dit qu'un rossignol chantait.

> *Construis-moi une barque*
> *Pour emporter deux cœurs,*
> *Et ensemble nous ramerons,*
> *Mon amour et moi.*

D'où lui venait donc une telle pensée ?
Voilà que je m'égare encore, songea Sybil. Avant de s'adosser à la banquette pour mieux profiter du spectacle offert par la lumière oblique et les arbres treillissés dont les branches se déployaient de part et d'autre de la chaussée. D'un geste à peine perceptible, elle leva la main pour les saluer.

> *Si vaste est la rivière,*
> *Que je ne peux la traverser...*
> *Et je ne me souviens plus de la suite.*

Elle s'endormait.

Aux bains, Kessler débarrassa Pilgrim de son peignoir et le regarda se lever de son fauteuil pour s'approcher des eaux.
Son corps émacié évoquait un cadavre mû par un mécanisme. Il exécutait chaque pas avec application, comme au souvenir d'un jeu d'enfant. *Se jouait-il de cette façon-là ? Ou de cette façon-ci ?*
De cette façon-là, de cette façon-ci.
Pilgrim écarta les bras.
Il marche sur une corde raide, se dit Kessler. *C'est exactement ce qu'il est en train de faire. Il se tient en équilibre sur un fil de fer à des kilomètres au-dessus de nous tous.*
« Désirez-vous de l'aide, Mr. Pilgrim ? »
Les bras du patient redescendirent.
Il avait la peau si pâle qu'elle en paraissait presque bleutée. Couleur de la nacre. Là où elle se tendait sur les côtes, elle devenait translucide. C'était comme s'il avait enfilé des chaussettes, des manches et des gants

de chair, avec pour coutures des veines violettes et pour boutons des ongles d'un blanc pur. Pourtant, il avait des muscles bien dessinés et des fesses fermes malgré leur manque de chair.

Entre ses omoplates, le papillon avait ouvert ses ailes, et autour de son cou, les brûlures de la corde formaient désormais des croûtes dont, telle une chrysalide, il ne tarderait pas à se défaire.

« Voulez-vous que je vous aide, Mr. Pilgrim ? répéta Kessler. Attention à ne pas glisser. »

Son patient se tenait désormais immobile sur le pourtour en marbre du bassin, les orteils recroquevillés pour mieux agripper le bord.

« L'eau est chaude. Vous allez apprécier. C'est très relaxant. Apaisant, pourrait-on dire, comme un massage tiède. »

Schwester Dora dériva près d'eux, la comtesse Blavinskeya appuyée sur son bras. *Un couple décidément bien assorti*, pensa Kessler avec un sourire. Au milieu de la vapeur, les deux femmes donnaient l'impression de ne pas poser les pieds sur le sol – et à voir la comtesse danser, c'était peut-être le cas.

À leur passage, Pilgrim esquissa un geste pudique pour couvrir son sexe, bien qu'aucune des deux femmes ne regardât dans sa direction.

Enfin, il descendit dans l'eau. Alentour, des êtres fantomatiques, sans doute humains autrefois, allaient et venaient – certains perdus, d'autres simplement distraits, tous drapés dans un linceul.

Pilgrim ferma les yeux, puis écarta bras et jambes. Assis sur la marche immergée, il laissa l'eau l'envelopper, explorer chaque surface plane et chaque fissure de son corps – la prairie de son estomac, les collines de ses seins, les montagnes de ses épaules. *Je suis un continent de possibilités*, pensa-t-il, *ceinturé par l'Équateur, divisé par les Tropiques, quadrillé par les longitudes et les latitudes, parsemé d'îles émergeant à la surface – doigts, pénis, orteils, testicules –, et si je me roule en boule, j'offrirai l'image même de la terre...*

Il sourit. *Quelle pitié que j'aie sombré si bas*, pensa-t-il. Ceinturé par l'Équateur, bien sûr ! Divisé par les Tropiques. Quadrillé par les longitudes et les latitudes... *Suis-je Dante Gabriel Rossetti ? J'espère bien que non ! Ai-je également des lys à la main et des étoiles dans les cheveux ?*

« Mr. Pilgrim ? »

Kessler s'approcha, se pencha et, lui plaçant ses mains sur les épaules, le maintint plus ou moins droit.

« Vous ne devez pas mettre la tête sous l'eau, Mr. Pilgrim. C'est une règle. Vous êtes ici pour vous détendre, pas pour jouer au poisson. »

De nouveau, son patient se cala sur la marche immergée, avant d'étendre les bras sur les bords du bassin.

« C'est mieux, approuva Kessler avec un sourire. Nous ne tenons pas à ce que vous vous noyiez. »

Au sommet de la passe d'Albis se trouve un petit plateau d'où l'on jouit d'une vue exceptionnelle sur le monde d'en bas et le monde d'en haut.

Sybil Quartermaine, qui avait demandé à Otto d'arrêter l'automobile, drapa sa couverture autour de ses épaules et, après avoir annoncé son intention de sortir, attendit qu'il vienne ouvrir la portière et lui offrir la main.

La tête inclinée, elle inspira une bouffée d'air.

« Oh, quel vent délicieusement parfumé! s'exclama-t-elle en fermant les yeux. Vous sentez ces arbres? C'est un véritable paradis.

– Oui, madame. Un véritable paradis.

– Accompagnez-moi jusqu'au bord. Je voudrais regarder. »

Otto lui présenta son bras et l'escorta vers le précipice. Toute l'étendue du Zürichsee se déployait devant eux et, en contrebas, il y avait une rivière et une route. Du doigt, le chauffeur désigna l'image distante, flottante et embrumée de la Jungfrau – sorte de mirage gris majestueux, sans attache, à la dérive.

Sybil agrippa la couverture.

« Ce vent, dit-elle. Ce vent...

– On l'appelle *der Föhn*, madame. Il vient d'Italie et amène toutes sortes de problèmes.

– Quel genre de problèmes?

– La pluie, la tempête, et parfois aussi une avalanche. »

Resserrant la couverture autour d'elle, Sybil admira une dernière fois la vue avant de retourner vers la Daimler.

« Poursuivons notre route », dit-elle.

Ce furent ses ultimes paroles.

Brusquement, Pilgrim se sentit transi.

Il se leva.

Inexplicablement, il saisit la main de Kessler et s'y raccrocha comme à une bouée de sauvetage.

Y a-t-il un chien? Oui, il doit y en avoir un, pensa-t-il.

Kessler l'aida à sortir du bassin, puis lui posa une serviette sur les épaules. Cela dépassait son entendement que Pilgrim pût avoir si froid alors que lui-même transpirait sous l'effet de la vapeur, mais de toute évidence, son patient frissonnait.

« Voulez-vous partir maintenant, monsieur? Retourner dans votre chambre? »

Non, non, non. Je veux trouver le chien.

Pilgrim s'avança dans la brume.

« Il ne faut pas, murmura-t-il. Il ne faut pas. Pas encore. Vous ne devez pas. Il ne faut pas. »

Kessler sentit un frémissement d'excitation lui parcourir l'échine.

L'homme avait parlé.

Prononcé des paroles. Pas seulement des sons, mais de véritables paroles.

Il avait parlé, et à présent, il avait disparu.

L'aide-soignant se lança à sa poursuite, examinant toutes les silhouettes vaporeuses qu'il croisait, jusqu'au moment où il découvrit son patient assis en appui sur une hanche, la main droite posée sur le carrelage. À côté de lui, un chauve nu, à qui son surveillant avait noué une laisse de coton autour du poignet, contemplait le plafond, le regard vide, la bouche ouverte.

Pilgrim était aussi pâle que la vapeur environnante.

« Est-il tombé ? demanda Kessler au surveillant, un interne dénommé Fröelich.

— Non, je viens de le trouver dans cette position. Mon patient a trébuché sur lui et essayé de lui mordre la main. Est-ce le vôtre ?

— Oui. Il s'appelle Pilgrim. »

S'étant accroupi, Kessler s'adressa à Pilgrim :

« Venez, monsieur. Nous allons remonter. »

Mais lorsqu'il voulut lui prendre la main gauche, il la découvrit ensanglantée.

« Il saigne, dit-il à Fröelich. Vous ne devriez pas faire descendre votre patient ici. Il est dangereux.

— Je ne m'y risquerai plus, lui assura Fröelich, mais le Dr Furtwängler pensait que ce serait bénéfique pour lui. Figurez-vous, reprit-il avec un sourire, avant de pouffer et de se pencher vers l'oreille de Kessler, que cet homme se prend pour un chien ! Parfois, il ne mange pas tant que je ne lui ai pas mis son assiette par terre.

— Ne riez pas, répliqua Kessler. Ça n'a rien de drôle. Il aurait pu blesser quelqu'un très sérieusement. Si vous voulez mon avis, le Dr Furtwängler est fou. »

Après avoir aidé Pilgrim à se relever, Kessler l'enveloppa dans la seconde serviette.

« Nous allons récupérer votre peignoir et retourner dans votre chambre, dit-il. Je nettoierai votre main, et ensuite nous prendrons du thé. C'est exactement ce qu'il nous faut : une bonne tasse de thé bien fort. Après, nous nous reposerons un peu avant le dîner. »

Kessler le fit pivoter vers le lointain fauteuil roulant, où gisait le peignoir délaissé et où Pilgrim serait séché et habillé.

Comme un enfant, songea Kessler. *Il est comme un enfant, et moi, je suis comme sa mère. Ça ne sert à rien, parfois, de se hasarder au-dehors. Ça ne sert rien quand il y a ici un homme qui se prend pour un ours, et maintenant, un autre qui se prend pour un chien. Pourvu que nous soient épargnés les lions et les tigres...*

Et de penser aussitôt après: *Mais il a parlé! Il a parlé! Mon patient a parlé!*

2

S'il avait écrit ces mots avant lundi matin, ils auraient pu assurer mon
salut. En l'occurrence, le mercredi venu, j'étais en manque de cendres, pas
seulement pour mon front, mais pour mon être tout entier, et pour mon
esprit.

Jung avait dû lire cette annotation énigmatique une bonne vingtaine
de fois.

Date : vendredi 10 février 1497…

De quelle source Pilgrim s'inspirait-il pour énoncer une hypothèse
aussi pompeuse ? Et les mots eux-mêmes, sur quelle base étaient-ils formulés ? Qui était ce *Je* qui surgissait aussi brutalement dans la narration ?

C'était à devenir fou.

Des rêves de Pilgrim s'élevait soudain une voix faisant autorité.
Je. Un *Je* qui, de surcroît, prenait des notes et les datait. Transcrire un
rêve, c'était une chose, situer dans le temps les événements de ce rêve,
allant jusqu'à préciser le jour, le mois et l'année, c'en était une autre.
Surtout lorsque la date donnée précédait de plusieurs centaines d'années l'époque où vivait le rêveur.

Par intermittences, Jung en venait à regretter de ne pas avoir résisté
à l'élan qui le poussait à tourner la page. Mais ce fichu *Inquisiteur* l'y
avait obligé par la ruse.

Hé, n'en rejette pas la faute sur moi !

Pourquoi ? C'est toi qui es derrière tout ça.

Ne pas tourner les pages ne permettra en aucun cas d'effacer ce qui est
écrit dessus. Fermer les yeux ne résout rien, Carl Gustav. Tourner la
page résout au moins quelque chose.

Très juste.

Ravi que tu en conviennes. TOURNE LA PAGE ! devrait devenir ta
devise.

Je n'ai que faire d'une devise.

Dommage. Parce que tu en as une, maintenant. Tourne la page.

Je ne peux pas tant que la signification m'échappe. Qui était – qui
est ce *Je* ?

Pilgrim.

Ne sois pas ridicule. Il n'était pas là-bas.

Il y était, en rêve.

En tant qu'observateur seulement. Il n'a pas vécu toutes ces choses, dont ce viol.

Tu crois ?

Évidemment ! D'abord, Pilgrim est un homme.

Elisabetta aussi.

À cet instant, la sonnette retentit.

« J'y vais ! » lança Jung en se redressant, trop heureux d'échapper à ce débat intérieur.

Dans le couloir, il distingua une silhouette indistincte au-delà de la lampe en verre dépoli à côté de la porte.

Le soleil se couchait. Le ciel virait à l'orange.

Pour quelque mystérieuse raison, le messager de la veille était revenu. Sa chevelure dorée semblait auréolée de feu. Il tenait sa casquette à la main.

« Entrez.

– Je dois vous parler en privé, *Herr Doktor*, si vous le permettez.

– Bien sûr. Allons dans mon bureau.

– Merci. »

Une fois la porte du bureau refermée, Jung s'assit à sa table de travail et invita le coursier à prendre la parole.

« Je vous apporte de mauvaises nouvelles, dit le jeune homme.

– Je vois. »

Jung ôta ses lunettes, qu'il posa sur le journal de Pilgrim. Mieux valait ne pas assister à l'annonce de mauvaises nouvelles – si souvent une source d'embarras pour leurs porteurs. Donner l'impression de se concentrer sur le messager, mais éviter de croiser son regard ; s'aveugler, feindre de se focaliser sur sa bouche, ses lèvres, ses paroles.

« Il y a eu une avalanche sur la route de la passe d'Albis. Ce matin, juste avant midi. L'automobile de lady Quartermaine... »

Toutes les horloges de la maison parurent s'arrêter d'un coup.

« Je comprends.

– Oui, monsieur. Merci, monsieur. »

Jung se leva, s'approcha de la fenêtre.

Jonquilles.

Crépuscule.

Et ainsi...

« L'a-t-on retrouvée ?

– Oui, monsieur. Ainsi que son chauffeur. Ce sont les chiens qui les ont découverts.

– Y a-t-il eu d'autres victimes ?

– Non, monsieur. La patrouille alpine a émis un communiqué. Juste la dame anglaise et son chauffeur. Pas d'autres véhicules. Pas d'autres personnes. Un autocar qui se rendait à l'Obersee passait sur la route en contrebas, mais il a été épargné.

– Qui vous a envoyé ?

– La femme de chambre de lady Quartermaine, *Herr Doktor.* Elle était dans tous ses états, mais elle m'a dit qu'il fallait vous mettre au courant.

– Comment s'appelle-t-elle ?

– *Fräulein* Peebles, monsieur.

– Est-elle seule ?

– Non, monsieur. Un Anglais lui tient compagnie. Un dénommé Forster.

– Ah, oui. Je le connais.

– Oui, monsieur. »

Les pensées de Jung s'égarèrent vers la passe fatale au-delà du lac.

Le messager toussota.

Jung se retourna.

« Ce sera tout, monsieur ? s'enquit le jeune homme.

– Oui. Et merci. »

Il lui remit une pièce d'un franc avant de le gratifier d'une tape sur l'épaule.

« Je vous raccompagne. »

Au moment où le messager s'en allait, Jung lui demanda si quelqu'un avait fait allusion à un certain Pilgrim.

« Non, monsieur. Pas la moindre.

– Très bien. Bonne journée. »

Jung retourna dans son bureau.

La nouvelle pouvait attendre, décida-t-il. Inutile d'en parler à Emma, ou à Mr. Pilgrim tant qu'il n'en saurait pas plus.

3

Puisant dans des sources telles que *Les Vies des meilleurs peintres, sculpteurs et architectes*, de Giorgio Vasari, les *Essais sur l'art et la Renaissance*, de Walter Pater, et la nouvelle édition 1911 de l'*Encyclopedia Britannica*, Emma avait rassemblé les notes suivantes, qu'elle avait laissées pour information sur le bureau de son époux. Après la mort de Sybil Quartermaine, elles offrirent à Jung une distraction bienvenue.

Durant presque toute l'année 1496, et les premières semaines de 1497, Léonard vécut à Milan, à la cour de son prince, Lodovico Sforza. S'il y réalisa nombre d'œuvres, la plus grande partie de son travail se réduisit néanmoins à un gaspillage frivole de ses talents. De fait, Léonard lui-même apparaît comme la cause principale de ce phénomène. Il semblait ne pas y attacher d'importance, avait écrit Emma. *Il passait ses matinées à dessiner des décors pour des représentations théâtrales, ses après-midi à consigner des données scientifiques dans ses carnets, ses soirées à ébaucher des projets fantastiques de canons, arbalètes, machines de guerre et autres armes futuristes du même genre, et ses nuits dans les bras de ses éphèbes.*

Pourtant, avait-elle ajouté, *il avait commencé en 1495 la représentation de La Cène, dont il ne s'estimerait pas satisfait avant son achèvement en 1498. En 1497, il retourna brièvement à Florence une première fois fin février, et une seconde en juin.*

La Cène, *une fresque, figure sur les murs du réfectoire des Dominicains de Santa Maria delle Grazie à Milan. Je l'ai vue, mais pas vous, bien que je vous en aie parlé souvent. À l'époque de Léonard, la rumeur voulait qu'il arrivât au couvent à l'improviste, à n'importe quelle heure du jour et de la nuit, afin d'ajouter au pinceau une unique touche de couleur, ou d'effacer une unique ombre. Puisque vous avez lu le traité de Mr. Pilgrim, vous savez également que Léonard n'a pas créé le visage du Christ, mais qu'il a laissé un vide à la place.*

Exact, songea Jung, qui avait oublié ce détail.

Venaient ensuite des notes concernant Savonarole :

Girolamo Savonarole était un frère dominicain né en 1452, la même année que Léonard de Vinci. Il était l'opposé de L. pratiquement en tous points. Alors que L. l'artiste n'osait pas choisir un modèle humain pour le Fils de Dieu, S. le prêtre se disait l'émissaire des cieux, voire le second Fils de Dieu. L. refusait de peindre le visage de son Christ par crainte d'une offense, mais S. se voulait l'image même du Christ, et prétendait faire entendre Sa voix. S. gravit rapidement les échelons de son ordre, ce qui lui valut l'attention de Rome. En 1497, ses adeptes se comptaient par milliers, il faisait partie de la Seigneurie et semblait appelé à devenir le dirigeant de Florence.

Suivaient de plus amples informations sur la montée au pouvoir de Savonarole ; la mort de Laurent de Médicis en avril 1492 ; la reddition de Florence au roi de France, Charles VIII, et la fuite de Pierre de Médicis, le fils de Laurent, en octobre 1494. Que cinq années seulement se fussent écoulées entre la mort de Laurent le Magnifique et la suprématie de Savonarole suffisait pour l'amateur d'histoire à prouver le pouvoir charismatique du prédicateur.

Et pour ce qui était du Bûcher des Vanités ?

Jung tourna la page.

Dans la soirée du mardi 7 février 1497, avait écrit Emma, un événement extraordinaire se produisit sur la piazza della Signoria à Florence.

Le prêtre – ou le prêtre abhorré, comme certains le percevaient alors – avait demandé que fût allumé un immense brasier dans lequel les citoyens de Florence devaient jeter leurs biens les plus chers et les plus précieux. Brûlez tout ce que vous aimez, *avait-il dit,* car l'amour des choses est maléfique en ce qu'il constitue un obstacle à Dieu.

Ce n'était pas le premier bûcher de ce genre, mais ce serait le plus spectaculaire. La fumée atteindrait les cieux. *Tel était le décret de Savonarole.*

Pendant toute la durée du carnaval, les jeunes choristes attachés au service du prêtre surveillèrent les rues, mirent un terme aux jeux d'argent, agressèrent les prostituées à coups de bâton et allèrent jusqu'à arracher dentelles et bijoux agrémentant les vêtements, y compris ceux des épouses de marchands. Savonarole les avait surnommés ses petites troupes d'espoir *et, soi-disant, ils recueillaient l'aumône pour l'Église – aumône qui pouvait prendre n'importe quelle forme : la bourse d'un homme, les bracelets en argent et les boucles d'oreilles en verre d'une femme, ou encore les jouets d'un enfant – un cheval en bois, une balle peinte ou une poupée vêtue de rouge.*

(Quelle époque terrible !) avait écrit Emma.

Depuis maintenant deux ans, le prêtre supervisait l'élaboration de lois destinées à contrôler la propagation débridée des valeurs immorales et la prédominance du péché. *C'étaient la Seigneurie et le conseil qui devaient veiller à l'application de ces lois, mais ce fut Savonarole, en tant que membre de ce même conseil, qui les formula et persuada ses pairs de les voter.*

Les courses de chevaux furent interdites, les jeux d'argent déclarés passibles de tortures, les grossièretés bannies du langage, et s'ils se faisaient prendre, les blasphémateurs avaient la langue percée. Les chansons profanes étaient discréditées, de même que la danse, de même que les divertissements. (Seigneur ! On verrait plutôt Martin Luther agir ainsi ! E.J.) À l'approche du carême, on fit défiler dans les rues des Juifs que le peuple bombarda de fumier. Les lupanars furent incendiés, leurs occupantes chassées de la ville. Les serviteurs recevaient de l'argent pour dénoncer les infractions commises par leurs maîtres, mais échappaient au châtiment en prononçant leurs accusations au sein du confessionnal.

Pourtant, malgré leurs aspirations et autres idées luthériennes sur la façon de gouverner un État, la Seigneurie et le conseil, sous l'égide de Savonarole, jouissaient d'une popularité indéniable. Surtout auprès des marchands de la petite et de la moyenne bourgeoisie, dont les impôts avaient été révisés de façon à les favoriser, alors que ceux des riches et des pauvres avaient été eux aussi révisés mais, comme le diraient certains, de façon à les ruiner.

C'était une époque marquée par l'ardeur religieuse et la piété d'un côté, et par une révolte sourde et une agitation grandissante de l'autre.

Cette situation atteignit son point culminant en 1497, avec le Bûcher des Vanités.

(J'espère que tous ces renseignements vous aideront ; pour ma part, ils m'ont surtout noué l'estomac et fait apprécier de ne pas avoir connu cette période. Sur le Bûcher des Vanités, mon chéri, qu'auriez-vous brûlé ? Rien ne me vient à l'esprit. Même le plus petit objet cher à notre cœur serait encore trop précieux. E.)

Jung avait déjà coupé la grosse ficelle autour du paquet, regrettant de devoir ainsi sacrifier la vue de l'écriture italianisante de Sybil Quartermaine, qui s'adressait à lui par la formule *Herr Doktor C. G. Jung* et lui rappelait qu'il s'agissait du *Colis numéro un.* Ces mots tracés à l'encre bleue étaient soulignés de trois traits épais, manifestement sans l'aide d'une règle. Le vin qu'elle avait bu expliquait vraisemblablement leur dessin vacillant – ce que Jung ne pouvait savoir.

En écartant le papier d'emballage brun, il découvrit que les goûts de Pilgrim en matière de reliures témoignaient d'une minutie semblable à celle apportée à sa calligraphie. Ce volume, à la différence du premier qu'il avait parcouru, s'ornait d'une couverture de drap fin gris cendré lui conférant l'aspect d'un livre de bord. Pilgrim avait-il choisi cette couleur en hommage au *sfumato* de Léonard de Vinci, ces « brumes du temps » qu'il avait estompées sur ses tableaux ? Peut-être.

Pendant quelques instants, assis à son bureau, Jung garda la main posée sur l'ouvrage qu'il lissait distraitement en s'exhortant à *tourner la page.*

Oh, songea-t-il, *pourquoi tout cela est-il si triste ?*

Puis : *Parce que la dernière main à avoir touché ce drap fut celle de lady Quartermaine, désormais emportée par la neige.*

La première page était presque vierge. En bas, sur le côté droit, Pilgrim avait écrit : *Priez pour lutter contre le désespoir.* Dessous figuraient les lettres *S.l.J.*

Celles-ci n'avaient aucun sens pour Jung, mais il allait se renseigner.

Sur la deuxième page se trouvait encore un chiffre insolent, exaspérant, qui flottait au-dessus des mots sans rien pour indiquer sa signification :

$$7^c$$

Puis :

Vous, les femmes, qui vous glorifiez de vos ornements, de vos cheveux, de vos mains, laissez-moi vous dire une chose : vous êtes laides. Seriez-vous capables de déceler la véritable beauté ? Observez l'être pieux chez qui l'esprit domine la matière ; regardez-le prier, regardez la façon dont la lumière de la beauté divine le nimbe une fois sa prière achevée. Vous verrez alors la beauté de Dieu illuminer son visage, et c'est le visage d'un ange que vous aurez devant les yeux.

Ainsi le prêtre nous admonesta-t-il.

Et ensuite :

Un rêve :

Antonio Gherardini, son épouse, ses filles et ses domestiques se préparaient à assister au Bûcher des Vanités sur la *piazza della Signoria.*

Chacun avait reçu pour consigne de choisir sa propre contribution au brasier. Tout objet était acceptable, du moment qu'aucun autre membre de la maisonnée ne l'avait retenu. Ils feraient le trajet en carrosse, mais n'arboreraient aucun ornement en témoignage de piété.

À quatre heures de l'après-midi, Elisabetta se trouvait dans sa chambre, occupée à compléter ses offrandes qu'elle disposait sur une grande nappe blanche dont elle nouerait les coins pour la transporter. La nappe était étalée au soleil sur son lit, et il ne restait plus qu'une chose à ajouter à son contenu.

Cornelia, sa chatte, était installée sur le seuil, devant la porte entrouverte qui laissait entrer un flot de lumière. Son pelage mêlait les mouchetures rousses et grises. Elle avait fermé les yeux, et sa queue enroulée dans la poussière dessinait un point d'interrogation.

Les fenêtres étaient ouvertes. La villa, sur sa colline, était exposée au sud et à l'ouest, et Elisabetta distinguait des traînées dans le ciel, à l'endroit où le Duomo et son campanile s'élevaient au-dessus de la rivière et de la fumée des premiers feux.

Elle s'assit.

Une dernière chose chère à mon cœur.

Elle jeta un coup d'œil en direction de Cornelia.

Jamais. Jamais. Non. Un animal n'est pas une vanité.

Sur la nappe se trouvaient déjà les chausses et les pourpoints préférés d'Angelo, ainsi que ses bottes en daim, ses gants ornés de rubans aux poignets, ses toques en velours, ses chemises plissées. Ne manquait qu'un objet.

Elisabetta savait déjà ce que c'était, car elle le serrait dans sa main. La chose la plus chère à son cœur. Le bien le plus cher à son cœur. Le portrait de son frère Angelo à l'intérieur d'un médaillon en argent qui, une fois ouvert, le montrait dans sa quinzième année. En face, une miniature peinte par le même artiste représentait Elisabetta. Chacun arborait ses couleurs favorites : bleu et gris. Aucun ne souriait. On le leur avait interdit.

Aujourd'hui, Elisabetta s'était faite femme. Elle avait passé des habits féminins, libéré ses seins, emprisonné sa chevelure dans un voile discret. Elle ne portait ni bijoux, ni gants, ni foulards, et seulement les souliers les plus simples.

Les ecchymoses sur ses hanches, ses cuisses et ses poignets demeuraient cachées. À part elle, personne ne les avait vues. Pas même Violetta, sa gouvernante.

Ce matin-là, après les prières, Elisabetta avait annoncé à son père qu'elle se sentait désormais prête à accepter un prétendant. Elle avait abandonné pour toujours les tenues masculines. Son deuil d'Angelo était terminé. La vie continuait. Il lui fallait accomplir son devoir : se marier, avoir des enfants, occuper sa place modeste dans la société.

Elle avait récité d'une voix monocorde cette litanie de platitudes, sans quitter des yeux les mains paternelles posées sur la table en face d'elle. Elle se sentait épuisée. Elle se sentait vaincue. Elle avait capitulé.

Son père s'était montré compréhensif ; conciliant, même. Il avait accueilli son retour avec chaleur, l'avait embrassée et bénie. Il était allé jusqu'à sourire.

Bientôt, ils se rendraient au Bûcher des Vanités, apporteraient leurs contributions, rendraient leurs hommages à qui de droit, puis s'en iraient. Et ce serait fini.

Au crépuscule, le carrosse remonta l'allée. Ses flancs vert pâle, ornés des monogrammes paternels et des armoiries de sa guilde, étaient drapés de noir. Elisabetta sourit. Après tout, ils allaient en quelque sorte assister à des funérailles : la crémation de son ancienne personnalité, dont l'existence avait été si brève.

Il y avait tant de carrosses, tant de cavaliers, tant de gens affluant à pied de toutes parts que le *signor* Gherardini dit au cocher de descendre pour guider les chevaux à travers la foule jusqu'au moment où il ne leur serait plus possible d'avancer. Alors seulement, la famille descendrait à son tour.

Un cortège de prêtres et d'acolytes chantants leur coupa la route. Ils étaient précédés par quatre anges-enfants qui portaient sur leurs épaules l'Enfant-Jésus de Donatello – les anges étaient habillés de blanc avec des ailes en papier, les prêtres vêtus de gris.

En ville, les cloches de toutes les églises se mirent à sonner. En d'autres temps, il aurait pu s'agir d'une joyeuse scène de carnaval, avec des banderoles de couleurs voltigeant à chaque fenêtre, des groupes de danseurs, des musiciens, des marchands ambulants, des hommes et des femmes costumés arborant des masques. Tous les chevaux auraient caracolé, tous les chiens auraient aboyé. Mais pas en cette occasion particulière.

Les plus zélés pleuraient en psalmodiant les noms saints ; des croix étaient brandies de tous côtés par des aspirants au martyre ; l'odeur de l'encens était partout. Chaque citoyen apportait son offrande sacrificielle – certains des sacs, d'autres des boîtes ; certains des tableaux, d'autres des livres ; et d'autres encore, des masques et des rubans, des déguisements de carnaval, des chapeaux et des drapeaux de couleurs vives – tous attestant la négation du plaisir.

Le bûcher lui-même, lorsqu'il fut enfin visible, évoquait une sorte de pyramide d'une hauteur de vingt mètres, peut-être plus, et à ce que l'on raconta ultérieurement, d'une circonférence de soixante-quinze mètres. Il y avait sept étages distincts déjà chargés de vanités et, au sommet, une effigie de Satan peinte en rouge.

Quatre jeunes hommes et quatre jeunes femmes – *les plus purs d'entre les purs* – avaient été choisis parmi une bonne centaine de candidats, tous présentés par leurs parents, pour allumer deux par deux le feu aux quatre endroits qu'on leur avait assignés.

Alors que les chants et les mélopées s'élevaient au-dessus de la *piazza*, Savonarole observait la scène depuis le campanile du Palazzo Vecchio – debout dans l'ombre, sa capuche ramenée sur son visage, qu'elle masquait.

Au signal convenu, les élus s'avancèrent avec leurs torches, le silence se fit, et comme si elles avaient pressenti la suite des événements, les colombes sur toutes les corniches et tous les rebords de fenêtres environnants s'envolèrent soudain dans un battement d'ailes universel et, juste avant leur départ, obscurcirent le ciel crépusculaire.

Elisabetta tendit la main en demandant à Alessandro, le garçon d'écurie, de l'aider à descendre. Sa nourrice Violetta la rejoignit, puis ses parents. Sa sœur Ginetta resta dans le carrosse, mais confia à sa mère la vanité choisie – un précieux col de dentelle belge – et demeura derrière avec le cocher, à qui l'on avait ordonné de surveiller les chevaux.

Il était quasiment impossible de bouger. La foule s'était ruée en avant dès que les feux avaient été allumés, et les offrandes rassemblées sur les sept niveaux commençaient à brûler.

Elisabetta passa un bras autour de la taille de Violetta et, ensemble, elles tentèrent de se rapprocher du brasier, jouant des coudes et des épaules pour se frayer un chemin dans l'assistance.

Le signor Gherardini prit par la main sa femme Alicia et, suivi par le jeune Alessandro chargé de leurs vanités – un pourpoint de taffetas cramoisi, une robe de soie crème agrémentée de perles en verre –, ils s'immergèrent dans un océan de dos.

Il régnait une telle chaleur qu'Elisabetta crut un instant s'être elle-même embrasée. Enfin, Violetta et elle atteignirent le périmètre désormais délimité par des soldats armés s'efforçant de repousser les fanatiques, de crainte qu'ils n'essaient de s'immoler. Derrière eux, plusieurs prêtres en cercle attrapaient les vanités qu'on leur donnait pour les jeter dans les flammes. Violetta, qui avait attendu jusque-là pour montrer l'objet qu'elle avait choisi, retira de sa poche un crucifix de bois grossier, le brandit devant les prêtres et l'envoya jusque dans le feu par-dessus leurs mains avides. « J'offre ceci car ce Bûcher est lui-même une vanité et témoigne d'un amour pervers pour Dieu ! » cria-t-elle, ce que personne n'entendit, sauf Elisabetta.

Avant d'abandonner son ballot par-delà le rempart de bras, celle-ci en arracha le médaillon d'argent dissimulé dans les plis du tissu, puis elle se détourna et, serrant toujours la taille de Violetta, entreprit de rebrousser chemin vers le carrosse paternel.

À cinq ou six mètres environ de sa destination, elle s'immobilisa net, obligeant Violetta à faire de même.

« Qu'y a-t-il ? demanda la nourrice. Quoi ? »

Elisabetta ne souffla mot.

Non loin, monté sur un alezan clair, Léonard les observait, les yeux plissés, les lèvres entrouvertes, les cheveux dégagés de sa figure et cachés sous un chapeau à large bord.

Le visage inexpressif, Elisabetta soutint son regard. *Oui, vous me connaissez. Oui, c'est moi. Bonjour à vous, mon salaud de seigneur.*

Comme s'il avait deviné ses pensées, Léonard fit pivoter sa monture et s'éloigna.

Elisabetta ferma les yeux. Ses entrailles l'élançaient. Ses genoux se dérobèrent, et elle s'effondra contre Violetta, dont elle agrippa les épaules pour ne pas tomber.

Tant bien que mal, elles parvinrent à regagner le carrosse, où Ginetta aida sa sœur à se hisser.

Aucune parole ne fut échangée entre elles. Elles se contentèrent d'attendre.

Alentour, la foule avait tendu ses mains collectives comme pour attraper la lune, mais la lune s'esquiva et voyagea tout au long de la nuit dans un voile de fumée, alors que la ville en dessous de l'astre semblait flotter sur un océan de feu chantant.

> *Tyrannus impius non habet spem,*
> *et si quidem longae vitae erit,*
> *in nihilum computabitur.*

> *Le souverain impie n'a pas d'espoir,*
> *et dût-il vivre toujours,*
> *il ne comptera pour rien.*

À minuit, tout était réduit en cendres ; à l'aube, le vent se leva.

Aux premières heures du jour, alors que l'on éteignait les lampes,

Léonard remplit son sac et ses sacoches puis, accompagné de Strazzi, quitta son atelier, dont il verrouilla les portes à triple tour.

Lorsque la sentinelle les aperçut pour la dernière fois, les deux hommes franchissaient le Porto Milano en direction du nord.

Sur sa colline, Elisabetta se sentit soulagée de leur présence au moment où elle vit les premiers rayons du soleil frapper tours et flèches en contrebas. Après avoir appelé Cornelia, elle grimpa dans son lit telle une enfant ensommeillée, s'y allongea avec la chatte sur son ventre, ferma les yeux et se laissa dériver vers ce qui restait de sa vie comme s'il s'agissait d'un rêve déjà rêvé et d'un avenir déjà connu.

Je suis un cercle, pensait-elle. *Un cercle à l'intérieur d'un cercle, portant encore bien d'autres cercles en moi jusqu'à l'éternité, car assurément, maintenant qu'il est parti, je ne connaîtrai jamais la mort.*

4

Il y avait de la musique, c'est exact. Des nains, il n'y en avait point, en dépit de votre promesse. Un jongleur, oui. Et aussi un ange avec des ailes dont toutes les plumes avaient été découpées dans du papier teinté de bleu, d'or et de rose, et ajustées une à une dans des supports façonnés par vos propres mains. Rien n'avait été négligé pour me divertir.

Mon mari avait dit : *Je la veux telle qu'elle est, avant qu'elle ne se flétrisse.*

Vous me l'avez raconté en pensant, je suppose : *Cela va la faire sourire.*

Et j'ai souri en effet.

La possibilité de *se flétrir*, quand vous avez vingt-quatre ans et qu'au fond de vous-même, vous vous sentez toujours une jeune fille, n'était pas de celles que j'envisageais – même s'il était vrai qu'à cette époque, j'avais déjà donné naissance à quatre de mes enfants, et que quelque chose, quelque part en moi, avait commencé à se flétrir.

Il y avait un singe – vous en souvenez-vous ? – et de temps à autre, il s'asseyait près de moi. À un certain moment, il a grimpé sur ma tête ; à plusieurs reprises, il a grimpé sur mon épaule. Lorsqu'il a grimpé sur ma tête, nous avons tous éclaté de rire, et son maître a dû l'appâter avec un fruit pour qu'il descende sans déchirer mon voile. En l'occurrence, il l'a déplacé, révélant ma marque de naissance ; vous vous êtes mis en colère et avez demandé qu'on l'emmène. Mais j'ai exigé sa présence. *Je refuse de poser*, ai-je dit, *si ce singe s'en va.*

Oui. Tout m'était familier : les fenêtres orientées au nord laissant entrer la lumière qui m'éclairait ; la commode gigantesque, dont les tiroirs débordaient de carnets, croquis, boîtes de crayons et feuilles de papier dentelé vous appartenant ; la cheminée avec ses lions rampants qui soutenaient le manteau ; l'armoire remplie de jouets et de costumes, de masques, de chapeaux, de chaussures et d'une robe bleue avec des étoiles argentées – vestiges de vos jours heureux. Et chacun des fauteuils massifs également ; les lampes avec leurs appliques en forme de griffon ; et la table.

La table.

La table. N'est-ce pas ?

Quelqu'un, je ne me rappelle plus qui – un de vos amis, peut-être ; ou peut-être un amant – venait chanter certains jours. Ce n'était pas tant sa voix qui me déplaisait que la façon dont il présentait ses chansons. Il les chantait pour vous, pas pour moi. Jusqu'au moment où je lui ai dit : *C'est comme si vous chantiez pour le singe*. Il n'a jamais reparu.

Il y avait des luths, des flûtes, des hautbois et aussi un instrument nommé *mandoline*, qui n'allait pas sans rappeler le luth. Parfois, un jeune choriste chantait d'une voix très douce. On m'a amené mes bébés ; non qu'Ernesto, à quatre ans, puisse être qualifié de bébé, mais il était, et sera toujours, mon bébé. Tous mes bébés ; six, aujourd'hui. Plus les deux qui sont morts.

Je n'en aurai pas d'autres. Je l'ai annoncé. Francesco a eu les fils requis, et j'ai fait mon possible pour transmettre son nom et son sang à la postérité. Le reste de mon existence, je le consacrerai entièrement au plaisir de regarder mes enfants grandir.

Mère aujourd'hui, mère pour la vie. On ne peut en dire autant des pères. Ils dispersent leur progéniture si loin du lieu où ils résident qu'à mon avis, la moitié des enfants en vie ne sauront jamais qui est, était, ou aurait pu être leur père. Et la moitié des pères encore de ce monde ne connaissent pas le nom, la silhouette, le sexe ou le sourire de la moitié de leurs enfants. Ni la sensation d'une main qui tâtonne dans le noir à la recherche d'un réconfort.

Comme c'est triste d'être père.

Et comme c'est condamnable.

De temps à autre, alors que je vous regardais de ma place dans la clarté filtrée, je songeais à tout vous révéler. Une ou deux fois, il m'est venu à l'esprit que vous aviez le droit de savoir. Pourtant, j'ai gardé le silence. Sagement.

J'aspirais à une sorte de revanche. Mais aucune de celles que j'avais en tête ne me paraissait suffisante. Sauf l'enfant. Cet enfant, c'était mon arme secrète, comme ce couteau avec lequel j'avais failli vous poignarder des années plus tôt. D'abord, je vous apprendrais que vous aviez un enfant. Un garçon. Un adorable garçon de lumière, avec vos cheveux, vos yeux, votre apparence. Je vous rendrais fou à force de décrire sa beauté, son odeur, son rire, son sourire et sa merveilleuse curiosité pour tout ce que je lui montrais ; toutes ces portes que j'ouvrais devant ses yeux… Et sa joie de vivre, son immense joie de vivre.

Ensuite, je vous apprendrais sa mort.

Sa mort affreuse, inutile, stupide, impie.

Mais j'ai pensé, je m'en souviens parfaitement : *Non. Je ne partagerai pas sa mort avec vous.*

Ce fut aussi la mienne. Plus que la sienne. Au moins, il ne s'est pas rendu compte de ce qui lui arrivait. Il s'est endormi, c'est tout. Il s'est endormi vivant, et au cours de la nuit, il est mort.

Mort, comme ça.

Je ne peux vous en dire plus.

Il avait un an.

Il était capable de marcher seul d'un bout à l'autre d'une pièce.

Il appelait Cornelia *'Nelia*, Violetta, *Nana*, et moi, j'étais *Mama*. Il avait aussi une poupée nommée *Da*.

Je n'ai rien à ajouter.

Mais comme j'étais fière de ne pas vous en avoir parlé, à l'époque ! J'ai conservé son souvenir telle une arme contre le désespoir, sachant désormais que quoi qu'il puisse advenir de moi, je bénéficiais de la protection de son existence, aussi brève eût-elle été, comme preuve que l'on peut survivre à tout.

C'est le présent qu'il m'a offert : celui de vous avoir survécu et de lui avoir donné la vie en dépit de votre extrême méchanceté.

Pourquoi vous révélerais-je son nom ? Le nom de notre enfant ? Il ne vous concernait aucunement. Bien que nous l'ayons « fait » ensemble, il n'y a pas eu d'union entre nous – uniquement de la violence. *Fusion, copulation, propagation de l'espèce*, voire *accouplement* ont beau exprimer les labeurs du lit conjugal quand l'amour en est absent, ce sont néanmoins des termes nobles en comparaison de la façon dont nous avons conçu notre fils. Nous avons *combattu corps à corps*. Vous en souvenez-vous ?

Vous m'avez saccagée. Volé ma vie.

Et donné la sienne.

Pour toutes ces raisons, vous avez détesté ce que vous avez fait et n'en avez retiré aucun plaisir. Au moins, mon époux soupire quand il s'allonge sur moi. Nul soupir ne vous a échappé, nul murmure non plus, pas même de triomphe. Un grand cri, c'est tout ce que j'entends dans mon souvenir de ce moment – le vôtre, pas le mien. Un cri de douleur, Léonard. D'agonie. Et j'ai l'intime conviction qu'à l'instant où ce cri a résonné, vous veniez de découvrir ce que l'on éprouve à tuer. C'était le cri d'un tueur. Celui d'une bête exaltée au moment de terrasser sa victime – un cri de victoire : vous aviez saisi votre adversaire à la gorge et vous l'aviez éventré, à l'instar de la panthère, ou du léopard lorsqu'il se couche sur sa proie. De fait, pendant une année entière, je vous ai surnommé *Léopard* dans ma tête. *Léopard de Vinci*.

N'est-ce pas ?

C'est vrai.

Tout est vrai.

Vous auriez pu crier : *En même temps que je tue, je suis tué !* Tout dépendait simplement duquel de nous deux serait le premier à succomber. Car, pendant que vous m'infligiez une blessure fatale, je vous en infligeais une également. En connaissance de cause. Aujourd'hui, à moins que le ciel ne tombe sur vous, je vous ai devancé dans la tombe. Vous êtes mourant, Léonard, mais je suis déjà morte. Vous m'avez tuée il y a longtemps. Vous n'avez pas anéanti mon corps, mais mon amour de la vie.

Mes parents étaient au courant, pour l'enfant, et à ma grande surprise, ils en sont venus à le chérir, sans savoir que c'était le vôtre – je le dis malgré mes réticences à utiliser ce mot. *Le vôtre* laisse supposer l'affection, le désir, la fierté, le plaisir. *Le vôtre* laisse supposer une dévotion à un bien précieux. N'est-ce pas ? Vous vous rappelez sûrement ce Bûcher des Vanités où nous avons déposé ce qui nous tenait à cœur. J'ai offert ma liberté ce soir-là. Je me suis défaite des habits d'Angelo, et je les ai brûlés de façon à ne plus jamais être tentée par leur attrait. J'ai également remarqué que vous vous étiez éloigné sans avoir rien déposé. Ainsi, j'ai compris que vous n'étiez attaché à rien, puisque rien ne représentait un sacrifice à vos yeux. À l'exception d'une chose : votre vanité personnelle. Celle-ci, je vous l'accorde, reste en votre possession.

Vous m'avez confié que vous aviez aimé mon frère. Je vous crois. Je l'aimais aussi, même si mon frère et celui que vous appeliez votre amant n'étaient pas le même jeune homme. S'il était licencieux, je m'en réjouis pour lui ; cela signifie qu'il a conquis sa liberté avant de mourir. Je ne l'ai jamais fait et ne le ferai jamais. Mais je ne voudrais pas que vous vous mépreniez sur ce point. Il existe chez les hommes une forme de licence qui ne ressemble pas à celle des femmes. Si je devais aujourd'hui conquérir ma liberté, je ne pourrais plus être moi-même. Si je l'avais conquise alors, je ne serais pas aujourd'hui celle que je suis. Présentement, j'ai le désir licencieux que mes enfants, ceux qui restent, puissent vivre pleinement. Quant à ceux qui sont morts, ils ne seront jamais oubliés. Le premier, vous le connaissez désormais ; le second était la fille de mon mari, Adelia, morte six mois avant que je ne pose pour vous.

J'ai posé dans le velours et le satin. Vous m'avez priée de porter un voile sur mes cheveux, et vous avez drapé le haut des fenêtres de cette même gaze claire. Elle était bleue. Vous recherchiez toujours la diffusion de la lumière – du moins, à ce que vous m'avez expliqué. De cette façon, l'effet produit restait constant.

Vous avez refusé de peindre ma marque de naissance, comme si vous vous sentiez offensé par sa forme de papillon. Je portais un médaillon d'argent, que vous n'avez pas représenté non plus. C'est vrai. Ainsi qu'une alliance que l'on ne voit pas, et un coussin dans mon dos confectionné pour moi par Violetta Cappici qui, pendant tout le temps où vous avez travaillé, restait assise près de la fenêtre avec mes bébés et un livre. Elle avait apporté, vous vous en souvenez peut-être, un éventail peint avec lequel elle me rafraîchissait le front de temps à autre. Il montrait un jardin du Sud avec des paons et un laurier en fleur.

J'avais ôté mes chaussures et, à force de rester immobile, je n'ai pas pu les remettre car mes pieds étaient enflés. L'ange aux ailes de papier s'est agenouillé et les a trempés dans une cuvette remplie d'eau parfumée. Avec des roses. Vous rappelez-vous ces détails ? Moi, je me les rappelle. Et aujourd'hui, vous êtes en France. Très loin d'ici, me semble-t-il. Je ne saurais évaluer la distance. Le bruit court que votre santé décline. Vous serez certainement heureux d'apprendre que l'on parle de vous à Florence, que l'on se souvient de vous et même, oui, que l'on vous vénère dans certaines maisons. Vous allez mourir, sans aucun doute. Mais je n'ai aucune envie de m'attarder sur ce fait sinon pour vous dire qu'avant votre décès, je tenais à vous révéler la vérité au sujet de l'enfant. Si le Paradis existe, vous verrez peut-être votre fils. S'il n'existe pas, ainsi soit-il.

On m'a raconté que vous m'aviez emmenée avec vous. Certains affirment que vous ne voulez à aucun prix vous séparer de moi, d'autres que la rumeur selon laquelle mon mari aurait refusé de placer ce portrait chez lui est fausse, et que vous ne le lui avez pas donné. Toujours selon cette rumeur, vous affirmez que le tableau n'est pas achevé. Une version différente prétend que vous êtes amoureux de moi.

Je ne crois pas.

Durant tout le temps où j'ai posé pour vous, vous n'avez pas une seule fois admis que nous nous étions rencontrés. En aucun cas, que nous avions *combattu corps à corps*, et que vous aviez gagné. Au lieu de quoi, vous m'avez offert des divertissements – le choriste et la mandoline, l'ange et le singe. La réalisation de mon image nous a valu de nous côtoyer trois années entières. L'on m'a fourni des rochers et des rivières pour m'asseoir parmi eux, des colonnades pour m'asseoir entre elles, une chaise de cuisine pour m'asseoir dessus – une chaise réelle, à la différence du reste. Mais rien pour reposer mon esprit, ou mon cœur. *Si la postérité me regarde un jour*, pensais-je alors, *elle reconnaîtra seulement l'homme qui m'a peinte.*

Et si je souris toujours, alors nous seuls saurons ce que cache ce sourire : le souvenir d'un enfant de lumière. Le mien, pas le vôtre. Moi seule l'emporterai dans la tombe.

Je ne vous souhaite pas d'être malade, ou de craindre quoi que ce soit de moi. Le temps nous effacera tous les deux en silence. Mais je me demande, écrirez-vous quelque part à mon sujet avant de mourir, « *Visage d'une Florentine, peint à la lumière bleue, 1503-1506. Manches de velours vert sombre. Un bouton en bois* » ?

C'est la dernière fois que vous entendrez parler de moi. Le bouton ci-joint vient de sa petite veste, que je garde toujours auprès de moi. C'est tout ce que vous aurez jamais de lui.

Allez en paix à présent.

Elisabetta Giocondo,

La Florentine.

12 avril 1519.

Le 2 mai de cette même année, Léonard de Vinci mourut à Cloux, dans la vallée de la Loire. Il avait soixante-sept ans.

5

Il en allait un peu comme au jour de la guérison après un long combat contre la maladie. Un calme soudain s'était abattu, marqué par la présence du soleil et l'ouverture des fenêtres. Un souffle d'air frais agitait les rideaux et tournait les pages des livres ouverts. Les occupants de diverses pièces détachèrent leur attention de ce qui les absorbait jusque-là en s'interrogeant – parfois à voix haute – sur la raison de ce silence qui, pendant quelques instants seulement, fut universel.

À huit heures du matin, le lundi 20 mai – six jours après la mort de Sybil Quartermaine –, au troisième étage de la clinique, Jung longea le couloir jusqu'à la suite 306. Il tenait une sacoche de cuir brun semblable à celles utilisées par les élèves de musique pour transporter leurs partitions. Elle appartenait à sa fille de six ans, Anna, qui s'en était dessaisie contre la promesse qu'elle lui serait rendue lorsque son père aurait trouvé une remplaçante convenable. La propre sacoche de Jung avait disparu.

Le porte-musique contenait les fragments de ce que Jung avait sélectionné et recopié dans ses carnets concernant Pilgrim : certains sous la forme de feuilles volantes, ou de morceaux d'enveloppes ; d'autres au dos de cartes de visite, sur de simples bouts de papier, des morceaux de carton rigides, des magazines, des mémos internes de la clinique et les restes de ce qui avait formé un jour des menus de restaurant ou l'intérieur de boîtes d'allumettes. Tous comportaient des griffonnages – phrases, mots isolés, paragraphes entiers, voire, dans un cas ou deux, la transcription faite par *Fräulein* Unger de passages empruntés aux notes de Jung, à ses ouvrages de référence ou à ses journaux.

S'y trouvaient également une enveloppe pleine de photographies, une reproduction de *Mona Lisa* découpée dans un magazine, une monographie avec des illustrations en couleurs concernant le genre de papillon communément appelé *Psyché*, une copie manuscrite de la lettre d'Elisabetta Giocondo à Léonard de Vinci (comme si elle venait d'être postée), et enfin, la missive adressée à Pilgrim par Sybil Quartermaine.

La copie de celle rédigée par Elisabetta était destinée à Archie Menken, dont Jung avait hâte de connaître l'opinion ; et puisqu'il ne pouvait montrer à son confrère le journal lui-même, il avait songé à lui soumettre la lettre afin de piquer sa curiosité. Aucune version du nom de son auteur n'y apparaissait – ni *Elisabetta del Giocondo,* ni *La Gioconda,* ni *Madonna Elisabetta* (abrégé plus tard en *Mona Lisa*). Elle était exactement telle que Pilgrim l'avait présentée – mais sans la signature. *Qui avait pu l'écrire ?* avait l'intention de demander Jung. Juste pour voir... juste pour voir quel genre de réaction elle était susceptible de provoquer. Lorsque Emma l'avait recopiée pour lui, elle pleurait.

Tous ces documents, sauf la lettre de la Joconde, étaient des armes prêtes à servir dans le conflit en cours entre le silence belliqueux de Pilgrim et la quête agressive menée par Jung pour rendre sa voix au patient. Kessler, dans l'intervalle, l'avait informé des phrases brèves murmurées par Pilgrim le jour de la mort de Sybil Quartermaine. Et pourtant... Murmurer aux bains, ce n'était pas comme parler à son médecin. *Murmurer dans le vide, ce n'est pas comme s'adresser à une personne*, et Jung préférait rester prudent. *Il ne s'agissait peut-être même pas de véritables paroles, pour autant que Kessler pût en juger*, avait-il conclu. Sans compter qu'à son retour des bains ce jour-là, Pilgrim avait lentement sombré dans un état quasi comateux, dont il n'avait émergé que pour tituber jusqu'aux toilettes et regagner son lit. Kessler, qui avait également mis Jung au courant de ce fait, avait reçu pour consigne de noter tous les mots éventuellement prononcés, de surveiller la respiration de Mr. Pilgrim ainsi que son pouls, et de prévenir immédiatement le médecin en cas de changement significatif. Tout était cependant demeuré stable, et Mr. Pilgrim ne s'était plus exprimé. Il n'avait même pas ronflé, avait constaté Kessler ; autrement dit, rien n'était venu perturber son sommeil.

Malgré le caractère grave de son contenu, le porte-musique semblait à Jung aussi léger qu'une plume. Ce contenu, après tout, rendrait peut-être possible la négociation d'un armistice. Si ces documents ne suscitaient pas la parole, rien n'y parviendrait. Ces documents, et aussi la nouvelle terrible de la mort de lady Quartermaine.

En débattant de l'attitude à adopter vis-à-vis de cette révélation, Jung avait d'abord envisagé de garder le sujet pour un entretien ultérieur, de ne pas l'associer aux armes de son arsenal...

Franchement, Carl Gustav ! Des armes ! Un arsenal ! Quelle attitude pompeuse !

Je ne me soucie que de son bien.

En le frappant sur la tête avec un marteau ? En l'assommant avec un maillet ? En lui envoyant des coups de pied dans les tibias et des gifles en pleine figure ?

Je dois être cruel pour mieux le ménager par la suite.

Oh, bonté divine!

Eh bien, c'est vrai. Je l'ai dorloté trop longtemps.

Il me semble pourtant que c'est toi qui as été dorloté. Tu fais preuve envers ta petite personne d'une prévenance que tu es loin d'avoir pour Mr. Pilgrim, puisque tu n'as même pas la simple politesse de le traiter comme un patient. Au lieu de quoi, tu le traites comme un prix. Un trophée. Regardez donc ce que j'ai ici! Une bizarrerie d'entre les bizarreries! L'homme qui ne peut pas mourir! Et je suis son gardien! Moi seul!

À ma grande honte, la vérité, c'est que j'ai peur de lui.

Ce n'est qu'un être humain comme les autres, Carl Gustav. De ceux dont tu t'occupes tous les jours.

Ah oui?

Regarde ce couloir. Qu'est-ce que tu vois? Une dizaine de portes derrière lesquelles se cache la race humaine dans toute sa complexité et ses manifestations les plus étonnantes. Dans la suite 308, une fosse aux ours. Dans la 309, la lune. Là-bas, dans la 301, une virtuose de la musique convaincue que ses mains, qui ne lui obéissent plus, sont celles de Robert Schumann. Dans la 304, un homme qui écrit sans discontinuer dans un carnet imaginaire. Tu as ouvert ces portes jour après jour depuis près d'un an, et tu n'as jamais douté de ta capacité à prendre tes patients tels qu'ils sont, et ce, sans la moindre appréhension. Qu'y a-t-il de si différent à propos de Mr. Pilgrim pour que tu en viennes à douter de cette même capacité à accepter son cas? Rien, Carl Gustav. Rien du tout. Au début de chaque expédition à cet étage, tu t'es avancé dans le noir avec pour seuls bagages ton intelligence, ton intérêt, ton instinct, ta compréhension de la psychiatrie et ton dévouement à la médecine. La seule chose qui te manque, c'est la volonté d'admettre l'étendue de ton ignorance.

À cet instant, Furtwängler parut à l'extrémité du couloir, accompagné par une jeune femme à l'air passionné qui portait une blouse d'interne. Aussitôt, Jung eut l'impression de voir Emma – en plus mince, un peu plus jeune aussi, sans aucun doute, mais c'était bien Emma. Avec des cheveux plus foncés, une stature plus petite, des manières plus exubérantes. Visiblement, elle avait toute l'attention de Furtwängler et en profitait pour déverser un flot de paroles. Ce qui, en revanche, ne ressemblait pas du tout à Emma. Celle-ci n'aurait jamais eu des gestes aussi excités. Elle n'aurait jamais accordé à Furtwängler le bénéfice d'un tel enthousiasme. Elle aurait néanmoins fait une compagne également aimable. Ce qu'elle était d'ailleurs, quand elle était plus jeune. Avant...

Carl Gustav.

Oui, oui, c'est vrai. Mon rendez-vous avec Mr. Pilgrim. Il n'empêche, je pourrais attendre d'être présenté à cette jeune personne. Si séduisante... Si...

Non, Carl Gustav. Remets-toi au travail. Après tout, pour le moment, c'est toi qui es chargé du cas de Mr. Pilgrim.

Bien sûr.

Jung vit Furtwängler s'arrêter juste un peu avant la chambre 308.

« Mr. Leveritch vit dans une fosse aux ours, informa-t-il sa jeune compagne. Préparez-vous. »

Au moment de franchir la porte, Furtwängler gratifia Jung d'un sourire que son confrère ne lui rendit pas. Au lieu de quoi, il pénétra dans la suite 306.

« Je vous attendais », annonça Pilgrim.

La lumière du soleil était éblouissante, et lorsque ses yeux se furent plus ou moins accoutumés à la clarté ambiante, Jung découvrit son patient assis dans la chambre sur une chaise à dossier droit – le fauteuil roulant ayant été repoussé dans un coin sombre.

Kessler, debout près de Pilgrim, avait placé une main protectrice sur son épaule.

« Bonjour, docteur, dit-il avec un sourire.

– Oui, bonjour », répondit Jung, toujours à moitié aveugle.

Il coula un regard furtif en direction de Pilgrim. Celui-ci avait-il réellement parlé, ou Kessler était-il ventriloque ? À moins que sa propre imagination enfiévrée ne lui eût joué un tour ?

Pilgrim était habillé de pied en cap, et sa tenue incluait une paire de bottes élégantes – blanches, comme l'étaient d'ailleurs son pantalon, sa veste et son gilet. Il portait également sous son col haut un nœud papillon de couleur vive rappelant l'insecte du même nom. Un nœud bleu, avec une touche de violet – une teinte intermédiaire, ni franchement l'une, ni franchement l'autre – qui semblait presque s'être posé là de sa propre volonté. De sa poche de poitrine émergeait un mouchoir d'une nuance semblable, en forme de volute gracieuse, comme de la fumée.

Son expression en cet instant évoquait celle d'un enfant dans l'attente de bonnes nouvelles qui viendrait de deviner qu'elles sont mauvaises.

Jung détourna les yeux, cherchant un refuge.

Une chaise avait été placée au pied du lit. Ainsi qu'une table, et sur la table, un cendrier. *Là.*

Jung alla s'y installer et posa le porte-musique sur le couvre-lit à côté de lui.

Pilgrim suivait du regard chacun de ses mouvements. Soudain, il serra les poings et rassembla les genoux. Sa haute stature demeurait évidente, même quand il était assis. Son étrange coiffure n'allait pas sans rappeler celle d'un jeune garçon, avec ses cheveux qui lui retombaient sur le front comme à la suite d'un coup de vent ou d'un geste machinal. En dépit de sa pâleur, ses joues avaient rosi. Il aurait pu tout aussi bien revenir d'une promenade énergique dans le jardin.

« N'avez-vous rien à me dire ? demanda-t-il à Jung. J'espérais des félicitations. Mon costume blanc... le fauteuil roulant délaissé... le plaisir indéniable d'entendre le son de ma voix... » Pilgrim esquissa un sourire empreint de nervosité. « Mais bien sûr, vous l'avez déjà entendu... en certaine occasion. Je ne parviens pas à me souvenir du moment exact, le temps est si... quoi ? Déréglé ? Oui, je crois que c'est l'idée que j'avais en tête. *Détraqué*. Quelqu'un a dit cela. Hamlet, vraisemblablement. Hamlet a tout dit, n'est-ce pas ? Presque tout ce qui vous vient à l'esprit, du moment que c'est en vers blancs... »

Il se tut.

Kessler changea de position et déplaça ses doigts sur l'épaule de Pilgrim. Il fit passer son poids d'une jambe sur l'autre. Ses chaussures couinèrent. Il toussota derrière sa main.

Pilgrim baissa les yeux.

Jung leva les siens.

« Mr. Pilgrim... Il y a eu...

– Un accident », acheva Pilgrim d'une voix enrouée, comme s'il avait passé toute la semaine à crier.

Il jeta un coup d'œil oblique vers la fenêtre en redressant la tête.

« *Si vaste est la rivière*, chuchota-t-il. *Que je ne peux la traverser*.

– Je vous demande pardon ?

– C'est une chanson. Juste une chanson. Est-ce qu'elle est morte ? Mon amie ?

– J'en ai bien peur. Oui. »

Pilgrim se mit debout. La main de Kessler retomba.

« Je le porte pour elle, déclara Pilgrim en ajustant son nœud papillon. Je devais déjà le savoir, je suppose. De fait... je le savais. J'espérais seulement que vous... » Il s'approcha de la fenêtre. « Je me disais que vous étiez peut-être venu me détromper.

– Hélas, non.

– Un accident, donc.

– Oui. Dans son automobile. Lady Quartermaine a été tuée sur le coup, je peux vous l'assurer. »

Pilgrim haussa les épaules.

« Pourquoi les gens se sentent-ils toujours obligés d'ajouter cela ? lança-t-il. Ce n'est jamais vrai. Vous en êtes parfaitement conscient. Si je dois placer ma confiance en vous, docteur, il va falloir faire mieux.

– Désolé.

– Vous pouvez tout me résumer en un mot. Contentez-vous de le dire.

– Avalanche.

– Avalanche.

– Oui.

– Je comprends. »

Un soupir échappa à Pilgrim. En esprit, il voyait l'image de la Daimler gris argent retournée, renversée comme par un enfant façonnant une boule de neige géante. À l'intérieur, les occupants se retrouvaient ballottés, telles des souris de laboratoire dans une roue en mouvement. Il tendit la main, laissa courir ses doigts sur la bordure du rideau de gaze à sa droite.

« Miss Peebles l'accompagnait-elle ?

– Non.

– C'est ce que je pensais.

– Il n'y avait que son chauffeur.

– Il devait avoir un nom, docteur Jung. En général, ils en ont un.

– Oui. Il s'appelait Otto Mohr.

– Mort sur le coup lui aussi, sans aucun doute.

– On ne peut que le lui souhaiter. »

Pilgrim pivota vers la pièce.

« Je remarque que vous avez apporté un porte-musique d'enfant. »

Surpris que Pilgrim eût remarqué la sacoche, et plus encore, qu'il eût deviné à qui elle appartenait réellement, Jung se borna à murmurer :

« Je l'ai emprunté à ma fille. »

D'un geste, Pilgrim indiqua le lit, où était posé le porte-musique.

« Contient-il un présent pour moi ? » demanda-t-il.

Il y avait quelque chose de sournois dans sa question. Presque comme s'il se moquait de Jung, qui ne savait trop comment réagir.

Son patient se tenait désormais sur sa gauche, au milieu de la chambre.

« Un jouet, peut-être ? fit Pilgrim. Je suis moi-même comme un enfant, après tout, poursuivit-il. Et le sac d'un enfant contient toujours au moins un jouet. Si vous m'en offrez un, je vous en serai à jamais reconnaissant. N'en va-t-il pas ainsi avec les petits ? »

Jung se leva.

« Pas de jouets, j'en ai peur, déclara-t-il. Mais une lettre. »

Il s'approcha du porte-musique, le déboucla et en retira une enveloppe.

« Tenez », dit-il, avant de la tendre à Pilgrim.

Celui-ci se dirigea vers la fenêtre du salon la plus éloignée avant de sortir la missive de son enveloppe blanche.

Du blanc, du blanc, du blanc partout, pensa Jung. *Pourquoi ? Est-ce japonais ? Du blanc pour le deuil, du noir pour la fête ? Quelque chose...*

Brusquement, Pilgrim laissa tomber la lettre. Il ne pouvait en avoir lu plus d'une ou deux phrases.

En proie à une certaine nervosité, Jung attendit que Pilgrim ramassât les feuillets éparpillés. Cet homme avait forcément envie de savoir ce que son amie avait à lui dire, et pourtant, il demeurait figé, l'enveloppe pendant de sa main. Avec lenteur, gagné par une panique muette, Jung se tourna vers le porte-musique. À peine avait-il jeté un coup d'œil à l'intérieur qu'il comprit sa méprise. La lettre de lady Quartermaine s'y trouvait toujours.

Il alla dans le salon, se pencha et ramassa lui-même les pages éparses avant de récupérer l'enveloppe entre les doigts de Pilgrim.

Alors qu'il rejoignait la chambre et le porte-musique, il posa un regard accablé sur le texte devant lui.

Il y avait de la musique, c'est exact. Des nains, il n'y en avait point, en dépit de votre promesse...

Il avait donné à Pilgrim la lettre d'Elisabetta à Léonard, alors qu'il n'avait bien entendu pas l'intention de la lui montrer. Si son patient apprenait qu'il avait accès à ses journaux, il serait en droit de les réclamer, et Jung serait ainsi privé d'une ressource précieuse dans sa quête pour rendre la raison à cet homme. Tout d'un coup, il en vint à espérer que Pilgrim n'avait pas inventé la missive lui-même par quelque acte de l'imagination, mais qu'il l'avait trouvée en train de moisir au fond d'archives méconnues, auprès desquelles lui-même pourrait prétendre en avoir obtenu une copie. *Prie Jesu.*

Ah, oui... le syndrome du trésor-enfoui-découvert-par-hasard, auquel tant de rêveurs succombent...

Je croyais que tu étais d'accord pour ne plus interférer.

Je ne suis là qu'en qualité d'observateur, Carl Gustav. De témoin*, comme disent les Français. Je pourrais partir, bien sûr. Mais si je m'en

---

* En français dans le texte. (N. d. T.)

vais, le compte-rendu précis de cette rencontre disparaîtra avec moi. Après tout, je suis ta mémoire autant que ta conscience.

Je ne veux pas de conscience.

Eh bien, tu en as une, navré d'avoir à te le rappeler. Si je puis me permettre de te poser la question, pourquoi n'en veux-tu pas ?

Parce que tu constitues un obstacle à la spontanéité.

Ne me fais pas rire, Carl Gustav ! Ne me fais pas rire. Dans ta vie, la conscience n'intervient jamais *avant le fait, mais toujours après. Ce qui explique que tu sois un scientifique plutôt qu'un philosophe, un psychiatre plutôt qu'un chirurgien. Dans tout ce que tu entreprends, tu fonces sans t'accorder le temps de réfléchir. Si tu m'avais consulté plus tôt, tu n'aurais jamais accepté les journaux de Mr. Pilgrim. Tu les aurais immédiatement rendus à lady Quartermaine. Ton jugement, jusque-là en tout cas, a toujours été empirique. Tu ne m'écoutes que lorsqu'il est trop tard. Mais...*

L'Inquisiteur soupira, avant de prendre une profonde inspiration intérieure.

... je suis à toi, et tu es à moi. Dans le langage américain d'Archie Menken, parfois si exaspérant tant il est approprié, toi et moi, nous sommes inséparables. *Et tu devrais savoir, il me semble, que ton patient pose sur toi un regard chargé d'espoir. Entre autres choses, avant que tu ne lui tendes la lettre fatale, il a dit : « Si vous m'offrez un jouet, je vous en serai à jamais reconnaissant. »*

Jung replia les pages traîtresses pour les glisser dans l'enveloppe, qu'il rangea dans le porte-musique. Où, à portée de main, se trouvaient deux autres enveloppes, l'une contenant des photographies, et l'autre, la lettre de Sybil Quartermaine. Ainsi que la monographie sur le papillon appelé *psyché.*

Il la sortit, de même que les clichés.

Des jouets, hein ?

Eh bien, c'était ce qui s'en rapprochait le plus. Des *divertissements.* Ce qu'il fallait à Pilgrim en cet instant. Non pas la lettre d'une amie défunte, mais quelque chose de complètement différent. Après tout, le choc provoqué par la confrontation avec les mots de la Joconde risquait de l'inciter de nouveau à se murer dans le silence, ce qui ne devait en aucun cas se produire.

Jung retourna auprès de Pilgrim.

« J'ai pensé que vous aimeriez jeter un coup d'œil à ceci », dit-il en approchant les photographies de la lumière.

Certaines, bien sûr, ne signifieraient rien pour Pilgrim. La jonquille, le buste du Dr Forel, la façade de la maison des Jung à Küsnacht. Emma enceinte, les enfants – Agathe, l'aînée, tenant

Marianne, la benjamine –, Anna et le petit Franz. Et les chiens, Phi-lémon et Salomé.

Non. Ne lui montre pas celles-là. Trop de visages heureux. Une autre fois, peut-être. Mais pas aujourd'hui.

Les photos de lady Quartermaine et de Pilgrim dans le jardin, oui. Mais pas celle où figuraient Otto Mohr et la Daimler gris argent. Ne s'agissait-il que d'une coïncidence si ces dernières images se juxtapo-saient si précisément aux événements qui avaient suivi ?

Et, bien sûr, le papillon.

« J'ai apporté ceci, annonça Jung en traversant la pièce. Je les ai prises la semaine dernière, vous vous en souvenez peut-être. Elles vous représentent tous les deux ensemble. Dans le jardin. Le jardin, dehors, juste à gauche de la… »

Ne prononce pas le mot clinique.

« … du bâtiment. »

Jung battit les photographies. Comme un jeu de cartes.

Choisissez une carte. N'importe laquelle. Ne me dites rien. Remettez-la dans le jeu…

Il déploya les images en éventail avant de les présenter à son patient, cachant de sa paume celle du papillon, qui devait venir en dernier.

Pilgrim saisit l'éventail, qu'il referma.

Baissant les yeux, il découvrit Sybil assise sur le banc.

Comme elle est belle, songea-t-il. *Elle l'est, l'était et le sera toujours.*

« Puis-je garder celle-ci ? demanda-t-il. Celle-ci seulement. J'aime-rais l'avoir auprès de moi.

– Bien sûr. Aucun problème. »

Jung reprit les autres photographies.

« Il y a un cadre en argent sur la commode, ajouta Pilgrim d'un ton rêveur. Une photographie de la femme qui se prétendait ma mère, bien que je sache aujourd'hui à quoi m'en tenir à ce sujet. Je n'ai plus besoin d'elle et, de toute façon, je ne veux plus la voir. Je vais la détruire, la brûler enfin et la jeter dans les toilettes. »

Il leva les yeux, puis sourit à Jung tel un enfant malfaisant dont les parents seront un jour assassinés. Jung sentit un frisson lui parcourir l'échine. Malgré ses efforts pour ne rien laisser paraître de sa stupeur, il parvint tout juste à hocher la tête en signe d'assentiment.

« Ensuite, je la remplacerai par cette photographie de Sybil, que je regarderai chaque jour. Je vous remercie de me l'avoir donnée. Vous êtes gentil. Très gentil. Plus que gentil. Vous êtes attentionné et préve-nant. Doté d'une nature compréhensive. Plein de compassion. Quel fardeau ce doit être que d'aimer la race humaine à ce point ! Un fardeau accablant, j'imagine. Accablant, écrasant. De quoi consumer son âme, la ruiner, presque. L'annihiler. Quand je pense que vous faites des choses aussi aimables, gentilles, généreuses que d'offrir des photographies de défunts… ! C'est inconcevable. Une sorte de miracle – que dis-je, l'essence même du lait de la gentillesse humaine ! Votre système de classement doit vous coûter une fortune en entretien ! Des caves pleines de photographies ! L'espèce humaine tout entière ! Et cela rien qu'avec votre petit appareil photo ! Puis-je le voir ? Un jour, j'aimerais le voir. Vraiment. Sincèrement. Absolument. Le Dr Jung et sa *camera compassionata*. Pensez donc ! L'espèce humaine tout entière, en noir et blanc… »

Autant de propos que Pilgrim avait énoncés d'une voix traînante, nonchalante, ensommeillée, en adoptant une pose alanguie, la photographie pendant de ses doigts à la façon dont un mouchoir pendrait des doigts d'un conteur aux allures de dandy divertissant son hôte avec des anecdotes amusantes. Mais ses yeux démentaient toute velléité d'humour ou d'amusement. Ils se rétrécirent peu à peu, jusqu'au moment où, au terme de sa diatribe – car c'en était bien une –, ils se fermèrent.

Brusquement, Pilgrim s'écria :

« POURQUOI M'AVOIR OBLIGÉ À LA REGARDER ? ELLE EST MORTE ! ELLE A RÉUSSI LÀ OÙ JE SUIS CONDAMNÉ À ÉCHOUER. POURQUOI M'AVEZ-VOUS MONTRÉ CELA ? POURQUOI ? »

Jung tendit la main vers lui, puis le guida jusqu'à un fauteuil, où il le força à prendre place avant de demander à Kessler de lui apporter un verre d'eau.

Pilgrim demeura assis, l'air abattu, le cliché retourné sur ses genoux.

Après s'être écarté de lui, Jung rangea dans sa poche les autres images, dont celle du papillon.

Il se rendait bien compte qu'une fenêtre, sinon une porte, avait été ouverte, incitant Pilgrim à déverser un flot de paroles. Mais il ignorait encore quelle serait la prochaine étape. Pourquoi, par exemple, Pilgrim n'avait-il pas mentionné la lettre d'Elisabetta ? N'avait-il réellement aucune idée de ce dont il s'agissait, ou touchait-elle à quelque chose de si profondément enfoui dans sa psyché qu'il ne pouvait en parler ?

Lorsque Kessler revint, il tendit un grand verre d'eau à Pilgrim et un autre à Jung. En cas de guerre, s'était-il dit, les deux camps sont aussi assoiffés l'un que l'autre.

6

Une promenade dans le jardin lui ferait le plus grand bien. Carl Gustav ne rentrerait pas pour le déjeuner, ayant pressenti que son entretien avec son patient Mr. Pilgrim serait *traumatisant* d'une façon ou d'une autre. C'était bien le terme qu'il avait employé, sans avoir l'intention cependant d'en faire une lecture clinique. Il voulait juste donner à sa femme une idée de l'ampleur de ce qui risquait de se produire entre lui et son *adversaire récalcitrant*.

« Franchement, Carl Gustav, avait dit Emma, vous ne devriez pas qualifier vos patients d'adversaires. Ce ne sont pas vos ennemis.

– Si, ils le sont, avait répliqué Jung. À leur façon, ils le sont. Chaque patient est comme un territoire perdu lors d'une guerre, ou une région de la patrie qu'il faut reconquérir. Vaincus par certains aspects de leur maladie ou de leur état, ils sont persuadés d'être désormais les citoyens d'un autre pays. D'où leur tendance à manifester autant d'hostilité. Leurs démons leur ont fait de la propagande et les ont obligés à réciter quelque catéchisme étranger. Or, à long terme, ils finissent par y croire, à ce catéchisme. C'est tout le problème de la maladie mentale, Emmy. Comme Pilgrim lui-même l'a écrit dans son journal, bien qu'il place les mots dans la bouche de Léonard de Vinci : *Tout cherche à vivre, y compris la contagion.* Le but de la bataille consiste à gagner la lutte non seulement contre la maladie ou l'état psychotique, mais aussi contre la victime qui en souffre. C'est pourquoi il est nécessaire d'écouter et de croire. C'est pourquoi j'encourage la comtesse à continuer de vivre sur la lune. Tant que je n'aurai pas identifié la voix de la lune – ou du moins, la version qu'en donne Tatiana Blavinskeya –, je n'aurai aucun moyen de l'aider. Ce n'est pas assez, pas assez, jamais assez de faire ce que fait Furtwängler en se contentant de lui dire qu'il n'y a pas de vie sur la lune. Si elle est persuadée du contraire, à nous d'en découvrir la raison.

Rappelez-vous la lutte menée par votre sœur Mutti contre la tuberculose, poursuivit-il. *Cela va me tuer*, disait-elle. Se lamentait-elle, plutôt. Vous en souvenez-vous ? *Oh ! Oh ! Oh ! Je vais en mourir*, gémissait-elle, *c'est certain !* N'est-ce pas ? Pure propagande. Rien de plus, rien de moins. La contagion met en place un ministère de la Culture et se charge de distribuer les tracts et autres communiqués. *Vous êtes une nation conquise! Ne résistez pas. L'issue de notre occupation ne peut être que votre mort!* N'est-ce pas? Vous vous rappelez? Pourtant, nous avons gagné. Et pourquoi? Parce que nous voulions son retour parmi nous, et que nous avons établi notre propre ministère de la Culture pour la revendiquer, la reconquérir. Nous n'avons jamais nié l'existence de l'autre ministère. Nous avons entendu ce qu'il lui disait et nous avons répliqué en conséquence. Nous lui avons assuré que des traitements étaient mis au point. Qu'elle n'avait pas besoin de mourir. Nous lui avons répété de ne pas se rendre. Nous l'avons mise dans le meilleur sanatorium de toute la Suisse. Nous lui avons donné de l'espoir et, un an plus tard, elle en sortait aussi solide qu'un cheval.

— Et encore un an plus tard, elle décédait.

— Certes, avait admis Jung. Certes. Mais seulement parce qu'elle est retombée sous l'emprise du désespoir. Et le désespoir se révèle toujours fatal. »

Emma enfila son manteau, noua une écharpe autour de son cou et enfonça un bonnet de laine verte sur ses oreilles. *Je ressemble à un ours,* songea-t-elle lorsqu'elle se vit dans le miroir de l'entrée. *Une grosse maman ours enceinte.*

« Bonjour, maman ours! » lança-t-elle à son reflet, qu'elle salua d'une main gantée.

Elle était enceinte de cinq mois presque jour pour jour. Cela remontait au 10 décembre de l'année précédente. Elle l'avait inscrit dans son journal intime au matin du 11 décembre. *Dans le mille! Dans le mille! En plein dans le mille!* avait-elle écrit. *Une femme le sait toujours.*

La nuit du 10 décembre avait été mémorable. Noël approchait. Bientôt, l'école allait libérer les filles pour les vacances. Franzie fabriquait un Père Noël dans la nursery avec Albertine, la gouvernante des enfants. C'était un dimanche, un jour de fête. Chute de neige. *Tannenbaum.* Musique. Et invités.

En esprit, elle revoyait un ensemble flou de visages amicaux, tous avec les joues roses, tous grisés par le vin. Il y avait des rires. Des danses. Anna qui jouait au piano une version pour un doigt de *Frère Jacques. Oh, oh, oh, et Carl Gustav qui me regardait du bout de la table avec cette lueur familière dans les yeux...*

Et dans notre lit, sans même attendre d'avoir enfilé chemise de nuit ou pyjama, nous avons rejeté les couvertures, et il a joué avec moi comme s'il venait de découvrir ce que j'étais. Et ça! Et ça! Et ça! UNE FEMME! *Et il a posé sa tête sur ma cuisse et m'a ouverte à la manière d'un homme s'apprêtant à savourer une pêche – une première pêche, puis une deuxième, et ainsi de suite – et moi, j'étais le verger, un verger de pêches. Et lorsqu'il est venu en moi en se guidant avec sa main, j'avais tellement envie de lui que j'en ai pleuré. Ensuite, nous avons chevauché ensemble, mes chevilles pressées contre ses flancs – mon cheval –, et nous avons chevauché, chevauché, et je l'ai mordu dans le cou…*

Emma éclata de rire en se remémorant ce moment.

Et lorsque c'était arrivé…

Lorsque c'est arrivé, je l'ai senti. Je l'ai senti s'enfoncer jusqu'au plus profond de moi, et je l'ai senti jaillir, décharger *disent certains hommes, comme s'ils avaient tiré un coup de feu.* Dans le mille ! Dans le mille ! En plein dans le mille !

Tout cela est vrai. S'est réellement passé ainsi. Et je l'ai su à l'instant même : C'est un enfant, *ai-je pensé.* Un enfant. Nous avons fait un autre enfant.

Soudain, Emma s'immobilisa. Comment était-elle arrivée là, derrière la maison, dans le jardin ? Elle ne se rappelait pas. Mais peu importait. Le souvenir de leurs ébats l'avait portée sans qu'elle s'en rendît compte, perdue qu'elle était dans l'évocation de ce moment, dans sa narration.

J'aime le passage sur les pêches.

Elle sourit, écarta une branche de cèdre et se dirigea vers le lac.

Nous avons aménagé ici une si jolie maison et un si joli jardin… De nos propres mains. Et à notre propre idée. Nous avons été, nous sommes, si heureux en ces lieux. Carl Gustav, moi, les enfants, même les domestiques. Notre existence à tous est si parfaite…

À une exception près. Une unique exception fâcheuse. Et moi, bien sûr, je n'en ai pas tenu compte. Pourtant, cela m'a rendue si malheureuse, si peu sûre de moi. Sabina. *Au moins, son nom était approprié !*

De nouveau, elle éclata de rire.

Parvenue au bord de l'eau, elle s'immobilisa sur la plage de galets et laissa son regard dériver vers le lac.

Sabina Spielrein.

Au début, c'était une patiente de Carl Gustav. Ensuite, elle était devenue son élève. Il l'avait soignée pour *hystérie.*

Quoi que ce fût…

L'un des termes favoris de Freud, repris par Carl Gustav car il ouvrait tout un monde d'interprétations. *Hystérie.* D'ordre sexuel, bien sûr. Un mot chargé de tensions sexuelles et de manifestations possibles. *Mon Dieu, la pauvre* – la formule était de Carl Gustav en personne –, *la pauvre a eu le malheur de tomber amoureuse de moi !*

Oh, la pauvre, chère enfant ! Oh, mon pauvre, cher mari ! Le pauvre, cher docteur et la pauvre, chère Juive innocente avec ses grands yeux noirs innocents de la taille d'une soucoupe! Oh, le pauvre, cher couple, battant de leurs pauvres, chers cils en se regardant dans les yeux! Oh, qu'allons-nous faire? Mais qu'allons-nous faire? Eh bien, mais copuler, évidemment! C'est la seule chose adéquate et hystérique à faire!

Grands dieux! Et dire que je lui ai pardonné!

Pourquoi lui ai-je pardonné? Comment?

Sabina voulait un enfant de lui. Seigneur, elle voulait un enfant de mon mari! Elle le lui a dit. Notre enfant d'amour juif-aryen. *Ce sont les propres termes qu'elle a employés.*

Mais moi seule...

Moi seule suis sa femme.

Moi seule suis la mère de...

Moi seule suis son verger.

Moi seule.

Moi.

Il y a aura de la soupe pour le déjeuner. De la bonne soupe à la tomate, des tomates d'Espagne – des tomates, de la laitue et des oignons hors saison importés d'Espagne. In the merry, merry month of May*.

De l'anglais. Tout me vient en anglais. Pourquoi?

À cause de cette femme. La marquise de Quartermaine. Duchesse de Baur au Lac. Comtesse de l'Avalanche. Dame Mort en personne.

Il l'a eue aussi, je parie.

Il le souhaitait, en tout cas. Il y pensait. Il en rêvait. Il l'a envahie en se faisant passer pour le sauveur de son ami. Combien d'invasions de ce genre y a-t-il eu? Je ne le saurai jamais, j'en suis sûre. Patientes, infirmières, étudiantes, amies titrées amenant leurs protégés à sauver. Il établit son ministère de la Culture et lance sa campagne. C'est ce qu'il a fait avec moi. La grande invasion de l'époux, en décembre 1911! *Avec pour* conséquence *l'occupation par les forces impériales: ceci – son enfant. Notre enfant.*

Et donc, ce qui vaut pour l'un vaut aussi pour l'autre. Pourquoi pas?

Mais qui vais-je choisir? Un jardinier espagnol avec d'épais cheveux noirs et des bras musclés, qui m'apportera des oignons et des tomates sur ses genoux nus? De grosses tomates bien mûres nichées dans ses poils noirs bouclés, répandant leur jus sur ses cuisses, et je...

Si Carl Gustav en est capable, moi aussi.

---

* En ce joyeux, joyeux mois de mai. (N. d. T.)

Mais non.

Je suis Emma Jung, sa femme. Je suis Emma Jung, la mère de... Moi seule suis son verger. Moi seule...

Moi.

Rentre, soupire et estime-toi heureuse. Il n'y a pas de jardiniers espagnols par ici. Juste de la soupe à la tomate. Et cette belle journée ensoleillée. Cette journée dégagée, toute de ciel bleu, sans amour.

Emma écarta les pieds dans ses bottes en caoutchouc à bouts carrés, creusant avec ses talons des trous pleins d'eau parmi les galets. Elle plaça les mains à l'intérieur de son manteau pour soutenir son ventre. *Je suis la porteuse de bonnes nouvelles*, pensa-t-elle. *D'une vie toute neuve. Qui sauvera l'ancienne. Rien d'autre ne compte.*

Sur le lac, il y avait trois mouettes blanches.

En elle, Emma sentit un coup de pied.

Elle sourit.

« Bonjour, dit-elle au bébé. Il y a trois mouettes blanches sur le lac. Trois mouettes blanches sur le lac et, autour de nous, peux-tu humer ces odeurs ? Oh, je l'espère, ce sont celles de notre jardin qui ressuscite, et je – et toi et moi, nous sommes cloîtrés ici, au paradis, et rien, rien, *rien* ne pourra jamais plus gâcher notre bonheur. Je ne le permettrai pas. »

Il n'y avait pas eu d'enfant d'amour juif-aryen. Sabina Spielrein avait épousé un médecin russe et s'en était allée. L'Anglaise avait connu une fin tragique, certainement pas une fin qu'Emma aurait souhaitée à quiconque. Mais elle avait disparu, elle n'était plus qu'un souvenir aujourd'hui, et tout était pour le mieux.

En se détournant, Emma vit le jardin qui descendait en pente douce jusqu'à ses pieds – avec ses fleurs, ses pelouses, ses arbres, ses allées et ses destinations, son bosquet de trembles, son pavillon d'été, ses bancs installés à l'ombre de la tonnelle et la maison elle-même au-delà, orientée à l'ouest vers le soleil. Et elle se réjouit que *tant de choses offrent l'espoir et si peu de choses le désespoir en cet instant, ce moment intime que je partage avec mon enfant lors de cette promenade, alors que je suis baignée par le soleil dans le jardin de mon amour, et que je tiens une cuillère posée au bord d'un bol de soupe à la tomate d'Espagne.*

7

« J'ai toujours admiré cette vue, commença Jung. Les fenêtres de mon bureau en offrent une presque semblable: les arbres, les montagnes au loin qui les dominent... Je dois bien le reconnaître, je regarde tout cela chaque fois que je suis fatigué, ou déprimé. C'est si paisible...

– Sauf en cas de tempête », répliqua Pilgrim.

Jung s'était levé. Pas Pilgrim. Il était toujours assis légèrement de biais dans son fauteuil, le verre d'eau – désormais vide – à la main, la photographie sur ses genoux.

« La paix ne m'intéresse pas le moins du monde, ajouta-t-il. Ce que je veux – la seule chose à laquelle j'aspire –, c'est la mort. Et vous ne me l'accorderez pas.

– Je n'en ai pas le pouvoir, déclara Jung. Un médecin, par définition, se consacre à la vie. Et vous le savez.

– Je le sais, oui. C'est la raison pour laquelle vous êtes tous tellement inutiles.

– Je vous l'ai déjà dit, Mr. Pilgrim. Si vous voulez vous tuer, allez-y. Du moment que telle est votre décision, il n'y a pas grand-chose que je puisse faire pour vous en empêcher.

– Alors, pourquoi avez-vous essayé?

– Essayé quoi?

– De m'en empêcher.

– Je refuse de vous aider à mourir, et je refuse de vous laisser mourir, Mr. Pilgrim. Il vous faudra accomplir votre dessein ailleurs que dans mon domaine d'activité. Mais on vous a placé sous ma responsabilité, et tant que vous le resterez, je suis tenu par mon serment de veiller à votre survie, dussé-je pour cela vous ressusciter aux portes de la mort. »

Pilgrim retourna le verre entre ses doigts, puis regarda la photographie dont il avait sous les yeux le verso.

« Puisque c'est mon amie qui m'a confié à vos soins et qu'elle a la chance d'être décédée, suis-je désormais libre de partir? s'enquit-il.

– Non. Vous demeurerez ici aussi longtemps qu'il le faudra pour affronter, sinon résoudre, votre dilemme; à savoir, pourquoi vous voulez mourir.

– Je le veux, parce que j'en suis incapable.

– Lorsqu'il s'agit de mourir, tout le monde en est capable, Mr. Pilgrim. Ainsi en va-t-il de la condition humaine. Mais pourquoi ne pas attendre que la nature suive son cours et vous tue comme elle nous tue tous – avec le temps, la maladie, lors d'une guerre ou au cours de quelque accident? Pourquoi rejetez-vous votre humanité?

– Ce n'est pas moi qui l'ai rejetée, mais elle qui m'a rejeté. J'en suis dépourvu, je n'ai aucun de ses privilèges.

– Il s'agit là d'une affirmation incompréhensible. Lorsque je vous observe, lorsque je vous regarde, tout ce que je vois, c'est un être humain au dos bien droit, qui respire, qui vit. Un être humain malheureux, je vous l'accorde. Un être humain tourmenté. Mais il me paraît ridicule de prétendre que vous n'avez pas accès aux privilèges de l'humanité. Il y a un toit là-haut, au-dessus de votre tête; de la nourriture sur la table; de l'argent dans votre poche; des habits sur votre dos...

– Toutes ces choses sont *acquises*, docteur Jung. Ce sont des privilèges achetés en boutique. Les fruits de mon labeur. Mais j'entendais celui d'évoluer en liberté, de faire des choix, de ne pas être voué à l'échec dans ma quête de la mort. J'aspire au privilège de ne plus jamais, jamais, jamais avoir à m'incliner trois fois en murmurant: *Qu'il en soit fait selon Votre volonté.* Seulement *Votre* volonté. *Jamais* la mienne.

– Je n'ai pas le sentiment de vous avoir imposé quoi que ce soit, Mr. Pilgrim.

– POURQUOI PENSEZ-VOUS QUE C'EST DE VOUS QUE JE PARLE, ESPÈCE DE CRÉTIN PRÉTENTIEUX! »

Pilgrim délaissa son siège pour se diriger vers la porte du salon.

« Il existe des puissances bien supérieures à C. G. Jung, docteur Vanité! Docteur Narcisse! Docteur Orgueil! Il existe des puissances bien supérieures à Dieu! »

Il disparut hors de vue, puis Jung et Kessler entendirent un bruit de verre.

Comme Kessler s'avançait, Jung le retint.

« Non, dit-il. Je m'en occupe. Ne bougez pas. »

Alors qu'il se dirigeait à son tour vers la porte, Jung se rendit compte qu'il avait les mains vides. *Non*, décida-t-il. *Il me faut quelque chose pour distraire son attention.*

Son patient, devant une fenêtre, lui tournait le dos. Des éclats de verre étaient éparpillés près de la plinthe sous une grande glace cassée.

« Ignorez-vous que cela porte malheur de briser un miroir? lança Jung d'un ton aussi insouciant que possible afin de ne pas effaroucher son interlocuteur.

« – Quand tout le reste a échoué, appelez-en aux histoires de bonnes femmes, c'est cela ? La peur des chats noirs, la peur de marcher sur les fissures dans le sol, la peur de tuer les araignées à l'intérieur de la maison ? »

Pilgrim ne se retourna pas. Au lieu de quoi, il conserva une immobilité totale, le dos droit, raide comme un piquet. Jusqu'à ses doigts qui étaient figés sur la vitre comme s'il avait l'intention de les étudier un par un.

« Le seul malheur qui puisse m'arriver, docteur, c'est que je continue à vivre.

– Vous devez m'expliquer cela, Mr. Pilgrim. Dans la mesure où j'aime la vie, je trouve déroutante votre réaction envers elle. Vous n'êtes pas malade. Vous n'êtes pas dans les affres de la douleur physique. Vous n'êtes pas sans ressources. Vous n'êtes pas sans talent. Vous n'êtes pas méconnu. Vous avez des amis, d'après ce que j'ai compris, et un mode d'existence tout à fait satisfaisant. Vous avez à peine dépassé l'âge mûr, et vous traversez une époque que tout le monde s'accorde à reconnaître progressiste, créative et riche de promesses. Pourtant, vous avez envie de fermer les fenêtres, de verrouiller la porte et d'allumer le gaz. Cette attitude dépassant mon entendement, j'ai besoin d'éclaircissements. Considérez que je suis votre élève et que je ne sais rien. »

Pendant qu'il parlait, Jung s'était avancé dans la pièce, ignorant le miroir brisé et les fragments de verre. Ici, le mobilier d'osier arborait une nuance verte des plus plaisantes, avec des sièges tendus de coton bleu et rehaussés par des coussins enveloppés de toile orange flammé. Il y avait trois fauteuils et un petit canapé, ainsi que des tables disposées stratégiquement de façon à offrir le plus de place possible pour les cendriers, les magazines et les livres. Les rideaux, comme cela semblait de mise dans tout l'étage résidentiel de la clinique, étaient en mousseline blanche. Pilgrim les avait écartés à l'endroit où il se tenait ; désormais, ils l'encadraient tels des linceuls. Il n'y avait rien chez Pilgrim, conclut Jung en contemplant le dos de son patient habillé de blanc, qui n'évoquât la mort d'une manière ou d'une autre.

Le médecin s'assit le plus loin possible de lui, écartant « l'objet de distraction » qu'il avait prévu – la monographie sur les papillons appelés *psychés*.

« Si je devais vous révéler la vérité, docteur Jung, et aussi brillante que soit ma présentation, vous ne me croiriez pas. En tant que professeur – en tant que spécialiste de l'état dans lequel je suis –, vous m'abandonneriez sur-le-champ pour passer au candidat suivant.

– Mettez-moi à l'épreuve.

– Vous ne me croirez pas, répéta Pilgrim. Même Sybil Quartermaine, ma plus vieille amie, et également la plus chère et la plus compréhensive, ne comprenait pas totalement comment ce que je lui racontais pouvait être vrai.

– Mettez-moi tout de même à l'épreuve, insista Jung. Imaginez-vous dans la position de Darwin au début de son conflit avec la communauté scientifique. Ou dans celle de Galilée, peut-être, bataillant pour nous convaincre que le soleil ne tourne pas autour de la terre. Ou encore dans celle de Louis Pasteur confronté à la fureur ignorante de la profession médicale. Personne ne les croyait, eux non plus. Pas un seul quidam, au début. Mais aujourd'hui, nous savons que Darwin, Galilée et Pasteur avaient formulé des hypothèses indéniablement justes, et qu'ils avaient raison. Alors, mettez-moi à l'épreuve. Exposez-moi les choses le plus simplement possible. Rappelez-vous, dans ce domaine, je suis semblable à un enfant. Un enfant tout disposé à apprendre, mais néanmoins innocent. Je suis facilement meurtri lorsqu'il est question de convictions. Mais me voilà bien installé, comme vous pouvez le constater, et je ne risque pas de m'effondrer ni de me faire du mal, quoi que vous disiez. »

Pilgrim ne souffla mot.

Et puis ses doigts se déplacèrent. Ceux de sa main droite s'écartèrent plus largement sur la vitre alors que ceux de sa main gauche se repliaient doucement, comme pour retenir quelque insecte fragile dont il aurait peur d'abîmer les ailes.

« Il est vrai, reprit-il, toujours de dos, que je ne peux pas mourir. Il est également vrai que je vis depuis toujours. Bien sûr, il y a vérité et *vérité*. Le ciel est bleu. Pour vous, il s'agit d'une vérité. Nous le savons tous. Mais qu'est-ce que le bleu, docteur Jung ? Et si la couleur bleue pour moi correspondait à la couleur verte pour vous ? Y avez-vous déjà songé ? *Oh, oui*, affirmons-nous tous les deux, *le ciel est bleu* ; mais comment puis-je savoir si ce que vous voyez en bleu est aussi ce que je vois ? Alors, quand j'affirme : *Je vis depuis toujours*, comment vous faire comprendre ce que j'entends par là ? Après tout, il existe tant d'interprétations valides du mot *toujours*... N'est-ce pas ? Certains, par exemple, croient qu'ils vont passer instantanément d'une existence à une autre, vivre et mourir d'abord sous une première forme, puis une deuxième, etc., pour toujours. D'autres croient aux vampires, dont la vie est perpétuée par l'absorption du sang d'autrui. Mais je n'ai jamais été un renard, une libellule ou un arbre. J'ai toujours été moi – parfois un homme, parfois une femme –, mais toujours uniquement moi. Moi-même. Et je n'ai rien d'un quelconque monstre gothique terré dans un cercueil. Je pense que c'est assez évident. Vous n'aurez jamais à m'enfoncer un pieu dans le cœur, docteur Jung ; de toute façon, même si vous le faisiez, cela ne me tuerait pas. Rien ne peut me tuer. Rien. Pas même moi. Et je suis fatigué. Fatigué d'être captif de la condition humaine. D'être aussi éternellement humain.

– De telles pensées nous viennent à tous, Mr. Pilgrim.

– Lesquelles ? L'impression de vivre depuis toujours ?

– Quelquefois, c'est indiscutablement ce qu'on ressent, répondit Jung avec un sourire que Pilgrim ne vit pas.

– Je suis fou, bien entendu. Dément, poursuivit celui-ci. Je continue à croire que quelqu'un finira par me croire. Sauf que cela n'arrive jamais, d'où peut-être la raison de toutes ces tentatives pour m'ôter la vie ; quand les spécialistes s'apercevront que je devrais avoir succombé, mais qu'il n'en est rien, me figuré-je, l'un d'entre eux au moins finira par dire : *Voilà un homme qui ne peut pas mourir.* Mais personne ne le dit jamais. Jamais. »

Jung resta silencieux.

« Et maintenant, même vous, le champion émérite de l'impossible, vous ne me croyez pas. Alors, que dois-je faire ? »

Jung ferma les yeux. La souffrance de Pilgrim était tellement manifeste… Il était comme ce témoin proverbial qui, seul, avait vu tomber une étoile et ne parvenait pas à convaincre le monde que le ciel tombait lui aussi. Ou comme la jeune Bernadette qui avait vu la Sainte Vierge – mais quel individu sain d'esprit allait la croire ?

« *Muero porque no muero*, dit Pilgrim.

– Pardon ?

– *Je meurs de ne pouvoir mourir.* C'est ce qu'a dit saint Jean de la Croix, un Espagnol dérangé. Il l'a écrit. Mais personne n'a compris.

– Je vois.

– J'en doute.

– Le scepticisme est le refuge de l'idiot, Mr. Pilgrim.

– Certes. Mais qui est le sceptique, en l'occurrence ? Vous, ou moi ? »

Une pensée traversa l'esprit de Jung : *lady Quartermaine m'a dit, « dans son intérêt, je vous supplie de ne pas le contredire, au moins au début ».*

« Je n'ai pas encore affirmé que je ne vous croyais pas, objecta-t-il. Ce qu'il me faut, ce sont des preuves concrètes. Autres que votre simple survie. »

Pilgrim se retourna pour le regarder. Il y avait du soleil, il y avait des ombres, il y avait des serpentins de poussière dans l'air. Il y avait des éclats de verre étincelants et un miroir brisé à l'intérieur de son cadre. Il y avait aussi des papillons. Des dizaines de papillons. Partout.

Et il y avait Jung, l'ennemi.

Au-dessus de sa tête dansaient trois papillons. Leurs ailes avaient la couleur de la nacre et chacune s'ornait d'ocelles bleu clair.

Un sourire naquit sur les lèvres de Pilgrim.

Le monde recelait des choses incroyables. Licornes et fées, sirènes et miracles, chevaux ailés, citoyens de la lune et envoyés de Charon.

Et moi. À cette différence près que je suis visible.

Pilgrim s'approcha du miroir, dont il effleura la surface brisée, écorchant légèrement ses doigts au passage. Les yeux fixés sur son reflet fragmenté, il le dessina avec son sang.

« Toutes les pensées et toutes les expériences du monde, chuchota-t-il, ont été gravées et façonnées ici, sur ce visage… l'animalité de la Grèce, la luxure de Rome, le mysticisme de l'époque médiévale, le retour des idéaux païens, les péchés des Médicis et des Borgia… Je suis plus âgé que les montagnes derrière ces vitres et, tel le vampire que je méprise, j'ai connu plusieurs vies, docteur Jung. Qui sait, incarnant Léda, j'ai peut-être été la mère d'Hélène ; ou, incarnant Anne, la mère de Marie. J'ai été Orion autrefois, qui a perdu la vue et l'a recouvrée. J'ai également été un berger estropié esclave de sainte Thérèse d'Avila ; un garçon d'écurie en Irlande et un maître verrier à Chartres. Des remparts de Troie, j'ai assisté à la mort d'Hector. J'ai vu la première représentation d'*Hamlet* et la dernière prestation de Molière en tant qu'acteur. J'ai été l'ami d'Oscar Wilde et l'ennemi de Léonard de Vinci… Je suis homme et femme tout à la fois. Je n'ai pas d'âge, et je n'ai pas accès à la mort. » Il se retourna. « À propos, un papillon s'est posé sur votre pouce. »

Il pivota de nouveau vers la fenêtre pour l'ouvrir.

« Vous devez l'amener ici pour lui rendre sa liberté. »

Mais Jung pouvait à peine bouger. Il se sentait aussi exalté qu'alarmé.

« Abritez-le de votre autre main, conseilla Pilgrim, et amenez-le ici. »

Cette fois, Jung se leva et, délicatement, couvrit l'insecte de sa paume.

« Venez, maintenant. Dépêchez-vous. »

Jung se dirigea vers la croisée, conscient, mais aussi inquiet de ce qu'il sentait ou pensait sentir sous ses doigts. Un battement d'ailes.

À la fenêtre, il passa les deux mains dehors avant de les écarter.

« C'est fait, déclara Pilgrim. Vous avez enfin libéré votre imagination. »

Sur quoi, il referma la fenêtre.

8

La Daimler gris argent qui avait accueilli Sybil Quartermaine à son arrivée n'était pas là pour lui faire ses adieux. Elle avait survécu à l'avalanche, mais ayant besoin de réparations, on l'avait renvoyée chez ses fabricants en Autriche. Son départ avait eu lieu dans la matinée du mercredi 22 mai.

L'après-midi de ce même jour, à la quatorzième heure environ – c'est-à-dire deux heures –, le corbillard contenant le cercueil de Sybil fut conduit dans l'avant-cour de la *Hauptbahnhof* de Zurich, suivi par deux landaus décapotés dont les chevaux arboraient des panaches noirs et les cochers, les hauts chapeaux noirs et les brassards violets de circonstance.

Dans l'une de ces voitures, Phoebe Peebles était accompagnée par Forster, le majordome de Pilgrim. Assis avec eux se trouvaient également les Messager, le « jeune couple charmant » que Forster avait vu bavarder avec lady Quartermaine dans le hall de l'hôtel Baur au Lac. Tous étaient vêtus de noir.

Dans la seconde voiture, Jung était installé à côté de Pilgrim, alors que Kessler, assis en face d'eux, tournait le dos au cocher. Jung et Kessler portaient des costumes noirs. Sous son épais pardessus, Pilgrim était toujours habillé de blanc. Dans sa main, il y avait un petit bouquet de violettes et, sur sa tête, un large feutre mou couleur porto.

On avait fait venir sur place une charrette pour transporter le cercueil de Sybil jusqu'au train, qui déjà dégageait de la vapeur sur le quai numéro trois de la *Hauptbahnhof*.

C'était une journée splendide, *avec un ciel dégagé, immense et bleu*, comme le noterait Jung dans son journal. Lorsque le corbillard parvint à destination, une nuée de pigeons s'envolèrent au-dessus de lui pour aller se poser sur la marquise de verre et de fer forgé qui abritait l'entrée de la gare.

Par-delà l'avant-cour, au niveau des arbres, on avait une vue panoramique sur la Limmat au pied d'une colline en pente douce, où les promeneurs se détournaient avant de poursuivre leur chemin, comme devraient le faire les gens – et comme ils le font la plupart du temps – devant le chagrin d'autrui. Il y avait des nourrices en uniforme avec des voitures d'enfant ; des soldats d'armées étrangères ; des érudits avec un livre à la main et des gamins qui auraient dû être à l'école mais chevauchaient des bicyclettes ornées de rubans colorés. Des amoureux aussi ; *bien sûr*, écrirait Jung, *comment pourrait-il en être autrement ?* Et puis, des bambins avec des cerceaux, des ballons et des chiens qui aboyaient. Des religieuses en gris et blanc, des pêcheurs sur les quais, des vendeuses de limonade et d'autres qui proposaient des bonbons dans des paniers maintenus par une lanière passée autour de leur cou.

Sous la marquise, le bruit des sabots sur les pavés fut intensifié. Pilgrim paraissait encore plus droit, si possible, et Phoebe Peebles se leva dans le premier landau alors que Forster descendait et tendait la main à Mᵐᵉ Messager. Celle-ci était extrêmement jeune et jolie, mais voilée. Elle mit pied à terre telle une plume voltigeant jusqu'au sol. M. Messager la suivit, puis Phoebe Peebles qui, n'ayant jamais porté de tenue de deuil auparavant, se sentait perdue dans ses voiles et ses épaisseurs de crêpe, à la manière d'un enfant perdu dans les habits de ses parents. Qui étaient exactement les Messager devait rester un mystère. Bien qu'ils se fussent présentés à Phoebe et à Forster comme *des amis de la défunte*, il demeurait difficile d'évaluer sur quelle base cette « amitié » s'était nouée ou dans quelle mesure elle leur donnait le droit de prendre le deuil. Ils étaient français, mais au-delà de leur chagrin évident, on ne savait presque rien à leur sujet.

Une fois la première voiture vidée de ses occupants, Kessler descendit à son tour et s'écarta sur les pavés pour céder la place au Dr Jung et à Mr. Pilgrim, qui sortirent en dernier.

Pilgrim ôta son feutre et son pardessus, les plaça sur le siège et ferma la portière. Silhouette en blanc serrant des violettes, il chaussa ses lunettes noires avant de se tourner vers le ciel.

Jung, qui observait la scène, vit également son patient saluer de la tête le soleil, comme on présente ses hommages à une autorité supérieure dans un lieu public, à un personnage de plus haut rang dans l'aristocratie, à un prince de l'Église, ou à une divinité mineure. *Intéressant.*

Seulement visible maintenant que Jung et Pilgrim avançaient, la famille Quartermaine au grand complet était alignée à l'autre extrémité de l'avant-cour. Toutes les femmes étaient voilées, tous les hommes découverts, leur chapeau à la main, et la plus jeune enfant – une fillette d'environ quatorze ans – tenait en laisse un épagneul d'eau avec un nœud de crêpe noir au collier.

Lord Quartermaine paraissait un peu plus âgé que Sybil. Grisonnant, le cheveu rare, l'air triste, il avait peut-être la cinquantaine. Sa fille aînée, lady Margot Pryde, se tenait auprès de lui, laissant supposer que sans son soutien, il aurait vacillé, voire serait tombé. De l'autre côté se dressait son fils aîné, David, comte de Hartford, au maintien tout militaire. Ne lui manquait que l'uniforme. C'était ce même David dont Sybil avait confié au Dr Furtwängler qu'elle n'était *guère attachée à lui*. Mais il était là pour accomplir son devoir, et il l'accomplissait à la perfection. Aucune trace d'émotion dans son expression – à moins de considérer *le contrôle de soi* comme une émotion. Il était suprêmement réservé.

La première impression de Jung fut celle d'une famille bénie par la beauté universelle. Chacun de ses membres incarnait un chef-d'œuvre de la race aryenne anglo-saxonne : blond, les yeux bleus, poli et brillant, doté d'une présence et d'une prestance sans égales.

Lord Toby, qui venait d'avoir seize ans, se tenait entre ses deux autres sœurs, lady Catherine et lady Temple, l'adolescente avec la chienne épagneul. Celle-ci s'appelait Alice, *parce qu'elle va dans les terriers de lapins. Du moins, elle essaie.*

Jung et Pilgrim passèrent devant les occupants de la première voiture, regroupés sur les pavés, ne sachant quelle contenance adopter. Jung en prit bonne note ; quant à Forster, s'il paraissait sur le qui-vive, prêt à parler à Pilgrim, il n'en fit cependant rien. De même, Pilgrim ne lui parla pas.

Kessler, remarqua également Jung, gratifia Forster d'un regard à la limite du dédain. *Il est à moi, maintenant, et vous ne le récupérerez peut-être jamais.* Jung dut réprimer un sourire. *Drôles de créatures que les domestiques*, songea-t-il. *Ils sont d'une telle possessivité… comme des enfants exhibant leurs jouets.*

L'on procéda à de brèves présentations. Les Messager étaient de parfaits inconnus pour Pilgrim et, pourtant, Jung eut le sentiment de les avoir déjà rencontrés ou aperçus. Mais M\ :sup\ :me Messager portait une voilette trop sombre pour permettre de bien voir ses traits. Son époux, assez séduisant, manquait cependant de distinction. Son visage était de ceux que l'on croise tous les jours dans les restaurants, les banques ou sur le ferry de Küsnacht : agréable, lisse et visiblement innocent.

Lorsque tous les noms eurent été échangés, Jung, en tête du groupe, se dirigea vers le corbillard. Tour à tour, chaque membre du cortège funèbre s'immobilisa le temps de s'incliner devant le cercueil, visible derrière la vitre, et de se signer s'il était catholique. Tous traversèrent ensuite la chaussée dont on avait temporairement détourné la circulation, et longèrent la rangée des proches en deuil, à qui ils se présentèrent.

Forster observa avec intérêt la façon dont les Messager prenaient contact avec la famille. Le mari était-il un familier de lord David ? Étaient-ils des camarades de lycée, comme lui-même le supposait ? Non. De toute évidence, ce n'était pas le cas. Aucun des deux jeunes gens ne parut se reconnaître.

Pilgrim échangea une poignée de main avec lord Quartermaine et ses deux fils, avant d'être étreint par toutes les filles – et avec une chaleur particulière par lady Temple. Il ne parlait presque pas et semblait au bord des larmes, constata Jung. Peut-être parce que tous s'étaient rassemblés pour accompagner Sybil dans son dernier voyage, mais peut-être aussi parce que c'était la première fois qu'il goûtait la présence de ses vieux amis depuis que ses problèmes l'avaient mis en péril.

Il y eut un moment de silence. Puis, sans qu'aucun signal apparent n'eut été donné, lord David et lord Toby allèrent se placer à l'arrière du corbillard où, avec l'aide du cocher et de ses gens, ils tirèrent le cercueil vers la lumière avant de le transporter jusqu'à la charrette.

Lord Quartermaine, vacillant au bras de lady Margot, se pencha pour embrasser le couvercle d'acajou, appuya le front contre le bois, tendit les mains comme pour en enlacer le fardeau et demeura ainsi jusqu'à ce que lady Catherine et lady Margot l'entraînent à l'écart.

La charrette s'ébranla ; tous les voiles de toutes les femmes voltigeaient tels des drapeaux ou des étendards, toutes les têtes s'étaient baissées, sauf celle de Pilgrim.

Au dernier moment, celui-ci posa ses violettes sur la bière en disant d'une voix susceptible d'être entendue par tous : *Ave atque vale.* Avant de se détourner.

À lady Temple, il offrit un penny, accompagnant son geste des mots : *Vous saurez quoi en faire.* Elle acquiesça.

La cérémonie s'était achevée. Sybil, emportée dans les ténèbres par ses serviteurs, avait disparu.

9

Après le dîner ce soir-là, Jung, assis tristement à son bureau éclairé par une lampe, méditait sur les événements de la journée. Dans son journal, ouvert devant lui, il avait déjà relaté l'adieu à la dépouille de Sybil Quartermaine et la mélancolie du retour à la clinique.

Phoebe Peebles avait suivi sa maîtresse en Angleterre, où elle entrerait au service de lady Catherine Pryde, plus connue chez les Quartermaine sous le nom de Kate, et appelée à devenir un jour l'une des plus grandes actrices du théâtre britannique.

Forster était reparti à l'hôtel Baur au Lac en compagnie du couple Messager, des gens charmants quoique énigmatiques, et dont le lien avec lady Quartermaine demeurait totalement inexpliqué. Au moment de se séparer, ni Forster ni Pilgrim ne s'étaient ne serait-ce que salués de la tête – ce qui constituait un autre mystère.

Alors que le landau transportant Pilgrim, Kessler et Jung gravissait la pente à travers les bois et les jardins en contrebas de la clinique, Pilgrim, installé à l'extrémité de la voiture tel un souverain destitué, avait refusé d'accorder la moindre attention aux autres passagers, et même au monde autour de lui. Son regard était entièrement tourné vers l'intérieur, ses mains immobiles et vides, et ses lunettes noires reflétaient les arbres qui se succédaient et les nuages qui flottaient.

Kessler, ainsi qu'il le confierait à sa mère dans la soirée, pleurait la perte d'un ange, *peut-être le plus beau que j'aie jamais vu.* À la gare, devant le cercueil, il s'était demandé ce qu'il advenait des anges lorsqu'ils mouraient. Quand il lui en parla, sa mère préféra garder pour elle ses commentaires. Redoutant toute allusion aux créatures ailées, elle se contenta de dire: *Comme nous tous, ils retournent au paradis.*

Le spectacle de Pilgrim n'avait fait qu'aviver le profond sentiment de dépression qu'éprouvait Jung à la pensée que les choses puissent parfois si mal tourner pour certaines personnes. Que la victoire – si, et quand elle était atteinte – ne puisse se remporter qu'au prix de rêves perdus, d'illusions abandonnées, de relations rejetées. Les amis s'écartent du chemin, ou se voient repoussés, éjectés, interdits d'accès. Les maris, les femmes et les amants sont séparés, les enfants abandonnés. Le lieu ne signifie rien. La santé se perd, la lassitude succède à l'endurance, la peur à la joie, l'imprudence à la raison. Puis survient la mort. Telle avait été l'histoire de ses parents, à la fois chacun de leur côté et en couple. Lui-même avait passé toute son enfance dans l'étreinte de leurs chagrins : l'échec de son père à établir un lien avec Dieu, l'échec ultime de sa mère à établir un lien avec la réalité. Ce n'était pas seulement triste. C'était injuste.

Néanmoins, il fallait bien reconnaître qu'au cours de ses dernières heures, et grâce à ses derniers gestes, Sybil Quartermaine avait en quelque sorte remporté une victoire. Sa vie s'était achevée par un sacrifice *au Dieu inconnu*, comme elle l'avait elle-même écrit – peut-être ce même dieu de la raison qui sauverait Pilgrim. Assurément, dans l'intérêt de Pilgrim, elle n'avait pas ménagé ses efforts pour le guider vers un endroit agréable, sûr, où il pourrait entamer le restant de son existence.

Dans la pénombre, environné par ses lampes de bureau et sa famille endormie, Jung connut la première d'une série de révélations concernant son propre cheminement – une sorte d'illumination presque religieuse, mais pas tout à fait. Il fuyait constamment la religion. Tout d'un coup, dans son journal toujours ouvert devant lui, il griffonna que *le bonheur n'est pas notre but.* Et un peu plus loin : *la quête du bonheur nous détourne de notre véritable destinée, qui est la réalisation absolue du Soi.*

La réalisation absolue du Soi.

Jung se laissa aller contre le dossier de sa chaise, retira de sa poche un mouchoir, essuya ses lunettes, son front et ses lèvres.

Lorsque je suis arrivé ici, écrivit-il, *à la clinique Burghölzli de Zurich, ce fut pour moi une entrée dans un univers monastique, une soumission à un vœu de ne croire qu'au vraisemblable, au moyen, au banal, à tout ce qui avait peu de signification ; de renoncer à tout ce qui était original et significatif, et de réduire à l'ordinaire tout ce qui ne l'était pas. Ne subsistaient que des surfaces qui ne dissimulaient rien : le « Faites-le ! » superficiel de Furtwängler, le « Il n'y a que ce qu'il y a ! » de Menken, mon propre « La lune ! La lune ! ». Juste des commencements sans continuation, des connaissances qui se resserraient en cercles de plus en plus petits, des horizons d'une étroitesse oppressante et le désert sans fin de la routine...*

Il saisit la carafe pour remplir le verre qu'il avait vidé – une seule fois –, et ralluma son cigarillo éteint dans le cendrier. Mais il ne s'agissait pour lui que de simples distractions. Le brandy apportait la brûlure escomptée, la fumée dénouait sa gorge, et l'odeur soufrée de l'allumette l'obligea de nouveau à se tamponner les yeux.

Puis il reprit son stylo.

Pendant six mois, je me suis enfermé dans l'enceinte de ce cloître pour m'habituer à la vie et à l'âme d'un asile d'aliénés, et j'ai lu les cinquante volumes – cinquante ! – de Allgemeine Zeitschrift für Psychiatrie* *afin de me familiariser avec la mentalité psychiatrique. Je voulais savoir comment l'esprit humain réagit à la vue de sa propre destruction, car la psychiatrie me paraissait une expression articulée de cette réaction biologique qui s'empare de l'esprit dit sain confronté à la maladie mentale.*

Et pourtant... Et pourtant...

Le stylo crachota.

Jung le reposa et rédigea la suite en esprit seulement.

La réalisation du Soi, c'est tout ce qu'il y a, c'est tout qu'il peut et devrait y avoir. Ce Je en chacun de nous, qui lutte pour trouver son souffle.

Ce Je en moi. Ce Je en Pilgrim. Ce Je en Blavinskeya. Ce Je en Emma. Ce Je en lui, cet enfant déjà sur notre lit, dans le ventre d'Emma.

Ce Je dans l'avalanche de Sybil Quartermaine. Ce Je dans le papillon de Pilgrim.

Oui ! Le papillon était aussi réel que moi assis là en cet instant, et il aspirait à rejoindre ses montagnes par-delà la vitre. Je – ce Je aveugle – ne le voyais pas, mais Dieu merci, le Je de Pilgrim l'a vu, et c'est lui qui a ouvert la fenêtre pour le libérer.

Les yeux clos, Jung ôta ses lunettes, qu'il posa à l'écart de la lumière.

« Je le crois, chuchota-t-il. Je le crois, oui. Car si j'en étais incapable, je mourrais sans avoir été mis à l'épreuve. »

---

* *Revue générale de psychiatrie.* (N. d. T.)

10

Pilgrim lui aussi veilla seul ce soir-là. Il avait écarté les rideaux devant la fenêtre de sa chambre et regardait l'ascension de la lune. La lune, cependant, n'habitait pas ses pensées. Un autre sujet les occupait, d'abord déroutant tant il avait surgi spontanément.

... et puis, il y avait l'histoire du lapin industrieux. Il s'appelait Pierre, et sa mère, Joséphine, était veuve. Il avait trois sœurs : Trotsaut, Flopsaut et Queue-de-Coton. Et un cousin du nom de...

Barnabé ?

Non. Je ne crois pas, bien que le B soit correct. Il me semble.

Bobby ?

Non plus. Impossible. Pas Bobby lapin. Bobby lapin, ça ne sonne pas juste, à la différence de Pierre, Trotsaut, Flopsaut, Joséphine et Queue-de-Coton. Ceux-là, ce sont de vrais noms de lapins, et...

Barraclough.

Barraclough lapin. C'est plausible. Il était une fois un garçon, un jeune homme à Christ's College qui se nourrissait de laitue. De laitue, de petits pois et de choux ; une panacée de légumes verts. Barra-cloe, Barra-cluff. On le taquinait toujours – pis, on se moquait de lui – et on l'obligeait même à porter autour du cou une pancarte qui disait :

Mon nom est Barra-
Ce-que-vous-voulez.
Je ne sais
Comment le prononcer.
Mais si vous me tourmentez
Assez longtemps,
Je dirai
Barra-cluff.
Et si vous laissez
Votre urine couler
Sur mes souliers,
Je dirai Barra-cloe.

Ainsi en a-t-il toujours été des garçons. Toujours. Initiant dans les cours de récréation des guerres qui gagnaient ensuite les terrains de sport et Waterloo. Pauvre vieux Barraclough. Il aurait tout aussi bien pu être lui-même un champ de bataille belge pour ce qu'il y a gagné. Après, il est parti, et mort au Soudan à Omdurman. Où que ce soit.

Tout cela parce qu'il mangeait de la laitue.

Il voulait devenir dramaturge. Un nouveau Ibsen.

Ibsen.

Ô combien absurde et merveilleux... Comme si un Anglais pouvait incarner un autre Ibsen. Et pourtant, il était – il avait été dévoué à la tâche : à la vérité et aux simples réalités de l'existence telle qu'on la mène.

Grands dieux, je claquerais toutes les portes d'ici à l'autre monde si j'en avais l'occasion ! s'exclamerait-il. Si Ibsen ne les avait pas toutes claquées avant moi. Toutes les portes, pas seulement celle de la maison de poupées. Et je nourrirais tous les canards sauvages du vaste monde ! Oui, et je déchargerais toutes les armes, dût-on me dire que ce genre de choses ne se fait pas... Mais Hedda l'a fait, et elle a eu raison. Parce que d'autres femmes, confrontées aux mêmes choix, l'avaient fait aussi. Mais maintenant, pour chaque Hedda qui tire un coup de feu, il y en a certainement une foule qui n'en a nul besoin – qui n'a nul besoin de mourir. Oui, Pilgrim ! Oui ! Tu ne crois pas ? Moi, si. Moi, si. C'est pour cette raison que l'on écrit – devrait écrire – des pièces. Pour briser les liens. Pour nous délivrer les uns des autres, et de toutes les règles idiotes, étouffantes et meurtrières auxquelles nous nous plions tous. Et c'est ce que je ferai un jour si l'on me donne ne serait-ce que l'ombre d'une chance !

Nous en étions à Omdurman, donc. Et à la mort.

Barraclough.

Ce n'est pas cela.

Brainerd ?

Non plus.

Beverly ?

Possible.

Beverly lapin et son copain Pierre. Oui, peut-être. N'a-t-il pas fini par épouser l'une des sœurs de Pierre ? Il me semble.

Mais non. Ce n'était encore pas cela.

Pilgrim alla chercher *L'Histoire de Pierre Lapin* à sa place habituelle, dans le premier tiroir de la commode, et jeta un coup d'œil à l'intérieur de la couverture. *Temple Pryde*, lut-il. *Son livre, de la part de maman avec amour, Noël 1905*. Il le conservait caché parmi ses mouchoirs de crainte qu'un autre lecteur érudit, l'ayant découvert, ne le lui dérobât. Tout comme Pierre s'était aventuré dans le potager de Mr. McGregor dans l'espoir de dérober quelques laitues, quiconque souhaitait élargir ses horizons ne manquerait pas de repérer cet ouvrage, de s'enfuir avec et de le choyer.

Et voilà Pierre avec sa veste bleue et ses pantoufles noires.

Peut-être le roman le plus subtil écrit en langue anglaise, pensa Pilgrim. *C'était très possible.*

Toutes les qualités requises y étaient présentées dans l'ordre. La tension. Le danger. Une quête. La pauvreté. La ténacité. La duplicité et la sincérité. Le crime et le châtiment. Le problème et la solution. Sans parler de la dimension morale du conte, avec en filigrane une histoire d'amour, quoique triste. Joséphine ne s'était-elle pas retrouvée veuve avec quatre enfants en bas âge et un mari transformé en pâté par une véritable Médée ?

Eh bien, pas tout à fait quand même.

Mais néanmoins un personnage malfaisant, une force ennemie pour le monde des lapins... la figure redoutable, hideuse et cauchemardesque de Mrs. McGregor, avec ses cuillères, ses casseroles et ses couteaux. Et celle de Mr. McGregor, avec à sa disposition tout ce qu'un homme peut imaginer pour tuer un pauvre hère.

Rien que pour l'amour d'une feuille de chou, une envie de haricots verts et de radis.

Barraclough. Choux. Guerres entre garçons. Waterloo. Omdurman.

Faut manger ce qu'on t' donne, fiston. C'est ça, ou crever de faim.

Pilgrim feuilleta le petit livre dans sa main.

Si cher à mon cœur. À moins que ce ne soit stupide, sentimental, fou ?

Un adulte, avec un trésor d'enfant. La première rencontre d'un bambin, peut-être, avec la dure réalité. Certainement la première rencontre de ce genre pour un bambin privilégié. Un bambin installé et barricadé dans un univers douillet de nursery, avec des feux et du lait chaud sucré, des soldats de plomb, des histoires racontées, des câlins et des escaliers interminables pour descendre jusqu'au monde des parents et des adultes en général.

Je devais avoir un livre semblable, même si je ne me rappelle plus ce que c'était. Les Fables *d'Ésope, peut-être...*

Il sourit.

De toutes les enfances auxquelles j'ai eu accès, aucune ne reste clairement gravée dans ma mémoire. Je sais que j'ai reposé dans des caves sombres et des greniers lumineux jonchés de jouets, dans des châteaux, des cottages et des grottes, et j'ai la vision fugitive de bras maternels ou d'épaules paternelles. Combien de mères, combien de pères devrais-je pleurer si j'étais un véritable humain... Mais je ne le suis pas. Je ne le suis pas et ne l'ai jamais été. J'ai sommeillé, me semble-t-il, au cours de toutes mes enfances – chacune d'elles –, bien que je me souvienne d'autres jeunes, sans doute des frères et des sœurs, ou des compagnons de jeu : un frère à Florence, une sœur en Espagne, un garçon quelque part en Grèce... Pour le reste, cependant, j'ai l'impression d'avoir dormi. Et rêvé.

Personne ne comprend. La seule enfance que j'aie véritablement connue, ou du moins que je parviens à identifier en dehors de mes rêves, c'est celle dont j'ai fait l'expérience en regardant l'enfance des autres. Temple, Toby, Kate, Cassandre... Antigone... Astyanax... Dire que j'ai mis du temps à venir au monde ne rend pas compte de la réalité, loin s'en faut. Avoir traversé toutes ces enfances, et ne même pas conserver le souvenir d'une seule nursery à soi...

J'ai dormi. Je me suis réveillé. J'ai été trouvé. Toujours trouvé. Je suis un être trouvé. C'est ainsi que Sybil m'a découvert. Étendu sous un arbre. Un châtaignier ? Un chêne ? Je ne m'en souviens plus.

Dix-huit ans. J'avais dix-huit ans. J'ai toujours eu dix-huit ans à la naissance. Du moins en ai-je le sentiment. Ce qui précédait n'était qu'un rêve.

Peut-être était-ce drôle. Ou amusant. Pilgrim sourit, mais ne parvint pas à rire. Pas tout à fait.

Il aurait pu être intéressant de se rappeler avec certitude avoir été un enfant – de ne pas seulement rêver d'une enfance. Se rappeler avoir tenu ce livre dans ma petite main ; percé la signification des mots avec mes yeux d'enfant ; placé ainsi mon doigt sur les phrases...

C'était une veste toute neuve, bleue avec des boutons en cuivre.
Et :
Pierre lui demanda le chemin jusqu'au portail...
Et :
Mr. McGregor se servit de la petite veste et des chaussures pour fabriquer un épouvantail afin d'effrayer les merles.
Et :
Sa mère le mit au lit, lui prépara une infusion de camomille, et lui en fit boire une bonne dose !
« Une cuillerée à soupe le soir au coucher. »

Pilgrim lissa les pages, puis referma l'ouvrage.
Barnabé ? Bobby ? Barraclough ?
Si j'avais un cousin dont le nom commençait par B, comment aimerais-je qu'il s'appelle ?

Benedict, *peut-être*. Ou Benedick.

Le traître, Benedict Arnold, ou Benedick le prodigieux orateur créé par Shakespeare, le célibataire jaloux, comme moi. Tout ce temps, et marié uniquement en tant que femme.

Mais assurément, je ne voudrais pas d'un traître pour cousin, juste parce que son nom commence par un B ?

Je n'en suis pas si sûr, au fond. Un traître sait où il se situe. Les autres font de grands discours et multiplient les démonstrations de patriotisme. Mieux vaut s'ancrer une bonne fois pour toutes de l'autre côté de la barrière. Au moins, cela signifie que l'on a le choix, que l'on a une conscience vivante, que l'on est capable d'argumenter. Le simple fait de naître américain, anglais ou grec ne signifie rien tant que l'on n'a pas choisi de l'être. Tout le monde devrait avoir l'occasion de naître en opposition à ses convictions. Le seul patriotisme n'est qu'une servitude.

Au temps pour Benedict Arnold.

Au temps pour Benedict Lapinou.

Non. Au temps pour avoir rejeté Benedict Lapinou injustement.

Quant au cousin Benedick ? Je pourrais opter pour lui, à un détail près : il est marié.

Après avoir reposé le livre, Pilgrim s'assit sur son lit.

Pauvre vieux Barraclough. À Omdurman.

L'Empire.

Il coula un regard oblique vers la couverture.

Veste bleue. Boutons en cuivre. Radis. Rouge-gorge. Manche de bêche. Pieds chaussés de souliers.

Le rouge-gorge chante. Pierre grignote, en extase. Les haricots verts poussent. La terre est retournée, sarclée, saine. Resplendissante. Le rouge-gorge a une patte en l'air, Pierre a les pieds croisés – offrant l'image même de la chanson. L'image même de la satisfaction.

Et chacun fait intrusion dans l'empire d'un autre : le jardin de Mr. McGregor.

Pourquoi tout cela me semble-t-il aussi familier ?

« Laisse-moi prendre possession de ce sol pour y planter mes choux, dit Pilgrim à la lune derrière la vitre. Mes choux sont des drapeaux – mes drapeaux –, grâce auxquels je revendique ce territoire. Mon territoire. Et si tu y pénètres, pour te jouer de mes drapeaux et de mes projets, ma femme te fera cuire dans un pâté... »

Fermant les yeux, il sourit.

Il faut empêcher la lune d'entrer, elle n'a pas encore de drapeaux, mais elle en aura un jour, et Barraclough mourra là-haut, c'est certain. Par amour des choux et de la laitue.

Cousin Benedict, je te salue. Je suis déjà dans l'autre camp, ayant vu trop de seigneurs de la guerre revendiquer leurs jardins à coups de canon.

Comment ? Oh, comment s'appelait-il donc ?

Benedict ? Benedick ? Abou Ben Adhem ?

De nouveau, Pilgrim sourit.

Benedictus qui venit in nomine Domine… ?

Béni soit celui qui vient au nom du Seigneur…

Pierre lapin.

À présent, elle a disparu, celle qui fut la dernière à me trouver, celle qui est venue à moi sous un arbre en demandant : Êtes-vous perdu ? Puis-je vous aider à retrouver votre chemin ?

Dans sa main, elle serrait un livre, un livre d'enfant semblable à celui-ci : les Contes de Grimm.

J'ai douze ans, m'a-t-elle dit. Je suis bien trop vieille pour lire des contes de fées. Mais ce livre était sur l'étagère, et je n'arrivais pas à dormir, alors… Connaissez-vous l'histoire de Hansel et Gretel ?

J'ai répondu : Non. Je m'appelle Pilgrim.

Elle, elle s'appelait Sybil *– Sybil, dont la fille Temple, vingt-cinq ans plus tard, m'offrirait* L'Histoire de Pierre Lapin.

Temple Pryde, lut-il une nouvelle fois. Son livre, de la part de maman avec amour, Noël 1905.

Barraclough. Choux. Empire. Mort.

Si seulement je pouvais me souvenir…

Il éteignit la lumière, s'étendit et remonta les couvertures jusque sous son menton.

Je vais rester allongé ici même, et le nom me reviendra.

Brahms. Beethoven. Bach. Boccherini. Bellérophon. Baal. Belzébuth. Bacon. Bleat. Brontosaure. Barrie. Barnum. Belloc. Blake. Borgia. Bulwer-Lytton. Benjamin…

Benjamin. Ah, oui. Mon cousin Benjamin. *Je te souhaite la bienvenue.*

En esprit, il revit Temple telle qu'elle lui était apparue l'après-midi même à la gare, avec Alice au nœud noir à côté d'elle et ses frères et sœurs la dominant de leur haute taille. Sa mère, Sybil, était morte – avait été tuée. Elle s'en était allée. Pour de bon, dans les bois avec Hansel et Gretel, ces mêmes bois où Sybil et lui s'étaient rencontrés toutes ces années plus tôt – et qui sait s'il serait jamais autorisé à la rejoindre ?

11

La lune était pleine ce soir-là, et Tatiana Blavinskeya, incapable de dormir. Elle portait la tenue qu'elle aurait mise pour entrer en scène sous les traits de la Reine des Wilis dans le deuxième acte de *Giselle*. Ses bras dodus étaient nus, à l'exception de bandes d'étoffe claire qui retombaient souplement de l'épaule au poignet. Sous ses jupes à mi-mollet, elle arborait ses plus beaux bas blancs, et sa taille était étroitement prise dans une ceinture de taffetas vert clair dont les pans retombants évoquaient des ailes. Ses cheveux tressés formaient une torsade derrière sa tête, d'une oreille à l'autre. Elle avait noué des rubans verts à ses poignets, et tenait sur ses genoux une paire de chaussons à pointes.

Installée près de la fenêtre, la comtesse contemplait la lune qui s'était levée au-dessus des sommets derrière la clinique et répandait désormais une telle clarté qu'il était possible de compter chaque nouvelle feuille sur chaque arbre.

Schwester Dora, assise sur le lit, hésitait à laisser sa patiente seule dans de telles dispositions mélancoliques. Toute la soirée, la comtesse avait joué avec ses costumes, les sortant un par un de la penderie et de la malle dans le coin de la chambre, les dépliant pour les examiner devant la glace, puis les reposant sur le lit, le dossier des chaises ou à même le sol.

Le justaucorps à plumes de la princesse Florine pour le pas de deux de l'Oiseau bleu dans *La Belle au bois dormant*. Le tutu écarlate à taille haute – *et l'éventail !* – des variations de *Don Quichotte*. Les ailes de *Papillons*. Le costume violet et pourpre de la Fée Dragée dans *Casse-Noisette*, avec son diadème de fausses améthystes et sa baguette magique. Trois cygnes, deux blancs et un noir, et la princesse Aurora : « La Russie impériale dans toute sa gloire ! Regardez donc les broderies perlées ici, ici et là ! Et celui-ci ! Mon préféré d'entre mes préférés ! Pour une scène sous la lune, dansée au clair de lune, le costume de Myrthe, Reine des Wilis ! Oh, si seulement nous pouvions trouver un public, un orchestre, un corps de ballet, je danserais jusqu'à l'aube ! »

Tatiana Blavinskeya avait examiné son reflet dans le miroir en pied.

« Vous ne mesurez peut-être pas, avait-elle dit, à quel point j'ai dû supplier pour obtenir le rôle de Myrthe. Je n'ai pas la silhouette requise, voyez-vous. Pourtant, ce fut mon plus grand triomphe. Par tradition, elle est grande, et je ne le suis pas. Par tradition, elle est gracile comme une cascade, et je ne le suis pas... » Elle avait souri. « Par tradition, elle est froide, et je ne l'étais pas. Mais, oh, je voulais... je voulais... je devais danser ce personnage. Alors, je les ai implorés de me donner le rôle, et je l'ai dansé pour eux, et ils se sont laissé fléchir. Il le fallait ! s'était-elle exclamée dans un éclat de rire. J'étais magnifique ! Magnifique », avait-elle répété d'un ton plus calme. Avant de chuchoter : « Parce que moi aussi, j'étais morte vierge... »

Schwester Dora conservait toujours un sédatif à portée de main – un flacon d'éther, un autre de laudanum. Mais elle rechignait à s'en servir, sauf en cas d'extrême urgence. Ce soir-là, cependant, elle tenait compagnie à sa patiente depuis déjà trois heures dans la pénombre, il était maintenant deux heures du matin, et il n'y avait toujours aucun signe d'apaisement. La comtesse, bien qu'assise, était à bout de souffle. Comme si elle venait d'achever une représentation.

« Nous incarnons les morts quand nous dansons, dit Tatiana Blavinskeya dans son allemand teinté d'accent russe. Et nous sommes toutes baignées par le clair de lune. Par la lumière de la lune. Nous sommes les jeunes vierges défuntes, qui ont péri avant d'avoir prononcé les vœux du mariage. Et pourtant... ce sont les vivants qui nous regardent. Les vivants qui observent. »

Elle se baissa afin de chausser ses pointes, l'une après l'autre, avant de se redresser pour tenter d'en améliorer le confort.

« Le confort n'est jamais le terme approprié pour des pointes, expliqua-t-elle. Elles sont la torture incarnée. Inventées en enfer – par un homme, évidemment. Néanmoins, avec le temps, les pieds s'y adaptent. Chacun moule l'autre – le pied la chaussure, et la chaussure le pied –, jusqu'à permettre une certaine aisance. Mais jamais le confort. »

La comtesse ajusta les rubans, les serra étroitement autour de ses chevilles, les noua avec soin puis, de sa main potelée, les gratifia d'une tape de satisfaction.

« *Bon ! Je suis prête**. Allons-y, et je danserai au clair de lune. »

Tatiana Blavinskeya passa devant l'infirmière pour se diriger vers la porte, attrapant au passage un châle de cachemire.

« Mais, madame... !

– L'heure n'est pas aux *mais*, très chère *Schwester*. Nous nous rendons dans les jardins. Venez avec moi. »

---

* En français dans le texte. (N.d.T.)

À peine avait-elle prononcé ces mots que Tatiana Blavinskeya s'engageait dans le couloir, en direction de l'escalier.

Schwester Dora, en bataillant pour se défaire d'un cygne blanc, d'un cygne noir et d'un tutu écarlate, s'aperçut soudain à son grand désarroi que sa jambe gauche était tout ankylosée.

« Zut ! Zut de zut ! »

Elle tomba à genoux, se redressa avec peine et fit de son mieux pour suivre en boitillant Myrthe, la Reine des Wilis, le long du couloir, dans l'escalier, à travers le hall d'entrée, devant le concierge somnolent et par-delà les portes, au cœur de la nuit.

12

À Küsnacht, le clair de lune filtrait à travers les rideaux, tombant au bout du lit où Jung était allongé auprès d'Emma.

Il avait placé une main sur le ventre de sa femme, et déjà senti un coup de pied, auquel il avait répondu en tapant un message en morse avec ses doigts : *Bonjour, là-dedans ! Bonjour !*

« Les coups de pied n'ont commencé qu'aujourd'hui, lui apprit Emma. J'adore m'imaginer qu'elle crie : *Il me faut plus de place ! Il me faut plus de place !*

— Elle ? Pour donner un tel coup de pied, c'est forcément un garçon. Notre second fils.

— C'est une fille. Je le sais, nous nous sommes parlé.

— Parlé ? Je vous en prie, soyez sérieuse.

— Croyez-moi ou non, Carl Gustav, une mère et son enfant conversent. Pas toujours au moyen de mots, mais de bien d'autres façons. Je lui transmets des pensées, et je suis sûre qu'elle les reçoit. Elle me renvoie des réponses, voire des questions sous forme de vagues qui se répandent dans tout mon corps. C'est vrai. Absolument vrai. Vous devez me croire. Elle est mon petit poisson, je suis son océan. Ma nageuse, et moi, les flots qui la portent. Vous vous rappelez sûrement cette sensation, mon chéri, celle de flotter dans la mer. À Capri, quand nous flottions main dans la main… Vous ne vous en souvenez pas ? Quand nous avons dérivé si loin qu'ils ont dû venir nous récupérer avec un canot.

— Nous aurions pu nous noyer.

— Ridicule. Pas ensemble. Nous étions là l'un pour l'autre, main dans la main, et tout était si chaud, si paisible… Bleu, limpide, sûr. Il me semble que nager dans la mer, c'est exactement comme ce que fait mon petit poisson dans… quel que soit le nom donné aux eaux du ventre maternel, j'oublie toujours le terme… Quel est-il, déjà ?

— Le liquide amniotique », murmura Jung sous sa moustache, en se penchant pour effleurer d'un baiser le ventre d'Emma.

Puis il y posa une main, avec laquelle il imita la forme de l'enfant à l'intérieur.

« Avez-vous jamais entendu l'expression : *L'ontogenèse résume la phylogenèse ?* demanda-t-il.

– Si c'était le cas, je m'en souviendrais forcément, répondit Emma en riant. Je n'ai pas la moindre idée de ce que cela signifie.

– Un certain *Haeckel*. Ernst Haeckel. Biologiste. Allemand. Mort depuis longtemps, mais hautement controversé de son vivant. Nous l'avons étudié à l'université. Il avait développé de nombreuses théories – quelques-unes utiles, d'autre pas. À certains égards, on pourrait dire que c'était un élève – non, pas un élève, un disciple de Darwin. Un disciple porté à l'extrapolation. Il a franchi quelques étapes de plus que le maître, si je puis dire. En affirmant par exemple: *L'ontogenèse résume la phylogenèse.*

– Grands dieux! Quels mots impressionnants!

– *Ontogenèse: l'origine et le développement de l'individu.* » Jung s'exprimait à la manière d'un professeur dans une salle de cours, en martelant les syllabes sur le ventre d'Emma comme il les aurait martelées sur un bureau. « Un individu semblable à votre petit poisson, là-dedans, ajouta-t-il. *Phylogenèse: le développement évolutionniste des groupes d'organismes.* Vous me suivez? L'idée de Haeckel, sa *théorie*, c'était que votre petit poisson traverse certains des stades du développement que, collectivement, nous avons tous traversés au cours de l'évolution de la race humaine. Du *protozoaire* à *l'Homo sapiens*. Vous voyez ce que je veux dire?

– Pas tout à fait, non.

– Bon, je reprends du début, déclara Jung avant de se lever pour aller s'asseoir sur une chaise à l'autre extrémité de la chambre. Haeckel a dit: *L'ontogenèse résume la phylogenèse*, alors qu'il aurait dû dire, l'ontogenèse *répète* la phylogenèse. Mais bon, c'était un biologiste, un scientifique, et il faut lui pardonner quelques impropriétés. Et donc… »

Jung souleva la boîte de cigarillos posée sur la table à côté de lui, puis craqua une allumette. À la lueur de la lune, il ressemblait à un Bouddha chinois auréolé d'un nuage d'encens.

« Ce que Haeckel a suggéré, c'était que lors du développement de tout individu, humain ou autre – une grenouille, par exemple –, de la conception à la naissance, la complexité grandissante de l'embryon *raconte de nouveau* l'histoire évolutionniste de ses propres espèces particulières. Ainsi, votre petit poisson a d'abord été une cellule unique – un œuf fertilisé –, qui reflète une des formes de vie les plus primitives, à savoir le protozoaire unicellulaire. Vous êtes toujours avec moi?

– Expliquez-moi *protozoaire*. » Emma se redressa dans le lit, le dos calé contre les oreillers. « Je pense savoir ce que c'est, mais j'ai envie de l'entendre de votre bouche. »

Adorant jouer les mentors, Jung posa un moment avec son cigarillo à la main, son profil éclairé par la lune, ses cheveux coupés à la prussienne dressés au garde-à-vous.

« *Proto-zoaire*, articula-t-il. *Les premiers animaux.* Ou, si vous préférez, *les premiers êtres.* À partir de là, les choses deviennent plus palpitantes. Quand l'œuf fertilisé se développe, il se divise et se multiplie…

– Est-ce qu'il additionne et soustrait aussi ? fit Emma avec un sourire.

– Ne m'interrompez pas. À mesure qu'il se divise et se multiplie, il forme une masse de cellules – une masse *inorganisée*, qui ne va pas sans rappeler une éponge. Pensez à l'éponge dans votre bain, à toutes les formes et tailles différentes qu'elle prend. Bref… à certains stades, cette masse évoque une méduse. Plus tard, après qu'elle a commencé à s'allonger, ses cellules nerveuses migrent à l'arrière et se trouvent prises dans une sorte de gaine de cartilage. Celle-ci finit par se renforcer, jusqu'à devenir de l'os – donnant colonne vertébrale et moelle épinière – et de cette façon, elle adopte les caractéristiques des premiers vertébrés marins. Des *branchies* se développent, semblables à celles d'un poisson…

– Mon petit poisson.

– Exactement. Ensuite, avec le temps, ces branchies sont remplacées par des poumons. Etc., etc. Vous voyez ? Toutes ces transformations se sont déjà produites chez votre petit poisson, et d'autres vont survenir, et d'autres encore, jusqu'au moment où il sera prêt à sortir…

– … des eaux. Autrement dit, à naître.

– À naître, oui, ma chère. Et par conséquent, le processus tout entier du développement embryonnaire reflète le processus de l'évolution. L'ontogenèse répète la phylogenèse. *Et ainsi s'achève la leçon*, comme disait mon père de sa chaire. Pourtant, il y a plus à déduire de la théorie de Haeckel que de simples applications biologiques…

– Non, Carl Gustav. Non. N'en dites pas plus. Il est deux heures du matin passées.

– Mais c'est important. Extrêmement important. Vous ne comprenez pas. C'est en rapport avec mon travail. En rapport avec… »

Tout.

Oh, non. Ne t'avise pas de recommencer.

Je pensais juste que tu serais content d'apprendre que je t'écoutais. Et je suis d'accord avec toi : il y a plus.

« Emma, s'il vous plaît. Tâchez de rester éveillée juste le temps d'entendre une dernière chose.

– D'accord, Carl Gustav. Mais dépêchez-vous. »

Jung se pencha en avant. Il avait – pourquoi, au nom du ciel ? – une érection.

Tu t'excites trop, Carl Gustav. Les idées t'excitent trop.

C'est… c'est plus fort que moi. Oh, Seigneur ! Faites qu'elle ne me voie pas dans cet état.

Peu importe. Elle ne s'y intéresse pas. Pas en ce moment.

Je ne pensais pas en avoir envie, mais c'est ainsi. Bon sang ! Regarde-moi ça.

Je n'ai pas besoin de regarder. Je le sens. Ce dont tu souffres, entre autres choses, n'est rien moins que le priapisme intellectuel. C'est aussi simple que ça. Tu as une idée, tu as une érection.

Arrête.

Pourquoi ne pas dire ce que tu as à dire ? Emma commence à somnoler, et si tu n'entames pas ton exposé, elle va s'endormir avant que tu ne puisses imprégner son esprit de ta brillance. Une image qui devrait te plaire, à mon avis… Rappelle-toi Sabina Spielrein. Pense à cette nouvelle interne séduisante que tu as vue dans le couloir avec Furtwängler. Pense à ta pianiste traumatisée, dont les jolies mains ne demandent qu'à s'activer. Dis ce que tu as à dire, Carl Gustav. Vas-y. Nous brûlons tous de t'entendre, nous t'implorons d'ouvrir ta braguette mentale et d'inonder nos cerveaux avec tes théories. Je t'en prie. Je t'en prie, lance-toi.

Espèce de salaud.

Eh bien, il se trouve que j'aime énoncer la vérité. Et que toi, tu n'aimes pas l'entendre. Mais dites-nous donc, ô prodigieux docteur de l'âme, ce que vous aviez à dire.

C'était juste que…

À voix haute. Souviens-toi, c'est Emma que tu veux impressionner.
Pour l'instant.

« C'était juste… c'est juste que, étant donné la pertinence évidente de la théorie développée par Haeckel, je ne peux m'empêcher de me demander… enfin, d'envisager la possibilité que l'ontogenèse, dans la mesure où elle répète la phylogenèse au niveau biologique, puisse également la répéter au niveau psychologique. Chaque individu ne pourrait-il pas ainsi hériter de la psyché – ou d'une part de la psyché collective – de la race humaine tout entière ? Vous comprenez ? Si Haeckel a raison – et de fait, il a raison –, son principe ne laisse-t-il pas supposer autre chose qu'un simple processus *physique* reflétant et répétant un autre processus *physique* ? Ne serait-il pas possible que la nature d'un individu – qui est unique – reflète et répète dans une quelconque mesure la nature et l'expérience de ses ancêtres ? De l'espèce entière ? Pourquoi pas ? Pourquoi pas ? N'est-ce pas la raison pour laquelle certaines de nos connaissances n'ont jamais dû être acquises ? Emma ? Emma… ? »

Trop tard. Elle s'était endormie.

Jung écrasa le cigarillo dans le cendrier avant de traverser en hâte la chambre jusqu'à la commode, où il fourragea parmi le fatras retiré de ses poches à la recherche de son cahier et de son stylo.

Dans la salle de bains, il s'installa sur l'abattant des toilettes et, se servant de ses genoux comme d'une table, il écrivit :

Je suis les rêves de ma mère incarnés. Je suis les peurs ataviques de mon père. Dans cette grotte où je suis assis…

Levant les yeux, il cilla.

Les lumières au-dessus et autour du miroir l'éblouissaient, reflétées par chaque surface carrelée, vitrée et métallique dont il était environné.

Quelle grotte ?

Pourquoi avait-il écrit *grotte* ?

Dans cette grotte où je suis assis…

Brusquement, il eut envie de pleurer, sans même savoir pourquoi.

Une idée lui était venue.

Une érection intellectuelle.

D'une puissance aussi extrême et envahissante que celle de l'érection qui tendait le fin coton blanc de son pantalon de pyjama.

Dehors. Dehors.

Peut-on concevoir une éjaculation intellectuelle ?

Pourquoi pas ?

Ne te mêle pas de ça.

Impossible. J'en fais partie. Je suis ta conscience. Tu t'en souviens ? Ta conscience et ta mémoire, qui tendent la fine membrane blanche de ton cerveau. Cette grotte où tu es assis, Carl Gustav, c'est ton esprit. Regarde autour de toi. Quelles peintures figurent en ce lieu ? Quels animaux y sont représentés ? Quelles créatures, autres que les hommes ?

Jung contemplait le plafond.

À qui est l'empreinte de cette main ? À qui sont ces dieux ? Ces totems, ces emblèmes, ces signes et ces symboles… ? N'aie pas peur. Lève-toi et regarde.

Le cahier tomba par terre. Prenant appui sur le lavabo pour se redresser, Jung laissa choir le stylo décapuchonné dans la caverne formée par la cuvette d'émail.

Debout sur le siège des toilettes, il leva les bras.

Il y avait des ombres dans les coins, des fissures dans le plafond. Dessinaient-elles les contours de créatures qu'il n'avait jamais vues auparavant ? Ou les cartes de rivières et de chaînes montagneuses, les itinéraires de voyages faits par d'autres avant lui... ?

Les bras tendus, les doigts écartés, la vue brouillée par les larmes, Jung se sentait tel un suppliant.

J'ai parcouru un long, si long chemin, pensa-t-il d'une voix qu'il n'avait jamais entendue auparavant. *Nous avons parcouru un long, si long chemin. Et je suis capable de me le* remémorer...

Je suis capable de me remémorer...

L'ontogenèse venait de répéter la phylogenèse d'une voix aussi claire et distincte que si elle s'était exprimée tout haut.

Je sais des choses que je n'ai jamais apprises. Et je me souviens de choses dont je n'ai jamais, jamais personnellement fait l'expérience.

Jung descendit et pleura.

Il ne serait plus jamais le même.

13

Il y a ceux dont l'expérience de la vie est tellement éloignée de la nôtre que nous les qualifions de fous. *Par simple commodité. Nous les nommons ainsi afin de nous épargner la peine d'avoir à prendre des responsabilités à leur place dans la communauté des hommes. Alors, nous les reléguons dans des asiles, derrière des portes verrouillées, hors de vue et de portée de voix. Mais pour eux, il n'existe aucune différence entre ce que nous considérons comme des rêves et des cauchemars, et le monde dans lequel ils évoluent tous les jours. Ce que nous appelons des visions et cantonnons aux mystiques, aux miracles du Christ, aux vies des saints, aux révélations apocalyptiques de Jean, sont pour eux la matière de l'expérience quotidienne, ordinaire. De leur point de vue, la sainteté peut résider dans les arbres et les crapauds, les dieux vivants dans le feu et l'eau, et une voix dans le tourbillon vers lequel, si nous les écoutions, ils dirigeraient notre attention. Telles sont les conditions dans lesquelles existent ceux qui souffrent de* démence. *Ils ne vivent pas dans « d'autres mondes », mais dans une dimension de ce monde-ci que, par peur, nous refusons de reconnaître.*

Ces mots avaient été écrits en 1901 par un homme dont on mentionnait rarement l'existence en 1912 – et que l'on évoquerait peu par la suite. Les membres de sa famille étaient allés jusqu'à changer de nom, croyant sa disgrâce si grande, si universelle que le simple fait de parler de lui entre eux entraînerait un désastre. Le spectacle de son déclin, puis de sa mort, s'était révélé catastrophique pour tous ceux avec qui il entretenait des liens.

Robert Daniel Parsons, américain d'origine, étudiait la psychologie. Il était venu en Europe en 1898 afin de compléter sa formation auprès de Pierre Janet, alors professeur prééminent de psychopathologie à l'hôpital de la Salpêtrière à Paris, et d'Eugen Bleuler à la clinique Burghölzli de Zurich.

Janet et Bleuler ne suscitaient pas moins que la vénération chez leurs élèves. Avec l'Autrichien Krafft-Ebbing, ces deux hommes avaient brisé la gangue qui isolait la psychiatrie du reste de la profession médicale. Freud n'occupait pas encore le devant de la scène avec son *Inter-*

prétation des rêves, leur laissant dans une large mesure le champ libre. Il y avait des désaccords entre eux, mais aucun schisme majeur. Ils n'étaient pas tant les fondateurs de différentes théories que les porte-parole autoproclamés de différentes écoles.

Du temps où il était lui-même étudiant, Jung avait suivi l'enseignement de ces deux « géants » – du moins considérés comme tels de leur vivant. L'éventualité qu'il parvînt un jour à les éclipser tous les deux ne faisait même pas l'objet d'une discussion avant 1912. À cette époque cependant, il devenait parfaitement clair pour Jung – et avec un certain ressentiment pour ses maîtres –, que Freud et lui étaient appelés à mobiliser l'attention générale du vingtième siècle dans le domaine de la psychologie et de la psychothérapie. Alors que Janet et Bleuler avaient tendance à se retrancher derrière la sécurité d'une réputation établie, Jung avançait sans crainte dans ce qu'il en viendrait à considérer comme une sphère de compréhension toujours plus vaste – parfois inquiétante, parfois même effrayante, mais que jamais il ne rejetterait. À partir de cette nuit du 12 mai 1912 où il fit l'expérience de sa « révélation de la salle de bains », il n'y aurait plus de retour en arrière. L'expérience de la terreur, oui – et « terreur », comme nous le verrons, est le mot juste –, mais pas de retour en arrière.

Quant à Robert Daniel Parsons et à sa place dans l'histoire, il devint l'un des défenseurs attitrés de la « masse désolée des fous » auxquels il voua sa vie et, le moment venu, ses souffrances et sa mort.

En 1901 à Paris, il connut un moment de révélation semblable à celui de Jung en 1912, plus profond cependant en ce qu'il était plus politique, et aussi plus révolutionnaire.

En déclarant que *les fous ne sont pas fous mais simplement différents*, Parsons rallia l'équivalent psychiatrique de la cause anarchiste. Si l'anarchisme se définit comme la nécessité d'abolir toute forme de gouvernement, la version qu'en donnait Parsons consistait à abolir toute autorité sur les fous. *À bas les asiles, à bas les services psychiatriques dans les hôpitaux, à bas Bedlam* et les expériences psychiatriques* ! À bas aussi la médication, les traitements et les entraves imposés de force ! À bas le laudanum, l'éther et l'hydrate de chloral ! À bas l'hydrothérapie ! À bas les camisoles, les portes verrouillées et les fenêtres munies de barreaux !

Au début, Robert Daniel Parsons était perçu comme une sorte de farfelu plaisant. À tout juste trente-deux ans, grand, dégingandé, bouclé, c'était un habitant exilé du Wyoming dont l'allure séduisante et

---

* Asile d'aliénés situé à Londres, reconverti en hôpital psychiatrique. (N. d. T.)

le visage juvénile angélique, ainsi que quelqu'un le décrivit, lui valurent immédiatement un public parmi les autres étudiants. Ceux-ci se réjouissaient de ses interruptions bouffonnes pendant les cours du professeur Janet, qui le jugeait lui-même charmant. Au début.

Mais les idées de Parsons étaient trop bouillonnantes pour rester cantonnées à quelques éclats excentriques dans une salle de cours. Elles se répandirent dans les couloirs, franchirent les portes de la Salpêtrière et se déversèrent dans les rues. Envahirent les cafés et autres bistrots estudiantins. Firent leur apparition dans la presse. Trouvèrent bientôt des disciples et des défenseurs, dont un grand nombre de femmes. *Les fous ont des droits* devint un cri de ralliement, et des expéditions furent organisées par des groupes de *Parsonites* pour tenter de libérer les fous de leurs « prisons et chambres des tortures ».

Au bout du compte, Parsons finit par être expulsé de la Salpêtrière; on lui en interdit l'accès, et il fut désavoué à la fois par le personnel et les enseignants. Le professeur Janet refusa d'admettre qu'il l'avait compté parmi ses étudiants, affirmant n'avoir connaissance que de ses frasques extra-universitaires.

Parsons « disparut » alors pendant deux ans, durant lesquels il travailla comme ouvrier agricole près de Rossinière, dans les hautes vallées au nord-est de Montreux. Il ne correspondait plus qu'avec sa cadette Eunice, alors élève d'un lycée pour filles dans le New Hampshire.

Durant cette période, Eunice Parsons fut sans doute la seule amie de son frère. À dix-sept ans, elle se destinait à devenir un auteur moyen de ce qu'elle appelait des « fictions journalistiques. » C'était l'époque de Stephen Crane et de Jack London; l'époque où Mark Twain passait aux États-Unis pour le dieu d'entre les dieux; l'époque où, peut-être pour la première fois de leur histoire, les écrivains américains créaient une nouvelle forme de fiction dont l'élan trouvait son origine dans la carrière journalistique de ses adeptes. Un phénomène appelé à connaître son apogée sous la plume d'Ernest Hemingway et de John Dos Passos.

Le fruit de ces deux années sabbatiques à Rossinière, pour Robert Daniel Parsons, fut un manifeste de soutien aux malades mentaux. Intitulé *En faveur de la démence*, on le trouve encore aujourd'hui dans diverses bibliothèques universitaires, au Smithsonian Institute et dans les archives du Jung Institute à Zurich. Son épitaphe est empruntée à l'œuvre de Christopher Smart, dont certains écrits furent gravés sur les murs d'un asile au dix-huitième siècle. Parsons avait été frappé par un extrait du testament religieux de Smart, *Chant de David*:

Quand il suffit de demander pour obtenir, de chercher pour trouver,
De frapper pour se voir ouvrir la porte en grand.

Le manifeste de Parsons fit sensation. En particulier parce qu'il reprochait à Janet, Bleuler et Freud de s'être approprié les vies de ceux qu'il appelait *une masse déjà privée de ses droits à sa propre intégrité*. Le terme *masse* semblait lui plaire, à en juger par l'utilisation fréquente qu'il en faisait pour décrire les habitants de la circonscription qu'il s'était choisie : *Les Fous*.

Motivée par sa foi en Robert Daniel, qu'elle surnommait « Rad », Eunice Parsons consacra ses efforts à la publication du manuscrit fraternel avec le zèle de saint Jean-Baptiste proclamant la venue de Jésus-Christ. Elle s'abaissa au point d'abandonner tout espoir de réaliser un jour ses ambitions intellectuelles, quitta son école pour défendre les opinions de Rad et trouver un éditeur aux reins solides, prêt à courir le risque de soumettre au grand public des convictions aussi radicales. C'est ainsi que *En faveur de la démence* fut publié en Amérique par Pitt, Horner et Platt au mois de septembre 1904.

Le succès fut immédiat, électrisant. Au moment où Marie Curie prouvait la présence d'éléments radioactifs dans l'uranium, où le chef-d'œuvre d'Anton Tchekhov, *La Cerisaie*, était produit pour la première fois à Moscou, où Claude Monet se lançait dans l'exploration du nénuphar, le plaidoyer de Robert Daniel Parsons pour « la liberté de la folie » leur vola la vedette auprès des *cognoscenti*.

Les portes furent ouvertes, les fous sortirent dans les rues.

Ce qui se révéla évidemment désastreux. Aucune précaution n'avait été prise. Aucun logement fourni. Aucun responsable désigné. La façon dont les choses se déroulèrent n'avait rien à voir avec les intentions premières de Parsons. Il réclamait des *surveillants* et des *centres de réadaptation*, ainsi qu'une assistance financière du gouvernement. Rien de tout cela n'avait été mis en place, ou en branle, et les incendies qui s'ensuivirent devaient figurer parmi les plus tristes horreurs de cette période.

Mais lorsque Eunice Parsons présenta le manifeste de son frère aux éditeurs européens, aucun des effets de la publication américaine n'avait eu de retentissement suffisant pour les dissuader de sauter sur *En faveur de la démence* comme sur une sorte de « babiole intellectuelle » destinée à flotter sur la vague d'intérêt manifestée par le public pour *les choses freudiennes, les choses libidineuses, les choses dangereuses.*

Le mot *dangereux* était partout. La littérature était délibérément *dangereuse*, l'art était censément *dangereux*, les idées n'avaient aucune valeur si elles n'étaient pas *dangereuses* André Gide, Pablo Picasso et

Isadora Duncan étaient dangereux. Pour couronner le tout, l'on offrit aux lecteurs *En faveur de la démence*.

Jung estima qu'il s'agissait d'*une contribution précieuse à la littérature dans notre domaine d'études,* Freud aussi, mais ce furent les seuls. Janet, Bleuler, Krafft-Ebbing et d'autres grands pontes de la spécialité s'en détournèrent.

Néanmoins, Robert Daniel « Rad » Parsons mit un terme à son exil pour rentrer à Paris, où les portes avaient été forcées, les grilles largement ouvertes et les fous, relâchés.

Grâce à l'argent rapporté par la vente de son livre, et avec le soutien d'Eunice, Parsons ouvrit un Hospice des aliénés au 37, rue de Fleurus, dans l'ombre du palais du Luxembourg. Dans cette même ruelle minuscule, Gertrude Stein partageait depuis peu son atelier avec Alice B. Toklas. Chaque jour, à l'automne 1904, miss Stein et miss Toklas emmenaient leur chien au jardin du Luxembourg et saluaient d'une main joyeuse les pensionnaires du 37, dont beaucoup étaient assis nus dans la cour derrière les grilles de fer forgé, parmi les géraniums qui se flétrissaient peu à peu. Dans son journal, le 14 octobre 1904, miss Toklas écrit : *Ils étaient encore là ce matin, les* Phénomènes Parsonites, *assis sur de petits tapis marocains, des nattes de raphia, tous absolument splendides dans leur nudité dépourvue de honte. G.S. a observé que* si l'on choisit de s'asseoir par terre, il ne peut y avoir sol plus raffiné qu'un tapis marocain. Les couleurs, *a-t-elle dit,* sont si réceptives à la chair humaine. *Il faut que j'y réfléchisse, et je le ferai.*

Gertrude Stein et Alice Toklas mises à part, les Parsonites ne suscitaient guère l'attention. Celle des autorités, s'entend. Lorsqu'ils passaient, les policiers détournaient la tête du moment que les grilles demeuraient closes. Les citoyens jouissant d'une position sociale élevée – ne serait-ce qu'à leurs yeux – évitaient complètement la rue de Fleurus. On pressait les enfants et les chiens vers le jardin. Personne ne se plaignait.

Jusqu'au jour où...

Parmi les patients « sauvés » de la Salpêtrière se trouvait un certain Jean-Claude Vainqueur, qui s'imaginait venu d'un *ailleurs* jamais nommé afin de traquer et de tuer l'Antéchrist et tous ses adeptes.

Il s'était fait remarquer pour la première fois trente-cinq ans auparavant en échouant sur la côte près de Marseille dans les bras de feu sa mère. Tous deux comptaient parmi les deux cents passagers d'un sloop surchargé qui avait sombré en pleine mer entre Alger et la côte française. Tous étaient morts. Un papier avait été retrouvé dans la poche du tablier que portait l'inconnue, sur lequel avait été crayonné le nom de

Jean-Claude Vainqueur, sans aucun doute celui de l'homme qu'elle devait joindre après avoir débarqué sur le sol français.

L'enfant était âgé de quatre ans tout au plus, peut-être moins. Il ne parlait aucune langue connue de ceux qui l'avaient approché, n'avait aucune origine identifiable. Il fut expédié d'orphelinat en orphelinat, provoquant chaque fois lui-même son renvoi en allumant des feux et en invectivant les surveillants qui venaient les éteindre.

Lors des dernières étapes de sa vie en tant que pupille de l'État, il acquit les bases d'un langage mis au point par un jésuite patient, presque un saint, qui avait estimé à juste titre que l'une des plus grandes frustrations de l'enfant résidait dans son incapacité à communiquer. Il en résulta un mélange de français rudimentaire, de latin plus rudimentaire encore et d'un répertoire convenu de grognements, murmures et soupirs. *Deo-Dieu* désignait Dieu, *Corpus* le Christ et *Diabolo*, l'Antéchrist.

Au bout du compte, le corps du prêtre fut découvert morceau par morceau. On lui avait arraché, puis éparpillé les membres. Sa tête ne fut jamais retrouvée. Jean-Claude Vainqueur fut incarcéré, en principe à vie, dans une prison pour les malades mentaux criminels à *L'avoir Paix*, près de Paris. Un mois avant que Parsons ne revînt de son exil, Vainqueur fut conduit à la Salpêtrière dans le cadre d'une étude sur le langage des fous.

Au même moment, *Les Fous* commencèrent à être libérés.

C'est ainsi que Jean-Claude Vainqueur se retrouva à l'Hospice des aliénés, rue de Fleurus. Où, par une sorte de logique personnelle pernicieuse, il parvint à la conclusion que Parsons était le diable incarné – se fondant peut-être sur le simple fait que Parsons avait choisi de s'asseoir au bout de la table commune. Vainqueur et ses disciples, après avoir tiré Parsons de son lit, le déshabillèrent et le clouèrent sur une croix. Croix qui fut elle-même suspendue à l'envers au-dessus d'un grand feu dans la cour verrouillée du 37, rue de Fleurus. Avant d'être expulsée de l'Hospice, Eunice Parsons dut assister à l'atroce agonie de son frère.

Ces événements se produisirent dans la nuit du 16 au 17 octobre 1904 – un dimanche et un lundi. Le lundi, l'armée reçut pour consigne de forcer les grilles et d'emprisonner les quinze Parsonites, dont Jean-Claude Vainqueur, alors pensionnaires de l'établissement.

Alice Toklas nota dans son journal que *des feux et des cris humains de détresse* avaient troublé la nuit. *De nombreux chiens s'étaient mis à aboyer et G. S., réveillée à son tour, m'a dit :* N'allume pas les lampes, mais seulement des bougies. Pour autant que nous le sachions, avec tous ces Russes aujourd'hui installés à Paris, nous pourrions très bien être en plein pogrom, et mieux vaut ne pas attirer l'attention. *J'ai dûment allumé une seule bougie, que j'ai posée au centre de la chambre, d'où elle n'était visible d'aucune fenêtre.*

Quant à la presse, elle salua l'événement par les habituels titres à sensation : L'EXPÉRIENCE PARSONITE S'ACHÈVE PAR LE FEU ! LE PARSO-NISME MORT EN CROIX ! Etc. Dans le monde entier, la réaction fut immédiate. Ce fut à cette époque que la famille Parsons établie dans le Wyoming et ailleurs troqua son nom contre divers autres et renonça à toute notoriété. Pendant deux ans, Eunice tenta en vain de publier ses propres écrits ; en désespoir de cause, elle se suicida. À Toronto, Ernst Jones, un disciple freudien, donna une conférence sur le danger de *flirter avec le parsonisme* dans toute expérience menée en psychopathologie. À Paris et à Zurich, Janet et Bleuler criaient victoire après la disparition du *Plus fou d'entre les fous*, et à Vienne, Freud brûla son exemplaire d'*En faveur de la démence.*

Rien de tel ne se produisit à Küsnacht. Jung prit la précaution d'envelopper son propre exemplaire dans du papier brun sulfurisé qu'il entoura d'une ficelle avant de l'enfermer dans une vitrine réservée d'ordinaire aux journaux intimes, aux lettres et au cognac de secours.

Dans la lumière annonciatrice de l'aube qui suivit sa « révélation de la salle de bains », Jung enfila sa robe de chambre, chaussa ses pantoufles et se rendit au rez-de-chaussée.

Après avoir ouvert fenêtres et volets dans son bureau, il s'approcha de la vitrine verrouillée, fit jouer la clé, tira la porte vers ses genoux, fouilla à l'intérieur et sortit le paquet enveloppé de papier brun retenu par une ficelle contenant *En faveur de la démence.*

Pilgrim, pensait-il. *Blavinskeya. Haeckel.* Et aussi, *dans cette grotte où je suis assis.*

Jung dénoua la ficelle, qu'il posa sur sa table de travail. Déplia, puis lissa le papier brun sulfurisé, qu'il plaça également en un endroit d'où il pouvait le surveiller du coin de l'œil. Le petit livre lui-même, qui ne faisait sans doute pas plus de cinquante pages, avait l'aspect d'un objet nouvellement acquis avec sa couverture bleu-gris immaculée et ses caractères d'un noir toujours brillant. Jung en effleura le plat de sa paume droite, comme pour dire : *Pace. Pace.*

Il s'agissait là d'un martyr. Jung l'admettait sans réserve. Un homme *terriblement dans l'erreur, et pourtant, indéniablement dans le vrai.*

Un autre Luther. Un autre Rousseau. Un autre de Vinci. Un autre monstre se dissimulant sous les traits d'un autre saint – un autre saint se dissimulant sous les traits d'un autre monstre.

Libérez le saint, vous libérerez aussi le monstre.

Une voix dans le tourbillon, lut-il, *vers laquelle, si nous les écoutions, ils dirigeraient notre attention…*

Pilgrim. Blavinskeya. Le petit poisson d'Emma, notre enfant.

Alors, il écrivit :

Entre le moment où il a été exposé à la vue de Léonard et à la mienne, il n'y a ni espace ni temps dans l'esprit de Pilgrim. Pas plus qu'il n'y en a pour Blavinskeya entre sa vie sur la lune et son séjour ici. Ou entre l'océan du ventre d'Emma et la côte sur laquelle notre petit poisson sera un jour pêché.

Cela ne fait qu'un.

Très juste.

Un seul lieu, un seul temps.

Très juste.

Tout ce qui compte, c'est la façon dont on voit les choses.

Et ce dont on se souvient.

Oui. Ce que l'on ressent aussi.

Et ce que l'on dit.

Englobez tout. Cela ne fait qu'un.

Jung se pencha en avant.

Le stylo vacilla, puis Jung nota :

Le temps tout entier, l'espace tout entier, sont à moi. La mémoire collective de la race humaine tout entière est à côté de moi, assise dans cette grotte qu'est mon cerveau. Et si je dois rejoindre la cohorte des fous en affirmant une chose pareille, qu'il en soit ainsi. Je suis fou.

14

Hôtel Baur au Lac
Zurich
14 mai 1912

Et c'est ainsi, mon très cher ami, que je m'adresse à vous pour la dernière fois. À mon grand regret, je dois le faire au moyen de cette lettre, alors que j'aurais préféré prendre congé à notre manière habituelle, d'un baiser et d'une étreinte de nos mains.

Comme vous le devinerez sans peine, j'ai peur, bien sûr. Ma mort… après tant de vie ! Nous étions tellement certains que ce moment n'arriverait jamais ! Pensez au nombre de fois où nous l'avons souhaité, en sachant cependant qu'il n'y avait aucune chance pour nous d'avoir accès à ce que les mortels appellent « la mort ». Les dieux n'y consentiraient pas. Ils ne l'autoriseraient pas. Ils n'en accepteraient même pas l'éventualité – et pourtant, elle est désormais imminente.

Les Envoyés, au nombre de deux, sont arrivés à Zurich en même temps que vous et moi. Souvenez-vous, nous sommes parvenus à destination en plein blizzard, et il semblerait qu'ils aient utilisé ce même blizzard comme moyen de transport. Leur nom est Messager. Ils se prétendent français, parlent cette langue parfaitement, mais il n'y a pas d'autre dimension humaine en eux. Je les ai reconnus immédiatement, bien que je n'aie pas tout de suite présagé de leur funeste mission. J'ai d'abord pensé qu'il y aurait peut-être une réunion dans le Bosquet – et naturellement, mon cœur s'en est réjoui, car je supposais ce congrès en rapport avec une possible délivrance de votre état actuel. Tel ne fut pas le cas.

Cela risque d'amuser le Dr Jung de savoir – si tant est que vous soyez disposé à lui parler de ces événements – qu'il a lui aussi remarqué la présence de mes visiteurs, puisque ceux-ci, jouant le rôle de jeunes mariés, se trouvaient dans la salle à manger le matin de notre première rencontre prolongée. Notre bon docteur a été, je n'ai pas manqué de m'en apercevoir, plus qu'impressionné par leur beauté éthérée.

La formule est tout à fait adéquate. Ils n'appartenaient manifestement pas à ce monde, mais comment un mortel aurait-il pu s'en apercevoir ? Il est fort dommage, pour nous tous, que les dieux et leurs laquais n'apparaissent pas plus souvent.

Même si la durée de ma « vie » n'est en aucune mesure comparable à celle de la vôtre, vous n'aurez aucun mal à imaginer, j'en suis certaine, le mélange de joie et d'inquiétude avec lequel je les ai autorisés à m'approcher. Vous ne le savez que trop bien, tel est le protocole d'usage : *Ce n'est pas à nous d'aller vers eux, mais à eux de venir vers nous.* Je me suis néanmoins arrangée pour me rendre parfaitement disponible, adoptant une position bien visible dans le hall de l'hôtel et prenant soin de me faire appeler par mon nom.

Je serais incapable de vous dire à quel moment j'ai compris qu'ils étaient chargés de me « ramener à la maison ». Jadis, et vous avez dû vous-même connaître cette expérience, je n'ai jamais douté que notre séjour était destiné à se prolonger. Le mien, comme vous le savez, n'aura pas été démesurément long. Il me semble aujourd'hui que l'on m'a accordé le nombre moyen d'années d'une vie humaine. Pas plus. J'avais une mission à accomplir et, selon toute vraisemblance, elle touche maintenant à son terme. Alors même que je suis assise ici en ce moment, cette pensée m'arrache un haussement d'épaules, car comment en percer le sens ? Je n'aurai sans doute jamais la réponse à cette question – ce qu'il me faut accepter.

Vous m'avez entretenue un jour de ces sujets dans la plus grande confiance – et croyez-moi, mon cher, cette confiance n'a pas été trahie – en disant que vos rencontres avec les Autres se déroulaient toujours en ce lieu que vous m'avez appris à désigner sous le nom de Bosquet. Cet honneur me fut accordé une seule fois, et en aucun cas je ne m'y attendais. Mais je vous avouerais aujourd'hui que j'ai nourri l'espoir de le voir se reproduire souvent, du moment que vous étiez encore là pour m'y accompagner. Dans votre amertume, cependant, vous l'avez évoqué comme *l'honneur d'être déshonoré.*

Que vous ayez souffert, je puis l'attester. Et savoir que vous devez souffrir encore constitue la plus grande cause du chagrin que j'éprouve à devoir partir. Pourtant, il en est ainsi.

Pour un peu, je trouverais presque comique leur nom : *Messager* ; ils y ont mis si peu de subtilité ! Ceci excepté, ils se sont montrés courtois et m'ont traitée avec le plus profond respect.

Monsieur m'a offert un bouquet de freesias et Madame m'a gratifiée d'une révérence. Rendez-vous compte ! En cet instant, j'étais comme une reine pour eux. Ils ont cette apparence que vous ne manqueriez pas de reconnaître – celle des champions immaculés, des athlètes nouvellement couronnés de lauriers, de la jeunesse telle qu'elle est si rarement, dépourvue du sceau de la mortalité, toute de souffle, de chair, de regard limpide émerveillé.

Cher, très cher ami, de la vie, de la mort... Que savons-nous ? Rien. Ou peut-être une chose : *La vie est pire que la mort*.

Être enfin débarrassée de la vie, en être dépouillée, en avoir terminé avec elle. Ne plus *avoir à*. Ne plus jamais *avoir à* se lever au point du jour, à *exister*, à assumer des responsabilités, à voir ce que nous voyons, à connaître la tristesse, à déplorer l'absence des êtres aimés, à toucher et assister les morts – enfants, animaux, inconnus –, ne plus jamais avoir à dire, *Je ne peux pas, mais je vais essayer. Ce n'est pas en mon pouvoir, mais je m'y efforcerai*. Ne plus jamais se retrouver en position d'avoir à dire, *Je reconnais, je vois, j'entends, je sens*, même si l'on a des yeux, des oreilles et des terminaisons nerveuses. Toutes ces qualités « humaines » sont sur le point de me quitter, et j'ai beau me réjouir à la perspective de m'en défaire, je ne peux supporter l'idée qu'en même temps, je doive aussi me défaire de vous.

Désormais, il n'y a plus rien que je puisse vous apporter. Rien. Oh, mon Dieu. Oh, dieux. Oh, tout le monde.

Se trouver réduit à une telle impuissance, ce n'est déjà plus vivre.

Notre utilité réciproque touche à sa fin, pour je ne sais quelle raison. Et à cet égard, j'admets la nécessité de ma propre disparition.

Ma disparition. Oui. Il nous faut maintenant nous familiariser avec le lexique de la mort. *Extinction. Repos. Passer. Quitter. Achevé. Final. Néant*.

Tout est si banal. Si dénué de sens. J'espère que vous en riez. J'en ris bien, moi. Ne trouvez-vous pas cela drôle ?

Je suis passée, monsieur*. *La vie* elle-même a passé.

Riez, Pilgrim, riez. L'un de nous a achevé son voyage. J'en ai parcouru toutes les étapes. J'ai aimé un mortel, donné naissance

---

* En français dans le texte. (N. d. T.)

à des enfants mortels, souffert de ma condition mortelle dans ses manifestations par trop nombreuses. J'ai figuré parmi les plus privilégiés de mon époque, de mon pays. J'ai vu des torts, et je les ai réparés. Parfois aussi, j'ai négligé de le faire. En cela, j'ai été très – tout à fait – humaine.

Nous finissons tous par nous pardonner à nous-mêmes, n'est-ce pas ? Nous nous pardonnons pour mieux blâmer quelqu'un d'autre – un anonyme, mais que l'on regarde tellement commodément du coin de l'œil. Chaque fois que nous en avons besoin, il se trouve quelqu'un non loin à blâmer. Mais jamais soi-même. Jamais.

Maintenant que la mort est proche, Pilgrim, c'est là mon plus grand regret, outre celui de vous perdre. Je regrette d'avoir blâmé si souvent les autres pour des fautes ou des problèmes de mon fait. Et sinon de mon fait, du moins vis-à-vis desquels j'ai manifesté ma tolérance. Je regrette d'avoir cru que les hommes ne pouvaient s'aimer entre eux, ni les femmes entre elles ; que les pauvres étaient coupables et responsables du sort qui les frappait (comment ai-je pu penser une chose pareille !) ; que les gouvernements étaient en droit de définir « le bien », comme si en créant des lois, nous pouvions établir les limites des besoins, de la joie et de la confiance d'autrui. Comment osons-nous juger de ce qui est « bien » pour les autres quand nous l'avons nous-mêmes reçu en cadeau ?

J'ai appris tout cela – si peu de choses ! – dès le moment où j'ai su que j'allais être rappelée. J'ai compris que – hormis l'expérience acquise auprès de vous, cher ami –, j'avais à peine vécu. Mon amour pour Harry et tous mes enfants, y compris mon amour plus obscur pour David, dont l'avenir prévisible est tellement destructeur pour toutes mes certitudes, était « simplement humain ». J'avais l'argent, le rang, le statut. Tous les privilèges, et je n'en ai pas profité – sauf en ce qui vous concerne. N'est-il pas étrange – ou l'est-ce vraiment, peut-on se demander – que je sois passée à côté de tant de choses au sein d'un éventail si large ?

Il y en a tellement qui me viennent à l'esprit, dont mes enfants bénis, que j'ai ignorés si souvent. J'étais incapable de les voir alors même que j'affirmais les aimer.

C'est terminé, maintenant. Toute ma vie. Toutes mes chances. Accordées une fois, manquées une fois, enfuies à jamais. Quel grand coup de balai ! Quelle expérience limitée ! Avoir vécu. Avoir été vivante.

Je vais être conduite dans quelque vallée, à ce que j'ai compris. Une automobile interviendra. Il y aura de la neige. Je ne sais rien d'autre. Et ne m'en soucie pas.

Il me reste une dernière chose à vous confier, et je l'ai également confiée au Dr Jung dans la dernière lettre que je lui ai adressée : *En pleine contrée sauvage, j'ai découvert un autel avec cette inscription :* AU DIEU INCONNU... Et j'ai fait mon sacrifice en conséquence.

Vous comprendrez cela, j'en suis sûre, mais il n'en ira peut-être pas de même pour le Dr Jung.

Et maintenant, il me faut vous dire ce que vous ne pourrez jamais me dire.

Au revoir.

Avec tout mon amour, oserais-je dire *pour toujours...*

Sybil.

Après l'avoir lue, Jung rangea dans l'enveloppe la lettre pliée et, sans éprouver de remords pour son indiscrétion, la replaça dans la sacoche d'Anna.

Avec un soupir, il s'enfonça dans son fauteuil. Devait-il en déduire qu'il avait affaire non pas à un malade mental, mais à deux ? Dont l'un était maintenant mort.

Le moment venu, bien sûr, il devrait montrer la lettre à Pilgrim, mais auparavant, Jung le savait, il lui faudrait se réconcilier avec la pensée – ne serait-ce qu'avec *la pensée* – que ce qu'il venait de lire était adressé à un immortel.

LIVRE QUATRE

*

1

Vendredi 30 novembre 1900
Cheyne Walk

O N M'A RAPPORTÉ qu'Oscar Wilde était mort aujourd'hui à Paris, peu après midi. Je me demande comment les quotidiens vont annoncer la nouvelle – s'ils l'annoncent seulement. Jusque-là, ils ont évité avec un tel soin de mentionner son nom qu'ils risquent bien de s'obstiner et de ne rien publier. J'ai pensé à lui ce soir au cours de ma promenade.

Emma, fascinée, contemplait la page. *Oscar Wilde*. Elle se souvenait de ses lectures sur la vie de cet homme – sur ses procès, sur sa mort – quand elle était toute jeune. De nouveau, elle regarda la date. *1900*. Trois ans avant son propre mariage avec Carl Gustav.

Elle s'interrogeait sur ce qu'aurait à dire Mr. Pilgrim au sujet de cet individu tristement célèbre. Ou de n'importe qui d'autre. Elle se trouvait toujours dans un état d'étonnement agréable après que Carl Gustav lui eut donné l'autorisation de consulter les journaux. Plus que l'autorisation, à vrai dire ; il s'agissait d'une *mission*.

Je dois en savoir plus sur mon patient, avait-il dit ce matin-là au petit déjeuner. *Je dois savoir pourquoi il écrit ces récits incroyables, quels qu'ils soient. Rêves, fables... Je dois savoir ce qui s'est passé dans son existence pour l'inciter à créer ces fantasmes.*

La mission d'Emma consistait donc à parcourir les volumes à la recherche des passages qui traitaient de Mr. Pilgrim lui-même et de sa vie à Londres. Avant cette matinée, elle ne connaissait l'œuvre de cet homme que pour avoir recopié la remarquable lettre adressée à Léonard de Vinci. Elle se rappelait encore ses larmes tombant sur la feuille à mesure qu'elle écrivait.

À présent, elle avait pour la première fois sous les yeux les souvenirs personnels de Mr. Pilgrim : ceux qui se rapportaient à une promenade vespérale en 1900, et ceux qui se rapportaient à Oscar Wilde.

J'ai soupé seul, bien qu'Agamemnon se trouvât comme de coutume à mes pieds – cher petit Aga, toujours à renâcler et à éternuer. Il a attrapé un rhume qui, je suppose, finira par passer. Parfois, il m'arrive de penser que cet animal s'en réjouit, attendant à peine la froidure hivernale pour entamer ses reniflements. Il sait que cela lui vaudra des soirées dans son panier auprès du feu et des bols de lait chaud. Forster se montre d'une grande patience avec Agamemnon, malgré la menace constante de buter contre lui, car ce chien adore les recoins ombreux du couloir pour ses siestes diurnes.

Mon dîner se composait d'un consommé généreusement additionné de sherry, d'un filet de sole accompagné d'une sauce délicieuse, d'un rôti de bœuf *au jus**, de choux de Bruxelles (*al dente*, comme je les aime) et de pommes de terre duchesse. Le tout suivi par un gâteau de riz agrémenté des raisins de Corinthe les plus gros et les plus exquis que j'aie goûtés depuis des années. Et arrosé d'une bouteille de nuits-saint-georges. Une merveille. Je dois absolument penser à féliciter Mrs. Matheson. Elle est particulièrement douée pour les desserts et les sauces ; quant au rôti, il était cuit à la perfection.

Lorsque je me suis dirigé vers le vestibule, ma canne à la main, ce pauvre petit Aga a fait mine de vouloir m'accompagner – persuadé, j'imagine, qu'il lui incombait de me promener. Il n'en est pas moins resté collé à Forster, et à peine m'étais-je tourné vers la porte que je l'ai entendu filer vers la bibliothèque et son panier.

Je ne traverse jamais le fleuve. Par conséquent, trois directions seulement s'offrent à moi. M'en lasserai-je jamais ? J'en doute. Chacune de ces directions recèle ses propres plaisirs, ses propres mystères. Ce jeu auquel je m'adonne, consistant à inventer la vie de ceux qui vivent derrière les fenêtres sur mon chemin, est suffisamment intrigant pour me distraire quand je n'ai rien d'autre à l'esprit. En outre, derrière certaines de ces fenêtres, il y a des vies bien réelles dont je ne suis que trop familier, et selon l'humeur du moment, je les bénis ou les maudis, lançant

---

* En français dans le texte. (N.d.T.)

vers la vitre fleurs ou pavés imaginaires avant de poursuivre ma route. (Plus tard, devant la demeure de Whistler, et bien qu'il n'y résidât plus, je l'ai voué à haute voix aux gémonies en mémoire d'Oscar, avant de lui expédier une tonne de briques. La brute épaisse.)

J'ai remonté Cheyne Row, rejoint Oakley Street avant de retourner vers Cheyne Walk et Flood puis, après avoir tourné à droite, j'ai longé Saint Leonard's Terrace jusqu'à Tedworth Square. Souvent, je crée ainsi un véritable labyrinthe en multipliant tours et détours. Il s'agit également d'une espèce de jeu, je suppose. Comme ce serait merveilleux de se perdre ! me dis-je parfois. *Où suis-je, désormais ?* Et puis, la joie de se retrouver enfin chez soi, comme par hasard. Me perdre. Me perdre… Sans que personne sache qui je suis.

Londres me semble, ces dernières années, devenue incroyablement sûre et civilisée. Rien de visible n'exige de l'œil qu'il se détourne, et l'avènement du prochain siècle, avec tous ses prodiges prédits, engendre une sorte d'impression de sécurité qui semble dire: *Nous sommes fermement ancrés ici et rien ne peut plus nous nuire.*

Sauf…

Ce matin à six heures, dans la pénombre, j'ai encore eu l'un de ces rêves qui me tourmentent depuis quelque temps, et je me suis réveillé couvert d'une sueur glacée, tâtonnant à la recherche de la lampe. J'ai failli la renverser, mais je l'ai rattrapée au vol. Dans le tiroir à côté de moi, j'ai récupéré mon cahier et mon stylo. Mes doigts tremblaient tellement que j'ai eu toutes les peines du monde à leur imposer ma volonté. Lorsque je suis parvenu à me ressaisir, j'ai tenté de transcrire ce qui se passait dans le rêve, mais comme pour les autres, je n'ai pas la moindre idée de sa signification. Le mot, cette fois, était *Menin.* J'en ai maintenant trois de ce genre en colonne, chacun formulé, comme à Delphes, à travers des flammes et des volutes de fumée.

Arras.

Saint Quentin.

Et aujourd'hui: Menin.

Ainsi que la phrase: *Il n'y a plus de pins, maintenant, car rien d'autre ne poussera ici.*

Qu'est-ce que cela peut bien vouloir dire ? De tous ces noms, je n'en connais qu'un: *Arras*, une ville de France. Des saints, je ne sais pas grand-chose, mais je présume que *Quentin* est français. Et qui est donc *Menin* ? Une sorte de piètre plaisanterie me vient à l'esprit: Menin et saint Quentin, pareils à Polonius, sont derrière l'Arras, sur le point d'être tués. Par qui ? Certainement pas par Hamlet. Hamlet n'a jamais joué le moindre rôle dans mes songes. Pas plus qu'aucun personnage de théâtre – si ce n'est la fois où Sarah Bernhardt s'est placée du mauvais côté sous la guillotine et a perdu ses jambes. Parce qu'elle insistait pour déclamer jusqu'au bout une des tirades de *L'Aiglon*. Dans ce rêve, on la livrait à la lame morceau par morceau. Ses lèvres ont continué de remuer même après qu'on lui eut tranché la tête. Horrible – quoique amusant. Je me rappelle avoir pensé, au réveil : *Eh bien, c'est au moins une chose que tous les grands artistes ont en commun – la persévérance.*

Pour ce qui est des pins, je n'ai aucune explication. Cette image provient également d'un « décor » ou d'une séquence. Il y a quatre jours, j'ai rêvé d'un paysage traversé par une rivière inconnue dont les eaux débordaient, car ses barrages et autres réservoirs étaient encombrés par des cadavres d'animaux – moutons et chevaux, bétail, etc. Et il y a une semaine, des silhouettes en armure ancienne – heaumes, ventaux et cuirasses – franchissaient une colline non identifiée, répandant le feu au moyen de ce qui ressemblait à des tuyaux d'arrosage. Dévastant tout sur leur passage.

Tous ces noms, toutes ces images, je les ai consignés dans le cahier près de mon lit. Au cas où ils persisteraient, je ne pourrais en tirer qu'une conclusion : je retombe dans cet état effrayant dont, dans mes prières, j'ai souhaité être délivré avec tant de ferveur. Pas à genoux, cependant. Je ne prie jamais à genoux. C'est indigne et puéril. Si Dieu existe réellement, je suis sûr qu'Il préfère nous rencontrer face à face, les yeux dans les yeux. Je m'y suis toujours pris de cette manière avec Lui, et je crois qu'Il s'y est toujours pris de cette manière avec moi. Mais que la situation l'exige, et je tomberai aussitôt à genoux.

J'ai tourné vers Chelsea Embankment, où je voyais briller par-delà le fleuve les lumières de Battersea, puis longé Tite Street.

Le numéro 16 était plongé dans l'obscurité. L'on peut supposer, puisque Wilde a été obligé de renoncer à la maison afin de rembourser ses dettes, et que tout son contenu a été vendu pour un penny, qu'elle est désormais inhabitée. À bonne hauteur, ses balcons élégants peints en blanc prennent à la lueur de la lune et des réverbères un aspect quelque peu triste et désolé. Personne ne s'y tiendra plus pour contempler la rue en contrebas ou laisser son regard se perdre vers l'eau. Ils ont tous disparu. Constance aussi, morte comme lui. Dieu sait ce qu'il est advenu de leurs fils. La presse n'a pas publié un mot à leur sujet.

Tel que je m'en souviens, son immense stature se découpait dans l'embrasure de la porte. « Vous voilà enfin, disait-il. Je vous attendais. » Ce n'était pas un reproche, mais une formule de bienvenue, témoignant du plaisir avec lequel il anticipait votre compagnie. Il ne manquait jamais de vous donner l'impression qu'il vous attribuait le rôle d'invité d'honneur, quels que fussent les autres convives au dîner ce soir-là. Je me suis assis à la table de Wilde avec des artistes de la plus haute renommée – des peintres, des acteurs, des écrivains. Il ne regardait pas à la dépense – les meilleurs vins, des mets exquis *et toutes les perles que je jette sans un pourceau en vue.* Je cite.

Ma dernière rencontre avec Wilde a été, d'une certaine façon, prophétique. Cela se passait l'été dernier. Je m'étais rendu en France, comme la moitié du monde, pour admirer les merveilles de l'Exposition universelle.

Rares sont ceux qui ont eu le privilège – et je ne suis pas vraiment sûr de savoir pourquoi cet honneur m'a été accordé – d'une visite privée à l'atelier de Rodin. Alors que les œuvres des sculpteurs du monde entier étaient exhibées collectivement au Grand Palais, celles d'Auguste Rodin étaient exposées dans un pavillon séparé. Il n'en demeure pas moins vrai au sujet de cet homme extraordinaire que nul autre artiste depuis Michel-Ange n'a donné vie à la forme humaine avec autant de compassion et de véracité.

Pourtant, ce n'est pas au pavillon Rodin que l'on m'a convié. C'est à son atelier dans la rue de l'Université, afin d'admirer sa représentation inachevée de la *Porte de l'Enfer.* À mon arrivée, Wilde se trouvait déjà là-bas avec deux amis, dont l'un était son nouveau compagnon, un jeune marin français d'une beauté et de proportions exquises, que Rodin compterait plus tard parmi ses modèles nus. Je crois me souvenir qu'il s'appelait Gilbert, mais je ne sais plus s'il s'agissait de son prénom ou de son nom de famille. L'autre était une femme expansive qui, apparemment, s'était attachée depuis peu à Wilde.

Elle se nommait Seonaid Eggett et, comme Wilde, était d'origine irlandaise. Une fois organisées les activités de Rodin pour la soirée, Mrs. Eggett m'a tendu sa carte, *pour que vous sachiez comment épeler mon prénom. Il n'est pas inhabituel en Irlande, mais j'ai découvert que bon nombre d'Anglais comme vous le trouvent problématique. On le prononce Shay-nid.* À peine quelques semaines plus tôt, avait rapporté Oscar, Mrs. Eggett l'avait *accosté* dans la rue, lui avait soulevé les revers de sa veste et planté un baiser sur les lèvres. *Et j'espère bien que le monde entier m'a vue !* avait-elle lancé. *Je vous vénère.*

Bien que fort surpris par l'exubérance de cette entrée en matière, Wilde se déclarait désormais ravi par sa présence. *C'est une aventurière audacieuse dans les contrées sauvages de l'art,* m'a-t-il confié.

« Mon cher enfant », m'a dit Wilde une fois les présentations faites. *Enfant,* alors que j'avais seulement un an de moins que lui... « Je ne pensais plus vous revoir.

« – Je suis venu à cause de vous, ai-je prétendu. Cela me paraissait approprié. Où espérer rencontrer le maître du monde, sinon auprès du maître du silence impénétrable ? Il n'y a personne ici pour vous adresser le moindre reproche, Oscar. Personne pour vous battre à votre propre jeu.

– Qui le pourrait ? » a-t-il répliqué avec un sourire.

J'ai alors remarqué qu'il avait perdu quelques dents.

Nous nous sommes serré la main.

Dans ses yeux, il y avait des larmes, et dans sa main, une terrible absence. Toute sa force l'avait déserté, et c'est à peine s'il réagissait encore.

C'est une vision épouvantable que celle d'un géant à son déclin. Tel était Wilde, à quelques semaines de sa mort, debout devant la *Porte de l'Enfer* comme s'il était venu prendre sa place dans l'imagerie de Rodin. *Dois-je me placer ici, ou plutôt là ?* semblait-il demander. *Dois-je lever un bras, ou plutôt les deux ? Me tenir de cette façon-ci, ou plutôt de cette façon-là ? Dites-moi ce que vous aimeriez que je fasse. Peut-être observerez-vous qu'il ne subsiste plus trace des regrets d'antan dans mon maintien actuel. Aujourd'hui, ils ont complètement disparu. Complètement.*

« Mon cher enfant, a-t-il dit au moment où nos doigts se séparaient, venez donc contempler l'Enfer avec moi. Il n'y a rien ici que je ne puisse expliquer. »

Nous nous sommes éloignés des autres pour nous isoler devant un gigantesque modèle en plâtre de la Porte. Il faisait plus de six mètres de haut et plus de trois mètres de large. Rodin avait précisé que sa commande initiale consistait à élaborer les « vantaux » (terme qu'il avait lui-même employé) d'un musée des Arts décoratifs encore en projet. Musée qui ne vit jamais le jour. Naturellement, il aurait dû se situer à Paris. L'été dernier, lorsque j'ai vu cette contribution abandonnée, Rodin avait déjà passé vingt ans à en concevoir et en façonner les divers éléments, dont certains avaient déjà acquis leur propre notoriété.

Rodin avait fait remarquer : *Ces vantaux sont mon Arche de Noé. Je les peuple à ma guise, puisque personne à part Dante n'est jamais revenu de l'Enfer pour me contredire.* Observation qu'il avait lancée en riant, mais je n'en ai pas moins noté que son affection pour cette vaste création merveilleuse conférait à sa voix une sorte de tremblement.

Broyant du noir sur le linteau se trouvait la silhouette que nous connaissons désormais sous le nom du *Penseur*. *Le Baiser*, qui devait figurer sur la *Porte de l'Enfer*, en avait été écarté du fait de l'incapacité du sculpteur à le placer dans le contexte des thèmes qu'il explorait. Tout aussi célèbre à juste titre, la composition d'*Ugolin et ses enfants* représente la tragédie effrayante de ce noble devenu aveugle et fou qui, emprisonné, dévora ses enfants.

Mais l'œuvre qui intriguait le plus Oscar était le corps tombant d'Icare, qui avait péché en volant trop près du soleil. Levant les yeux vers lui, il a dit : « Je suis moi-même devenu un maître de la chute, et j'aurais pu m'inspirer de lui. »

Je n'ai passé que peu de temps avec Rodin, dont l'attention était accaparée par la bouillonnante Mrs. Eggett. Néanmoins, je l'ai remercié pour son invitation et cette occasion de rendre hommage à son travail.

Alors que je me préparais à partir, j'ai vu que le jeune marin français avait apporté une chaise en bois sur laquelle Oscar s'était installé, chapeau à la main, devant la *Porte de l'Enfer*, en fumant une cigarette turque à bout doré – le dandy et le beau garçon en uniforme, deux êtres condamnés aux yeux de la « bonne » société.

Wilde a mentionné qu'il attendait son jeune ami canadien Robert Ross, qui devait les emmener dîner au *Jardin des Lilas*, un des rares cafés où l'écrivain exilé était encore accepté. Ensuite, ils avaient prévu d'explorer la vie nocturne parisienne. Désirais-je me joindre à eux ?

Volontiers.

Ross, qui était petit, avait un jour été décrit par Wilde comme ayant *le visage de Puck et le cœur d'un ange*. Lors de ma première rencontre avec lui, j'avais été étonné de découvrir qu'il présentait une apparence soignée, et que sa silhouette n'allait pas sans rappeler celle d'un athlète. Le bruit courait qu'à dix-sept ans, en 1886, quand Wilde en avait trente-deux, Ross avait « séduit » son aîné, puis l'avait initié aux mystères physiques de l'homosexualité. Plus tard, Ross devait se révéler bien plus qu'un simple séducteur mondain, figurant parmi les rares fidèles restés auprès de Wilde jusqu'à la fin, lui offrant un soutien à la fois matériel et affectif.

L'on avait suggéré qu'il serait approprié – *afin de parachever l'éducation de Mrs. Eggett concernant les réalités de ce monde* – que l'expédition « nocturne » d'après le dîner comporte une visite au célèbre bordel *La Vieille Reine*.

« Là-bas, avait dit Wilde, tout est fait avec style et panache, mais aussi avec grâce. Il n'y aura pas le moindre moment d'embarras. Les dames de *La Vieille Reine* sont au-dessus de tout reproche, choisies non seulement pour leur beauté, mais aussi pour leurs manières. Ne redoutez rien de vulgaire ou de choquant. Je m'y suis rendu souvent, simplement pour regarder la façon dont se passent les choses. Tout est si captivant, si attrayant... »

Robert Ross en convenait.

« On a l'impression de se retrouver dans un salon de bas-bleus »,
avait-il ajouté.

C'était le cas, comme j'allais le découvrir, à une différence
significative près : les bas y étaient noirs.

L'hôtesse se faisait appeler *Madame la Madame**. Personne ne lui
connaissait d'autre nom, sauf ses parents, désormais décédés.

Madame la Madame a gratifié Oscar Wilde de baisers sur la main et
de tapes affectueuses sur le bras. Ross a eu droit à un *bisou** plus
conventionnel, Mrs. Eggett et moi, à un simple hochement de tête. Gilbert, quant à lui, a été pris par les coudes et attiré dans le giron de
Madame comme s'il était un enfant depuis longtemps perdu de vue,
une sorte de fils prodigue rentrant au bercail. *Oh !* répétait-elle à
l'envi. *Quelle perfection enchanteresse ! Quelle beauté absolue ! Quelle
trouvaille délicieuse ! Monsieur Wilde, comment avez-vous pu le cacher si
longtemps ? Grands dieux, d'ici peu il aura quatorze ans, et nous n'aurons
plus la joie de l'initier aux arts du plaisir. L'avez-vous amené en cadeau ?
Est-ce un présent ?*

Même Wilde a été quelque peu décontenancé par ces effusions. Gilbert s'est dégagé de l'étreinte de Madame pour chercher refuge auprès
de Mrs. Eggett. Mais Madame la Madame avait d'autres projets le
concernant.

« Je vous paierai pour lui, a-t-elle dit à Wilde.

— Non, madame. Non, a répondu celui-ci en souriant. Il ne m'appartient pas plus de le vendre qu'à vous de l'acheter. Il est libre de sa
personne, et si je l'ai amené, c'est seulement pour lui montrer un aspect
de la vie qu'il n'imagine pas encore. Nous ne sommes pas ici en tant que
clients, madame, ni en tant que marchandises. Nous sommes ici en
spectateurs de votre cour exquise.

— Quel dommage ! s'est-elle exclamée. Néanmoins, vous êtes tous
les bienvenus. Je vais envoyer Roselle pourvoir à vos besoins. »

Le salon était spacieux, bondé et meublé avec goût. Une immense
glycine en plâtre peint constituait l'élément le plus frappant du décor.
Elle déployait ses torsades de végétation sur toute la longueur du plafond et jusqu'au milieu des murs. De ses branches couvertes de feuilles
vertes pendaient ses « fleurs », une succession interminable de lustres
minuscules en verre vénitien, chacun en forme de grappe d'inflores-
cences mauves qui diffusait une lumière tamisée à travers la brume de

---

* En français dans le texte. (N. d. T.)

298

fumée de cigares et de cigarettes flottant au-dessus de l'assemblée. Il y avait également des lanternes chinoises, comme dans un jardin.

« Ravissant ! s'est enthousiasmée Mrs. Eggett. Absolument ravissant ! »

Elle n'était pas revenue à Paris depuis son enfance, quand ses parents l'y avait amenée en trois ou quatre occasions. À l'époque, évidemment, elle n'avait aucune expérience des hommes tels que Wilde ou du cercle de gloire dans lequel ils évoluaient. Pourtant, ce jour-là, pareillement à moi, elle avait rencontré Oscar Wilde en présence d'Auguste Rodin.

« C'était incroyablement exaltant, m'a-t-elle expliqué. Savez-vous ce qu'il m'a dit ? Eh bien, il m'a dit : *Dans la sculpture classique, les artistes cherchaient la* logique *du corps humain, alors que dans mon travail, je cherche sa* psychologie. N'est-ce pas incroyablement merveilleux ? N'est-ce pas une notion trop parfaite pour les mots ? La *logique* et la *psychologie* du corps humain ! Je me souviendrai toujours de ces termes, ainsi que de la façon dont il les a énoncés. C'était parfait, trop parfait. Et d'une extrême justesse, naturellement. J'aime les artistes capables de s'expliquer. Ils me paraissent beaucoup plus satisfaisants que ceux qui se trouvent à court de mots. »

Je commençais pour ma part à souhaiter que Mrs. Eggett se trouvât elle-même à court de mots.

Sur ces entrefaites, Roselle est arrivée comme promis. Grande, laquée avec soin, elle portait un corsage de satin rose avec un pantalon turc d'une couleur tirant sur le chocolat. Ses cheveux teints d'une nuance bronze, rassemblés au sommet de sa tête, s'ornaient d'étoiles argentées mêlées à des paillettes rouges. Après nous avoir adressé un discret salut à l'orientale, elle nous a demandé si nous désirions quelque chose.

Wilde a commandé du champagne.

J'ai remarqué que les autres femmes avaient revêtu des tenues semblables à celle de Roselle, mais selon des combinaisons de couleurs différentes : bleu et vert ; violet et orange ; jaune et vert ; rouge et bleu. Elles mesuraient toutes à peu près la même taille, entre un mètre soixante-dix et un mètre quatre-vingts. Outre leurs pantalons turcs, elles arboraient des souliers à pointe recourbée et de longues ceintures frangées. Manifestement, elles n'étaient là que pour combler les désirs matériels de la clientèle – apporter boissons, cigares, cendriers, coussins ou, encore, distribuer des éventails décorés chacun d'une femme nue.

Après le départ de Roselle, Ross s'est tourné vers moi pour me glisser, *sotto voce* :

« Vous vous êtes rendu compte, bien sûr, que notre serveuse était un homme.

– Grands dieux, non !

– Ce sont tous des hommes, a-t-il repris avec un sourire entendu, et ceci afin d'éviter que les clients ne sollicitent leurs faveurs plutôt que celles des filles dont le travail consiste à assurer les plaisirs qu'un tel établissement se doit de fournir. »

Regardant alentour, j'ai alors constaté avec amusement que les « serveuses » en culottes bouffantes avaient des mains et des pieds particulièrement grands, ainsi qu'un maquillage théâtral outrancier. Pour autant, cela n'en restait pas moins un spectacle intéressant dont le récit constituerait sans nul doute un passage tout aussi intéressant dans mon journal.

À un certain moment, levant sa coupe de champagne à travers laquelle il a contemplé les lustres-glycine, Wilde a fait remarquer que *la traversée de la Manche représente parfois bien plus qu'une simple transition, vous en êtes conscients. Une fois débarqué en France, vous vous retrouvez au cœur même d'un paradis vinicole. Pour leur part,* a-t-il ajouté, *les Anglais possèdent un don infaillible pour transformer le vin en eau.*

Tout le monde s'est esclaffé, et Wilde a porté un toast *à ce répit merveilleux dans le cheminement vers la mort.*

Je me suis surpris à penser : nous voilà tous rassemblés dans un bordel parisien par une chaude soirée d'été, tandis qu'autour de nous, des événements tels que la fin d'une époque et le début d'une autre n'ont pas plus de signification que le changement d'un garde devant le palais de Buckingham. Un garde ? Un gardien ? Mais de quoi ? De l'éternité ? Pourquoi en doutais-je ?

Alors que je poursuivais ma promenade à travers Chelsea, mes pensées de Wilde et de Rodin ont inévitablement ramené à ma mémoire les souvenirs d'un autre artiste.

James McNeill Whistler avait vécu une vingtaine d'années au 13, à Tite Street, et auparavant, mais pour un court moment seulement, dans la funeste *Maison blanche*, au 35. Aujourd'hui, à mon regret, il habite Cheyne Walk, au 21. Si je dis *à mon grand regret*, c'est qu'il est ainsi devenu mon voisin.

Malgré son incontestable talent – d'aucuns parleraient même de génie – et malgré sa vivacité d'esprit et son panache, Whistler n'est qu'un bigot, un homme à l'esprit mesquin, capable de traîtrise en amitié. Il a jeté son dévolu sur Wilde, dont il a fait son animal de compagnie tout en développant une paranoïa grandissante en raison des incursions de plus en plus fréquentes de ce même Wilde dans le domaine de la gloire. Que quiconque, en particulier un *protégé**, puisse briller plus vivement que lui, être porté aux nues plus haut, faire meilleure impression, relevait d'un péché inexpiable.

La presse s'en est mêlée via les lettres abondantes de Whistler et les réponses tout aussi abondantes et enthousiastes de Wilde. Remarquant qu'*un contretemps de dandys* se déroulait, les journaux l'ont encouragé, brandissant Wilde à la figure de Whistler et vice versa. Tout cela ne relevait que des habituels moulinets de la muleta agitée devant le taureau – avec moult nuages de poussière et beaucoup de bruit pour rien. Wilde s'en délectait; pas Whistler. Celui-ci, après tout, avait dû défendre au tribunal sa réputation, dont il affirmait qu'elle avait été ruinée lorsque Ruskin avait cloué au pilori sa manière de peindre. Ruskin était alors, bien entendu, au sommet de sa propre réputation, de ses pouvoirs critiques. Il me semble que cela se passait en 1877 ou 1878. Je ne me souviens pas de la date exacte. Ce dont je me souviens, en revanche, c'est de la célèbre formule de Ruskin selon laquelle James McNeill Whistler avait *jeté un pot de peinture à la figure du public!*

Ce n'était pas alors, pas plus que ce n'est aujourd'hui, mon opinion sur les œuvres de Whistler. Je les admire profondément, et bien que l'homme me répugne, Ruskin est manifestement allé trop loin.

La lecture des charges, telle que je me la remémore, affirmait que *certains termes* utilisés par John Ruskin *s'apparentaient sans aucun doute à de la diffamation*. Ou quelque chose comme ça. Ne restait plus au jury qu'à décider si les blessures causées par ces propos à la réputation de Whistler valaient les mille guinées que celui-ci réclamait en dédommagement, ou un quart de penny symbolique.

Whistler a remporté le quart de penny.

Et connu la ruine financière. C'est à cette époque qu'il avait construit, puis perdu sa chère *Maison blanche*, qui se retrouva occupée – suprême ironie – par un critique d'art!

Pour cette raison, je compatis au sort de Whistler. Mais en ce qui concerne son attitude envers Wilde, qui a enduré des ignominies bien plus grandes à la suite d'insultes publiques, Whistler s'est bien gardé de se manifester. Il s'est contenté de rester à portée de voix. Il se délectait sans cesse de ce que j'ai déjà décrit comme des remarques mesquines et sectaires aux dépens de Wilde. Certes, l'homme est parfois amusant.

---

* En français dans le texte. (N. d. T.)

Peut-être sa réplique la plus célèbre, lancée dans les premières phases de sa paranoïa envers Wilde, fut-elle la réponse apportée à celui-ci qui le complimentait sur quelque trait d'esprit en disant : « Grands dieux, Jimmy ! J'aurais aimé dire cela moi-même. » Ce à quoi Whistler avait répliqué : « Vous y viendrez, Oscar. Vous y viendrez. »

À Paris, je me suis retrouvé un jour dans un restaurant – j'ai oublié lequel – où Whistler et sa bande dînaient à une table proche de la mienne. De toute évidence, Oscar Wilde occupait une bonne partie de leur conversation. La seule mention de son nom provoquait bruits grossiers et ricanements sonores. On se moquait de Wilde, le dandy en velours, obligé de porter la tenue de prisonnier.

« À votre avis, où garde-t-il ses lys en prison ?

– Dans le pot ! Dans le pot ! Dans le superbe pot ! a chanté quelqu'un sur l'air de *By the Beautiful Sea*.

– Et comment se dandine-t-on avec les fers aux pieds ? a demandé quelqu'un d'autre.

– Je donne ma langue au chat. Dis-le-moi.

– En faisant *très* attention. »

Tonnerre d'hilarité.

L'on avait commandé encore du vin. L'on avait allumé des cigarettes. Les dîneurs alentour s'étaient joints aux réjouissances, puisque Whistler et ses amis déployaient manifestement beaucoup d'efforts pour être entendus par tous.

Et moi, je ne pouvais penser qu'à une chose : *Jamais Oscar ne se serait comporté de la sorte.* Et certainement pas envers un homme déjà à terre, comme Whistler lui-même l'avait été un jour.

Les piques lancées en public par Oscar Wilde à ses amis et à ses ennemis ne furent jamais malveillantes. Elles ne tranchaient pas dans le vif – sinon dans le vif d'une attitude –, et en aucun cas elles n'avaient pour sujet la vie privée de leurs victimes.

Alors, je me suis dit : *Bon, il faut faire quelque chose pour défendre Wilde, et c'est moi qui dois m'en charger.*

J'ai payé la note, récupéré mon chapeau et ma canne puis, prenant au passage un pichet de rosé sur un plateau, je me suis approché de la table de Whistler, à qui j'en ai envoyé le contenu à la figure.

« Ça, c'est pour Oscar Wilde, ai-je dit. Un génie. Un gentleman. Et un ami. »

Whistler, bien entendu, m'a reconnu. Un sourire crispé, vaguement effrayé, est apparu sous sa moustache.

« Bonne journée », ai-je encore lancé, avant de quitter les lieux.

Ce faisant, j'ai senti tous les regards braqués sur moi. Et entendu s'élever derrière mon dos la voix nasillarde de Whistler, teintée de ses inflexions américaines traînantes si caractéristiques :

« Eh bien ! Et il se dit toujours l'ami d'Oscar ! Mon Dieu, mon Dieu, mon Dieu ! Le voilà sans aucun doute parti rendre visite au grand homme dans son hôtel miteux où… devinez quoi ?

– Quoi ? Quoi ? Quoi ?

– Oscar écrit *The Bugger's Opera* !* »

Remarque qui a suscité des rires en cascade. Avant de partir, j'ai payé le maître d'hôtel pour le rosé. Eût-il été présent, Oscar aurait peut-être agi de même ; il n'aimait pas le rosé.

« Un simple reflet, mon cher enfant, du potentiel divin de ce breuvage. Un pâle reflet dans un verre teinté. »

Ce qui n'est pas une mauvaise description de la réputation actuelle d'Oscar.

Puisse-t-il reposer en paix.

Enfin.

Je refermerai ces pages ce soir sur un ultime salut à Oscar, décédé maintenant depuis dix heures. (Seulement dix ? J'ai l'impression que sa mort remonte à une décennie. Peut-être avait-il déjà péri dans la geôle de Reading.)

Un jour, l'année dernière, il a dit à la veuve de son frère : *Je meurs au-dessus de mes moyens.*

C'était de la bravade.

Il a également écrit que *l'on devrait vivre comme si la mort n'existait pas.*

C'était de la bravoure. Et remarquablement approprié, dans mon cas.

Emma interrompit sa lecture. Les mots se brouillaient devant ses yeux. Alors qu'elle tâtonnait à la recherche de son mouchoir, elle se surprit à sourire. Était-elle destinée à se sentir toujours autant bouleversée par les écrits du patient le plus mystérieux de son mari ?

---

* Jeu de mots sur *The Beggar's Opera* (*L'Opéra du Gueux*), de John Gay (1685-1732), et que l'on pourrait traduire par *L'Opéra de la Tapette*. (N. d. T.)

2

Pilgrim débattait intérieurement de la différence entre les tourterelles et les pigeons sur son balcon et les rebords de ses fenêtres et, depuis une semaine, ayant commencé à prendre son petit déjeuner dans la salle à manger, il volait du pain et des toasts afin de les nourrir. Dans son optique, en tout cas, il s'agissait d'un vol. Si l'on ne compte pas les consommer soi-même, il ne faut pas toucher aux aliments. Les serveuses semblaient quelque peu perplexes devant son goût apparemment immodéré pour les toasts et le pain, dont il redemandait jusqu'à trois fois au cours d'un même repas. Il avait pris l'habitude de glisser ses provisions dans un grand mouchoir rouge au fond de sa poche. Ensuite de quoi, il les emportait jusqu'à ses appartements et émiettait les morceaux aux endroits où les oiseaux étaient sûrs de les trouver.

Quand il regardait ses tourterelles et ses pigeons (Pilgrim les considérait comme siens), il laissait parfois ses fenêtres ouvertes afin de pouvoir également les entendre pendant qu'ils picoraient.

Il étudiait les marques sur leurs ailes et leur corps, ainsi que la forme de leur tête. Les tourterelles, dont il y avait deux espèces, étaient de loin les plus jolies, bien qu'en aucune façon les plus colorées. Les pigeons, pensait Pilgrim depuis toujours, étaient beaucoup plus resplendissants. Leur plumage mêlait diverses teintes de vert, de bleu et de violet à toutes les nuances imaginables de gris.

Chez lui, à Chelsea, dans son jardin du 18, Cheyne Walk, il avait passé d'innombrables matinées à nourrir ses oiseaux et ceux de Forster avec des graines coûteuses. Leurs protégés descendaient du pigeonnier presque comme s'ils répondaient à l'appel, l'un après l'autre, chacun arborant ses couleurs, chacun possédant sa personnalité distincte, *minaudant ou se pavanant comme autant de courtisans de la Régence*, avait-il noté dans son journal, *se bousculant afin de paraître à leur avantage au bal.* Ah ! Lady Gris-perle-et-bordeaux ! Baronne Violette ! Duchesse Rose ! *Et tous ces mâles qui déployaient leurs ailes pour exhiber leurs épaulettes et autres décorations ! C'était merveilleux !*

Avec tous leurs mouvements de tête d'avant en arrière et tous leurs noms chuchotés à la ronde, les pigeons formaient bel et bien une sorte de cour, caractérisée comme il se doit par les commérages, l'ostentation et l'observance d'une hiérarchie.

Il n'en allait pas de même chez les tourterelles. Pour commencer, elles étaient plus sveltes, parfois plus petites et toujours plus élégantes. Plus calmes, aussi. Elles restaient pour la plupart chastement en couples, ne se rassemblaient pas à la manière de leurs congénères, préférant *assister aux danses* depuis les balustrades, alors que les pigeons, par groupes de quatre ou de huit, ne quittaient jamais le plancher de la salle de bal.

Les tourterelles se paraient également de couleurs plus subtiles, du brun au fauve en passant par le rose ; elles avaient parfois les yeux rubis et toujours des pattes rouges aux griffes bleues – pattes d'ailleurs plus fines que celles des pigeons. Les plus grosses portaient un anneau autour du cou, comme les animaux de compagnie portent un collier. C'étaient les oiseaux de Jane Austen, avait décrété Pilgrim, les sœurs Elliot et Bennet conviées à une réunion où aucun soupirant ne convenait et…

Ce ne sont que des oiseaux, espèce de parfait crétin.

Pilgrim se figea devant la fenêtre ouverte, les miettes de toast dans sa paume.

Quelqu'un avait parlé.

Qui ?

Quelqu'un avait chuchoté.

Non, aurait voulait dire Pilgrim. *Ne faites pas ça.* Pourtant, il demeura silencieux.

Il devait y avoir une personne avec lui dans la pièce, mais il ne pouvait s'agir de Kessler ou du Dr Jung. Celui-ci n'arriverait pas avant une heure, et Kessler était parti chez sa mère chercher une paire de bottes plus adaptées au climat du printemps.

Pilgrim jeta un coup d'œil au rebord de la fenêtre.

Que des oiseaux.

Quelle importance si ce n'étaient que des oiseaux ?

« Est-ce important ? » demanda-t-il à haute voix.

Sans obtenir de réponse.

Lentement, il se retourna.

« Il y a quelqu'un ? » s'enquit-il.

Nulle présence visible, en tout cas.

Parfois, les voix se prétendaient Dieu. Pilgrim en avait bien conscience. Elles pouvaient également se prétendre le Diable. Ou les Morts.

Le salon où il se tenait, de même que la chambre au-delà, ne recelait manifestement rien d'autre que des meubles.

Étaient-ce ces meubles qui avaient parlé? Une chaise? Une table? Une lampe, peut-être, ou un abat-jour. Un miroir. Un cadre. Un tapis, jaloux de ce que l'occupant des lieux eût créé une cour de pigeons à la mode Régence et une chaste société de tourterelles à la mode de Jane Austen tout en ignorant les besoins et les sentiments, les émotions et les désirs de leur présence concrète. Leur isolement l'un de l'autre, épar-pillés, étalés, séparés comme ils l'étaient par une disposition définitive, immuable, alors que la vie, le principe même de la vie, exige la varia-tion, la dynamique – autre chose que le même vieil emplacement au mur, le même vieil espace carré au sol, la même pluie sèche de poussière sur chacune de leurs surfaces, leur bouchant la vue, ternissant leur aspect. Attendre des semaines entières un occupant. Être un tiroir que l'on n'ouvre jamais ou une lampe que l'on n'éclaire jamais. Un coussin dont l'on ne se sert pas, que l'on ne retourne, ni ne retape, ni ne tient jamais. Une épingle tombée à terre que l'on ne retrouve jamais. Un crayon brisé que l'on ne taille jamais, ou un morceau de verre piqué que l'on ne polit jamais. Être fixé pour toujours le dos au mur, face à la lumière. Être une allumette que l'on ne craque jamais ou un livre que l'on ne lit jamais. Être sale. Être la poussière elle-même ou la boue séchée que l'on n'ôte pas d'une paire de bottes. Passer toute son exis-tence sans se voir gratifier d'un salut ou d'un remerciement. Être...

Juste des meubles, pauvre fou!

Par-delà les fenêtres, tourterelles et pigeons, privés de nourriture, s'agitaient et battaient des ailes.

Pilgrim s'assit.

La chaise soupira d'aise. *Enfin*.

Il se couvrit le visage de ses mains avant de s'apercevoir qu'elles étaient pleines de miettes. Il avait maintenant des bouts de toast dans les yeux et dans les cheveux.

Penché en avant, il se laissa soudain tomber à genoux sur le sol.

« Je vous en supplie, murmura-t-il. Délivrez-moi de ce moment. »

Mais alentour, il n'y avait que le silence. Tous les pigeons et les tour-terelles s'étaient envolés en quête de nourriture, ou d'une autre main prête à leur en donner.

Lorsque Kessler revint avec ses bottes couinantes, il découvrit Pil-grim encore agenouillé en une position qui évoquait la prière.

« Mr. Pilgrim? Monsieur? Puis-je vous aider? »

Le patient ne répondit pas.

« Vous ne pouvez pas rester à genoux, reprit l'aide-soignant. Il faut vous mettre debout pour recevoir le Dr Jung. »

Rien. L'homme était aussi muet qu'immobile

Jung arriva vingt minutes plus tard, le porte-musique d'Anna à la main, la blouse déboutonnée et les cheveux en bataille.

Après que Kessler l'eut pris en aparté dans la chambre pour lui expliquer la situation, Jung revint seul dans le salon :

« Mr. Pilgrim ? M'autorisez-vous à prier avec vous ? »

Pilgrim acquiesça de la tête.

Toujours disposé à fournir les efforts nécessaires pour déchiffrer l'humeur ou le dilemme d'un patient, Jung s'agenouilla en face de lui.

« Pourquoi prions-nous ? demanda-t-il avec douceur, mais sans condescendance.

– Les arbres.

– Les arbres ? Nous devrions prier pour les arbres, c'est ce que vous voulez dire ? »

Pilgrim lui signifia que non.

« Emmenez-moi jusqu'à eux, chuchota-t-il. Il faut que j'aille voir les arbres.

– Les arbres, donc. Très bien. Laissez-moi vous aider à vous relever. »

Dix minutes plus tard, Jung et son patient, vêtus d'amples manteaux de printemps, sortaient dans les jardins à l'est de la clinique. Kessler les suivait discrètement à distance – si tant est que la discrétion soit possible en bottes couinantes.

Manifestement, Pilgrim tenait à peine sur ses jambes. Il se raccrochait tel un invalide au bras de Jung, et semblait tout juste capable d'avancer dans l'allée.

Soudain, il leva les yeux et, ce faisant, tomba de nouveau à genoux.

« Mr. Pilgrim, Mr. Pilgrim…, dit Jung en se penchant pour le remettre debout.

– Non, non ! Regardez ! s'exclama son patient, qui le repoussa. Vous ne le voyez pas ? »

Jung eut beau regarder, il ne distingua rien d'inhabituel.

« Qui, Mr. Pilgrim ?

– Là-bas, chuchota ce dernier. Là-bas », répéta-t-il, le doigt tendu.

Enfin, Jung se tourna dans la direction indiquée. Loin au-dessus d'eux, posé sur la cime d'un pin gigantesque, un martin-pêcheur au plumage bleu, vert et lustré tenait dans son bec un poisson. Un moment, il contempla les humains sur le sentier en contrebas comme pour les évaluer l'un après l'autre. Puis, ayant avalé sa prise, il poussa un cri et s'envola.

Jung s'écarta d'un pas pour aller s'asseoir sur un banc d'où il observa son patient agenouillé sur le gravier avec une expression confinant à l'extase religieuse.

Bon, songea-t-il, *nous arrivons enfin au visionnaire. Nous arrivons enfin aux visions.*

Ils demeurèrent ainsi une demi-heure, Jung sur le banc, Pilgrim à genoux, Kessler adossé à un arbre.

Au bout du compte, Pilgrim se redressa et épousseta ses genoux. Il y avait toujours dans ses cheveux des miettes qu'il fit tomber dans sa paume. Avant de jeter un ultime coup d'œil au pin abandonné dont la cime désertée brillait au soleil.

Je reviendrai, décida-t-il. *Je reviendrai pour le marquer.*

Ce fut lui, cette fois, qui ouvrit la voie, sans plus chanceler, sans plus paraître fragile, avançant au contraire à grands pas dans l'allée vers la clinique, semant les miettes sur son passage.

Jung se leva à son tour et haussa les épaules. Que signifiait la réaction mystique de Pilgrim ? Homme, arbre, oiseau. *Martin-pêcheur.* Ils étaient assez rares autour du Zürichsee. À Küsnacht, Jung n'en avait vu qu'un, et cela remontait à trois ou quatre ans. Or, Pilgrim se sentait de toute évidence des affinités avec ce magnifique oiseau rare. Mais pourquoi, et comment ?

Peut-être qu'ils étaient nombreux en Angleterre, et que Pilgrim en avait la nostalgie ? Après tout, il habitait à proximité d'un fleuve, même s'il était à cet endroit voué au commerce. Mais plus à l'intérieur des terres... Où prenait-elle sa source, la Tamise ? Dans l'Oxfordshire, ou ailleurs, Jung ne se rappelait plus les autres comtés au nord-ouest de Londres. Non que cela fût important. La Tamise prenait assurément sa source dans quelque splendeur pastorale éloignée de toutes ces villes synonymes d'eaux mortes et de campagne à l'agonie. En un lieu où l'homme pouvait sillonner en bateau les rivières et observer tout ce que la nature avait encore à offrir.

L'image de Pilgrim tout de blanc vêtu, assis, voire allongé dans une barque à fond plat en amont de la Tamise, ne lui venait que trop facilement à l'esprit. Il y avait peut-être une ombrelle, un canotier, un cahier ouvert sur ses genoux et un martin-pêcheur fondant sur sa proie dans quelque bras mort d'un calme que rien ne troublait. Très anglais. Tout à fait typique de l'Angleterre. Très édouardien. Très rassurant. Totalement dépourvu de menace.

Mais il y avait plus. À la lisière de cette vision seigneuriale, de jeunes gars et filles de la campagne se prélassaient contre les clôtures de ferme, suffisamment *déshabillés** pour suggérer la disponibilité au cas où l'on

---

* En français dans le texte. (N. d. T.)

désirerait une roulade dans le foin avec une fille de laiterie ou une rencontre agenouillée avec un garçon d'écurie. *L'Angleterre, cette Angleterre-là.* Rien qu'une illusion, qui continue néanmoins à faire rêver et dont on pleure la mort imminente.

> *De regret mon cœur est empli,*
> *Au souvenir de ces merveilleux amis,*
> *Au souvenir de ces filles aux lèvres rosées,*
> *Et de bien des garçons au pied léger...*

Que Jung connût la poésie de A. E. Housman n'avait rien d'étonnant, compte tenu de la clientèle qui fréquentait la clinique Burghölzli. Les représentants des classes anglaises aisées apportaient toujours de tels poèmes. C'était pour eux une sorte de béquille sentimentale, une façon d'aborder les réalités dont leur existence de privilégiés les avait privés. Les dames tombaient en pâmoison dans les bras d'Elizabeth Barrett Browning et de Christina Rossetti. Les messieurs pleuraient sur les pages de Wordsworth, de Tennyson et de Keats, voire sanglotaient sur celles de Housman. Souvent, Jung avait dû détourner les yeux, tant il se sentait embarrassé. *Les Anglais ! Les Anglais ! Dieu vienne en aide à ces Anglais au grand nez, affligés par le snobisme, élus par Dieu !*

Autant de pensées suscitées par la seule apparition d'un martin-pêcheur.

En cela, Carl Gustav, tu manifestes toi-même des signes d'une certaine supériorité aryenne germanique à laquelle ta naissance ne te donne pas droit, dit l'Inquisiteur. *Tu es – et je te prie de ne pas l'oublier –* suisse !

Ils avaient enfin atteint le portique. Jung regarda Pilgrim gravir les marches et entrer dans l'établissement, suivi par l'aide-soignant toujours couinant.

Au moment où Jung parvenait à son tour au sommet du perron, il se retourna pour observer les montagnes par-delà les arbres en rangs serrés. Le Zürichsee n'était pas visible. En vérité, son absence dans le paysage était tout à fait délibérée. En plantant des arbres entre le bâtiment et le lac, les fondateurs de la clinique Burghölzli voulaient éviter à leurs patients la vue de l'eau, dans la mesure où bon nombre d'entre eux étaient suicidaires et où il est facile de mourir par noyade. Mais les montagnes étaient là – les sommets, le ciel et les autres chaînes plus lointaines, grises, violettes, voilées de brumes.

Un martin-pêcheur, pensait Jung.

Un martin-pêcheur. Des visions. Un visionnaire.

Bon, conclut-il, *nous verrons bien.*

3

La rencontre suivante avec la dimension visionnaire de l'esprit perturbé de Pilgrim eut lieu peu après.

Deux jours plus tard, Jung foulait en compagnie d'Archie Menken cette même allée de gravier où Pilgrim s'était agenouillé. Les deux médecins évoquaient le fossé entre Jung et Freud, apparu dans les premiers mois de 1912 et qui allait désormais s'élargissant. Avec le temps, il aboutirait à un schisme irrémédiable, mais cela ne s'était pas encore produit. En l'état actuel des choses, les relations entre eux, soumises à une grande tension, oscillaient entre de timides tentatives de réconciliation et des explosions de colère chez Freud, scandalisé que son *assistant attitré*, son *successeur, prince héritier de la psychanalyse* osât contrevenir à la loi universelle édictée par ses soins, selon laquelle toutes les psychoses trouvent leur origine dans le refoulement sexuel, la frustration sexuelle ou les violences sexuelles. Jung en concevait un trouble profond. Fondamentalement, rien ne pouvait ébranler son admiration pour Freud, et pourtant, il se trouvait de plus en plus souvent en désaccord avec lui. Plus Jung apprenait, plus il explorait, et plus il était convaincu que Freud avait fait un faux pas.

« C'est exactement comme engager une lutte à mort avec son propre père, confia-t-il à Archie Menken. Il y a des moments où j'en arrive à ne plus le supporter. Pis, il y a des moments où, j'ose à peine le dire, je lui en veux au point de le haïr. Sur certaines questions, il se comporte tout simplement en tyran, ce que je ne peux tolérer. »

Avec un haussement d'épaules, Archie Menken sourit.

« Il y a aussi du tyran en vous, C. G., répliqua-t-il.

– Peut-être, admit Jung. Peut-être. »

C'était vrai, il le savait. Mais le génie lui-même a tout d'un tyran. C'était bien là le problème, dans son cas comme dans celui de Freud.

Les deux hommes atteignaient le banc d'où Jung avait observé Pilgrim deux jours plus tôt quand soudain, il prit son confrère par le bras.

« Regardez ! dit-il.

– Quoi ?

– Ce pin, là-bas. Vous voyez ce que je vois ? »

Archie Menken plissa les yeux.

« Possible », répondit-il, sans rien remarquer de spécial.

Jung s'approcha de l'arbre et, prenant appui sur une main, se pencha vers le tronc.

« Ici, précisa-t-il. Ça. »

Son confrère s'avança pour examiner l'endroit indiqué.

Quelqu'un avait gravé la lettre *T* dans l'écorce, et de la résine suintait de la blessure.

« Il devrait y avoir un cœur autour, non ? plaisanta Archie.

– Je ne crois pas. »

Le ton exprimait une telle gravité qu'Archie Menken coula à Jung un regard de biais.

« Cela signifie-t-il quelque chose pour vous ? demanda-t-il.

– Oui », déclara Jung, qui n'en était pas encore vraiment sûr.

Il n'avait qu'une certitude, c'était Pilgrim qui avait tracé cette lettre et, pour le moment, elle lui suffisait.

Il devait s'écouler un certain temps avant que Jung n'en découvrît plus au sujet de la marque laissée dans l'écorce par son patient, et sur la raison de sa présence à cet endroit. L'explication résidait dans un autre volume des journaux rédigés par Pilgrim, et cette histoire-là, seuls les yeux de son auteur l'avaient jamais parcourue.

4

J'ai commencé ces journaux en partie avec l'idée de redonner vie à certaines des expériences qui ont été les miennes à une époque fort lointaine, et aussi de rapporter au jour le jour celles de ma vie actuelle. Parfois, il m'a paru approprié de transcrire le passé sous forme de rêves, dans la mesure où ils occupent une place prépondérante dans ma conscience. À d'autres moments, il n'y a rien que je puisse faire sinon présenter les choses comme je formulerais un discours académique – non pas une théorie (je déteste les théories!), mais une proclamation de ces certitudes que je considère au cœur de mes convictions: des vérités, encore des vérités. Jamais plus, jamais moins.

Cependant, le récit qu'il me faut à présent essayer de relater, en dépit de ses nombreuses vérités et de ses multiples certitudes, est plus adapté au genre du conte. Presque du conte de fées, à vrai dire. Il y a quelque chose de tellement magique, mystérieux et mystique dans cette histoire qu'elle aurait tout aussi bien pu être évoquée par Hans Christian Andersen, les frères Grimm ou Charles Perrault.

Mais alors que leurs fables sont véridiques au sens métaphorique, celle-ci l'est au sens littéral, puisque inspirée par les souvenirs de mon existence de berger pauvre et de mon instruction ultérieure.

Ainsi, bien qu'apparenté aux créations d'esprits plus inventifs que le mien, ce récit n'en constitue pas moins une entité à part entière.

Dans les collines de la sierra de Gredos, au nord-ouest d'Avila, en Castille, coule une rivière appelée la *Mujer*, la *Femme*. Le paysage alentour est poussiéreux, couleur vert olive; sans être terne, il semble toujours avoir besoin d'être arrosé, lavé par la pluie. La poussière elle-même, d'une teinte dorée, confère une sorte de patine aux choses sur lesquelles elle se dépose. Les cheveux des hommes, les jupes des femmes, tous les toits des maisons et toutes les feuilles des arbres sont ainsi chamarrés d'or. Les moutons qui paissent sur ces collines et les vaches qui paissent dans les vallées s'imprègnent de cette nuance au point que leur peau et leur laine constituent des matières très prisées dans la fabrication des bottes et le tissage des tapis.

Au plus profond de cette sierra, il existe un endroit connu sous le nom de *Las Aguas*, *les Eaux*. Un propriétaire terrien, Pedro de Cepeda, avait créé là-bas un petit lac en édifiant sur la Mujer un barrage fait d'un clayonnage enduit de torchis afin que ses moutons, ses vaches et ses bergers pussent disposer d'un lieu universel où se réunir pour le grand rassemblement bisannuel des troupeaux et organiser le double rituel de la tonte et de l'abattage.

Les bovins et les ovins destinés au sacrifice – des bœufs et des brebis pour la plupart – étaient alors isolés en cette occasion et conduits vers le sud au-delà des montagnes jusqu'aux abattoirs de Riodiaz, d'où leur viande partait enrichir les tables de Madrid. Pâtres et bouviers accueillaient chaque fois avec une certaine tristesse le regroupement de ces animaux condamnés, ayant assisté à leur naissance et pris soin d'eux au fil des années. Afin de contenir la mélancolie engendrée par ces moments, *Don* Pedro de Cepeda veillait toujours à ce qu'il y eût du vin et de la musique à profusion, et il ne manquait jamais de partir à cheval retrouver ses gens.

Parmi ses bergers, en l'an 1533, se trouvait un simplet de dix-huit ans nommé Manolo. Qu'il fût simplet ne l'empêchait en aucun cas d'accomplir ses tâches. Son dévouement pour les moutons dont il avait la charge n'avait d'égal que son dévouement pour la terre où il les emmenait paître. Jamais il n'avait connu autre chose que ces collines et ces vallées, et son expérience de la vie et du monde se limitait au cercle d'un rayon de quinze kilomètres où il habitait, *la tierra dorada*, avec sa couleur dorée et son ombrage vert. Il ne conservait aucun souvenir de sa mère. L'homme qui se prétendait son père, après lui avoir donné tous les enseignements susceptibles d'être compris par un esprit simple, s'était établi dans une région voisine – toujours au service de *Don* Pedro de Cepeda, mais complètement coupé de son fils.

Au fort de l'été, en juillet et en août, le plus grand plaisir de Manolo pendant les heures de la sieste consistait à nager dans le lac minuscule de Las Aguas. Il laissait alors ses moutons à l'ombre d'un bosquet de chênes verts et ses habits sur la rive, où son chien, Perro, les surveillait. Parfois, il arrivait que Perro sautât dans l'eau pour nager avec Manolo, mais il regagnait peu après la berge et l'ombre. La chaleur était si accablante que l'on se sentait peu enclin à faire autre chose que somnoler.

Manolo était dégingandé, tout en jambes et en nerfs. Si El Greco, qui n'était encore pas né à cette époque, l'avait aperçu au hasard d'une promenade, son œil aurait reconnu en lui le spécimen parfait – modèle même de sa version émaciée du physique masculin. Jusqu'à la couleur de sa peau et aux attitudes de danseur qu'il prenait.

Pour autant que l'on définisse la beauté comme une qualité à part entière indépendante de l'artifice, il serait alors juste d'affirmer que Manolo était beau. À condition de le voir dans le contexte de l'eau ou du sommeil. Lorsqu'il dormait, ses bras et ses jambes toujours actifs étaient enfin immobiles ; lorsqu'il nageait, flottait ou pataugeait avec Perro, ou encore émergeait de l'onde, le corps ruisselant de longues coulées brillantes, c'était un chef-d'œuvre de proportions élancées rien moins que parfaites. Mais dès lors qu'il se mettait en quête de sa chemise, de son pantalon en lambeaux et de ses sandales, il perdait toute cohésion – ses muscles se battant les uns avec les autres pour prendre le contrôle de ses mouvements. Le qualifier de *spasmophile* revenait à sous-estimer son état, bien qu'il parvînt à maîtriser ses spasmes en s'appuyant sur ses cannes.

Lesquelles avaient été fabriquées par *Don* Pedro en personne, témoin chez ce jeune garçon d'un tel désir de se tenir droit qu'il n'avait su résister à son appel.

Quant à son élocution, Manolo bégayait. Un défaut qui prenait naissance dans son cerveau, où les mots alimentaient son besoin de parler. Parfois, il ne se rendait même pas compte qu'il les prononçait dans le désordre ; aussi disait-il, par exemple : *Veux dormir je.* Avec un sourire, il ajoutait à l'intention de Perro : *Dormir tu veux aussi ? Alors, tu et moi se couchent. D'accord ?*

Et ainsi :

Un après-midi, à la fin du mois de juillet 1533, Manolo flottait sur le dos dans le lac quand Perro, qui somnolait sur la terre ferme, se redressa brusquement pour se tourner vers les arbres à l'ombre desquels dormaient les moutons.

Pas une goutte de pluie n'était tombée depuis plus de deux semaines, et la poussière dorée pesait lourdement sur les feuilles et le sol. Le pelage de Perro en était lui aussi recouvert.

Y avait-il un loup ?

Un chien sauvage ?

Un voleur ?

Dans le ciel, loin au-dessus de lui, Manolo voyait deux aigles aux ailes déployées. Ou des busards, peut-être ? La mort avait-elle déjà frappé, ou les oiseaux se contentaient-ils de remonter la piste d'une quelconque créature, certains que, le moment venu, elle les mènerait à une exécution ? Manolo savait que le cas s'était déjà produit : les oiseaux, ayant pressenti les conséquences d'un certain mode de comportement chez les loups, les chiens sauvages et les renards, l'avaient suivi jusqu'à sa conclusion inévitable.

Parmi les chênes verts figuraient aussi des sapins et des pins, ainsi que quelques chênes-lièges et platanes – ces derniers, de même que certains pins, s'élevant au-dessus de la végétation environnante. Leurs branches les plus hautes accueillaient souvent des nuées de pies, de corneilles ou d'étourneaux. Manolo appelait ces arbres la *Jacasserie* à cause des piaillements incessants qui en émanaient.

Il se mit à nager sur place, levant la tête à l'instar de Perro vers les cimes de la Jacasserie, située sur les pentes descendant jusqu'au lac.

Un oiseau, ou du moins ce qui ressemblait à un oiseau de taille gigantesque, y était posé, les ailes déployées comme pour agripper les branches. Ou pour les faire sécher au soleil, peut-être, tel le pélican ou le busard quand il s'est repu d'une charogne.

Qu'était-ce donc ?

Aucun oiseau de ce monde n'était aussi gros, ni aussi blanc, ni aussi grand.

Le regard toujours attiré par la créature, Manolo cessa de battre des pieds et coula.

Quand il émergea de nouveau, toussant et crachant, les yeux larmoyants, presque aveuglés par l'éclat du soleil, il s'aperçut qu'il contemplait un ange. Car seuls les anges ont des ailes aussi immenses, et seuls les anges sont capables de rester aussi immobiles.

Il nagea jusqu'à la rive, l'escalada, puis ramassa ses cannes.

Perro avait les poils du dos hérissés et la queue basse.

« Viens toi avec moi », chuchota Manolo en effleurant les oreilles du chien avant de monter vers les arbres.

Dans leur ombrage moucheté de lumière, alors qu'il boitillait parmi les moutons assoupis, Manolo évoquait une créature à demi invisible, comme si les particules de son être se rassemblaient seulement maintenant pour former un tout cohérent. Il vacillait, il battait des bras, et les paillettes de soleil ainsi que la pénombre dorée divisaient ses membres, ses cannes et son buste en segments si distincts qu'on lui prêtait à peine une apparence humaine. Près de lui, l'ombre de son chien semblait une partie de son corps dont il se serait dépouillé, attendant désormais d'être redéfinie. Qu'elle bougeât était une certitude, mais impossible de l'identifier.

Enfin, hors d'haleine, Manolo et Perro parvinrent au pied de l'arbre où s'était posé l'ange. À vrai dire, celui-ci donnait l'impression d'être pris dans les branchages plutôt qu'installé parmi eux de son plein gré.

Manolo le regarda.

Perro, silencieux, se coucha devant son maître.

L'apparition angélique avait le visage levé vers les cieux. Au milieu des feuilles, elle évoquait une personne assise seule dans une grande cathédrale et baignée par la lumière des vitraux. Jadis, Manolo avait visité une cathédrale semblable à Avila, quand on l'y avait emmené enfant dans l'espoir d'un miracle qui le guérirait de ses convulsions. Le miracle ne s'était pas produit, mais Manolo en était venu à croire que les silhouettes sur les vitraux respiraient, qu'elles étaient douées de vie. Embrasées par le soleil, elles scintillaient d'une façon propre à le convaincre qu'il les avait vues bouger.

À présent, il y avait un ange.

Manolo ne parlait pas. Ce serait inconvenant.

Au bout d'un moment, l'apparition se retourna et le découvrit.

« Es-tu venu prier ? lui demanda-t-elle.

– Non, m'dame. Je suis venu voir vous.

– Est-il à toi, cet arbre ?

– Non, m'dame. L'arbre, il à lui-même est.

– Je comprends. »

L'apparition raffermit sa position sur les branches.

« Tu penses que tu pourrais m'aider à descendre ? dit-elle.

– Vous ne savez pas voler ?

– Non.

– Alors, comment vous dans l'arbre ?

– Je ne suis pas capable de l'expliquer. Ça arrive, mais je ne suis pas capable de l'expliquer.

– Quoi arrive ?

– Je monte. Comme tu le vois, je monte parfois aussi haut que cela. Et parfois moins haut. Mais pas de mon fait. Ça arrive, tout simplement.

– Ça fait mal vous ?

– Non, cela me donne le tournis. Et après, j'en ris.

– Perro a peur de vous.

– Qui est Perro ?

– Mon chien. Il a pris vous pour un oiseau très très gros qui allait s'envoler avec lui pour le manger.

– Je ne mange pas les chiens et je ne vole pas. Je n'ai pas d'ailes. »

Perro, en entendant son nom et la voix angélique, redressa la tête et se mit à remuer la queue.

Puis l'ange dit :

« Le problème quand on monte, c'est qu'il faut redescendre. Tu n'aurais pas une échelle, par hasard ?

– Je ne connais pas *échelle*.

– Des marches. Des escaliers. Comme dans les maisons.

– Je ne connais pas les *maisons*.

– Bon, je vais essayer de me débrouiller. »

Ce disant, l'apparition entama sa descente. D'abord, elle dut dégager sa robe des branches autour d'elle – surtout ses « ailes », à savoir ses amples manches blanches.

Manolo recula afin de ne pas lui bloquer le passage, et Perro s'écarta avec lui. L'apparition, maladroite, manqua chuter à deux reprises, mais enfin, elle atteignit le sol et secoua ses jupes.

Elle regarda le berger droit dans les yeux, sans le moindre embarras.

« Tu es tout nu, déclara-t-elle.

– Souvent, je suis tout nu. Il n'y a jamais personne ici. »

L'apparition sourit.

« Je m'appelle Teresa de Cepeda y Ahumada, expliqua-t-elle. Je suis venue à la sierra de Gredos rendre visite à mon oncle *Don* Pedro, le frère de mon père. »

Manolo s'écarta en claudiquant et tenta de se dissimuler derrière un arbre.

« J'aimerais retourner dans l'eau, lança-t-il.

– L'eau. Oui. Je la voyais de l'arbre. Las Aguas. Mon oncle m'en a parlé. »

Teresa ouvrit la voie.

« Attention vous faites aux moutons, lui recommanda Manolo alors que tous deux descendaient à travers bois. C'est leur sieste avant qu'ils aillent encore paître. »

Perro courait devant eux, bondissant entre les arbres, naviguant de façon experte parmi les moutons et les agneaux au repos de façon à n'en perturber aucun.

Alors qu'ils débouchaient à découvert, Teresa s'immobilisa et, le regard fixé devant elle sur le lac créé par l'homme, ouvrit les bras comme pour l'étreindre tout entier.

« Oh ! s'exclama-t-elle. Je n'ai jamais rien vu d'aussi beau. »

Sur la berge opposée, une compagnie de pélicans au plumage maculé de poussière mordorée nageait parmi les roseaux.

« Eux venir aussi pour la sieste, expliqua Manolo. Tous les jours, les canards, les moutons, Perro et moi, nous nous endormons quand les cigales chantent. Vous entendez les ? »

Ils se dirigèrent vers la berge, où Manolo avait abandonné ses vêtements un peu plus tôt. Il y avait aussi laissé du vin dans une outre, et des restes de pain et de fromage noués dans un foulard. Perro s'approcha du lac pour se désaltérer.

« Fermez vous les yeux. J'ai peur que vous voyez moi quand je marche. »

Teresa se couvrit de ses paumes le visage avant d'affirmer :

« Je suis aveugle. »

Manolo boitilla jusqu'au bord de l'eau en s'aidant de ses cannes, dont il se délesta avant de s'avancer dans le lac, puis de patauger jusqu'à une distance suffisante pour pouvoir se tenir debout sans révéler son corps.

« Maintenant, vous pouvez regarder moi. »

Mais Teresa avait déjà regardé. Les doigts légèrement écartés, elle avait observé la démarche bancale de Manolo au moment où il passait devant elle, et remarqué sur son dos la tache de naissance en forme de papillon. Elle s'était également rendu compte que, sans ses cannes, il était complètement vulnérable.

Après avoir laissé retomber ses mains, elle s'assit auprès des vêtements du pâtre et lui demanda quel âge il avait.

« Dix-huit ans, répondit-il. J'ai compté. Je sais compter jusqu'à cent.

– Puisses-tu vivre aussi longtemps ! »

Un martin-pêcheur s'envola d'un arbre sur la rive opposée avant de raser l'onde. Il était bleu. Vert. Brillant.

« C'était un messager de Dieu, lança Teresa. Le savais-tu ? Les pélicans, les hérons et les martins-pêcheurs, ce sont tous des messagers venus au nom de notre Seigneur Jésus-Christ. Jésus était un pêcheur d'hommes et un berger de moutons. Berger de Dieu, Roi Pêcheur, Seigneur. »

Manolo fit lentement bouger ses bras dans l'eau.

« Dieu ne m'a pas fait, dit-il d'un ton rêveur en lissant la surface. Je suis seulement un berger des moutons.

– Mais les moutons sont des créatures de Dieu, répliqua Teresa. Nous sommes tous des créatures de Dieu.

– Pas moi, affirma-t-il. Je suis cassé trop. Dieu n'était pas là pour naissance à moi. Et quand *Don* Pedro, votre oncle, m'a emmené à Avila pour recevoir la bénédiction de la Vierge dans la cathédrale là-bas, je suis reparti avec mes cannes, comme j'étais arrivé. »

Teresa jeta une pierre dans l'eau.

« Dieu est partout », dit-elle.

Manolo détourna les yeux.

« Il est avec cette pierre en train de couler, poursuivit Teresa. Et avec chaque oiseau qui prend son essor. »

Elle s'assit, étala ses jupes autour d'elle. Teresa portait ce qui ressemblait à l'habit d'une Carmélite. Sauf que ses cheveux, d'une teinte rougeâtre, retombaient librement sur ses épaules et même plus bas. Ses pieds étaient chaussés de sandales et, à sa taille, un rosaire pendait au bout d'une cordelette de soie tressée.

« Je crois en Dieu le Père. Et je crois que Dieu le Père croit en moi…, ajouta-t-elle avec un sourire. Et je sais que Dieu le Père croit en toi. Il croit en chacun de nous. Un jour, tu t'en apercevras. Il est partout, en nous tous. »

La mère de Teresa, Doña Beatriz, était morte cinq ans plus tôt, quand sa fille n'avait que treize ans. Elles avaient partagé le même amour pour le romanesque et les mêmes idées romantiques sur tout : littérature, musique, tenues vestimentaires et façon de se présenter dans un monde où, un jour, il faudrait conquérir un époux. Teresa de Cepeda s'était régalée dans son enfance d'histoires de chevalerie, de martyrs et de nobles causes. À six ans, elle avait décidé avec son frère Rodrigo, qui en avait alors dix, de partir pour devenir une martyre parmi les Maures d'Afrique du Nord. *Don* Pedro, ayant aperçu par hasard sur la route de Salamanca les enfants égarés, les avait ramenés à leurs parents.

Telles étaient les aspirations de Teresa : retrouver le saint Graal, faire route avec les grands explorateurs jusqu'en Amérique et en Orient, s'élever jusqu'au ciel pour rencontrer le Tout-Puissant ou creuser la terre pour ramener le Diable à la lumière du jour. Elle lisait des poèmes. Elle lisait des romans. Elle s'habillait comme la reine Isabelle. Ou encore, imitait l'habit des Carmélites. S'essayait aux déguisements théâtraux, allant jusqu'à se farder de manière outrancière et même à se teindre les cheveux au henné. Mais la découverte de la personnalité n'est pas tant liée à une destination qu'à la capacité de l'atteindre. De toute évidence, pour Teresa de Cepeda, Dieu se trouvait au bout de tous ces rêves – mais était-Il accessible ?

Elle souffrait également des vertiges étourdissants de la lévitation. Pis, elle souffrait des visions violentes de l'épilepsie. Elle était sujette aux évanouissements ; elle jeûnait interminablement ; elle se retirait dans son lit ; elle priait à genoux des heures d'affilée, puis tournait brusquement le dos à son sanctuaire pour aller chevaucher avec ses frères dans la haute sierra, où elle s'éloignait au galop pour ne revenir qu'à la nuit tombée.

Teresa n'était que contradictions, mais en même temps, elle ne faisait jamais rien sans y mettre tout son cœur. Aucune activité ne lui paraissait frivole. Le plaisir et les jeux constituaient pour elle des occupations sérieuses. Et son amour pour Dieu était si grand, son dévouement à la prière si absolu que son père *Don* Alonso redoutait de voir sa seule fille entrer au couvent, et donc de la perdre.

Au cours des mois précédant son arrivée à *la tierra dorada*, Teresa était tombée gravement malade, causant de vives inquiétudes à son entourage. Elle séjournait alors en tant qu'hôte payant au couvent Notre-Dame de la Grâce, à Avila. Les religieuses, qui appartenaient à l'ordre des Augustiniennes, y était réputées pour leurs talents de professeurs. Teresa avait accepté leur enseignement avec courtoisie et rigueur, mais aussi avec circonspection. Elle s'appropriait ce qu'elle jugeait à sa convenance et rejetait tranquillement le reste. Et puis, brusquement, elle était tombée si malade que les sœurs en étaient venues à craindre pour sa vie.

Don Alonso et ses fils étaient allés la chercher au couvent pour la ramener à la maison, où elle avait lentement recouvré la santé. Il y avait cependant des rechutes, et elle se trouvait dans un état d'extrême faiblesse. Son père l'avait alors emmenée chez *Don* Pedro pour qu'elle pût reprendre des forces au soleil, au bon air et dans la chaude lumière de *la tierra dorada*.

Elle était à présent installée sur la berge de Las Aguas avec Perro à ses pieds et Manolo tel saint Jean-Baptiste dans l'eau quand, soudain, un braiment se fit entendre.

« Oh, mon Dieu ! s'écria-t-elle en se relevant d'un bond. Mon pauvre Picaro ! Je l'avais complètement oublié. »

Mais elle n'avait pas à s'inquiéter. Les baudets ne sont guère aventureux, et le sien ne serait pas parti bien loin. Il s'était tout simplement frayé un chemin à travers les arbres et les moutons jusqu'à sa maîtresse, assise au soleil sur l'herbe.

« Picaro ! s'exclama-t-elle avant de lui jeter ses bras autour du cou. Je suis désolée, mon Picaro... » Elle se tourna vers Manolo et éclata de rire. « Je l'aime, mon petit polisson. » Elle embrassa l'âne entre les oreilles. « Il m'emmène partout, et moi, je l'ai laissé seul là-haut. Oh, je suis tellement, tellement désolée...

– Amenez-le ici pour qu'il boive. »

Teresa conduisit Picaro au bord de l'eau et le regarda patauger vers Manolo, puis rejeter la tête en arrière pour pousser un braiment de pure joie suscité par l'onde fraîche autour de lui. En entendant son cri, les cigales cessèrent de chanter et les pélicans faillirent s'envoler, avant de le juger inoffensif et de se réinstaller.

Embrassant du regard les collines, le lac, le ciel, les bois, les moutons, le chien, le baudet, les oiseaux et l'homme nu, Teresa déclara :

« Tout cela, c'est Dieu. Cet endroit et nous tous réunis, nous sommes Dieu. »

Des arbres sur la rive opposée, une nuée de tourterelles à collier prit son essor dans un battement d'ailes poussiéreuses, décrivit à trois reprises un cercle au-dessus du lac et s'éloigna en direction des collines.

« C'est vrai, insista Teresa. Ce que je te raconte est vrai. Dieu Luimême vient de me le dire. »

5

T.

Une lettre gravée dans l'écorce d'un arbre.

T.

Jung s'adossa à son fauteuil.

C'était Emma qui avait fait le lien. Plus sa grossesse avançait, plus elle s'absorbait dans les journaux de Pilgrim, dont la plupart demeuraient encore enfermés dans le tiroir du bureau où son époux les avait laissés croupir. Carl Gustav avait fini par lui donner la clé et lui demander de les consulter à sa place, car il devait consacrer son temps à d'autres aspects de ses recherches sur la vie de Pilgrim et à des séances avec d'autres patients. Du moment que les journaux ne sortaient pas du bureau et qu'ils étaient rangés une fois parcourus, Emma pouvait y avoir accès. Pour sa part, elle avait scrupuleusement respecté ces conditions.

Peut-être, cependant, la réaction de son mari comportait-elle une part d'intimidation. C'était du moins l'interprétation d'Emma. L'ayant vu depuis quelques jours prendre une certaine distance par rapport aux écrits de Pilgrim, elle en avait conclu qu'ils étaient trop « personnels » pour lui, trop centrés sur une perspective narrative unique relatée d'un seul point de vue, ne laissant ainsi aucune place à l'exploration telle que la concevait Carl Gustav lors de confrontations plus directes. À propos d'un patient, il lui avait dit un jour que « c'est l'homme, et non l'œuvre, qui relève de mon domaine ». Il parlait d'un artiste, un peintre, et il avait ajouté que « certains hommes se cachent derrière ce qu'ils créent dans une tentative délibérée pour rester inconnus ». Ce à quoi Emma avait rétorqué : « Et alors ? Quelle importance ? L'art ne concerne pas l'artiste. L'art ne concerne que lui-même. »

Jung s'était contenté d'un haussement d'épaules.

Trois jours après la découverte du *T* gravé dans le tronc, Emma avait montré à Carl Gustav certains passages des journaux contenant des allusions aux arbres, aux martins-pêcheurs et à Teresa.

Teresa.

Assurément, il s'agissait d'une figure historique connue de Jung. Mais dont il se méfiait. C'était une mystique – *une mystique improbable qui plus est et, selon toute vraisemblance, portée à l'imposture.* Comme la lévitation, par exemple. *Foutaises*, avait-il décrété d'un ton méprisant, empruntant le terme à Archie Menken.

Emma soutenait néanmoins que c'était dans la nature de Teresa. Les gens avaient assisté au phénomène alors qu'elle priait.

« Il est toujours possible d'acheter des témoins, dit Jung ce soir-là, allongé avec Emma sur leur lit aux couvertures rejetées. Je me contente d'exprimer des doutes, ajouta-t-il. De faire des suppositions, rien de plus.

— Vous exprimeriez le même genre de doutes et feriez le même genre de suppositions au sujet des découvertes de Haeckel ?

— Autrefois, oui. Mais plus maintenant.

— Parce que maintenant, vous y croyez.

— Exact. Maintenant, j'y crois.

— Où est la preuve ?

— Comment ça, la preuve ?

— Oui, la preuve. Vous tenez absolument à ce que Teresa prouve qu'elle était *victime* de la lévitation, n'est-ce pas ?

— Arrêtez de parler de victime !

— Très bien. Vous tenez absolument à ce que Teresa prouve qu'elle s'élevait vers Dieu quand elle était en prière. Mais ne pourrait-il s'agir d'une simple allégorie ? Teresa n'avait qu'une aspiration: se trouver en présence de Dieu – en Sa présence absolue, littérale. Elle L'appelait Sa Majesté, et rien d'autre ne comptait pour elle que de s'élever vers ce lieu où Dieu existe, où Il est. N'est-ce pas la représentation parfaite de la lévitation ? Franchement, je ne parviens pas à comprendre pourquoi cela vous pose de telles difficultés.

— C'était une mystificatrice.

— C'était une catholique, voilà où vous vouliez en venir. Elle était catholique et croyante. Vous êtes protestant non pratiquant, à cause du fichu ministère de votre fichu père, et vous ne croyez en rien. Le principal problème avec vous, mon cher, c'est que vous détestez tous ceux qui croient en Dieu – et je dis bien *tous*. Peut-être même tous ceux qui croient en quelque chose.

— Pourquoi vous fâchez-vous ?

— Je ne me fâche pas. Je m'interroge, c'est tout. Revenons à votre raisonnement. Vous refusez d'admettre la vérité sur cette femme parce que vous refusez d'admettre que Mr. Pilgrim a une longueur d'avance sur vous.

— Comment ça, *une longueur d'avance* ? Qu'est-ce que ça signifie ? Emma, je vous en prie ! »

Elle se tourna de côté, lui opposant son dos.

« Vous n'aimez pas que l'on vous contrarie, mon cher. Vous rejetez l'idée que Mr. Pilgrim puisse savoir sans le moindre doute ce que vous ignorez complètement, qu'il puisse avoir connu et compris une sainte – une expérience que vous ne ferez peut-être jamais. Ou permettez-moi de formuler cela autrement : avec Mr. Pilgrim, vous vous retrouvez vraisemblablement en position d'étudiant, et lui, de professeur. »

Emma cala son épaule, puis porta une main à son ventre, où elle la laissa reposer sans intention particulière sur l'enfant qui s'y nichait.

« Imaginez un instant que vous ne vous posiez pas de questions, reprit-elle. Mettez-vous à sa place ; celle de Teresa, j'entends. Elle ne demandait rien. Elle était simplement, *seulement*, en attente. C'était ce qu'il y avait de miraculeux en elle : ne pas prédéterminer, ne pas dire *Il en sera ainsi*, ne pas savoir. Elle n'exigeait pas de savoir, Carl Gustav. Vous, vous exigez de savoir. En ce sens, vous êtes un monstre. »

Son époux se rapprocha d'elle.

Un monstre ?

« Je vous aime, déclara-t-il sans l'avoir prémédité.

– Je vais y réfléchir », répliqua Emma.

Et de sourire.

Jung plaqua la main sur la fesse gauche de sa femme, avant de commencer à batailler avec sa chemise de nuit.

« Vous n'avez jamais été prise par-derrière », déclara-t-il, stupéfait par le son de sa propre voix, par la brusquerie d'une lubricité jusque-là tenue secrète. Une lubricité pure, totale, qui ne s'encombrait d'aucun travestissement. D'aucun *Je suis votre mari*. D'aucun *Faisons mine de*.

Il dénoua les cordons de son pantalon de pyjama, qu'il repoussa ensuite le long de ses cuisses.

Je vais te violer, pensa-t-il. *Je vais te posséder de toutes les façons dont un homme peut posséder une femme. Tu seras occupée pendant des heures.*

« Carl Gustav ?

– Oui ? »

Elle avait parlé. Comment osait-elle ?

« Ôtez votre main de ma fesse. »

Jung s'exécuta. Sa main s'écarta. Presque comme s'il n'en était pas le maître. Elle se borna à quitter sa place. Lui-même demeura en retrait, déconcerté, le sexe tumescent.

« Dieu *est*, affirma-t-elle, glissant vers le sommeil. Vous le savez, n'est-ce pas ? »

Le savait-il ? Peut-être. Il avait beau trouver difficile de l'admettre, il savait qu'il y avait Quelqu'un, ou Quelque chose. S'il n'y avait personne là-haut, ses propres aspirations à l'explication seraient dénuées de sens.

« Oui, répondit-il dans un murmure.

« – Qu'est-ce que la certitude ?

– Ne rien savoir.

– Bien. » Emma soupira. « Vous progressez. » Elle s'éloigna un peu plus de lui. « Voulez-vous que j'émette quelques doutes sur la possibilité pour vous d'atteindre l'orgasme grâce à ma main ? Ou avez-vous déjà la certitude de devoir vous passer de ma participation ? »

Jung bougonna. *Oh, mais pourquoi ne le suçait-elle pas ?*

Il chercha le sommeil. Un sommeil qu'il sentait proche, tel un poisson au bout de sa ligne. *D'un instant à l'autre, je vais le ferrer et je serai parti.*

Quelle image plaisante… ! Se tenir en cuissardes par une belle matinée de septembre sur la rive du lac la plus éloignée. Lever de soleil, poissons-lunes. Eau fraîche, air frais.

Martin-pêcheur.

Qu'est-ce que la certitude ? lui avait demandé Emma. *Ne rien savoir*, avait-il répondu.

Les poissons sont là, mais les trouvera-t-on ?

La lumière du soleil faisait scintiller l'eau. L'espace d'un instant, elle l'aveugla.

Et Dieu ?

Il se laissa dériver.

Dieu est dans l'éblouissement.

C'est juste. C'est juste. C'est sans doute juste.

Le poisson tira sur la ligne.

Doute moins, crois plus, ordonna le Grand Inquisiteur. *Tout à l'heure, Carl Gustav, tu envisageais toi-même la lévitation.*

Sûrement pas.

Il dormait presque.

Sûrement pas ? Mais alors, comment définis-tu l'orgasme ? De quoi pourrait-il s'agir, sinon d'une élévation à un autre niveau d'existence ? Tu devrais y réfléchir.

Peut-être.

Peut-être ? Sois moins sceptique, pêcheur. La vérité, c'est que tu as des âmes à attraper. Ou des esprits, si tu préfères. C'est vrai. Le petit poisson d'Emma. Le centre vital perdu de Pilgrim. La lune de Blavinskeya. Ta propre foi égarée…

C'est vrai. Peut-être.

Bonne nuit, Carl Gustav.

Oui, bonne nuit à toi aussi. Espèce de vieux salaud, va.

Il sourit.

Bonne nuit – exactement les termes qui convenaient. Une bonne nuit, bien qu'Emma se fût refusée à lui.

Oserait-il jamais la prendre de force? Avec une brutalité implacable? Selon toute vraisemblance, non. Ce n'était pas l'opinion qu'elle aurait alors de lui qu'il redoutait – cet aspect-là ne l'inquiétait jamais –, mais plutôt celle qu'il aurait de lui-même. Il ne se préoccupait guère de ce qu'elle pensait à son sujet, du moment qu'elle continuait à le respecter en tant que...

Artiste?

Pourquoi ce terme s'était-il imposé à son esprit?

Il avait voulu dire *scientifique*. Du moment qu'elle continuait à le respecter en tant que scientifique.

Un jour, le monde entier reconnaîtrait sa grandeur. Ses expériences novatrices, ses découvertes, sa revendication de nouveaux territoires.

C'était réconfortant.

Non, il ne prendrait jamais Emma de force. Il n'avait même pas besoin de solliciter ses faveurs. Elle finirait par le supplier de lui accorder les siennes. Dans l'intervalle, il y aurait d'autres femmes pendant qu'il travaillait à la réalisation de son but ultime: la légitimité de son génie.

Sur ces pensées, il s'endormit.

Au matin, lorsque Emma s'éveilla, Carl Gustav n'était plus là. Elle n'avait ni entendu ni perçu d'aucune manière son départ. Pourtant, lorsqu'elle se rendit à la salle de bains, les signes attestant le passage de son époux étaient partout. Le panier de linge sale débordait de serviettes mouillées. Les odeurs de savon et le parfum de l'eau de Cologne citronnée dont il imprégnait ses mouchoirs étaient aussi vivaces que s'il avait quitté la pièce quelques secondes seulement avant qu'elle-même n'y entre. Le miroir comportait encore des traces de buée.

En bas, dans le coin droit de la glace, Carl Gustav avait tracé la lettre *T*. En gros. Comme pour en signifier l'importance.

T. Teresa.

Emma se demanda comment elle pourrait amener son mari à manifester plus de tolérance envers cette femme complexe. Cette sainte. Comment le familiariser avec elle et lui enseigner la signification de son génie particulier.

Non. Pas question de lui enseigner quoi que ce soit. Carl Gustav refusait les enseignements, à moins de les avoir sollicités.

Les journaux de Pilgrim regorgeaient de révélations. Léonard, *Mona Lisa*. Les chiens, Perro et Agamemnon. Les récits de viol et de séduction. Henry James et Mr. Bleat. Les bergers, les saints, les paysages dorés. Les martins-pêcheurs, les pélicans, les colombes, les aigles... Et au cœur de tout cela, il y avait la haute figure solitaire de cet homme qui ne parlait jamais d'aimer ni d'être aimé, sinon pour raconter les histoires des autres.

À moins qu'elles ne fussent siennes, ces histoires ? Les avait-il imaginées, créées de toutes pièces ? s'interrogea Emma. Ou croyait-il sincèrement les avoir vécues ? Auquel cas, dans quelles circonstances ? À l'occasion d'un rêve nocturne ? D'une rêverie diurne ? S'agissait-il de fictions, ou s'agissait-il de faits ?

Le soin avec lequel il les avait couchées sur le papier allait cependant bien au-delà de la simple transcription d'un rêve ou d'une rêverie. D'après Carl Gustav, il arrivait à Mr. Pilgrim de parler dans son sommeil en articulant distinctement, presque comme s'il dictait ses propos. Ce qui, étant donné la nature des songes, se révélait du plus grand intérêt.

Carl Gustav avait une théorie selon laquelle les expériences vécues dans les rêves valaient en intensité celles vécues dans la réalité ; pour lui, la terreur suscitée par les cauchemars égalait parfois celle suscitée par les véritables événements. Un homme qui se voyait en rêve enterré vivant aurait tout aussi bien pu l'être réellement, car les effets produits sur lui étaient similaires. Survivre à un cauchemar ou survivre à la réalité laissait le même genre de cicatrices psychiques. Aussi était-il nécessaire d'administrer à de nombreux patients des sédatifs tels que l'hydrate de chloral ou de les calmer avec de l'éther jusqu'à les convaincre que docteurs, infirmières et aides-soignants n'avaient pas l'intention de les ramener dans la tombe.

Et pourtant, Mr. Pilgrim nourrissait pour la tombe un désir aussi irrépressible qu'irréalisable. Comme il était triste, ce géant extraordinaire… Emma l'avait vu de loin marcher dans la neige en compagnie de lady Quartermaine. Ses cheveux blanchissaient, lui avait dit Carl Gustav, et sa solitude semblait de plus en plus grande. Il demeurait de longues heures dans la salle de musique, à écouter des enregistrements de Mozart, Beethoven, Verdi et Puccini ; ou assis devant le piano, à jouer par tâtonnements la musique de Schumann et de Schubert. Pour finir, invariablement, il se levait avec brusquerie et sortait à pas pesants. Il y avait beaucoup de colère refoulée, beaucoup de tempêtes soudaines chez ce géant extraordinaire.

Emma regagna la chambre, où elle enfila son peignoir. Elle passerait la matinée dans le bureau de Carl Gustav, déverrouillerait le tiroir magique (elle en était désormais arrivée à le considérer ainsi) et terminerait l'histoire située sous le soleil de *la tierra dorada*. Alors qu'elle descendait l'escalier, une main sur la rampe, l'autre sur son enfant, il lui sembla entendre un chien aboyer au loin et des pélicans s'envoler dans un battement d'ailes poussiéreuses.

6

Des cavaliers chevauchaient le long de *la Mujer* tous les trois jours pour apporter des provisions aux bergers et autres bouviers chargés de veiller sur les moutons et les vaches de *Don* Pedro. Pour l'essentiel, l'alimentation des gardiens de troupeaux se composait de pain, de vin, d'oignons, de fromage et d'olives, auxquels ils ajoutaient différentes variétés de haricots secs ainsi que du gibier lorsqu'il leur arrivait de tuer des oiseaux, des lapins ou, en de rares occasions, un sanglier. Les bouviers mangeaient en groupes, et la plupart des bergers, seuls.

On allumait des feux de camp. Les hommes dormaient à même le sol, se confectionnant des couvertures et des oreillers grossiers avec des selles, des bottes ou des vêtements roulés en boule. Chaque berger avait un chien, parfois deux. Les bouviers en avaient plusieurs, ainsi que des chevaux et des baudets disséminés parmi les bovins, car la présence des ânes décourageait les loups en maraude. De temps à autre, peut-être toutes les cinq ou six semaines, les hommes et les chiens se faisaient remplacer pour pouvoir bénéficier ainsi d'un congé de deux ou trois jours.

C'étaient de bonnes conditions de travail. D'autres propriétaires terriens, moins fortunés ou plus cupides, laissaient parfois leurs gens dans les collines jusqu'à quatre ou cinq mois d'affilée.

Trois jours après leur première rencontre, Teresa de Cepeda, montée sur Picaro, accompagna les cavaliers afin de revoir Manolo et *Las Aguas*. Elle s'était éprise du paysage, et *l'innocence charmante* de Manolo, malgré sa gaucherie presque muette, lui manquait. Elle l'avait évoquée en ces termes dans ses carnets, par ailleurs remplis de prières, de fleurs séchées et d'injonctions contre ses péchés personnels, dont la lévitation. Tout acte extraordinaire était manifestement un péché, à moins d'avoir été ordonné par Sa Majesté. Et aux yeux d'autrui, se retrouver au centre d'un événement extraordinaire, c'était rechercher les flatteries. Elle avait commencé à prier dans les granges et les fosses d'aisance.

Les cavaliers, une fois informés de sa destination, lui confièrent les provisions pour Manolo avant de l'envoyer vers lui. Ils l'aimaient bien, tous ces hommes qui la traitaient comme *la fille de la maison* – une des leurs.

La demeure de *Don* Pedro avait pour nom *El Cortijo Imponente, la Grande Ferme*. Elle abritait cinq enfants en plus de Teresa, et en avait déjà vu partir cinq destinés au mariage, au séminaire et à l'armée. Deux autres, bien des années auparavant, étaient morts en bas âge.

Au total, *Doña* Aña de Cepeda y Caridad avait donné naissance à douze fils et filles. Tout comme *Don* Pedro, son mari, elle approchait de la cinquantaine, mais contrairement à lui, elle était sujette à de longues périodes de mélancolie durant lesquelles elle restait assise avec son rosaire à la main, sans prier, le regard fixé sur la *meseta* à l'horizon. Elle croyait, au plus fort de ses états dépressifs, que le monde entier s'était retranché par-delà ces lieux, et qu'en fin de compte, abandonnée par tous ceux qu'elle avait aimés ou enfantés, elle mourrait sans avoir jamais eu l'occasion de s'agenouiller dans les grandes cathédrales de Madrid ou de se promener dans les cloîtres fleuris de l'Alhambra. Tels étaient ses rêves, et à l'instar des enfants, elle imaginait souvent s'évader pour les réaliser.

Malgré son amour pour sa tante, Teresa se réjouissait de pouvoir lui fausser compagnie une journée. Elle trouvait pénible de voir gaspiller autant d'heures en rêveries – des heures qui auraient pu au moins être consacrées à la prière contemplative. À cet égard, *Doña* Aña rappelait à Teresa sa propre mère : trop de ruminations, pas assez d'action.

Il était encore relativement tôt quand elle atteignit le bois qui surplombait le lac où elle avait rencontré Manolo. La huitième heure du jour, peut-être la neuvième. Elle reconnut l'endroit où, après s'être agenouillée pour prier, elle s'était élevée vers les arbres.

Était-ce l'œuvre de Dieu ?

Mais pourquoi en serait-il ainsi ?

Pourquoi Sa Majesté s'intéresserait-elle plus à elle qu'aux autres ? Tout en restant convaincue que tel n'était pas le cas, Teresa avait néanmoins décidé d'attirer Son attention. Bien que consciente des problèmes plus importants posés à Sa Majesté, elle comptait La sermonner au sujet des membres de Manolo. Puisqu'Elle gardait un œil sur le moineau, pourquoi ignorerait-Elle le plus humble des hommes ?

Teresa, maintenant au milieu du bois, se demanda si elle oserait de nouveau prier en un tel lieu.

Était-ce l'arbre, le sol, la forêt ou le ciel au-delà qui avait provoqué son élévation vers le Paradis ?

La lévitation, elle le savait, était l'apanage des saints. Or, elle n'était pas une sainte. Cela aussi, elle le savait.

Peut-être était-ce un effet de son alimentation.

À force de pratiquer l'abstinence – ce qu'elle faisait souvent au prix de grands efforts –, peut-être finissait-on par souffrir d'un manque de poids ou de ce qu'il fallait pour se maintenir au sol. Il suffisait alors de *se laisser aller* pour s'élever. Cette pensée la fit rire. *Je suis un cerf-volant*, songea-t-elle, *que le vent peut s'approprier à sa guise.*

Pourtant, lors des prières auxquelles elle avait assisté, elle n'avait jamais vu les autres monter dans les airs.

Picaro était impatient d'atteindre l'eau, mais elle le retint avant de descendre pour attendre.

Les cigales chantaient.

La terre s'inclinait, elle le sentait.

Il n'y avait pas de nuages, pas d'ombre à l'endroit où elle se tenait, pas de voix non plus pour lui ordonner telle ou telle chose.

À l'exception du baudet, elle était seule.

« Il y a quelqu'un ? demanda-t-elle. Il y a quelqu'un ? »

Un battement d'ailes.

Un claquement.

Teresa leva les yeux.

Une colombe.

Suivie par une seconde.

Bêê.

La voix des moutons.

Les sons des moutons : piétinements, frottements, tremblements, frôlements en contrebas, dans les bois.

Bêê. Bêê.

La voix de Dieu.

Prie. Mais elle avait peur.

Pourtant, toutes les forces d'impulsion en elle – physiques, mentales et spirituelles – la repoussaient du sol. Les muscles derrière ses genoux s'étirèrent, se contractèrent, se crispèrent. Ses jambes tremblèrent. Son esprit se vida. Elle perdit conscience.

Lorsqu'elle s'éveilla, un oiseau chantait une chanson exquise – une de ces mélodies propres aux grives, à longues mesures tout en rondeurs. Mais l'oiseau lui-même restait dissimulé aux regards. Quoi qu'il en soit, Teresa n'avait pas une vision très claire des alentours. Elle était montée dans les airs, puis retombée et, à l'endroit de sa chute, il y avait des feuilles, des aiguilles de pin et les débris des broussailles de l'année précédente.

Je pourrais rester couchée ici pour toujours, pensa-t-elle, *avec ma joue contre cette terre. Je pourrais demeurer couchée ici pour toujours, et simplement devenir une partie d'elle, comme toutes les choses mortes –*

fusionner avec elle, me mêler et m'unir à elle... Je suis corruptible, et un jour, je serai corrompue par ce sol.

Elle sourit, puis laissa échapper un soupir. Picaro vint lui frotter ses naseaux contre l'épaule.

« Tout va bien, lui dit-elle. Je suis vivante. »

Ses naseaux étaient aussi doux que du velours, son souffle aussi parfumé que l'herbe qu'il avait mangée, ses yeux remplis d'inquiétude.

Un peu plus bas, parmi les arbres, les moutons marmonnaient, leurs agneaux agitaient la poussière. Après avoir ramené ses jambes sous elle, Teresa s'agenouilla.

Plus d'une fois, lorsqu'elle s'était évanouie de la sorte, on l'avait crue morte. Elle conservait alors une telle immobilité qu'il était impossible de déterminer si elle respirait. De son côté, elle n'avait aucune notion du temps ou de l'espace lors de ces périodes de transe. Elle n'était *nulle part*. Ainsi qualifiait-elle sa destination : *nulle part*. Un lieu indéterminé entre la vie et la mort, où il n'y avait plus ni sensations ni conscience.

Je suis vivante, dit-elle à Dieu. *Je remercie Votre Majesté d'être en vie.*

Après s'être signée, elle se leva.

« Viens, lança-t-elle à Picaro. Descendons vers l'eau. »

Les provisions destinées à Manolo, ainsi que ses propres réserves de pain et d'eau, se trouvaient dans des sacoches de chaque côté du tapis sur le dos de Picaro. Ce même tapis sur lequel Teresa prenait place lorsqu'elle le montait. Une selle ne convenait pas pour un âne. La plupart des gens chevauchaient les baudets à cru, mais Teresa aimait à penser que Picaro appréciait la couverture. En outre, celle-ci était gaie avec ses rayures jaunes sur fond écarlate. Elle n'allait pas sans évoquer une bannière ou un drapeau.

La nécessité de guider le baudet ne s'imposait plus une fois que Teresa eut tourné la tête de l'animal en direction du pied de la colline.

Il faisait frais à l'ombre des arbres, et les moutons étaient disséminés sous le couvert de telle façon qu'il était possible de se frayer un chemin entre ceux qui se reposaient et ceux qui broutaient. Tous paraissaient totalement imperturbables. L'on avait la possibilité d'aller et venir, presque comme Dieu avait la possibilité d'aller et venir : en demeurant inaperçu, quoique complètement présent.

« Picaro, Picaro, chut-chut-chut », murmura Teresa.

L'âne aurait tout aussi bien pu avoir des sabots de toile. Les seuls sons étaient ceux de son pas sur la terre et le baiser tremblant des feuilles le long de ses flancs à mesure que les branches se scindaient, s'écartaient puis, dépoussiérées de frais, recréaient en voltigeant leur enchevêtrement initial. Si les moutons levaient la tête, ils ne voyaient du premier intrus que des jupes rassemblées, et du second, une queue fouettant l'air. La lumière était toute d'or et d'émeraude, et l'odeur, de terreau de feuilles, d'haleine animale et de crottin écrasé.

Au bas de la pente, à l'endroit où les arbres semblaient remonter vers la colline, soufflait une brise rafraîchie par l'eau et imprégnée des senteurs d'un feu allumé la veille.

« Manolo ? »

Il n'était nulle part en vue. Perro non plus. Une situation de toute évidence inacceptable, car elle signifiait que les moutons étaient laissés sans surveillance, ce dont Teresa croyait le berger incapable.

« Manolo ? Manolo ? » appela-t-elle un peu plus fort.

Après avoir débarrassé Picaro des sacoches et de la couverture, elle lui donna une petite tape sur la croupe, et il se dirigea vers le lac.

Une compagnie de canards savourait l'ombre sur la berge opposée. Les cigales étaient silencieuses et le resteraient jusqu'au moment où le soleil atteindrait son zénith, d'ici à trois heures. Une bête sauvage, peut-être une belette ou une hermine, amena sa progéniture boire près du barrage, glissant d'abord seule vers l'eau telle l'ombre d'une main désincarnée. Elle jeta un bref coup d'œil à la femme sur l'autre rive, puis au baudet dans les bas-fonds avant d'indiquer par un sifflement que tout allait bien. Ses petits – au nombre de trois – la rejoignirent en glissant à leur tour. Le temps de se désaltérer, et la mère se redressa, scintillante sous le soleil, alors que ses jeunes se penchaient vers l'onde. Il n'y avait pas le moindre bruit.

Teresa n'osait bouger tant qu'ils n'avaient pas terminé. Mais où était donc Manolo ? Tous ces moutons sans berger… Eût-il été un chien, elle l'aurait sifflé, comme la bête lorsqu'elle avait appelé ses petits. Elle n'aurait pas eu besoin de crier son nom. Il serait venu, tout simplement.

Allait-il de nouveau se montrer nu ? Malgré elle, Teresa le revit immobile en dessous d'elle, comme le jour où elle l'avait découvert depuis son poste d'observation dans l'arbre. *Les hommes ne sont pas supposés être beaux, mais ils le sont quand même*, songea-t-elle. Les religieuses ne prêchaient pas dans ce sens. *Tu ne t'attarderas point sur l'image de l'homme, à moins que cette image ne te tente par sa forme.*

Le seul mot *tenter* était censé évoquer le Diable. Les ténèbres. Le mal. *Mais ma sœur*, s'était enquis Teresa, *l'homme n'est-il pas fait à l'image de Dieu ?*

La question avait suscité moult rougissements et autres bredouillements. « Euh, oui, oui, bien sûr. » Et aussi : « Non, non, pas du tout. Tu ne comprends pas. L'homme est charnel. Dieu ne l'est pas. Dieu est

Esprit. C'est *l'esprit* de l'homme qui est créé à l'image de Dieu, et non son corps. »

Ah. Oui. Puis : *Eh bien…* Sourire.

Pourquoi nous apprend-on à mentir ? se demanda Teresa. *Dieu ne veut pas que nous détournions les yeux. Dieu veut au contraire que nous regardions.*

« Manolo ? »

Toujours pas de réponse.

Remarquant alors que l'animal près du barrage avait disparu en emmenant ses jeunes, Teresa s'approcha de l'endroit où, la veille au soir, Manolo avait allumé son feu au milieu d'un cercle de pierres. Un trou y avait été creusé, qui contenait un résidu de cendres encore tièdes.

« Manolo ! » cria-t-elle, vers l'eau cette fois.

Picaro sortit du lac et s'ébroua.

« Manolo ? »

Rien. Teresa tendit l'oreille.

Quelqu'un approchait. Dans quelle direction ? Quelqu'un marchait sur les feuilles mortes.

« Manolo ? »

Elle se tourna vers les arbres. Le bruit devait provenir de là – derrière elle. Mais elle se trompait. Il provenait de l'autre côté de la rivière.

L'âne renâcla. Quelque chose ou quelqu'un tomba ou fut poussé dans l'eau. Teresa pivota de nouveau.

Sur la rive opposée, un cavalier s'éloignait dans le sous-bois. Teresa n'eut pas le temps de voir son visage. Ni la couleur de ses vêtements.

Apparemment inconscient, Manolo gisait en face d'elle, la partie inférieure de son corps immergée, la partie supérieure renversée sur la berge.

Teresa ne savait pas nager. Elle avait peur de l'eau. Soulevant ses jupes, elle courut jusqu'au barrage.

Manolo semblait avoir été frappé à la tête. Il avait aussi le dos des mains en sang. Du sang maculait également sa chemise ainsi que son pantalon, et à côté de lui se trouvaient ses cannes brisées. Il n'y avait aucune trace de Perro. Aucun bruit indiquant sa présence.

Teresa n'avait pas la moindre idée de ce qu'elle devait faire.

Soudain, elle s'élança, retraversa le barrage en sens inverse et, après avoir saisi le licou de Picaro, conduisit l'âne jusqu'au corps du berger, moitié hors de l'eau, moitié dedans. Manolo respirait. Il était toujours vivant. Mais comment le hisser sur le dos du baudet ? Si seulement il était possible de l'amener à s'élever…

Prie.

Que je prie ?

Elle plaça Picaro dans une position à peu près parallèle au berger, puis s'agenouilla dans la poussière à côté de lui.

« Votre Majesté... » commença-t-elle. Non. *Ne dis rien.* La prière n'a nul besoin de mots.

Teresa garda le silence. Elle avait les yeux ouverts. Il ne lui arrivait que très rarement de les fermer lorsqu'elle priait. Au cas où Sa Majesté apparaîtrait, l'on devait être en mesure de La voir.

Le berger ne s'éleva pas. Mais Teresa, si. En se penchant, elle réussit à attraper Manolo par le col de sa chemise déjà déchirée et entreprit de le soulever. Il lui semblait moins lourd que l'air. Elle le posa à plat ventre sur le dos de Picaro, bras et jambes pendant de chaque côté.

Quand elle se fut ressaisie, Teresa, qui se rappelait à peine avoir quitté sa position agenouillée, se retrouva près de la tête de l'âne, dont elle tenait le licou.

« Viens, dit-elle. Partons. »

Ensemble, ils s'engagèrent sur le barrage où, en plein milieu, ils marquèrent une pause des plus infimes. Teresa parcourut du regard toute l'étendue du lac, jusqu'à son extrémité inférieure. Il y avait là-bas, dans les bas-fonds, des pélicans jaunes placides, couverts de poussière. Il y avait aussi trois daims – une biche et deux faons – venus se désaltérer.

Un martin-pêcheur approcha, plongea et manqua sa prise.

Un *taïaut* lointain informa Teresa que d'autres humains étaient dans la vallée ; selon toute vraisemblance, il s'agissait des cavaliers avec qui elle avait quitté *El Cortijo Imponente* le matin même et qui s'en retournaient désormais. Plus loin encore, elle crut entendre un chien aboyer.

Perro ?

Il faisait une chaleur étouffante, humide. Les vêtements collaient autant à la peau qu'à eux-mêmes. L'on avait presque l'impression de marcher sous une cascade.

Un poisson sauta. Heureuse créature ! Au moins, elle bénéficiait d'un peu de fraîcheur dans les profondeurs...

Teresa tira sur le licou de Picaro, et tous deux poursuivirent leur chemin jusqu'à la berge abritée et l'ombre du couvert.

Ce fut relativement facile de descendre Manolo de sa monture. Son corps mou n'offrait aucune résistance. Il se contenta de chuter. Lorsqu'il fut à terre, Teresa examina de nouveau ses blessures. Le berger avait été frappé à la tête, peut-être par quelqu'un qui s'était servi des cannes pour l'agresser, et ses mains semblaient avoir été écrasées par un individu chaussé de bottes.

« Manolo ? »

Il ne remua pas.

Teresa déchira le bas de sa robe avant de s'approcher de l'eau, où elle rinça le tissu à plusieurs reprises pour en ôter la poussière dorée. Elle s'en servit ensuite pour nettoyer le crâne et les mains de Manolo, puis l'attira sur ses genoux.

Une vingtaine de minutes plus tard, le berger reprenait conscience.

« Moi », fut le seul mot qu'il prononça.

Ses bras et ses jambes revinrent à la vie en une série de spasmes qui les projetèrent dans toutes les directions ; une de ses mains atteignit Teresa en pleine figure. Quand il se fut enfin calmé, il se figea dans une position rappelant celle d'un soldat qui, à plat dos, se tiendrait au garde-à-vous.

« Que s'est-il passé ? lui demanda Teresa. Où est Perro ? »

Au début, Manolo était presque muet, mais peu à peu, son fouillis de mots acquit un sens. Un certain nombre de cavaliers – trois ? Trois cents ? – étaient sortis du bois en face de lui, avaient traversé la rivière et volé deux moutons ainsi que cinq agneaux. (Manolo les compta sur ses doigts.) Bien sûr, avec l'aide de Perro, il avait tenté de s'interposer, mais les adversaires étaient trop nombreux et, du haut de leurs chevaux, ils n'avaient eu aucun mal à le submerger.

L'un d'eux était descendu de sa monture pour le jeter à terre, avant de le bourrer de coups de pied et de le frapper avec la poignée de son épée.

Et Perro ?

Lui aussi avait reçu son lot de coups de pied, et les cavaliers avaient même essayé à plusieurs reprises de l'écraser, mais leurs chevaux s'étaient débrouillés pour ne pas poser leurs sabots sur l'animal affolé. La dernière fois que son maître l'avait vu, le chien se précipitait dans le lac, s'efforçant en vain de poursuivre les voleurs. Pour sa part, Manolo, qui avait attrapé un cheval par la queue, s'était retrouvé traîné jusqu'au milieu de la forêt sur l'autre rive. Ensuite, il ne se souvenait plus de ce qui était arrivé.

Comme l'avait vu Teresa, un des maraudeurs avait ramené le berger jusque sur les berges de *Las Aguas* avant de rejoindre ses semblables.

Manolo était anéanti. Il allait perdre sa place. Il ne travaillerait plus jamais. Il allait mourir. Mais avant tout, il désirait que Perro lui fût rendu.

Teresa fit de son mieux pour le consoler. Le chien, les moutons et les agneaux avaient disparu. Il n'était pas dans l'ordre des choses qu'ils lui fussent rendus.

« Je veux mon chien ! se lamenta Manolo. Je veux mon chien ! »

Il était midi. Teresa déploya au-dessus d'eux la couverture de Picaro, formant une tente soutenue par un bâton fourchu. Ensuite, elle se rassit et posa sur ses genoux la tête de Manolo.

Les moutons restants s'étaient enfoncés plus profondément sous le couvert. Picaro s'appuyait contre un arbre. Les oiseaux se taisaient. Les cigales chantaient.

Teresa priait. *De la concentration avant tout. Pas de mots. Souviens-t'en.*

Elle éventa le visage de Manolo avec son carnet. Le temps passa. Une heure. Une autre. Les cigales se remirent à chanter. Les mouches affluèrent.

Teresa rafraîchissait toujours le berger.

Picaro piaffa d'impatience, fouetta l'air de sa queue, puis alla se poster de l'autre côté de son arbre, espérant peut-être que la brise chasserait les mouches. Mais il n'y avait pas de brise. Juste le soleil implacable et l'air immobile.

Brusquement, un jaillissement d'eau rompit le silence. Teresa jeta un coup d'œil à la berge opposée. L'onde miroitait, aveuglante. Teresa plissa les paupières, mais elle ne pouvait essuyer la sueur qui lui coulait dans les yeux. D'une main, elle tenait le carnet qui faisait office d'éventail ; de l'autre, le bâton qui soutenait le dais.

Elle distingua néanmoins quelque chose dans la brume de chaleur. Un mirage : une silhouette qui semblait flotter au-dessus des eaux, se fondre parmi les roseaux…

« Manolo. »

Celui-ci ouvrit les yeux. Teresa laissa tomber le carnet pour repousser les épaules du berger jusqu'à le mettre en position assise.

« Regarde, chuchota-t-elle, quelqu'un approche. »

Une tête dorée parut. Il y eut un ruissellement sous le soleil. L'émergence de quelque chose de vivant. De deux yeux.

Les yeux de Perro.

Après avoir grimpé sur la berge et s'être secoué, le chien, remuant la queue, bondit droit vers Manolo, dont les bras battaient l'air. Bien qu'il fût trempé, du sang emmêlait encore ses poils au niveau des côtes, mais il ne semblait pas trop mal en point. Il prodigua des baisers sur les joues de Manolo avec une telle générosité extravagante que Teresa éclata de rire.

« Quelle fête ! s'exclama-t-elle. On devrait rentrer chez soi plus souvent ! »

Quelques instants plus tard, Manolo leva la tête et déclara :

« C'est vous qui avez fait ça, *Doña hermosa*, jolie dame. C'est vous qui avez fait ça ; vous et votre Dieu. »

Devant le visage du berger en cet instant, Teresa conçut de l'inquiétude. Elle reconnaissait dans son expression le reflet de son propre désir de voir Sa Majesté, et elle savait que pour Manolo, elle était cette même figure incarnée, comme si elle avait été transfigurée. La pensée, *Il me prend pour Dieu*, se présenta à son esprit, lui coupant le souffle.

« Il n'y a pas de miracles, dit-elle. Seulement la volonté de Dieu. »

Elle regarda Perro, le chien. Puis Manolo, l'homme. Puis les daims qui s'éloignaient, les pélicans qui dérivaient, les arbres alanguis. La nature.

Ensuite, elle regarda sa main, posée paume vers le ciel sur l'épaule du pâtre. Chair. Os. Terminaisons nerveuses. Ongles. Elle regarda *Las Aguas*. L'eau.

Là sont les vrais miracles, songea-t-elle. *De quels autres miracles aurait-on besoin ?*

7

Emma repoussa sa chaise du bureau où elle lisait. Le journal de Pilgrim était ouvert devant elle. Après l'avoir refermé, elle se tourna vers la fenêtre et posa les mains sur son ventre.

Bonjour, cher petit, dit-elle, mais pas à voix haute. Elle le pensait sincèrement lorsqu'elle avait affirmé à Carl Gustav qu'il existait des modes de conversation uniques entre une mère et son enfant. Celui-ci exerça une pression vers le haut, peut-être avec un coude, peut-être avec un pied. Ce n'était pas un coup, juste un signal. Emma aimait penser à la lumière teintée de rose dans laquelle baignait son bébé, à son univers entier évoquant un Petra liquide. Bien des années auparavant, son propre père l'avait emmenée là-bas, à Petra. L'air même possédait cette qualité rosée, se rappelait-elle, et par-delà les ruines s'étendait de tous côtés un monde désolé de roche et de désert.

Il n'y a pas de désert ici, expliqua-t-elle à son enfant. *Nous vivons au cœur d'un jardin.*

Teresa avait raison : tout était miracle, à chaque instant, en chaque lieu.

L'horloge sonna.

Onze heures et demie.

Grands dieux ! Le déjeuner serait servi d'ici à une demi-heure, et elle n'était même pas encore habillée.

Emma rangea le journal dans sa cachette, referma puis verrouilla le tiroir.

Peut-être Carl Gustav ne rentrerait-il pas manger. Depuis quelque temps, il revenait de moins en moins souvent à midi, arguant que le trajet était interruptif et la pause du déjeuner, trop longue. Au lieu de quoi, il prenait son repas dans la cantine de la clinique. De cette façon, il pouvait se remettre au travail en moins d'une heure.

« Mais vous me manquez », avait protesté Emma.

Jung n'avait pas répondu.

Une demi-heure plus tard, Emma, en jolie robe bleu clair, se trouvait dans la cuisine avec *Frau* Emmenthal.

« Qu'allez-vous nous offrir aujourd'hui ? » s'enquit-elle.

Devant ses fourneaux, *Frau* Emmenthal remuait avec une cuillère en bois le contenu délicieusement odorant d'une grosse marmite en fer. De son autre main, elle maniait un ancien éventail viennois, cadeau de sa grand-mère, autrefois aide-cuisinière pour la famille royale. Lorsqu'elle prit la parole, ce fut en articulant distinctement chaque mot, comme pour annoncer le menu au restaurant.

« Soupe de poireaux et de pommes de terre. Saumon rôti et salade verte. Plateau de tomates accompagnées d'oignons, et j'ai aussi des boules Parker House tout juste sorties du four.

– De quoi s'agit-il ?

– De spécialités américaines. Différentes sortes de pains que j'ai découvertes dans un magazine. Il y a un hôtel célèbre à Boston, le Parker House, où ils sont servis. Prendrez-vous du vin, ou votre boisson habituelle ? »

La *boisson habituelle*, c'était du babeurre.

« La boisson habituelle, répondit Emma, avant de soupirer. Je préférerais du vin, mais il vaut mieux que je m'abstienne. Néanmoins, si le docteur rentre, il en voudra certainement.

– J'ai mis du riesling au frais.

– Ce sera parfait. Où est la bonne ?

– Lotte ? Elle met la table.

– Oh, Seigneur ! Il va lui falloir au moins une heure pour venir à bout de cette tâche ! »

De l'avis d'Emma, Lotte était une rêveuse un peu idiote à la bouche toujours ouverte. Elle avait déjà tenté de guérir la jeune bonne de cette manie décidément trop embarrassante quand il y avait des invités. De plus, malheureusement pour elle, les enfants la taquinaient à ce sujet au point que, parfois, elle éclatait en sanglots avant de se précipiter hors de la pièce.

Grâce au ciel, et pour le plus grand bonheur de tous, les enfants séjournaient présentement à Schauffhausen chez les parents d'Emma, qui avaient une maison assez vaste pour loger une armée de bambins dans une seule aile. Leur grand-mère les adorait et ne manquait jamais de les familiariser avec toute une flopée d'expériences et de personnes nouvelles. Elle les mettait en présence d'un univers de folklore et de contes de fées, de jardins secrets et de châteaux médiévaux. Leur montrait le Rheinfell, où le fleuve tombait d'une vingtaine de mètres en une succession de cascades spectaculaires dont le seul souvenir exaltait toujours Emma. Mamie Rauschenbach les emmenait également faire du bateau afin de leur permettre de prendre l'air et d'escalader les gros rochers au pied des chutes. Autant de plaisirs qu'Emma avait connus dans sa jeunesse, et dont elle se réjouissait qu'ils fussent encore accessibles à ses propres enfants. Surtout, elle se félicitait d'être débarrassée de *la couvée*, comme elle les appelait, à cette période de sa grossesse. La couvée atteignait en effet l'âge « difficile. »

Ah, bien sûr, mais n'était-ce pas difficile d'être un enfant ? *À partir du moment où nous brisons le cordon et poussons notre premier cri, nous nous retrouvons tous en conflit avec le lieu où nous vivons et quiconque vit en notre compagnie.*

« Je peux servir la soupe froide ce soir, si vous le souhaitez…, dit soudain *Frau* Emmenthal.

– Ce serait sans doute préférable, oui. Il est déjà midi, et il semble que *Herr Doktor* Jung ne viendra plus. »

Alors qu'elle sortait de la cuisine, Emma vit la bonne revenir de la salle à manger avec un plateau vide dans les mains. Dès qu'elle aperçut la maîtresse de maison, Lotte ferma la bouche.

Bon, c'est déjà quelque chose, songea Emma. *Elle fait des progrès.*

Aux fourneaux, *Frau* Emmenthal écarta la grosse marmite puis, s'éventant à un rythme frénétique, elle alla s'asseoir à la table de la cuisine.

« Du riesling, s'il te plaît, dit-elle à Lotte. Et dépêche-toi. Tu n'as qu'à en prendre un peu, toi aussi. Nous sommes une famille confrontée à quelques problèmes, apparemment, puisque *Herr Doktor* passe aussi peu de temps chez lui, et nous devons nous préparer au pire. »

8

Au moment du saumon et avant les salades, Emma lut ce qui se révéla le chapitre final de la vie de Manolo et Teresa. Il changerait sa propre conception de l'existence, ce dont bien entendu elle ne se rendrait compte que plus tard. Dans ce qu'avait écrit Mr. Pilgrim, elle allait apprendre des choses sur elle-même et sur la foi, ainsi que sur son mari et sur l'incroyance qui le caractérisait. *Nous avons tous les deux rejeté Jésus*, écrirait-elle par la suite à sa mère, *mais moi seule ai investi ma foi en un autre que moi-même.*

L'on eut quelquefois recours aux services d'un vieil homme à la retraite depuis longtemps afin de remplacer Manolo lorsque celui-ci et Perro furent amenés à *El Cortijo Imponente* pour leurs *vacaciones*. Il s'appelait Orlando et possédait deux chiens nommés Negro et Blanco pour des raisons évidentes, sauf que Blanco était noir et Negro, blanc. Leur maître avait jugé le moyen commode pour se souvenir de l'autre chien quand l'un des deux disparaissait. En regardant Negro, il pensait Blanco. Et vice versa. Non qu'ils fussent d'un tempérament fugueur, mais il leur arrivait d'aller rassembler les moutons et de partir la moitié de la journée.

Quelques années avant l'époque du berger dont Manolo avait pris la suite, c'était Orlando qui veillait sur le troupeau à *Las Aguas*, et il affirmait avoir connu le père de Manolo, parti depuis s'établir dans quelque autre partie du *royaume – el raino*, comme disait le vieillard à propos du domaine de *Don* Pedro. « Ce n'était pas un homme bon, répétait-il, mentionnant toujours l'absent au passé. Ce n'était ni un homme bon, ni un bon mari, ni un bon père. Il n'en avait que pour lui-même. Je ne l'aimais pas. Mes chiens ne l'aimaient pas. Les moutons ne l'aimaient pas. Il était négligent. Les gens et les bêtes pouvaient bien tomber malades et mourir, le père de Manolo regardait invariablement de l'autre côté, avec un grand sourire sur son visage et du vin dans son gosier. »

Si Manolo avait déjà connaissance des défauts paternels, il appréciait cependant de les entendre confirmer par autrui lorsqu'il se surprenait à souhaiter que son père revînt. Quant à sa mère, Manolo avait sans succès cherché à en apprendre plus. « Une femme qui n'était pas d'ici, mais d'ailleurs, lui racontait Orlando avec un soupir. Elle est morte jeune, c'est tout ce que nous savons. » Il s'agissait au moins d'une conclusion appropriée à la vie d'une personne au sujet de laquelle, en d'autres circonstances, Manolo se serait tourmenté, se demandant en permanence où et comment la rencontrer. Puisqu'elle était morte, il n'avait pas d'obligation envers elle. Il pouvait même s'adresser à elle par la prière sans mentionner son prénom. *Madre*, disait-il, *por favor*. Il n'adressait jamais aucune prière à son père.

Ainsi donc, Teresa retourna à *Las Aguas* en emmenant un second âne, avant de revenir à *El Cortijo Imponente* avec Manolo et Perro en ce 13 juillet 1533 – un lundi.

Elle avait demandé que Manolo fût traité comme un égal, et non comme un employé et, à cet égard, elle s'était assurée qu'il bénéficierait d'un lit dans la réserve derrière les cuisines. Le seul problème, c'était que Manolo ne se sentait pas à son aise sur une couche de ce genre, n'en ayant plus l'habitude depuis l'âge de neuf ans. En outre, par peur de tomber dedans, il ne pouvait se résoudre à utiliser la fosse d'aisance. Il dormait donc dans les écuries et se soulageait dans les rigoles des animaux. L'une des cousines de Teresa, une fillette de sept ans, après l'avoir vu uriner dans le potager, annonça aussitôt que les hommes étaient différents des femmes. *Ils tiennent ça dans leur main*, confia-t-elle à ses sœurs. *Don* Pedro, que l'incident n'amusa pas, ordonna à Manolo d'aller dans l'écurie pour ses besoins.

Ceci mis à part, le jeune berger se délectait de l'attention qu'on lui témoignait. Ses habits furent recousus puis lavés, et deux chemises et deux pantalons neufs, de même qu'une nouvelle paire de sandales, ajoutés à sa garde-robe. Il eut droit aussi à une couverture. Et à un bain avec du savon et de l'eau chaude, dans lequel Perro le rejoignit. Il en résulta des rires en cascade – bien plus que Manolo n'en avait jamais entendu de toute sa vie.

Don Pedro en personne supervisa la fabrication de nouvelles béquilles destinées à son berger. Un très vieil homme nommé Ferdinand les tailla dans du chêne vert, puis entoura les supports avec de la toile de lin imprégnée d'huile ; en durcissant, celle-ci forma des *coussins de graines de lin* qui dégageait une odeur agréable chaque fois que Manolo s'y appuyait. Le temps que les cannes fussent achevées, ses convulsions avaient épuisé le jeune berger, car elles le vidaient de son énergie.

Comme bon nombre de personnes dans sa situation, Manolo devait se concentrer pour maîtriser la violence de ses membres. Déféquer, uriner, jouer avec Perro ou manger constituaient autant d'activités remarquablement dénuées d'agitation. Pour le reste, lorsqu'il s'agissait de marcher ou de converser, il restait prisonnier.

Teresa était déconcertée par sa présence. Jamais elle n'aurait cru qu'il en serait ainsi. C'était un berger. Elle l'avait rencontré par hasard. Il était boiteux. Estropié. En toute honnêteté, malgré la beauté de Manolo, elle le trouvait grotesque. Mais elle l'aimait bien et s'était tout de suite sentie attirée par lui. Et sa nudité n'y était pour rien.

Elle le lui répéta souvent. *Ta nudité n'y était pour rien.*

Il n'était pas Adam. Elle n'était pas Ève. La sierra n'était pas le jardin d'Éden. C'était l'arrière-pays. L'ailleurs. Une étendue sauvage. *La tierra ferez.* Elle-même cheminait vers Dieu, vers Sa Majesté. Les hommes ne devaient pas – ne pouvaient pas – se mettre en travers de sa route.

Le mardi, Manolo s'installa dans l'écurie. Le mercredi, ses nouvelles béquilles furent achevées. Ce soir-là, Manolo eut un rêve dans lequel – ô miracle des miracles – il était capable de marcher avec facilité et grâce, et sans aide d'aucune sorte.

Le reste du songe formait une sorte d'embrouillamini qui dépassait complètement l'entendement de Manolo.

Il se tenait en un lieu étrange, vêtu d'habits encombrants, et tout autour de lui déambulait une foule de personnes, parmi lesquelles il n'en reconnut aucune. Certaines arboraient une tenue de soldat, mais sans ressembler pour autant aux soldats que Manolo avait vus. D'autres lui paraissaient plus familières ; elles évoquaient des prêtres qui chantaient des chants sacrés. Beaucoup brandissaient des croix, d'autres avaient les bras chargés de présents : des tableaux dans des cadres dorés, de beaux atours, et même des meubles, dont certains étaient si richement ouvragés que Manolo se demanda à quoi ils pouvaient bien servir.

À un certain moment, il se retrouva devant quatre anges, tous parés de blanc et dotés d'immenses ailes, qui portaient un nouveau-né sur leurs épaules. Sans doute le Sauveur, Jésus-Christ en personne, emmailloté dans ses langes.

Soudain, le silence s'abattit. S'ensuivit un calme total, qui fut bientôt troublé par le crépitement des flammes. Quand il se retourna, Manolo écarquilla les yeux, incrédule. Une montagne de feu s'élevait au-dessus de lui, dont la chaleur ardente obligea tout le monde à reculer. Manolo fit volte-face, pour découvrir le regard fixe et menaçant d'un homme qui le dévisageait par-dessous le large bord d'un chapeau sombre. Un homme qu'il n'avait jamais vu auparavant.

Il se mit à courir – une expérience qui lui était si étrangère qu'il aurait tout aussi bien pu voler. Il traversa des rues inconnues, longea des bâtiments innommés et franchit une succession apparemment interminable de portes ouvertes, jusqu'à aboutir devant un précipice… et se réveiller.

Manolo s'assit tout droit dans la paille de l'écurie. Sa peau et sa chemise étaient trempées de sueur, et ses membres tremblaient dans la fraîcheur nocturne.

Une seule pensée l'habitait : *Il y avait un feu, j'ai marché, j'ai couru et je n'avais pas de cannes…*

Le lendemain matin – jeudi 16 juillet –, en se réveillant, Teresa découvrit Manolo dans sa chambre. Il ne lui vint pas tout de suite à l'esprit qu'un événement fâcheux risquait de se produire. Elle n'avait pas peur du berger.

« Teresa… »

Sa voix était rendue pâteuse par le sommeil et son infirmité. Il prononça le nom comme il aurait prononcé *tierra, la terre*.

« Oui ?

– J'ai besoin de vous. »

Il se tenait accroupi sur le sol, dans le flot de soleil déversé par la fenêtre.

Teresa se redressa en pressant le bord du drap contre son épaule.

« Je suis là, dit-elle. Que se passe-t-il ? »

Les nouvelles cannes de Manolo reposaient dans le creux de son coude gauche. Sa main droite voltigeait devant son visage, comme s'il essayait en vain de le toucher. Nulle part, semblait-il, il ne parvenait à établir un contact avec lui-même. Son nez lui échappait, sa bouche, son menton et ses yeux étaient si distants qu'ils auraient pu appartenir à un corps autre que le sien. Ayant enfin réussi à rapprocher les doigts de ses oreilles, il les agrippa farouchement l'une après l'autre. À le voir ainsi, on avait l'impression que Manolo avait attrapé une tête flottant librement dans les airs et qu'il l'avait arrêtée dans sa course.

Teresa était instruite des « besoins » des hommes. Ce mot-là, elle s'en méfiait comme de la peste, sachant que les « besoins » de l'homme avaient selon toute vraisemblance tué sa mère et contribué à plonger *Tia* Aña dans son état de confusion actuelle. Néanmoins, ainsi que la plupart des femmes de sa condition et de son rang, Teresa n'éprouvait aucune haine pour le sexe fort, mais simplement du mépris. Et de la pitié. Il s'agissait de créatures sans défense, prisonnières d'un cercle de désir dont elles étaient le point de départ et l'aboutissement : *Je, moi, le mien.* Les femmes ne connaissaient que *toi, vous* et *le tien, le vôtre*. Elles étaient mères, servantes, cuisinières, nourrices. Jusqu'au jour où la mort – la leur ou celle d'un autre – les délivrerait. C'était là toute la vie d'une femme: attendre sa propre fin ou la fin d'un autre tout en prenant soin des vivants.

À présent, cet homme maltraité et mal en point était tapi sous sa fenêtre. Elle lui avait donné son amitié et sa tendresse. Comme s'il avait été son fils. Un enfant trouvé. Un orphelin ayant besoin d'un abri. Rien de plus. Mais rien de moins. Il lui était cher. Proche.

« Vous avez accompli des miracles, Teresa. Vous m'avez sauvé la vie et ramené mon chien. »

Ses paroles, peut-être en raison de son besoin désespéré de les prononcer, affluaient dans le bon ordre.

« Perro. Oui, dit Teresa.

– Hier soir, j'ai rêvé d'un autre miracle et je crois vous capable de le transformer en réalité. Vous avez le pouvoir de me guérir, ajouta Manolo avant de sourire. Je parle déjà mieux à cause de vous. Vous avez permis que mes cannes me soient rendues. Vous m'avez offert de la nourriture, des habits et un toit. »

Teresa hocha la tête.

« Oui. Et avec amour, Manolo.

– Alors, prenez vous ma malédiction. Pour la détruire. Vous et votre Dieu. Faites de moi l'homme que j'étais dans mon rêve. »

À ces mots, Teresa ferma les yeux. *Oh, je t'en prie*, pensa-t-elle. *Ne me demande pas ça. Il n'y a pas de miracles.*

Manolo avança. À genoux, tel un suppliant.

« Je ne peux pas, répondit Teresa. N'espère pas une telle chose. C'est mal.

– Pouvoir se redresser, c'est mal?

– Oh, non! Non, non, non. Oh, non. Pouvoir se redresser, c'est recevoir… » Elle faillit dire *la dignité*, mais se ravisa. « Je ne peux pas, répéta-t-elle. Il faut que tu comprennes. Je ne peux pas.

– Mais vous m'avez sauvé.

– Non, Manolo. Tu m'as été ramené par le cavalier qui t'avait blessé. J'étais là, c'est tout.

– Vous avez retrouvé Perro.

– Encore une fois, non. Perro est revenu. De lui-même.

– Pourtant, vous et votre Dieu… Vous parlez avec Lui.

– Peut-être. Mais mon pouvoir ne va pas au-delà de la prière. »

Je ne suis pas une sainte.

Le saint ne pense pas en termes de miracles, mais seulement des besoins d'autrui, elle le savait. C'est le suppliant qui cherche à combler le fossé entre la terre et le ciel afin de survivre à quelque catastrophe humaine – la perte de la vue, la mort d'un enfant, la prévention d'un massacre. Le saint n'a d'autre moyen pour intercéder que d'indiquer la voie du salut. Le reste dépend de Dieu.

Tout cela, Teresa en avait bien conscience. De plus, elle n'avait aucune envie d'être une sainte. Elle voulait seulement connaître Sa Majesté et accomplir Son travail – quel qu'il fût.

Elle avait déjà souffert si souvent de l'effondrement de son système nerveux que sa résistance lui inspirait une sorte de crainte respectueuse. Elle ne pouvait s'empêcher de se demander pourquoi elle avait survécu. Son interprétation était simple : *On doit sûrement vouloir quelque chose de moi. Non pas attendre, mais vouloir.*

Ce quelque chose – ou une partie de ce quelque chose – consistait-il à donner à Manolo la faculté de marcher et d'utiliser ses bras comme tout un chacun ? Elle en doutait.

Non que les besoins de Manolo fussent négligeables, ou qu'il fût lui-même indigne d'une manière ou d'une autre. Personne n'est négligeable au regard de l'avilissement provoqué par la douleur. Et personne n'est indigne. Teresa en était persuadée. Mais...

Était-elle appelée à servir de médiatrice ? Était-ce sa destinée ? Une destinée que même Jésus-Christ avait rejetée. Chacun de Ses miracles avait été marqué par Sa propre réticence à l'accomplir. *Le miracle ne réside pas en moi, mais en la certitude du suppliant que Dieu rend possible toute chose.*

Elle regarda Manolo.

Tel qu'il était en cet instant, accroupi dans le soleil matinal, avec ses cheveux fraîchement lavés qui brillaient, ses doigts entremêlés pour empêcher leur fuite en gestes dépourvus de signification, sa précieuse chemise blanche – cadeau de *Doña* Aña – déjà tachée de la sueur suscitée par son impatience, et ses yeux comme des braises ardentes sur le point de s'enflammer. C'était insupportable de penser à son angoisse et d'assister à l'effet que celle-ci produisait sur lui.

Brusquement, il se redressa à genoux près du lit de Teresa. Il ressemblait à un enfant sur le point de prier.

« Bénissez vous moi, dit-il, pour que je puisse marcher comme les autres hommes. Comme j'ai marché en rêve cette nuit. »

Mais seuls ceux qui sont consacrés ont le droit de bénir. Et les femmes ne sont jamais consacrées. À l'exception, évidemment, de la Sainte Vierge, et ce jour-là, se rappela tout d'un coup Teresa, c'était la fête de Notre-Dame du Mont-Carmel. Elle, elle aurait pu effectuer l'imposition des mains. Pas Teresa.

« Je ne peux pas, dit-elle à Manolo, car je n'ai pas la grâce.

– Alors, pourquoi êtes-vous venue de nulle part jusqu'à moi ? Je vous ai découverte dans un arbre, en train de prier.

– Il m'est impossible de te le dire. Je l'ignore. »

Teresa prenait peur. On lui attribuait un rôle qu'elle n'avait jamais cherché à jouer et n'avait jamais compris, sinon de la façon la plus rudimentaire. Elle se savait capable de nourrir, vêtir et protéger Manolo, du moins dans une certaine mesure, mais pas de le guérir.

« Ne m'aimez-vous pas ? » demanda-t-il.

Que répondre à cela ?

« Bien sûr que je t'aime, déclara Teresa. Tu es mon ami des contrées sauvages.

– Où sont les contrées sauvages ?

– Nulle part, je suppose, et partout.

– Vous l'ignorez ?

– Partout », affirma Teresa, catégorique.

Manolo la regarda avec un mélange de déception et de peine.

« Dans mon rêve, il y avait des prêtres et des croix, le Christ enfant et des anges. C'était un signe. Mais vous ne voulez pas amener votre Dieu jusqu'à moi. Vous ne voulez pas non plus m'amener jusqu'à votre Dieu. Je déteste vous. »

Enveloppée de sa chemise de nuit et de ses draps, Teresa se pétrifia. Elle détacha son regard de Manolo. Elle éprouvait une impression de menace. Quelque chose allait se produire.

« Je ne me sens pas bien, dit-elle, mais d'une voix si basse que Manolo ne l'entendit pas. Crois-tu que tu peux aller chercher ma tante ? »

Un feu s'était déclaré à la base de son crâne. Il y avait du bruit dans sa tête.

« S'il te plaît, insista-t-elle.

– C'est impossible pour moi d'aller chercher votre tante. Je ne suis pas capable de marcher. »

Manolo se détourna, puis rampa vers l'autre extrémité de la pièce.

« Il le faut. Je suis malade, implora Teresa.

– *Il le faut, je suis malade !* N'ai-je pas dit ces mêmes mots à vous ?

– Oui. oui. Oui. Mais il n'y a rien que je puisse faire. Rien que je puisse faire pour toi. J'en suis incapable ! »

Elle fondit en larmes. Le bruit dans sa tête devenait assourdissant. Aigu, il rappelait celui émis par du bois que l'on scie et qui, telle une créature vivante, hurle de terreur.

« Pas ça ! Pas ça ! Pas ça ! cria-t-elle. *PAS ÇA !* »

Manolo s'assit près de ses béquilles.

« Je ne peux pas aider vous, dit-il. Je ne peux pas marcher. Vous m'avez abandonné. »

Le phénomène se déclencha. Le lit se mit à trembler. Teresa fourra dans sa bouche un coin du drap et se laissa retomber sur le matelas.

Des gens accoururent. Une servante. Une cousine. Un garçon d'écurie qui avait entendu les cris par-delà la fenêtre. Et enfin, *Doña* Aña.

Celle-ci se dirigea vers le lit. Les autres, n'étant pas familiarisés avec les crises de Teresa, avaient trop peur pour bouger. *Doña* Aña s'approcha de la servante, qu'elle gifla.

« Venez ! Tout de suite ! »

La servante se faufila de l'autre côté du lit et fit ce qu'on lui demandait.

« Nous devons lui maintenir les bras, ordonna *Doña* Aña. Nous devons l'empêcher de se blesser. »

Il en fut fait ainsi.

« Doucement, doucement, recommanda *Doña* Aña. Doucement, doucement... »

Peu à peu, les mouvements désordonnés dans le lit diminuèrent d'intensité jusqu'à l'immobilité complète, et de son poste d'observation dans un coin, Manolo reconnut le reflet de sa propre inaptitude.

Lorsque tout fut enfin terminé, et que Teresa reposa sur les oreillers, la main dans celle de sa tante, Manolo pensa : *Son Dieu vient l'apaiser, mais moi, je suis abandonné pour toujours dans cet état.*

Pourtant, il aimait encore Teresa, ce qu'il ne lui dirait plus jamais.

Dans les derniers mois de l'été et les premiers jours de l'automne, Teresa continua à chevaucher jusqu'à la sierra de Gredos pour aller s'asseoir au bord de *Las Aguas* pendant que Picaro restait à l'ombre du chêne rabougri et des chênes-lièges derrière elle. Les pélicans jaunis, les canards et les belettes venaient toujours, mais la biche avec ses faons, le héron et le martin-pêcheur ne se manifestèrent plus. À l'instar de Manolo. Il avait conduit son troupeau aux confins de *la tierra dorada*, et la terre dorée avec son berger estropié ne seraient bientôt plus qu'un souvenir.

Teresa ne devait plus les revoir. Dans ses rêves, cependant, un homme nu appuyé sur des béquilles se tenait sous les branches où elle priait et lui demandait si elle connaissait le chemin jusqu'à Dieu.

À côté de lui, un chien doré poussiéreux levait les yeux et remuait lentement la queue. Il y avait de la joie dans son regard, et aussi une expression entendue. *Ce ne sont pas les gens qui s'assoient dans les arbres, mais les anges et les créatures venues d'un monde autre que celui-ci.*

Quant au chemin jusqu'à Dieu, Teresa écrivit dans son journal un jour: *Dieu ne peut se révéler que si l'on renonce à être Dieu.*

Manolo lui avait enseigné cela, sans le savoir et à son grand regret. Mais c'était vrai. Il ne peut y avoir de miracles tant que le don de la simplicité n'est pas reconnu et devenu un mode de vie.

Comme toujours, les colombes décrivaient des cercles dans le ciel. Comme toujours, les cigales chantaient. Comme toujours, Teresa attendait que Dieu se révélât, mais apparemment, Il attendait lui aussi.

Deux ans plus tard, à l'âge de vingt ans, une jeune femme se présentait aux portes du couvent des Carmélites à Avila et se proposait comme postulante. Cela se passait en 1535. Au cours de sa vie, elle changerait la face de sa religion. Et tout juste cent ans après sa naissance, Teresa y Cepeda y Ahumada serait sanctifiée au titre de médiatrice des miracles.

9

Emma remit l'ouvrage dans le tiroir, dont elle tourna la clé.

Un épisode bouleversant, dérangeant, venait de s'achever dans les chroniques de Pilgrim, et elle ne pouvait se résoudre à en absorber plus pour l'instant. Peut-être était-ce le moment de prendre l'air et de faire un peu d'exercice. Le Dr Walter, son médecin, en serait ravi. Récemment, il lui avait reproché de ne pas avoir assez d'activité.

« Elle favorise la circulation, lui avait-il dit. Elle rend la constitution plus robuste. L'abus de la station assise est mauvais pour le dos et, le moment venu, vous vous féliciterez d'avoir pris ces précautions. »

Sachant déjà tout cela, Emma éprouvait une certaine consternation à l'idée que le Dr Walter eût estimé nécessaire d'attirer son attention sur de telles choses. Ce n'était pas comme si elle n'avait jamais eu d'enfants !

Elle glissa la clé dans sa poche, puis se dirigea vers la cuisine, où elle annonça à *Frau* Emmenthal qu'elle partait en promenade et risquait de s'attarder dehors.

Le temps d'enfiler un léger manteau de printemps, de se coiffer d'un chapeau et de prendre une canne, et elle descendait l'allée du jardin jusqu'au lac avec l'intention de marcher sur la plage.

Je vais chercher des galets, songea-t-elle, *en méditant sur Thérèse d'Avila*.

Dix minutes plus tard, ayant trouvé une grosse pierre ronde qui logeait parfaitement au creux de sa main, elle se tourna vers l'eau pour en scruter l'étendue.

J'aimerais être là-bas, pensa-t-elle. *J'aimerais voguer sur le lac*.

Emma retira sa montre de la poche où elle l'avait rangée ; en se dépêchant, constata-t-elle, elle pourrait embarquer sur le ferry avant le départ de trois heures à destination de la ville.

Une fois sur le pont, près du bastingage, elle se sentit rajeunir. Une brise soufflait, chargée de parfums sylvestres, et quelques mouettes bruyantes flottaient dans le sillage du bateau, espérant sans doute que les passagers leur jetteraient des morceaux de pain ou de viennoiseries achetées à bord, au café-bar. Les enfants le faisaient souvent, mais Emma n'en avait pas envie. Elle voulait seulement rester là, à regarder l'eau en rêvant de Manolo et de ce qui aurait pu advenir de lui si un miracle s'était produit, s'il avait recouvré le plein usage de ses membres. La phrase, *ce n'était rien qu'un berger*, ne cessait de lui trotter dans la tête sans qu'elle comprît pourquoi. Quelle importance si ce n'était qu'un berger ? *Aucune, évidemment*. Et pourtant...

Elle interrogerait Carl Gustav à propos de cette réaction, lui demanderait s'il fallait nécessairement en déduire que sa compassion était soumise à certaines conditions. Emma souhaitait que ce ne fût pas le cas, mais le problème la préoccupait. Un dimanche après-midi à Schaffhausen, alors que ses parents se promenaient, elle avait entendu son père dire à sa mère une chose des plus fâcheuses. C'était au printemps de l'année où Emma avait eu dix ans. En 1892. Comme cela semblait loin !

Un vieillard avec une longue barbe blanche était tombé dans la rue et personne ne l'avait aidé à se relever. La mère d'Emma avait fait mine de lui porter assistance, mais son mari l'avait retenue en disant : *Laissez. Ce n'est rien qu'un vieux Juif.*

Enfant, Emma avait entendu parler des Juifs, mais elle ne savait pas grand-chose à leur sujet. Ils avaient tué Jésus-Christ, ce qui constituait plus ou moins l'essentiel de ses connaissances. Ils étaient rarement mentionnés à la maison et à l'école, sauf pour corroborer cette information d'une façon ou d'une autre. Emma ne l'avait jamais contestée. On ne lui avait jamais présenté les choses de manière différente. Il n'était pas permis de fréquenter les Juifs, de jouer avec eux, ou même de leur parler. Pas plus que de leur demander son chemin ou l'heure, de leur acheter ou de leur vendre quoi que ce fût, ou de leur rendre un quelconque service.

En ce dimanche lointain, Emma s'était retournée pour regarder le vieillard à la barbe blanche, qui entre-temps s'était redressé sur ses genoux et donnait l'impression de prier. Ce qu'il aurait tout aussi bien pu faire, dans la mesure où il lui était très difficile – presque impossible, en vérité – de se hisser sur ses pieds. Il y était néanmoins parvenu, et la dernière vision qu'avait eue Emma de lui, c'était au moment où il ramassait son chapeau, en époussetait le bord contre sa jambe, puis le posait sur sa tête. Autant de gestes accomplis avec une application semblable à celle qu'il aurait sans doute mise à placer un point à la fin d'une phrase.

Rien qu'un vieux Juif.
Rien qu'un berger.

Emma comprit soudain qu'on lui avait appris à raisonner ainsi, et qu'elle avait continué toute sa vie à suivre aveuglément cet enseignement, sans jamais prendre le temps d'en évaluer les conséquences. *Et si, par exemple, les gens pensaient à moi de cette façon ?*

Bonne question !

Elle éclata de rire.

Naturellement, pensa-t-elle, *c'est déjà le cas ! Je ne suis* rien *qu'une femme !*

Rien qu'un Juif. Rien qu'un berger. Rien qu'une femme.

Néanmoins, Emma savait aussi que si elle tombait dans la rue, les gens lui porteraient aussitôt assistance. En partie parce qu'elle était une femme, et *que les femmes sont faibles, complètement désarmées. Il faut les dorloter* et *il faut les protéger.* En partie aussi, se dit-elle avec un douloureux élancement de conscience, parce qu'elle était *Frau Doktor Jung*, et que ce serait considéré comme un honneur de lui venir en aide.

Quant à Manolo, si les parents d'Emma l'avaient croisé dans la rue et vu tomber, l'auraient-ils secouru ? Lui auraient-ils rendu ses cannes ? Elle-même, l'aurait-elle fait ? Non. Emma n'avait aucun doute sur sa réponse, car Manolo n'était qu'un berger indigne de son attention. À l'époque, en tout cas. Mais plus aujourd'hui. Aujourd'hui, elle avait acquis une certaine sagesse. Aujourd'hui, elle connaissait mieux le monde et sa cruauté désinvolte. Aujourd'hui, elle était adulte, capable de penser par elle-même. D'affirmer sa volonté.

Le ferry approchait de Zurich, et Emma distinguait déjà les premiers ponts sur la Limmat, le Grossmünster avec ses flèches jumelles ainsi que les jardins parsemant les quais. Un panorama désormais si familier, si cher à son cœur, alors qu'autrefois, elle avait redouté cette ville, avec son dévouement de mauvais augure à la révolution et à la perfection religieuse… C'était là que le grand réformiste Zwingli avait fait capituler l'Église catholique au seizième siècle, et c'était là que son mari, Carl Gustav Jung, ferait capituler le monde de la psychiatrie au vingtième siècle.

Mon cher époux, père de mes enfants et père de mon esprit…

Elle prendrait un taxi. Ainsi, elle pourrait rejoindre plus vite Carl Gustav et éviter les efforts démesurés requis par l'ascension à pied de la dernière colline.

Lorsque Emma arriva à la clinique Burghölzli, elle dut empêcher le vieux Konstantine, le concierge, d'annoncer sa présence.

« Je veux faire une surprise à notre bon docteur, lui dit-elle. Est-il dans son bureau ?

– Oui, *Frau Doktor*, mais je vous en prie, permettez-moi de vous précéder.

– Non, certainement pas ! » Emma éclata de rire. « Quel serait l'intérêt d'une surprise si tout le monde était averti de mon arrivée ?

– Néanmoins, je…

– Non. J'insiste. Et ne vous avisez pas de décrocher ce téléphone. Je ne veux pas que vous le préveniez. »

Alors qu'elle s'éloignait dans le couloir, Konstantine retourna à son poste, ôta ses gants blancs et les troqua contre une autre paire.

« Oh, Seigneur, marmonnait-il. Oh, Seigneur. Seigneur… »

Emma frappa les trois coups brefs habituels puis, se préparant à parler, poussa la porte.

Le spectacle qui s'offrit à ses yeux ne pouvait être réel. Impossible de rationaliser aucun de ses aspects. Il était constitué d'images empruntées aux pires cauchemars d'Emma.

Carl Gustav se tenait renversé dans son fauteuil, bras et jambes écartés, gilet et chemise déboutonnés, pantalon ouvert, baissé à mi-cuisses. Une femme, qu'Emma ne voyait pas de face, était agenouillée devant lui.

Les rideaux étaient tirés, les lumières baissées et l'air sentait le parfum, la fumée et les vieux livres.

Emma cilla, et quand elle rouvrit les yeux, l'inconnue – ou l'image de cette inconnue – avait complètement disparu. Comme si elle n'avait jamais été là.

Jung s'était redressé et, tournant le dos à son épouse, rajustait sa tenue.

Craignant de s'effondrer, mais incapable d'atteindre un fauteuil, Emma s'appuya contre la porte.

« Qu'est-ce que vous fabriquez ici ? » demanda Jung.

Elle ne pouvait prononcer une parole.

Je vous préparais une surprise, pensa-t-elle.

« Vous rendez-vous compte que j'aurais pu me trouver avec un patient ? Comment osez-vous faire irruption comme ça ? Comment osez-vous ? »

Toujours de dos, Jung tremblait.

Enfin, il tira sur sa blouse blanche, lissa ses cheveux et pivota.

« C'était une si belle journée, commença Emma. Je…

– Comment êtes-vous venue ? interrogea-t-il d'une voix aussi tranchante qu'un couteau à glace.

– Par le ferry, répondit Emma. J'aimerais m'asseoir.

– Le ferry ? Les transports publics ? Vous vous êtes exposée à la vue de tous ? Vous avez perdu l'esprit.

« – Je ne sais pas de quoi vous parlez, Carl Gustav. S'il vous plaît, pourriez-vous éclairer un peu ? Il faut que je m'assoie. »

Jung alluma sur son bureau la lampe à abat-jour vert. Pris dans le jeu des ombres, inversées et projetées vers le haut, il avait l'air démoniaque.

S'appuyant sur la bibliothèque, le mur et sa canne, Emma atteignit enfin un fauteuil, dans lequel elle s'assit. Elle n'avait qu'une pensée en tête : *Je ne dois pas m'évanouir.*

Son mari la dévisageait en silence, évaluant manifestement ce qu'il allait dire. Enfin, il eut un haussement d'épaules expansif, poussa un profond soupir et lança :

« Comment avez-vous pu faire ça ? Vous, surtout vous ! Comment avez-vous pu faire une chose pareille ? »

Il se pencha vers la lumière.

« Faire quoi, Carl Gustav ? répliqua Emma d'une voix à peine audible, même pour elle. Faire quoi ?

– VENIR DE KÜSNACHT PAR LE FERRY ! AU VU ET AU SU DE TOUS, ET DANS CET ÉTAT ! »

Le bureau en fut ébranlé.

Emma se sentait tellement désorientée qu'elle ne parvenait pas à donner une signification aux propos de son mari. Baissant les yeux, elle effleura son joli manteau neuf en murmurant :

« Mais quel… quel état ?

– Vous êtes *enceinte !* » s'écria-t-il.

Ce fut comme s'il avait dit : *Vous êtes noire, bleue et cramoisie.*

« Je le sais, déclara Emma. Je le sais bien, Carl Gustav. Mais c'était une si belle journée…

– Je n'ai pas fini d'en entendre parler, vous le comprenez, au moins ? poursuivit Jung en ignorant l'intervention de sa femme. Ce sera sans fin. *Et elle était là, sur le ferry, où elle s'exhibait, la propre femme de* Herr Doktor *Jung, enceinte de sept mois !* » Il imita une voix féminine suraiguë. « *En public, exposée à tous les regards !* »

Elle tourna la tête.

« Vous avez décalé les boutons de votre gilet, Carl Gustav. » Elle avait envie de pleurer, mais refusa de céder à la tentation. Au lieu de quoi, elle ajouta : « Certaines attitudes changent, vous savez. Ce n'est pas un crime de paraître en public lorsqu'on est enceinte.

– Vous en êtes peut-être persuadée, mais je n'ai jamais eu connaissance de telles conduites. Et j'exige que vous quittiez ce bâtiment sur-le-champ. Konstantine vous appellera un taxi qui vous ramènera à Küsnacht – je me fiche de ce que cela coûtera. Grands dieux ! Si quelqu'un vous a aperçue…

– Mais… je venais vous voir, mon chéri…

– Ne m'appelez pas votre *chéri*, riposta Jung, qui essayait en vain de rajuster les boutons mal placés. Vous m'avez causé un préjudice irréparable, et il va falloir du temps pour que je vous pardonne – si je parviens à vous pardonner un jour. Venez. »

Enfin, il s'écarta de la table et, agrippant avec force sa femme par le coude, il la fit pivoter pour l'escorter telle une prisonnière hors de son bureau, dans le couloir et en direction de la réception.

Empêchez-moi de tomber, pensa Emma. *Empêchez-moi de trébucher et de tomber.*

Avec l'air de livrer à la police un pervers soupçonné de meurtre, Jung pria Konstantine d'appeler un taxi, puis se détourna et s'éloigna sans un mot, ses talons résonnant comme autant de coups de marteau sur le marbre jusqu'au moment où le claquement de la porte de son bureau marqua la fin de l'épisode.

Sur le trajet du retour, Emma lutta contre les larmes. La voiture dans laquelle elle avait pris place était un fiacre à deux roues, et elle concentra son regard sur le pas cadencé du cheval.

Carl Gustav était-il fou ? Avait-il, d'une manière ou d'une autre, sombré dans la folie sans qu'elle s'en rendît compte ?

Les accusations qu'il avait portées contre elle étaient absurdes, évidemment. Personne sur le ferry n'avait prêté la moindre attention à son « état ». Certes, il était plus ou moins d'usage que les femmes – en particulier celles de sa classe et de sa condition – ne se montrent pas en public quand leur grossesse était trop manifeste. Mais en aucun cas il ne s'agissait d'une *règle*. Il pouvait y avoir des exceptions. Des moments d'urgence. Des moments où c'était même recommandé: un dîner, une réception…

De toutes ses forces, Emma essayait de ne pas penser à l'inconnue agenouillée entre les jambes de son mari.

Je ne l'ai pas vue. Elle n'était pas là. L'on ne disparaît pas d'un coup. C'est impossible.

Pourtant, elle l'avait vue.

Elle l'avait vue.

Et elle ne pouvait l'ignorer.

Assise dans le fauteuil, abasourdie par les attaques de Carl Gustav, elle avait vu la silhouette accroupie sous le bureau, tentant en vain de se dissimuler.

Elle avait vu sa chevelure dans le peu de lumière en provenance de la porte ouverte sur le couloir.

Elle avait vu ce qu'ils faisaient.

Elle avait vu son mari tenter désespérément de rajuster sa tenue et décaler les boutons.

Elle avait vu sous le bureau la main sur laquelle s'appuyait l'inconnue accroupie.

Elle avait vu ses ongles.

Elle avait senti son parfum et remarqué un chapeau féminin derrière une pile de livres sur le bureau de son mari.

Mon Dieu, pensa Emma, *ma vie est finie.*

Je meurs. Je suis morte.

L'identité de l'inconnue lui était indifférente. Quelle importance qu'elle eût un nom? Elle *existait*, c'était tout ce qui comptait. Mais depuis combien de temps?

Tous ces déjeuners pris seule à la table en face de la place vide de Carl Gustav... Toutes ces nuits où elle était déjà couchée quand il rentrait... Tous ces matins où il était déjà parti quand elle se levait... Depuis des semaines? Des mois? Comment se rappeler depuis combien de temps il en allait ainsi? Comment savoir?

C'était terminé. Tout était terminé.

Ce soir-là – un vendredi, le 31 mai –, Jung reçut un appel téléphonique de Küsnacht. C'était le Dr Richard Walter, le médecin d'Emma.

« Je suis au regret de vous annoncer, Carl Gustav, qu'Emma a eu un accident. Si j'ai un conseil à vous donner, c'est de rentrer le plus vite possible. »

Elle était tombée dans l'escalier après s'être changée pour le dîner, et cette chute avait provoqué une fausse couche. L'enfant était mort, et Emma, dans le coma.

Jung attendit encore deux heures avant de retourner chez lui. Il lui fallait mettre sa maîtresse au courant, la raisonner et, pendant un temps, la congédier. L'incident dans son bureau ne serait plus jamais mentionné.

En 1910, à l'époque de sa liaison avec Sabine Spielrein, Jung avait écrit à Freud à propos d'Emma: *Elle me joue sans raison des scènes de jalousie. Elle ne comprend pas que la condition préalable à tout bon mariage, du moins me semble-t-il, est la licence d'être infidèle.* Et d'ajouter: *Pour ma part, j'ai beaucoup appris.*

Manifestement, il avait appris à contrôler sa femme, mais pas la mère de ses enfants.

10

L'immobilité d'Emma était telle que Jung se demanda un instant si elle n'était pas morte.

Il lui prit la main, qu'il garda dans la sienne.

Le Dr Walter se tenait de l'autre côté du lit.

« Pourra-t-elle en avoir d'autres ? s'enquit Jung.

– Un jour, peut-être. J'ai cependant de bonnes raisons de penser qu'elle n'en voudra plus.

– C'est fort probable. Fort probable. » Jung pressa la main de sa femme avant de la reposer sur le couvre-lit. « Avez-vous pu déterminer le sexe de l'enfant ?

– Oui. Vous auriez eu un second fils.

– Oh, Seigneur... »

Jung s'écarta.

Une infirmière avait été appelée pour veiller Emma aussi longtemps que nécessaire. Une semaine au moins, peut-être plus, avait dit le Dr Walter. Elle s'appelait Berthe. *Schwester* Berthe. Elle était grande, pondérée, discrète. Elle aimait les romans et comptait lire *Mort à Venise* durant les longues heures passées au chevet de sa patiente silencieuse. Quand les deux médecins quittèrent la pièce, elle plaça une chaise au pied du lit, d'où elle pouvait garder un œil sur sa patiente, puis ouvrit le mince volume, cassant le dos en trois endroits, avant de l'approcher de son nez afin de s'imprégner de son odeur. Encre. Papier, colle à relier – Venise. Elle n'avait besoin de rien d'autre.

Au rez-de-chaussée, après avoir servi le brandy requis, Jung demanda à son confrère :

« Que fait-on des restes en pareil cas ? »

Le Dr Walter, qui suivait Emma depuis son mariage et son installation à Zurich et Küsnacht, répondit :

« Si je puis me permettre, le moyen le plus simple, c'est encore le feu.

– Je comprends. Me serait-il possible de le voir ?

– Je ne vous le conseille pas, Carl Gustav. C'est trop triste.

– Était-il en bonne santé et bien formé ?

– Oui.

– Et c'était un garçon, vous dites ?

– Oui.

– Répondez-moi franchement, Richard : vous croyez qu'il s'agissait réellement d'un accident ?

– Je n'ai aucun moyen de le savoir.

– Qui l'a trouvée ?

– *Frau* Emmenthal.

– Et ?

– En entendant le bruit de la chute, elle a accouru aussitôt. Votre femme était inconsciente. C'est à ce moment-là que l'on m'a appelé. La fausse couche a eu lieu en ma présence, un peu moins d'une heure plus tard. Je la craignais et m'y étais préparé. Emma n'a rien senti.

– Où est l'enfant, à présent ?

– Je l'ai enveloppé d'un torchon à la cuisine, où l'on pourra s'en débarrasser dans le fourneau. *Frau* Emmenthal et votre servante sont avec lui.

– S'en débarrasser. » Jung frissonna. « S'en débarrasser...

– Il était trop jeune pour survivre, Carl Gustav. Vous ne devez pas y penser pour le moment.

– Accepteriez-vous de m'épauler, dans ce cas ? Je tiens à m'assurer que les choses ont été faites correctement.

– Bien sûr. Si c'est ce que vous souhaitez. »

À la cuisine, *Frau* Emmenthal était assise à table, le paquet dans son torchon sur les genoux, un verre de riesling près de son coude. Il régnait un silence absolu. Lotte, qui avait pleuré, s'était réfugiée dans l'ombre. Elles se levèrent de concert et esquissèrent une révérence à l'arrivée des deux hommes.

« Mon Dieu, docteur Jung ! s'exclama *Frau* Emmenthal. Je suis tellement désolée...

– Je vous remercie, dit Jung. Je vous remercie. Vous pouvez vous rasseoir.

– Non. Nous resterons debout, décréta *Frau* Emmenthal. C'est plus convenable. »

Jung se tourna vers son confrère.

« Vous permettez ? J'aimerais le tenir juste quelques instants.

– Naturellement. »

Le Dr Walter demanda à *Frau* Emmenthal si le feu dans le fourneau avait bien été alimenté. C'était le cas.

Des mains de la cuisinière, Jung reçut le ballot inerte qu'il serra contre son cœur.

Je n'ai personne à prier, pensa-t-il. *Personne, et pour une fois, je le regrette.*

« Cher enfant, murmura-t-il, je t'en prie, pardonne-nous de t'avoir trahi. Tu ne seras jamais oublié. »

Il demeura ainsi un moment, en proie au déchirement le plus intolérable à la perspective de s'en séparer.

Seul le tic-tac de la pendule accrochée au mur à bonne hauteur troublait le silence.

Enfin, Jung se détourna, puis s'approcha du fourneau.

« Très bien, dit-il. Nous sommes prêts. »

Le Dr Walter souleva la plaque de fonte. Une gerbe d'étincelles jaillit, accompagnée par le crépitement des flammes.

Jung se pencha, embrassa à trois reprises le fœtus dans son torchon. Avant de le maintenir brièvement au-dessus du brasier, de fermer les yeux et de le lâcher.

Le paquet tomba sans le moindre bruit.

Le Dr Walter replaça la plaque et dit à *Frau* Emmenthal :

« Je reviendrai dans une demi-heure.

– Bien, monsieur. »

Après le départ des deux hommes, *Frau* Emmenthal se servit un autre verre de vin.

À son tour, Lotte prit place à table, et ensemble, elles attendirent sans un mot le retour du médecin en prenant soin de ne pas regarder en direction du fourneau.

11

Sous les combles de l'hôtel Baur au Lac, Forster passait ses journées à inventer des moyens d'entrer en contact avec Mr. Pilgrim.

Certes, on connaissait déjà son apparence, mais il pouvait toujours se déguiser et tenter une visite en se présentant comme un ami tout juste arrivé de Londres qui ignorerait l'état de Mr. Pilgrim. Ou comme un coursier à qui l'on aurait interdit de délivrer son message à tout autre que Mr. Pilgrim en personne. Il pouvait toujours apporter un cadeau, ou s'habiller en femme et devenir *la sœur de Mr. Pilgrim*. Il pouvait… il pouvait… Non. Il n'y avait rien qu'il pût faire. Ils étaient beaucoup trop intelligents, à Burghölzli, beaucoup trop méfiants et observateurs ; ils ne se laisseraient pas abuser par des déguisements ou des tours de passe-passe.

Alors, il s'acheta des jumelles pour scruter la façade de la clinique. Comble de chance, les fenêtres de sa chambre donnaient sur le bâtiment. *Si j'avais demandé cette vue, je n'aurais pas obtenu mieux*, conclut Forster. *Alors, autant la mettre à profit.*

Le matin du 1ᵉʳ juin 1912, un samedi, Pilgrim sortit sur son balcon nourrir ses oiseaux.

Forster le repéra aussitôt.

« J'aurais dû deviner », dit-il à voix haute. Tourterelles et pigeons multipliaient les allées et venues sur ce balcon depuis deux jours. « Qui d'autre que lui aurait une telle multitude sous ses ordres ? »

Pilgrim portait sa robe de chambre bleue sur son pyjama blanc. En le regardant, Forster éprouva un pincement de regret pour le bon vieux temps ; pour les odeurs de toasts et de thé Earl Grey dans la cuisine chaleureuse de Mrs. Matheson ; pour la présence périlleuse d'Agamemnon, le chien toujours dans ses jambes ; pour les plateaux du petit déjeuner, les journaux et les lettres apportés à Mr. Pilgrim dans ses appartements du 18, Cheyne Walk. Et aussi, pour l'agitation du petit Agamemnon se démenant en effusions passionnées au moment où la porte s'ouvrait, marquant le début d'une nouvelle journée. Pour le réconfort de ces habitudes sacrées et la conscience qu'une autre nuit s'était écoulée sans aucune tentative de…

Forster refusait ne serait-ce que de penser au mot *suicide*.

« Bien le bonjour », dit-il encore à voix haute, comme si Mr. Pilgrim se tenait à proximité.

Il n'était pas loin, et si l'on tendait la main…

Forster compta les balcons de chaque côté de l'endroit où se dressait Pilgrim. *Il est là*, calcula-t-il, *précisément là. À présent, je peux le regarder tous les jours – ce que je ferai. D'une façon ou d'une autre, nous y mettrons un terme.*

À quoi ?

Notre séparation.

Il laissa retomber sur sa poitrine les jumelles au bout de leur lanière.

Lady Quartermaine avait péri. Lui-même était désormais le seul lien de Mr. Pilgrim avec le monde extérieur. Il n'y avait plus que lui pour se préparer à l'accueillir.

Par conséquent, il allait ouvrir les yeux et patienter. Ainsi, le moment venu, il serait prêt.

12

Pilgrim avait mangé, mais pas très bien. Il écarta le poisson proposé – qu'il avait eu au déjeuner la veille – presque jusqu'à le faire chuter.

La jeune fille qui l'avait servi se tenait à côté de la table, visiblement nerveuse. Elle ne parlait pas anglais et Pilgrim refusait de parler allemand. Pour se justifier, il invoquait une excuse quelque peu puérile : *Je ne parle pas* suisse. *Allez-vous-en !*

Le poisson – de la sole – demeura intact.

Lorsqu'on lui apporta en dessert du gâteau de riz, Pilgrim en laissa délibérément tomber une pleine cuillerée par terre, puis froissa sa serviette et se leva.

« Je vis un cauchemar alimentaire », dit-il avant de quitter sa place. En approchant du seuil de la salle à manger, il se retourna pour lancer à la malheureuse serveuse : « Quand vous aurez de la *vraie* nourriture à m'offrir, je reviendrai. D'ici là, je vous souhaite une bonne journée. Ainsi qu'à tous vos stupides congénères bovins. »

Sur ces mots, il sortit.

Se sentant bien évidemment insultée, la serveuse se dirigea en larmes vers les cuisines. De son côté, Pilgrim regagna l'ascenseur où, alors qu'il s'élevait, il regarda le visage éternellement inexpressif du liftier en pensant : *Je me retrouve dans un monde de bovins, un vaste monde de bovins décervelés et ruminants !*

Parvenu dans sa chambre, il ouvrit les portes-fenêtres donnant sur le balcon, ôta sa veste et ses chaussures, desserra sa cravate, puis s'allongea sur son lit.

L'air était doux, sinon chaud, et Pilgrim dut se relever pour tirer les volets de façon à éviter un excès de lumière.

Dix minutes plus tard, il se redressa, passa dans la salle de bains où il urina, but un verre d'eau du robinet et refusa de se regarder dans la glace.

Il se débarrassa ensuite de sa cravate, de son gilet, laissa pendre ses bretelles, ouvrit sa braguette et retourna s'étendre.

Quelques pigeons se posèrent sur le balcon derrière les volets et se mirent à roucouler.

« Allez-vous-en, chuchota Pilgrim. Allez-vous-en. ALLEZ-VOUS-EN ! » s'écria-t-il.

Au bout de quinze minutes, il dormait.

Me noie dans la boue. Ne sais pas où je suis.

Il fait sombre, mais pas nuit. Lumière matinale dans le ciel, ai conscience d'un horizon.

Tout est brun, gris, mouillé. Odeur de terre, puanteur accablante. Répugnante, et pourtant, bienvenue. La mort, oui, mais le cœur en paix. Du vert, encore du vert. Et du brun.

Ignore où sont mes pieds. Porte des bottes. Leur poids, ainsi que celui de mes vêtements, m'attire vers le fond. Rien de solide nulle part sous moi. Essaie de nager, mais ne parviens qu'à maintenir tête à la surface. Boue aussi épaisse que du porridge. Explosions de lumière sporadique, mais lointaines. Pas proches.

Vois les silhouettes d'autres hommes. Tous vêtus comme moi. Nos habits trempés, tombants, confirment que nous sommes des soldats. Oui, mais quand ? Et où ?

Une horloge sonne. Incapable de compter les coups. J'essaie de crier, mais n'ai plus de voix.

Bruit de portes que l'on ouvre ; le mot portail emplit ma tête. P-p-p-portail ; la première lettre résonne comme une salve d'artillerie. Un courant d'air s'est engouffré. Une bourrasque de pluie. P-p-p-p-p-portail.

Mes mains tentent d'en atteindre une autre – une main humaine, aux doigts immaculés –, mais elle disparaît.

Me demande pourquoi je suis ici, mais n'obtiens aucune réponse. Ici, c'est nulle part. Le néant.

Tout d'un coup s'élève un bruit que je n'identifie pas immédiatement : un son précipité, monotone, qui rappelle les crachotements d'un moteur d'automobile sans la protection du capot. Un son ouvert, un vrombissement régulier au-dessus de ma tête.

Suivent plusieurs petites déflagrations que je n'identifie pas non plus. Puis un autre son – des cris, également au-dessus de ma tête –, et une ombre mouvante s'abat sur moi, pareille à celle d'un oiseau géant, ensuite de quoi je m'aperçois qu'il y a un aéroplane, et un autre encore.

Je n'ai jamais vu d'aéroplane que sur les photographies, mais il doit y en avoir une dizaine, une douzaine, peut-être plus, qui passent dans le ciel, tirant à mitraille et lâchant des obus qui agrandissent les déchirures de la terre.

Alentour, les silhouettes voûtées des autres hommes s'élancent, me croisent sans me voir, parce qu'ils ne me regardent pas. Tout le monde a peur.

Quelqu'un dit : Je n'ai pas le droit de te voir. *Ce sont les seuls mots que j'aie entendus.*

Je ferme la bouche. Passe une autre douzaine d'aéroplanes.

Je commence à sombrer.

Mes narines s'emplissent de boue. Je me noie, puis me réveille.

Pilgrim, trempé de sueur, s'assit sur son lit.

Je me noie, puis me réveille.

Des aéroplanes.

Ce dont il venait de faire l'expérience ne pouvait être un rêve du passé ; c'était forcément un rêve de l'avenir.

De l'avenir, mon Dieu. Oh, mon Dieu !

Quatre heures.

Pilgrim porta les mains à son visage et baissa la tête.

La lumière dans la chambre se teintait d'une nuance dorée ; filtrée par les volets, elle dessinait des motifs obliques, mouvants, qui rappelaient le *sfumato* de Léonard, jouaient à travers les couches de poussière et la cécité créée par Pilgrim avec ses doigts.

« Oh, Seigneur, dit-il à voix haute. Assez. Assez. Assez. »

Il se leva.

« IL FAUT QUE CELA CESSE ! »

13

L'incident suivant se produisit à quatre heures et quart cet après-midi-là. Il est consigné dans le journal de Jung, dans son dossier sur Pilgrim et dans les rapports quotidiens de Kessler et de *Schwester* Dora.

Il eut lieu devant six témoins : quatre patients et deux membres du personnel – à savoir, Kessler et *Schwester* Dora. Les patients étaient la comtesse Blavinskeya, la schizophrène avec les mains récalcitrantes de Robert Schumann, l'homme qui écrivait avec un crayon imaginaire et celui qui avait totalement renoncé à communiquer par la parole. Tous, à l'exception de Kessler, étaient rassemblés dans la salle de musique.

Sur le gramophone passait un enregistrement du *Carnaval des animaux*, de Saint-Saëns. Blavinskeya dansait *La Mort du cygne*, de la Pavlova.

Le soleil entrait à flots par les fenêtres ouvertes. L'homme qui écrivait avec un crayon imaginaire, se sentant dans l'obligation de s'exprimer, s'était levé pour rédiger son message sur le mur près de la porte. *Schwester* Dora tricotait un châle pour sa patiente bien-aimée. Les autres, perdus dans leur propre monde, restaient assis à écouter.

Soudain, un bruit résonna dans le couloir. Quelqu'un était poursuivi, de toute évidence, et une voix criait : « Arrêtez ! Arrêtez ! Arrêtez ! »

Quelques secondes plus tard, la porte s'ouvrit à la volée, livrant passage à Pilgrim en robe de chambre et pantoufles. Kessler comptait l'emmener aux bains afin de l'apaiser après son rêve, mais son patient s'était brusquement élancé vers la salle de musique, cognant à toutes les portes sur son chemin.

Lorsque Pilgrim fit irruption dans la pièce, la comtesse abordait la conclusion de son solo. Elle était au sol où, la jambe gauche tendue devant elle, elle avait déjà entamé le célèbre dénouement – bras voltigeants, tête baissée et dos cambré.

Pilgrim était quasiment méconnaissable. Il ne maîtrisait plus du tout son expression. Son visage n'était qu'un masque de fureur avec ses yeux écarquillés et fixes, sa bouche barrée par ce qui ressemblait à un maelström d'écume et de salive. Il franchit les quelques mètres éclairés par le soleil avec la rapidité d'un guépard s'apprêtant à fondre sur sa proie, et après avoir arraché le bras du gramophone, il l'envoya contre la plus proche fenêtre ouverte. Un fracas de verre brisé retentit dans l'air.

La comtesse Blavinskeya paraissait penser qu'une tornade s'était abattue sur la clinique. La femme avec les mains de Schumann hurla avant de courir se réfugier dans un coin, où elle s'accroupit. L'homme au crayon imaginaire cessa d'écrire, mais ne put se retourner. Il demeura face au mur, le bras droit levé, le front à quelques centimètres du plâtre.

Schwester Dora se redressa, puis posa son tricot, prête à rejoindre sa patiente, mais la violence déployée par Pilgrim l'en empêcha.

Après avoir soulevé le gramophone, il le jeta par terre. Le boîtier se fendit en deux, les entrailles mécaniques de l'appareil éventré se répandirent sur le sol. Pilgrim attrapa alors systématiquement sur les étagères tous les albums qu'il lança contre les quatre murs, réduisant en miettes leur contenu. Hasard malencontreux ou calcul délibéré, le disque de Schumann *Scènes d'enfance* atteignit la pianiste accroupie, provoquant une blessure qui nécessiterait plusieurs point de suture.

Entre-temps, Kessler tentait d'attraper son patient, mais Pilgrim s'obstinait à lui échapper. Son énergie était démentielle, rappelant celle d'un jeune athlète, d'un lutteur, d'un coureur ou d'un gymnaste. Ayant retiré le violoncelle de son étui, il se mit à bourrer de coups de pied le corps allongé de l'instrument en criant :

« Maudite soit la musique ! Maudit soit l'art ! Maudite soit la beauté ! À mort ! À mort ! À mort ! »

Il brisa ensuite le violon et se servit des restes pour faire voler en éclats les vitrines contenant les livrets et les partitions dont le responsable de la salle de musique était si fier.

Enfin, Kessler parvint à le déséquilibrer au moment où Pilgrim s'emparait des aiguilles à tricoter de *Schwester* Dora – laine incluse – pour se frapper le visage.

Alors que l'aide-soignant plaquait son patient au sol et lui immobilisait les bras derrière le dos, la comtesse Blavinskeya s'écria soudain : « Il suffit ! » Pilgrim se calma aussitôt.

Schwester Dora partit chercher de l'aide pendant que Kessler s'asseyait sur les cuisses de Pilgrim et lui tordait les bras à chacune de ses tentatives pour se dégager.

Cinq minutes plus tard, un quatuor d'internes arrivait à la rescousse et obligeait le patient immobilisé à enfiler une camisole de force. Dans un ultime sursaut de révolte, Pilgrim cracha au visage de Kessler ; sur quoi, il poussa un cri animal et s'évanouit.

Plus tard, une fois Jung informé de l'incident et Pilgrim maîtrisé, Kessler fut interrogé sur les causes éventuelles de cet éclat.

« Il a fait sa sieste, expliqua Kessler. Et il a sûrement rêvé. Lorsque je l'ai découvert, il criait – je ne sais pas quoi, mais il criait. Je l'ai déshabillé pour lui passer son peignoir afin de l'emmener aux bains, où je pensais que l'eau le calmerait. Il ne cessait de hurler : *Ça ne s'arrêtera jamais ! Ça ne s'arrêtera jamais !* Ce qu'il voulait dire par là n'a pas été explicité. Le seul mot que je ne l'avais encore jamais entendu prononcer, c'était *aéroplane*.

– Aéroplane ?

– Aéroplane, oui. Il le répétait tout le temps. *Aéroplane. Aéroplane.* Jusqu'au moment où il m'a échappé, où il est allé casser toutes ces choses. »

Jung secoua la tête.

« Eh bien, reprit-il. Aéroplane. Voilà qui est nouveau.

– Oui, monsieur. Pour ma part, je n'en ai jamais vu.

– Moi non plus », déclara Jung. Puis, sans l'avoir prémédité, il ajouta dans un souffle : « Mais je suppose que cela ne tardera plus.

– Oui, monsieur. Je le suppose également. »

LIVRE CINQ

*

1

PILGRIM fut placé dans une cellule capitonnée où il ne pouvait se blesser. On lui affecta deux nouveaux aides-soignants ou « gardiens », comme on les appelait dans le service réservé aux patients violents. Kessler fut invité à rentrer chez lui une semaine, ce qu'il accepta à une condition seulement : si Mr. Pilgrim le réclamait, il reviendrait aussitôt.

L'un des gardiens, un géant blond d'apparence inoffensive, s'appelait Wolf. On l'avait embauché exclusivement pour sa force. Rien en lui ne témoignait d'une attitude particulière envers ses patients – autre que sa volonté de les maîtriser en cas de nécessité. Son expression débonnaire renforçait encore la bienveillance de son tempérament. Avec son regard candide et son sourire plein de douceur, il évoquait un bambin innocent persuadé que c'était tous les jours Noël.

L'autre gardien, Schwarzkopf, était en tous points l'opposé de Wolf avec ses penchants sadiques marqués, par trop manifestes. Alors qu'il contemplait Pilgrim, il faisait craquer ses jointures comme s'il voyait en chaque patient un adversaire à affronter lors d'un combat à mains nues. En même temps, il observait sa victime en plissant les yeux, le bout de la langue coincé entre les dents. Lui aussi en imposait ; il était plutôt petit, mais rond et solidement charpenté.

Les deux premiers jours qui suivirent son déchaînement de fureur, Pilgrim demeura sous calmants, et l'on dut s'occuper de lui comme d'un enfant. Il mouilla son lit, souilla son pyjama et il fallut le forcer à avaler des liquides pour éviter la déshydratation.

Il ne dit que deux choses : *Où sont mes tourterelles et mes pigeons ?* Et : *Pourquoi est-ce que tout est blanc ?*

Il semblait assez calme et, le quatrième jour, sur les ordres du Dr Jung, il fut désentravé.

« Il est grand, avertit Schwarzkopf. Attention à ses jambes. »

Wolf eut pour tâche de défaire les sangles qui attachaient au lit les bras de Pilgrim. Schwarzkopf s'assit sur les pieds du patient avant de lui maintenir les genoux.

La cellule, relativement basse de plafond, ne comportait pas de fenêtre. L'air circulait au moyen d'un conduit percé dans le mur qui débouchait sur l'extérieur après une série de grilles métalliques. Schwarzkopf ne se lavait pas. Il sentait mauvais. C'était là une de ses armes d'intimidation. Pilgrim le surveillait à travers ses yeux mi-clos.

Les entraves résistaient. Les détacher prit un certain temps. Wolf, avec sa douceur habituelle, s'efforçait de ne pas causer de blessures aux poignets et aux chevilles de Pilgrim.

La manœuvre enfin terminée, celui-ci commença à sentir le sang affluer de nouveau.

Il ne dit rien. Ne fit rien non plus.

Il ne bougea ni ne baissa les paupières.

Schwarzkopf se releva.

« Vous mettez debout », ordonna-t-il dans son anglais imparfait.

Les yeux de Pilgrim se posèrent sur Wolf.

Ce dernier se pencha pour le prendre par les épaules et l'aider à se redresser en position assise.

« Jambes », fit Pilgrim.

Schwarzkopf souleva les chevilles du patient avant de lui balancer les pieds vers le sol, où ils atterrirent avec un bruit d'os entrechoqués – un bruit qui, dans l'esprit de Pilgrim, résonna comme le claquement d'une porte.

Wolf se tenait à l'écart.

Son collègue, qui fixait Pilgrim du regard, porta son pouce à son menton, qu'il caressa comme pour stimuler la pousse d'une barbe absente. Enfin, il recula en ordonnant:

« Parlez.

– Je veux mes tourterelles et mes pigeons », déclara Pilgrim.

Schwarzkopf sourit.

« Vous aimez les tourterelles et les pigeons?

– Oui.

– Alors, je vais en trouver pour les apporter demain. »

Pilgrim hocha la tête.

« Je voudrais de la soupe », ajouta-t-il.

Le lendemain matin, Wolf vaquait à la toilette de Pilgrim quand Schwarzkopf arriva avec un paquet enveloppé d'un torchon. Bien que sa langue pointât entre ses dents, il souriait.

« Vous vouliez quelque chose, dit-il, avant de placer le ballot au pied du lit.

– Je ne veux plus rien, répliqua Pilgrim.

– Ah non, reprit Schwarzkopf. Vous vouliez quelque chose, je l'ai apporté. »

Sur ces mots, il écarta le torchon, révélant les corps d'une tourterelle rose et d'un pigeon vert.

« Pour le petit déjeuner, si vous avez envie. »

Une semaine encore, il fallut user de la force pour maîtriser Pilgrim. Kessler revint et, à la demande expresse de Jung, Schwarzkopf fut renvoyé.

Personne ne mentionna plus les tourterelles et les pigeons. Kessler se chargea d'enterrer les oiseaux morts au pied d'un arbre. En les déposant dans le sol, il lissa leurs plumes et murmura un seul mot. *Pardonnez.* Leurs yeux rubis étaient fermés, et la terre qui les recouvrit sentait les pommes de pin, les champignons et la pluie.

2

Le samedi 8 juin, Emma quitta son lit pour la première fois depuis sa fausse couche, et ce même jour, Wolf ôta pour la dernière fois les entraves aux poignets et aux pieds de Pilgrim.

Emma alla s'asseoir près de la fenêtre, où Lotte lui apporta son petit déjeuner sur un plateau, ainsi que le journal du matin. Elle l'avait demandé à la bonne en pensant : *Le monde tourne toujours, au-dehors, et je ferais mieux de le rejoindre.*

Pilgrim s'assit au bord de son lit, où Kessler le nourrit d'une orange découpée, d'un toast, de marmelade et de thé. Il n'y eut aucune allusion aux oiseaux. Wolf s'était retiré dans la cuisine du personnel, où il buvait un café en regardant fours et fourneaux comme s'il s'attendait qu'ils prennent la parole. Lui-même demeurait silencieux.

Emma déplia le quotidien. *Die Neue Zürcher Zeitung*, affectueusement surnommé *die N.Z.Z.* Le conflit italo-ottoman se poursuivait ; les Italiens semblaient les vainqueurs les plus probables. Les Balkans connaissaient leur agitation habituelle : bombes, assassinats, émeutes et anarchie. La Grèce menaçait d'entrer dans la mêlée... Et ainsi de suite.

Les Serbes, les Macédoniens, les Bulgares, les Turcs, les Italiens, les Grecs... Qui s'en soucie ? songea Emma en laissant tomber le journal sur le sol. Cinq cents ans d'invasions armées, de frontières fluctuantes, et rien n'était résolu. Cela remontait jusqu'à Alexandre le Grand. Jusqu'à Troie, même – et rien, rien, rien n'avait changé. Des siècles durant, des vies entières, du berceau à la tombe antiques, avaient été vécues sans un moment de paix, sans une seconde pour échapper à l'emprise de la peur. Dans ces conditions, autant ne pas naître. Autant périr.

À onze heures ce matin-là, Jung fit son apparition dans le service des patients violents, passa en voir quelques-uns puis, à onze heures trente-cinq, entra dans la cellule de Pilgrim.

Wolf était allé s'asseoir dans le couloir, permettant ainsi à Kessler de s'occuper des besoins intimes de Pilgrim. Celui-ci avait eu droit à un pyjama propre et à une robe de chambre fraîchement nettoyée et, pour la première fois depuis presque deux semaines, il avait été rasé et autorisé à se brosser les dents.

Jung informa l'aide-soignant qu'il pouvait disposer et revenir environ une demi-heure plus tard.

Après que Kessler fut parti, emportant le pyjama souillé de la semaine précédente et le plateau du petit déjeuner, Jung plaça l'unique chaise de la pièce de façon à tourner le dos au mur.

En s'asseyant, il retira du porte-musique une feuille de papier et, enfin, affronta son patient. Il n'avait pas fermé l'œil de la nuit, tourmenté qu'il était par sa conscience après la mort de l'enfant et la découverte par Emma de l'existence d'une autre femme.

Envers le premier de ces événements perturbants, il éprouvait un mélange de remords et de culpabilité. Ses soupçons relatifs à une chute délibérée dans l'escalier s'étaient trouvés quasiment confirmés. *Je n'ai pas trébuché*, avait dit Emma. *Je suis tombée.* Quant à *l'autre femme*, il n'éprouvait pas le moindre remords ; il regrettait seulement de devoir se priver de sa présence pour le moment. Le défoulement sexuel qu'elle lui permettait allait lui manquer, de même que sa compagnie intellectuelle. Elle s'appelait Antonia Wolff et, à l'instar de Sabina Spielrein, elle avait été admise autrefois comme patiente à la clinique Burghölzli. Depuis sa guérison, elle était devenue une interne compétente possédant un talent et une intuition étonnantes.

Il s'agissait de la jeune personne que Jung avait vue dans le couloir avec Furtwängler quelques semaines plus tôt. Cela avait facilité les choses – et en un sens aussi, les avait rendues plus difficiles – que physiquement, elle fût une réplique presque parfaite d'Emma, sauf que ses cheveux retombaient vers l'avant, alors que ceux d'Emma étaient tirés en arrière, lui dégageant le visage. Antonia avait l'apparence sensuelle d'une femme dont le corps se laissait prendre avec délices, et elle... Antonia... Toni... elle était...

Oublie tout ça. Tu es venu pour Pilgrim.

« Bonjour, commença Jung. Quelle belle journée, merveilleuse et ensoleillée... », prétendit-il.

En vérité, il pleuvait à verse, et son enfant était mort.

« Y a-t-il quelque chose que vous souhaitiez me dire ? demanda-t-il.

– Seulement que vous m'avez enfermé dans l'obscurité avec des fous.

– De quels fous voulez-vous parler ?

– Schwarzkopf a tué deux de mes oiseaux.

– Vous avez des oiseaux ?

– Des tourterelles. Des pigeons. Je les nourris. Et vous êtes au courant.

– Parce qu'ils vous appartiennent ? Je l'ignorais. J'étais persuadé que les oiseaux étaient leurs propres maîtres.

« — Très habile, docteur Jung. Naturellement… » Pilgrim leva une main, qu'il laissa retomber sur son genou. « … vous avez raison. Néanmoins, je me suis occupé d'eux.

— Mr. Schwarzkopf a reçu son congé. Vous avez d'autres motifs de vous plaindre ?

— Kessler est fou.

— Ah oui ?

— Il croit aux anges.

— Pas vous ?

— Bien sûr que non. À quoi serviraient les anges ?

— Apparemment, dans le cas de Kessler, ils ont été assez utiles. Saviez-vous qu'il avait lui-même compté parmi les patients de cet établissement ?

— Non. Et alors ? Cela ne fait que prouver mes dires. Vous me traitez de fou, et vous me remettez entre les mains de déments. Peut-être y a-t-il dans votre propre tête quelque chose qui ne tourne pas rond.

— Possible, admit Jung avec un sourire. Tout à fait possible. »

Il y eut une pause.

« Comment vous sentez-vous aujourd'hui, Mr. Pilgrim ? Reposé ? Soulagé ?

— Libéré. »

Jung éclata de rire.

« J'en conviens, dit-il. Il était grand temps. » Il attendit un instant avant d'ajouter : « Auriez-vous tué Mr. Schwarzkopf, comme vous paraissiez en avoir l'intention ?

— J'en avais envie, mais je me suis calmé. Je suis incapable de tuer, mais on ne peut pas en dire autant de Schwarzkopf. Je l'ai vu manger des mouches.

— Les mouches sont-elles importantes ?

— Tout est important. Vous n'êtes pas d'accord ? Cela vous serait-il égal s'il n'en restait plus pour vous ? »

Jung s'adossa à sa chaise.

« Eh bien, dit-il, de toute évidence, il y a un problème entre nous. Vous ne m'aimez pas. C'est exact ?

— En ce moment, oui.

— Je vous rappelle que je suis votre médecin. Les médecins ne suscitent pas toujours la sympathie.

— J'en suis parfaitement conscient. » Pilgrim fixa Jung du regard. « Qu'attendez-vous de moi, docteur Jung ? Puis-je faire quelque chose pour vous ?

– Oui. Vous pouvez répondre à certaines questions.

– Vous posez les questions, je dois fournir les réponses. Ce n'est pas juste.

– Préféreriez-vous inverser les rôles ?

– Je ne m'étais pas rendu compte que nous jouions des rôles.

– Écoutez, Mr. Pilgrim, l'obscurcissement ne nous mènera nulle part, ni vous ni moi.

– Pour quelqu'un qui ne s'exprime pas dans sa langue natale, vous parlez vraiment très bien. *Obscurcissement.* C'est remarquable. Vous possédez un vocabulaire aussi exemplaire qu'étendu. En vérité, je devrais dire que vous êtes, comme dans tant d'autres domaines, un véritable expert. Doté de panache, qui plus est.

– Je ne suis pas certain de vous comprendre.

– Bien sûr que vous me comprenez. Je vous en prie, ne vous retranchez pas derrière la fausse modestie. Vous n'avez d'ailleurs aucune modestie, fausse ou pas. En d'autres termes, docteur Jung, vous êtes visible.

– Je vois.

– Non, c'est *moi* qui vois. Vous êtes, dans le langage courant des écoliers, une bite molle. »

Jung délaissa sa liste de questions. Il n'en avait plus besoin. Ce face-à-face avec Pilgrim avait pris une tournure inattendue, et si ce n'était pas celle qu'il espérait, elle avait néanmoins de bonnes chances de se révéler productive.

« Une bite molle, vraiment ?

– Oui, monsieur. Un vilain pénis malodorant et incapable, tout juste bon à faire pipi.

– Pardon ?

– À pisser.

– J'avais saisi.

– Tiens donc.

– Je pense, oui.

– J'en doute. Laissez-moi vous expliquer : l'écolier passe ses soirées à se tripoter dans l'espoir de parvenir un jour à la pleine jouissance procurée par l'éjaculation et l'orgasme qui l'accompagne. Il a entendu parler de ces plaisirs, il en a peut-être même été témoin chez ses camarades plus âgés. Mais son propre pénis demeure inactif parce que ses testicules ne sont pas encore descendus. Il aura beau multiplier les érections, il n'atteindra qu'un vague semblant de satisfaction tout juste bon à lui empourprer les joues. Il est pire qu'un puceau. Il est improductif. *Une bite molle*, donc.

– Vous me considérez donc comme un orgasme qui n'aboutit pas.

– Oui, monsieur. Vous remarquerez que je vous appelle *monsieur*, comme le ferait un écolier.

– Vous n'en êtes pas un, Mr. Pilgrim.

– Vous n'êtes donc pas mon maître ? »

Silence.

« Je déteste cette pièce. Cette cellule. Faut-il que je reste ici pour toujours ?

– Non.

– Est-ce vous qui détenez la clé ?

– J'en possède une, oui.

– Qui possède les autres ?

– Kessler en a une. Wolf aussi. Et le médecin responsable de ce service. Un certain Raddi.

– Ernst Raddi. Oui, je l'ai rencontré. Ou devrais-je plutôt dire, c'est lui qui m'a rencontré. En sa présence, j'étais toujours enchaîné. Encore une bite molle.

– Il n'y a pas de chaînes, Mr. Pilgrim. Il n'y en a jamais eu.

– Appelez-les autrement si vous voulez ; moi, je les concevais comme telles.

– Je veux bien le croire.

– C'est très aimable à vous.

– J'aimerais savoir pourquoi vous me considérez comme une bite molle.

– Cette description vous dérange ?

– Disons que cela me serait utile d'avoir quelques éclaircissements. Pour vous aider, je dois avoir une idée plus précise de l'opinion que vous avez de moi.

– Pourquoi pensez-vous que j'aie besoin d'aide ? »

De justesse, Jung réprima un éclat de rire.

« La clé se trouve dans ma poche, Mr. Pilgrim. Moi seul peux vous libérer.

– Vous avez mentionné d'autres clés dans d'autres poches.

– Peut-être, mais seule la mienne peut vous libérer. En outre, vous êtes perturbé, ce n'est que trop évident. Vous aussi, vous vous en rendez compte. Et donc… votre réponse ?

– Pourquoi je vous considère comme une bite molle ? Parce que vous êtes beaucoup trop satisfait de vous-même et des quelques résultats mineurs que vous avez obtenus dans votre spécialité… »

Jung ferma les yeux, mais ne protesta pas.

« Et parce que vous êtes un manipulateur arrogant et borné aux pouvoirs illimités. Parce que vous ne soupçonnez ni l'étendue de votre ignorance ni celle des ravages qu'elle provoque. Parce que vous êtes impénitent. Parce que vous malmenez l'intellect des autres afin de protéger la réputation du vôtre. Et parce que vous êtes suisse ! »

Après s'être levé, Jung se détourna, ôta ses lunettes et s'essuya les yeux avec son mouchoir.

« Une liste impressionnante, dit-il.

— Et encore, ce n'est qu'un début », répliqua Pilgrim.

Jung transféra son poids d'une jambe sur l'autre, envisagea de pivoter, mais en fin de compte, préféra s'abstenir.

« Souhaitez-vous qu'un autre médecin, plus apte à se mesurer à vous, prenne le relais ? s'enquit-il.

— Se mesurer à moi ? Pourquoi ? Suis-je un lutteur ? Une équipe de rugby ? Une armée d'insurgés ?

— MISTER PILGRIM ! » Cette fois, Jung fit volte-face et, en proie à une fureur évidente, affronta son patient. « Trop, c'est trop !

— Oh, quel dommage. Je m'amusais bien.

— C'est évident. Mais vous avez des problèmes, monsieur. Pas vis-à-vis de moi, mais plutôt de vous-même. J'ai un travail à accomplir, et j'ai l'intention d'y parvenir. Je ne suis pas le seul à être arrogant, je ne suis pas le seul à être ignorant, je ne suis pas le seul à me montrer borné dans mon utilisation du pouvoir...

— D'un pouvoir *illimité* !

— Vous êtes vous-même, monsieur, passé maître dans tous ces domaines et si je puis me permettre, vous êtes aussi, dans une certaine mesure, une bite molle ! »

Pilgrim cilla. Il avait l'air sincèrement surpris.

« Je veux une fenêtre, dit-il, après s'être tourné vers le mur.

— Vous n'en aurez pas ! Il ne sera pas question de fenêtres tant que je n'aurai pas de réponses. »

Son patient s'assit.

« Est-ce clair ? demanda Jung.

— Oui.

— Bon... » À son tour, Jung se rassit. « Maintenant que nous avons réglé cette question, tâchons d'avancer. »

Pilgrim contemplait ses genoux. La blancheur de son pyjama semblait le fasciner.

« Où allons-nous ? demanda-t-il dans un murmure.

— Nous allons découvrir qui nous sommes, répondit Jung. Vous et moi. Nous n'avons pas de cartes pour nous repérer, mais nous devons trouver notre chemin. Et nous y parviendrons. »

3

Un peu moins d'une semaine plus tard, le jeudi 13 juin, un homme en chapeau melon et manteau sur mesure fut aperçu sur les hauteurs du Lindenhof, qui surplombe la Limmat sur sa rive ouest. Au sommet de ce parc boisé s'étendait une magnifique esplanade avec des bancs, des tables, un café, une fontaine et une vue d'une splendeur sans égale sur la ville en contrebas.

À droite, le Grossmünster; à gauche, la Prediger-Kirche; et au-delà, l'université de Zurich, dominée par la clinique Burghölzli sise à flanc de colline, émergeant de sa jupe d'arbres protecteurs.

Des arbres, il y en avait partout. Les tilleuls d'où le parc tirait son nom, les chênes, les châtaigniers, les frênes et les trembles abondaient parmi les boutiques et les maisons de l'autre côté de la rivière, formant une écume de dentelle verte sur laquelle toits et clochers semblaient flotter.

L'homme au chapeau melon portait sur la poitrine une paire de jumelles retenue par une lanière de cuir passée autour de son cou. Dans sa main, il serrait un petit carnet relié de cuir. Au bout d'une autre lanière de cuir, laquelle était ajustée sur son épaule, se trouvait un appareil Kodak dans une housse de toile qu'il pressait avec son coude contre son flanc. Le parfait touriste – du moins en apparence.

Il se déplaçait le long de la balustrade, manifestement absorbé par le panorama devant lui. De temps à autre, il s'arrêtait, portait à ses yeux les jumelles, regardait quelque chose puis prenait des notes dans son carnet. Il agissait ainsi depuis plus d'une heure sans se douter qu'il était lui-même observé par une femme assise sous les arbres sur l'un des bancs derrière lui.

Elle devait approcher de la trentaine, ou l'avoir dépassée depuis peu. Soignée, élégante, elle était vêtue d'un léger manteau bleu marine avec des boutons d'écaille et coiffée d'un chapeau de paille également bleu, agrémenté d'un large ruban mauve et dont la forme n'allait pas sans rappeler celle du couvre-chef arboré par l'inconnu, bien que le bord n'en fût pas relevé.

Son attention se concentrait exclusivement sur l'homme étrange avec ses jumelles étranges et son carnet étrange. Il était aussi élégant, soigné et petit qu'elle-même, et il paraissait tout aussi solitaire, en dépit de l'attention qu'il consacrait à ce qu'il épiait. Quoi que ce fût, ou qui que ce fût.

Elle s'interrogea.

C'est peut-être un agent secret, envisagea-t-elle. *Ou un détective privé. Ou encore, un mari jaloux dont la femme badine avec un jeune homme romantique et fringant. Un hussard. Un officier de marine. Un artiste, ou un poète maudit. Quelles que soient les existences palpitantes que mènent certaines personnes.*

Certaines, oui. D'autres, non.

Soudain, l'homme se retourna et regarda droit dans sa direction.

Fermant les yeux, elle sourit. Une pensée lui traversa l'esprit : *J'ai été choisie.*

Lorsqu'elle rouvrit les yeux, elle le découvrit plus âgé qu'elle ne l'avait cru au premier abord. Compte tenu de son allure presque militaire, de ses épaules larges, de sa taille marquée et de son maintien rigide, elle lui avait donné entre vingt-cinq et trente ans, mais de toute évidence, il en avait plus de quarante.

Plus de quarante ans ! Un homme instruit des réalités de ce monde. Un homme d'expérience. Un défi.

De loin, ses yeux semblaient gris cendré. Il avait un nez superbe qui, tel un morceau d'ivoire, remontait droit jusqu'à ses sourcils en forme d'ailes dont le dessin arqué suggérait l'envol. Sa bouche large dessinait une ligne fine ; sa lèvre inférieure était pleine et humide, et sa lèvre supérieure, masquée par une épaisse moustache distinguée dont les extrémités recourbées évoquaient deux fossettes.

Oh, miséricorde ! Que va-t-il se passer ?

Il y avait une telle assurance dans sa façon d'approcher qu'il était impossible de se méprendre sur sa destination.

Bien que la jeune femme fût assise à l'ombre des tilleuls, elle leva une main pour protéger ses yeux de la lumière dans laquelle il s'avançait.

« Madame, dit-il lorsqu'il ne fut plus qu'à un mètre environ, puis-je vous demander si vous êtes seule ?

– Vous pouvez », répondit-elle dans un souffle. Elle avait pourtant l'intention de se faire entendre, mais quelque chose dans sa gorge empêchait sa voix de produire plus qu'un murmure. « Je donne peut-être l'impression d'être seule, mais en réalité, j'attends une amie », prétendit-elle. Il n'y avait pas d'amie. Il n'y en avait jamais eu dans sa vie. Le mot lui-même lui était inconnu. Cependant, il avait son utilité en présence d'un gentleman. « Elle devrait arriver d'un instant à l'autre. »

L'emploi du terme *une amie*, pensa-t-elle, tenait du coup de maître ; elle pouvait ainsi rester un objet de désir tout en bénéficiant de son aura protectrice.

Le gentleman avait ôté son chapeau.

« Parfait, déclara-t-il. Je ne vous retiendrai que quelques instants, si vous n'y voyez pas d'objection. »

Elle en conçut une amère déception. « Quelques instants » avaient peu de chances de résulter sur une histoire d'amour...

« Veuillez pardonner mon indiscrétion, mais Madame est-elle d'origine écossaise ? Il me semble détecter une pointe d'accent familière.

— Eh bien, oui. Je viens d'Aberdeen. Peut-être aurez-vous l'amabilité de me dire votre nom ? Je n'ai pas l'habitude de converser avec des personnes auxquelles je n'ai pas été présentée.

— Avec plaisir. Je m'appelle Henry Forster et, pour ma part, je viens de Londres. »

Il prononça le mot presque comme s'il chantait – d'un ton gai, avec des inflexions mélodieuses.

« De Londres ?

— Oui. De Chelsea, sur les bords de la Tamise. Cheyne Walk, pour être exact. Si Madame n'a jamais eu l'occasion de s'y rendre, je ne saurais trop lui conseiller d'aller découvrir ce décor exquis. Le paysage est un véritable enchantement. »

Était-ce une invitation ?

La jeune femme s'empourpra.

« Je m'appelle Leslie Meikle. Miss Leslie Meikle.

— C'est tout à fait inhabituel. Et charmant. Meikle... C'est un nom celtique, n'est-ce pas ?

— Leslie est le nom de famille de ma mère. Mes parents espéraient un fils, et quand je suis née, c'est à moi qu'ils ont attribué cet honneur.

— Ravi de vous connaître, miss Meikle.

— Ravi de vous connaître, Mr. Forster. En quoi puis-je vous aider ?

— Je serai bref. Je suis en mission, et il me faut quelques photographies. Deux. Peut-être trois. Si vous pouviez avoir la gentillesse de les prendre... »

Il retira de sa housse le Kodak qu'il portait à l'épaule.

« Il vous suffit d'appuyer sur le levier comme ceci, expliqua-t-il en dépliant le soufflet pour lui en faire la démonstration. J'aimerais un cliché de chaque profil et un autre de face. »

Leslie Meikle se leva puis, ayant saisi l'appareil qu'il lui tendait, elle s'avança dans la lumière.

Elle serait parfaitement ravissante, songea Forster, *dans un cadre pas-*

toral. Yeux bleus, joues rondes comme des pommes, lèvres rouges comme des cerises. Mais ce visage avait quelque chose de déconcertant dans un environnement urbain. L'apparition d'une jeune personne aussi rayonnante de santé était dérangeante pour un homme qui, depuis quelque temps, passait sa vie dans les profondeurs d'une chambre d'hôtel et sous l'ombre d'un chapeau melon tout en se laissant pousser la moustache pour déguiser sa véritable apparence.

Forster alla se placer au soleil et, à cinq pas de distance, Leslie Meikle leva l'appareil vers le profil gauche de son sujet. Celui-ci s'était de nouveau coiffé de son chapeau.

« Puis-je savoir si ces photographies sont destinées à l'être aimé, Mr. Forster ? »

Clic !

« Non, elles sont destinées à un collègue incarcéré. »

Leslie Meikle maintint l'appareil au niveau de sa taille.

« Incarcéré ? Emprisonné, vous voulez dire ?

– Pas exactement, non. Néanmoins, il est privé de sa liberté. Retenu contre son gré, en d'autres termes. »

De nouveau, Leslie Meikle se mit en position de le photographier.

Profil droit.

Comme c'est romantique, songea-t-elle. *Avoir un collègue privé de sa liberté… Assurément, il s'agit d'une intrigue digne d'un roman d'Elinor Glyn, ou peut-être de Mrs. Henry Wood.*

Clic !

Le cliché suivant, le dernier, montrerait Mr. Forster de face.

« Vous avez piqué ma curiosité, Mr. Forster. Me permettez-vous de vous demander ce que vous comptez faire – si vous comptez faire quelque chose – au sujet de la position fâcheuse dans laquelle se trouve votre collègue ?

– Je vous le permets, mais je ne répondrai pas. Je souhaite lui envoyer ces photographies pour lui rappeler que quelqu'un, au-dehors, veille sur ses intérêts. »

Clic !

Au-dehors. C'était tellement dramatique !

En esprit, Leslie Meikle évoqua l'image du collègue incarcéré agrippant les barreaux de sa cellule, le regard fixé sur les montagnes au loin.

« Je vous rends votre appareil, monsieur, dit-elle en tendant le Kodak à Forster.

– Peut-être, dit celui-ci en s'efforçant de feindre au mieux la timidité, miss Meikle m'autorisera-t-elle à la photographier afin de conserver un souvenir de notre rencontre ? »

Après tout, pourquoi négliger un joli visage quand il s'en présentait un ?

« J'en serais ravie. »

Leslie Meikle, écrirait Forster dans son carnet, incertain de l'orthographe, mais certain du charme que le nom exerçait sur lui. Plus tard, lorsqu'il regarderait l'image souriante de la jeune femme à la terrasse du Lindenhof, il regretterait que son devoir envers Pilgrim l'eût empêché de faire plus ample connaissance avec elle.

Quant à Leslie Meikle, elle ne devait jamais oublier Henry Forster, avec son chapeau melon, ses yeux gris comme la fumée, son nez pareil à un morceau d'ivoire et ses sourcils semblables à des ailes. Ni ses belles épaules musclées ni sa taille presque aussi marquée que la sienne. Ni ses lèvres intouchées et leur promesse de baisers humides.

Ce sera pour demain
Non pour ce soir :
Il me faut enfouir mon chagrin,
Pour que l'on ne puisse le voir.

Pourquoi se rappelle-t-on invariablement ce genre de vers ? se demanda Leslie Meikle.

Elle rentrerait au pays. Elle ne se marierait pas. Elle veillerait sur ses aînés, puis mourrait. Il lui faudrait quarante ans pour en arriver là. Non qu'elle dût passer ces quarante années complètement dans le souvenir de ce qu'elle présenterait comme « les avances » de Forster, mais il demeurerait toujours en compagnie de ceux qu'elle n'avait pas conquis au fil des ans – sa collection d'ombres, comme elle viendrait à les considérer, son régiment de *gentlemen-qui-auraient-pu-la-presser-davantage-mais-ne-l'avaient-pas-fait.*

Divisez la race humaine en deux, écrirait Pilgrim à propos d'une autre rencontre inaccomplie, *et alors vous les aurez, ces millions d'êtres qui ne se rejoignent jamais.*

Quant à la photographie de Leslie Meikle, Forster la rangerait dans son carnet, dont il la retirerait de temps à autre pour contempler l'expression de désir poignant dans les yeux de la jeune femme, et le sourire tremblant au bord de ses lèvres. *Et si ?* semblait-elle dire. *Et si nous nous étions rencontrés à un autre moment, en un autre lieu ? Et si... ?* Mais ce genre de suppositions ne menait nulle part, elle le savait bien ; son regard le prouvait assez.

4

Lady Quartermaine avait eu la bonté de retenir la chambre de Forster jusqu'à la fin juillet. Si elle avait la certitude de sa mort imminente, elle n'avait cependant pas transmis cette information à Forster. Comme prétexte pour payer d'avance les frais, elle avait invoqué son désir d'établir l'indépendance financière du majordome. Elle lui avait assuré – ce dont Forster était sûr – que Mr. Pilgrim la rembourserait dès son retour à Londres, après la réussite de son traitement. Nul doute que le Dr Jung saurait l'aider, avait-elle ajouté. C'était une simple question de temps.

Jusqu'au jour de l'avalanche, qui donnait désormais l'impression d'appartenir à un autre âge tant il semblait lointain, lady Quartermaine avait maintenu des relations avec Pilgrim au moyen de ses entrevues avec le Dr Jung et des lettres que ce dernier faisait circuler. Au début, peu après leur arrivée à Zurich, elle avait également reçu à deux, ou peut-être trois reprises, l'autorisation de lui rendre visite. Forster n'avait revu son employeur qu'à l'occasion du départ pour l'Angleterre des restes de lady Quartermaine. Les deux hommes ne s'étaient pas parlé ce jour-là ; d'ailleurs, il était tout à fait possible que Mr. Pilgrim ne l'eût même pas reconnu tant il avait l'air distrait. Sans compter qu'il y avait aussi cette *autre personne*, ce Suisse blond à l'expression suffisante qui assumait maintenant les obligations jusque-là dévolues à Forster et semblait si peu taillé pour cette fonction... L'homme n'avait même pas été en mesure de s'habiller convenablement pour la circonstance.

Par la suite, Forster avait sollicité à cinq reprises la permission de voir Mr. Pilgrim, pour s'entendre répondre chaque fois que *Mr. Pilgrim est occupé pour le moment. Il est en traitement... il a reçu une forte dose de sédatifs... il est aux bains.* Lorsqu'il téléphonait, on lui servait le même genre d'excuses. Elles étaient légion. Et de toute évidence, aucun de ses messages n'était transmis. Quand il voulut laisser à l'intention de Mr. Pilgrim une note manuscrite, on le mit en garde : *Allez-y, mais gardez à l'esprit que toutes les communications écrites adressées aux patients, ou émanant d'eux, sont surveillées – dans l'intérêt de leur stabilité mentale.*

Stabilité mentale. Les modes et les méthodes psychiatriques demeuraient un complet mystère pour Forster. Il les associait à des pratiques de sorcellerie ; pour lui, son employeur avait été kidnappé, entraîné de force dans un système de séances mêlant l'occultisme, l'hypnotisme et les aspects les plus sombres du vaudou. Sans parler de l'éventualité redoutable que Mr. Pilgrim eût enfin réussi à se supprimer, et que les praticiens, craignant pour leur réputation, ne fussent occupés à intriguer pour attribuer le succès de cette entreprise à quelque maladie. Tout cela avait conduit Forster au bord du désespoir, et il acquérait peu à peu la certitude de devoir à un moment ou à un autre prendre lui-même les choses en main.

S'il n'avait rien d'un lecteur passionné, Forster nourrissait cependant une véritable passion pour les histoires de Sherlock Holmes. Celles-ci mises à part, les livres n'étaient en aucun cas des compagnons inséparables pour lui. Mais Holmes, c'était autre chose. Le récit de ses exploits plongeait Forster dans une félicité totale. Or, une partie de sa fascination pour le génial détective résidait dans l'utilisation astucieuse que celui-ci faisait du déguisement. Enfant, tout le monde rêvait d'être quelqu'un d'autre, et ce désir n'avait jamais diminué chez Forster.

Chacun peut devenir qui il veut, avait-il compris en lisant Sherlock Holmes, *à condition d'y croire.*

Tel était le grand secret de Holmes : le déguisement ne sert à rien s'il n'est que physique. Forster en déduisit que se borner à arborer la moustache ou à se teindre les cheveux était inutile, à moins que l'homme ainsi travesti ne devînt réellement *un gaillard roux, un survivant sophistiqué des campagnes indiennes* ou *un représentant des classes privilégiées en quête de cocaïne ou d'opium venu s'encanailler parmi la populace.* Il avait tenté de jouer les trois personnages pour constater, à sa grande déception, qu'il existait une quatrième incarnation plus appropriée – à savoir, *l'employé de banque en vacances à l'étranger.* Seul ce rôle était acceptable, ainsi qu'il l'avait découvert à l'occasion de rencontres semblables à celle qui l'avait mis en présence de Leslie Meikle, ce qui ne l'empêchait pas de s'imaginer parfois dans la peau d'un employé de banque ayant détourné un million de livres.

C'était donc sous les traits d'un employé de banque que Forster avait sillonné la ville, rassemblant comme si de rien n'était moult informations sur la clinique Burghölzli tout en essayant de trouver un moyen de communiquer avec son employeur sans révéler sa véritable identité.

Mettant à profit ses jumelles et les divers postes d'observation dont il disposait, Forster avait également surveillé les allées et venues de Pilgrim pendant près de trois semaines.

Jusqu'à ce samedi 1er juin où Pilgrim ne s'était montré ni aux fenêtres ni au balcon. Au bout de trois jours d'absence, Forster éprouvait une telle inquiétude qu'il avait commencé à envisager une opération de sauvetage.

D'une façon ou d'une autre, il devait s'introduire dans la clinique en jouant son rôle d'employé de banque. Il avait glané ici et là, au hasard des conversations dans la salle à manger, le bar et les salons de l'hôtel, le nom d'une demi-douzaine d'autres patients anglais soignés dans l'établissement où séjournait Mr. Pilgrim. Il se prétendrait le frère ou le cousin de l'un d'entre eux.

Et puis, comme à la suite d'un de ces arrangements avec la mort dont il était coutumier, Pilgrim était sorti de la tombe et revenu se poster près de ses fenêtres le lundi précédent – le 10 juin.

Ce fut le jeudi suivant que Forster rencontra Leslie Meikle. Les photographies qu'elle avait prises serviraient à informer Pilgrim du changement auquel il devait s'attendre dans l'apparence de son majordome lorsqu'ils se rencontreraient enfin – quelle que fût la date de cette rencontre.

Entre-temps, Forster s'était attelé à l'organisation de cette entrevue. Maintenant que Pilgrim avait reparu, l'étape suivante ne comportait plus qu'un aspect pratique, mais difficile à réaliser. Établir la *communication*.

Les seuls ouvrages que Forster avait lus en dehors de ceux d'Arthur Conan Doyle traitaient de la colombophilie. À Londres, dans la propriété de Cheyne Walk, Forster avait sollicité et reçu l'autorisation de construire un colombier, où il élevait diverses espèces de pigeons. En son absence, ses protégés étaient confiés aux bons soins de Mrs. Matheson, la cuisinière, et de son neveu, un jeune garçon de quatorze ans nommé Alfred.

Celui-ci entretenait également le jardin et dormait dans le cagibi sous l'escalier du fond. Il était brun et apparemment renfrogné, mais il aimait les oiseaux dont il avait la charge et se sentait une affinité naturelle avec leurs besoins et leurs désirs. Il savait précisément quand s'occuper d'eux, quand leur accorder un moment de liberté et quand arrivait le moment de fermer les volets pour les protéger de la fraîcheur nocturne et des prédateurs de l'aube tels que les faucons, les chouettes, les freux, voire un furet de temps à autre.

Forster éprouvait une profonde affection pour ce garçon maussade et taciturne dont le comportement n'allait pas sans lui rappeler le sien au même âge – après qu'il eut été frappé par la tragédie du deuil, lorsque tout ce qu'il avait connu et aimé avait disparu dans un incendie qui l'avait privé, outre de son foyer, de ses parents et de ses frères et sœurs. Dans le cas d'Alfred, Forster voyait le reflet de cette tragédie dans la destruction vindicative d'une mère, d'un frère et d'un toit au-dessus de sa tête par un père alcoolique, grossier et brutal. Jamais le caractère atroce des perversions sexuelles subies par Alfred n'avait été exprimé en mots, mais il était suffisamment éloquent dans son regard et son triste refus de l'amitié masculine que Forster avait voulu lui offrir. Pourtant, le jeune garçon était resté. Il aimait sa tante, Eulalie Matheson, il aimait « son » jardin et surtout, il aimait « ses » pigeons.

Sur le toit de l'hôtel Baur au Lac se trouvait un assez grand pigeonnier abritant plus de trente oiseaux. Sa présence donna une idée à Forster. *À qui appartient-il ?* demanda-t-il à la cantonade, pour finalement s'entendre répondre que le propriétaire du colombier était un dénommé Dominic Fréjus, sous-chef des cuisines de l'hôtel.

Pendant un certain temps, Forster se sentit trop perturbé pour continuer son enquête. Les oiseaux figuraient-ils au menu ? Cette pensée lui était insupportable. Forster faisait partie de ces créatures carnivores qui tolèrent sans problème la consommation de viande mais réprouvent la mise à mort qu'elle implique. *Connaître* sa proie s'apparentait déjà pour lui au meurtre. *Choisir* sa proie, c'était pire que tout. Alors, il s'était contenté de regarder, d'écouter et de compter.

Quand, après deux semaines d'observation, il fut certain que le nombre des pigeons dans le colombier ne diminuait pas, Forster se résolut enfin à aborder Dominic Fréjus pour lui demander s'il pouvait observer ses oiseaux de plus près.

Non seulement le sous-chef n'y voyait aucune objection, mais il alla même jusqu'à autoriser un jour Forster à les nourrir.

Très tôt le 14 juin, au lendemain de sa rencontre avec Leslie Meikle, Forster s'entretint longuement avec Dominic Fréjus au sujet des différentes espèces de pigeons rassemblées sur le toit. Bisets ; tourterelles à collier ; pigeons voyageurs et pigeons voyageurs de compétition. Ainsi que deux pensionnaires condamnés que Fréjus avait importés d'Amérique du Nord dans l'espoir de les élever.

« Hélas, dit-il à Foster, ils ne se reproduisent pas en captivité. Ce qui, pour moi, est une grande tragédie. En Amérique du Nord, figurez-vous qu'ils ont presque tous été exterminés ! »

Forster inclina la tête et observa un moment de silence, comme *in memoriam.* Non qu'il n'éprouvât pas de chagrin – au contraire, l'information le peinait profondément –, mais il avait surtout besoin d'un allié. À cet égard, si Dominic Fréjus se montrait compréhensif, il aurait trouvé le complice idéal.

« J'aurais besoin de six pigeons voyageurs, déclara-t-il.

– Je n'en ai que quatre, répondit Fréjus. Pourquoi vous les faut-il ?

– Pour correspondre avec un ami soigné à la clinique Burghölzli.

– Ah oui... » Fréjus sourit. « Une victime du fourgon jaune.

– Le fourgon jaune ? Qu'est-ce que c'est ?

– Il sert au transport des spécimens destinés à la clinique.

– Je vois.

– Vous ne l'avez pas remarqué ?

– Non.

– Vous l'apercevrez tôt ou tard. Il passe presque tous les jours dans les rues de la ville. La plupart du temps, il va chercher les fous à la demande de leur famille, mais parfois aussi, il embarque des gens dans les parcs et sur les marches de la cathédrale. Des fanatiques religieux, vous comprenez, ou des infirmes qui se sont saoulés dans un coin. Ainsi donc, vous voudriez avoir recours à mes pigeons voyageurs ?

– Il s'agirait seulement d'un emprunt, si vous le permettez. Ils reviendront bien sûr vers vous, mais avec, je l'espère, des messages pour moi. Mon ami voue un profond attachement à ces oiseaux, et chez nous, en Angleterre, nous utilisons souvent cette méthode pour communiquer. J'ai pensé que cela le divertirait un peu. »

Estimant le mensonge inoffensif, Forster n'éprouva aucun scrupule à le formuler.

Dominic Fréjus, assis sur le parapet qui bordait le toit de l'hôtel, se pencha en avant, les yeux fixés sur *l'employé de banque*, et hocha lentement la tête.

« Cela me paraît une bonne idée, dit-il, d'égayer les journées d'un malade. » Il sourit. « Naturellement, vous aurez besoin d'une cage.

– En effet.

– Ne vous inquiétez pas. J'en ai une, qui me sert à transporter mes oiseaux lors de mes expéditions à la campagne. Je les relâche à environ deux ou trois kilomètres d'ici, et ils rentrent tout seuls. L'exercice leur fait le plus grand bien. Votre ami les nourrira, je suppose ?

– Bien sûr. En même temps que les oiseaux, je lui remettrai un mélange de graines.

– Dans ce cas, vous pouvez disposer de mes pigeons, si je peux disposer de cinquante francs.

– Marché conclu », déclara Forster, avant de lui serrer la main.

Le lundi 10 juin, Pilgrim, libéré du service des patients violents, retrouva sa chambre au troisième étage.

Il était vêtu de blanc, ayant préalablement demandé à Kessler de lui apporter son costume blanc, des chaussures blanches et même, un chapeau de paille blanc. En cette occasion, il arborait une cravate verte – une couleur qui, pour lui, symbolisait la liberté. Il s'était également muni de sa canne.

« Nous avons l'air sur le point de partir à Venise, lui dit Kessler.

– C'est peut-être le cas, répliqua Pilgrim. Destination : San Michele, l'île des morts.

– Bien, monsieur. »

Kessler, chargé des dernières affaires de toilette appartenant à Pilgrim, de son pyjama, de sa robe de chambre et de ses pantoufles ainsi que d'un sac de toile contenant son nécessaire de rasage, le suivit le long de couloirs sombres bordés de portes toutes fermées jusqu'au moment où, enfin, ils arrivèrent dans un couloir où toutes les portes étaient ouvertes.

Pilgrim leva la main pour abaisser sur ses yeux le bord de son chapeau. Il espérait le soleil depuis si longtemps qu'en le découvrant, il fut ébloui.

Parvenu dans la suite 306, il laissa Kessler le précéder et pousser toutes les portes devant eux, inondant de lumière les pièces jusqu'au moment où il lui sembla qu'ils allaient déboucher sur l'astre lui-même.

Pilgrim se dirigea aussitôt vers les fenêtres, qu'il ouvrit une par une avant de reculer pour aérer et faire entrer une brise tiède.

Les pigeons étaient là, les tourterelles aussi.

« Du pain », ordonna Pilgrim en posant sa canne.

Kessler s'approcha de la commode, où il prit un sac de papier brun rempli de miettes – celles de toasts, de croissants, de pains aux raisins, de pains ronds.

« Là, là. Tout doux, mes mignons, tout doux », murmura Pilgrim en éparpillant le festin.

De ses fenêtres à l'hôtel Baur au Lac, Forster avait observé la scène avec ses jumelles. Pilgrim en blanc et ce crétin de Kessler à l'arrière-plan, occupé à plier des vêtements.

Un nouvel accès de nostalgie assaillit Forster au souvenir de tous ces matins où il avait lui-même sorti les costumes, les vestes, les chemises, les cravates et les chaussures de Pilgrim, de toutes ces nuits où il avait ouvert le lit avant de préparer pyjama, robe de chambre et pantoufles. Au souvenir d'Agamemnon aussi, le petit bâtard aussi espiègle que charmant, dont le jeu favori consistait à se cacher sous les couvertures pour attendre son maître. Il y avait si longtemps. Une éternité, semblait-il.

Pilgrim ôta son chapeau et s'en servit pour s'éventer le visage – lentement, d'avant en arrière, à la manière d'une dame qui regarderait, au bord d'une salle de bal, sa nuée de filles danser.

Soudain, il se détourna. Apparemment, quelqu'un avait frappé à la porte. Kessler reposa les vêtements pliés. La silhouette du Dr Jung fit son apparition dans la pièce.

Forster déplaça ses jumelles vers la droite afin de visualiser le salon. Jung avait l'air agité.

C'était à la fois fascinant et exaspérant de ne pas pouvoir entendre ce qui se disait.

Pilgrim avait-il commis quelque acte répréhensible ? Pourquoi Jung semblait-il aussi furieux ?

Au bout d'un moment cependant, sa colère parut refluer, cédant la place à une expression de fatalisme résigné – un grand geste de la main, plusieurs haussements d'épaules successifs, un essuyage du front –, puis à l'abattement – tête basse, corps immobile.

Pilgrim prit la parole.

Jung répondit.

Avant de s'adresser à Kessler, qui s'inclina à la manière servile si caractéristique des Allemands et que Forster ne supportait pas, l'associant à l'obséquiosité du soldat devant son commandant, du bourgeois devant son maire, de l'esclave devant son maître. *Redressez-vous et carrez les épaules !* aurait-il voulu crier. De fait, il prononça les mots à voix haute.

« Vous n'avez qu'une chose à dire : *Oui !* Inutile de lui lécher les bottes ! »

Jung s'en alla.

Forster guetta le claquement de la porte, mais bien entendu, il ne l'entendit jamais.

Enfin, Pilgrim regagna la chambre, jeta son chapeau sur le lit et tira une chaise près des fenêtres donnant sur le balcon.

Il leva les yeux vers les montagnes.

Son visage n'était qu'un masque d'angoisse.

Forster baissa ses jumelles. *Qu'avait-il bien pu se passer ?*

De quoi s'agissait-il, cette fois ? Y avait-il eu un autre décès ? Ou justement, comme c'était si souvent le cas, n'y en avait-il pas eu ?

5

Jung était rentré au bercail, mais sans pour autant faire acte de contrition. S'il comptait stabiliser et consolider sa relation avec Emma, il n'avait cependant pas l'intention d'oublier sa liaison avec Antonia Wolff ou d'y mettre un terme. C'était désormais un fait établi; soit Emma s'en accommodait, soit elle partait.

Elle avait choisi de rester.

Je suis capable de vivre ma vie, avait-elle déclaré. Ce qu'elle prouverait, même s'il ne s'agissait pas de l'existence à laquelle elle aspirait et qu'elle avait crue un jour à sa portée. Elle était appelée à devenir le centre incontesté du foyer conjugal de Carl Gustav – son épouse, sa compagne, son égale intellectuelle. Et la mère de ses enfants.

Elle s'était délectée de leurs débats intellectuels, avait adoré l'aider en effectuant des recherches et organiser pour ses amis et collègues ce que tout le monde appelait les dîners les plus stimulants et enrichissants de la communauté psychiatrique. Freud s'était assis à leur table, ainsi qu'Adler, Jones et James. Ils avaient également reçu le poète Ezra Pound et le jeune Thomas Mann, qui venait de publier *Mort à Venise*, et aussi Gustav Mahler, en 1910, venu à Zurich diriger son étonnante *Symphonie des Mille*, qui rendait hommage au *Faust* de Goethe. Carl Gustav, bien sûr, avait particulièrement apprécié cette dernière visite en raison de la relation de parenté – toute distante qu'elle fût – qu'il affirmait entretenir avec le grand poète allemand dont les mots constituaient le chœur final de l'œuvre.

Pour sa part, même encore maintenant, Emma éprouvait une douce euphorie au souvenir du moment où elle avait pris place dans la majestueuse salle de concert, vêtue de son élégante robe longue rose foncé qu'elle avait agrémentée de sept longs rangs de perles. Et de la minuscule silhouette de Mahler telle qu'elle la voyait dans ses jumelles de théâtre, exaltant les âmes des vivants comme celles des morts, élevant l'existence tout entière vers les cieux...

Oh, que de moments merveilleux nous avons vécus, partagés et chéris, Carl Gustav et moi, songeait-elle. *Et maintenant, que va-t-il advenir?* Comment savoir? Il lui faudrait désormais le partager avec Antonia Wolff – ce qu'elle accepterait, mais jamais sans vigilance ni chagrin. Et bien entendu, comme toujours, il lui faudrait partager Carl Gustav avec son travail.

Après que Mr. Pilgrim eut quitté le service des patients violents, Jung rentra à Küsnacht le soir même dans un état d'agitation extrême. Il s'était passé quelque chose dont, au début, il ne voulut pas parler. Cette incapacité à communiquer était maintenant devenue la norme.

Depuis le naufrage du *Titanic* en avril, Jung avait acquis une manie irritante dont Emma avait le plus grand mal à supporter la vue : une fois son index droit humecté, il s'en servait pour récolter jusqu'à la dernière miette dans son assiette, ayant déclaré dès le départ que *tous les survivants méritent d'être secourus*. La surface blanche implacable de son assiette devenait la surface blanche implacable de l'Atlantique Nord, avec glaces flottantes et tout le reste. Quand il avait fini de jouer au « canot de sauvetage », ne subsistaient de son repas que de petits monticules de purée. Il ne les avalait jamais, sans doute par crainte d'avoir la langue gelée.

Emma avait fini par se résigner à ces opérations de sauvetage. Un jour, en avril, elle avait agité la clochette d'argent pour appeler Lotte alors que la procédure de récupération des miettes n'était pas encore achevée. Au moment où la bonne s'apprêtait à débarrasser, Jung avait maintenu avec force son assiette sur la table.

« Laissez, avait dit Emma. Je vous appellerai de nouveau lorsque le docteur aura terminé. »

À présent, elle s'inquiétait. Les égarements de Carl Gustav ne se limitaient pas à ses seules incartades amoureuses. Le canot de sauvetage n'était pas l'unique jeu auquel il jouait. Il y avait aussi les forteresses édifiées avec des crayons sur la table dans son bureau – des centaines de crayons empilés pour former des tours et des carrés – de grandes *tours de guet* vertes et jaunes et *des avant-postes en pleine nature sauvage*. Il y avait le jeu des galets, inspiré d'après Carl Gustav d'un modèle asiatique, le go, et qui consistait à manipuler les cailloux non pas individuellement, mais sous forme de petites piles. Il y avait le jeu du donjon près de la remise du jardin, et le jeu du cimetière dans les massifs de fleurs. Les tombes minuscules étaient toutes laissées ouvertes, comme si les morts en avaient émergé ; quant au donjon, c'était une sorte de tente construite avec trois bâtons, à l'intérieur de laquelle il avait placé un tabouret, et où il passait parfois toute la matinée du dimanche ou l'après-midi du samedi. Il l'avait baptisée son *wigwam*, mais ce n'était rien de tel. C'était son donjon dans les ténèbres, dont l'arrière donnait sur la remise et dont les côtés disparaissaient sous les branches d'un sorbier.

Ces divertissements ne firent jamais l'objet d'une discussion; ils étaient simplement inventés puis mis en pratique. Emma seule leur donnait un nom.

Le soir du 10 juin, le dîner se composait exclusivement de légumes: chou-fleur, champignons, tomates farcies et épinards à la crème. Les tomates constituaient une innovation concoctée par Emma en personne: *évidez le centre, remplissez-le de raisins de Corinthe, de riz sauvage et d'une pincée de cacahuètes écrasées. Frau* Emmenthal les avait ensuite mises à cuire sur un lit de feuilles de basilic. Un vrai régal.

Qui avait laissé Carl Gustav indifférent. Il repoussait la nourriture sur le pourtour de son assiette, n'en picorait que les bords, la fixait sans paraître la voir avant de se détourner comme pour consulter quelque personnage invisible dans la pièce, de localiser ce qu'il cherchait en fermant les yeux, en inclinant la tête, puis en les rouvrant pour laisser son regard se perdre dans la perspective qui s'offrait alors à lui.

Soudain, il déclara:

« Il n'y aura pas de lune ce soir. »

Un véritable non-sens.

Emma posa couteau et fourchette avant de soulever sa serviette.

« Pourquoi dites-vous cela, mon chéri? D'après le calendrier…

– Je me fiche du calendrier. Il n'y aura pas de lune.

– Bien, mon chéri.

– La lune est morte. Furtwängler l'a tuée.

– Je vois. »

Emma était passée maîtresse dans l'art des réponses de ce genre, des réponses qui ne la compromettaient pas, qui laissaient toutes les portes ouvertes. Elle savait que Carl Gustav allait lui expliquer ce qu'il entendait par là, et elle savait aussi qu'il s'agirait soit de folie pure et simple, soit d'un nouveau dilemme psychologique rencontré parmi ses patients. À plusieurs reprises, récemment, les premières phrases de Carl Gustav lui avaient causé un choc: *Plus de chiens, ils sont tous partis*; et: *Si vous pouviez danser avec le diable, quel rythme choisiriez-vous? Et: Saviez-vous que Robert Schumann s'était délibérément mutilé les mains pour améliorer son extension?*

Deux de ces ouvertures s'étaient révélées de simples introductions à des problèmes – résolus ou non – dans l'existence de ses patients. L'allusion à une danse avec le diable demeurait en revanche une énigme. La question était restée en suspens, implorant une réponse qu'Emma n'osait apporter. *Le tango*, aurait-elle dit s'il lui en avait laissé le loisir, mais déjà, il quittait la table pour s'enfermer dans son bureau.

Et ce soir, la lune était morte.

Emma patienta.

« J'ai quitté la maison ce matin en pensant passer la journée avec Mr. Pilgrim, commença Jung.

– Oui. Vous me l'avez dit en partant.

– À mon arrivée, il n'était pas encore disponible. Alors, je suis allé en voir quelques autres : miss mains-de-Schumann, l'écrivain sans stylo, etc. Et puis, oh, Seigneur… »

Brusquement, Carl Gustav écarta sa chaise et éclata en sanglots.

Emma se leva.

Attends.

Elle attendit.

Carl Gustav ôta ses lunettes, fouilla ses poches à la recherche de son mouchoir, le trouva et l'appuya sur ses yeux.

« Désolé. Je… je suis désolé, hoqueta-t-il. C'est juste que… que je ne peux pas le supporter.

– Oh, mon chéri… » Emma se dirigea vers l'extrémité de la table, tira une chaise et s'assit en face de lui, légèrement de biais. Avec douceur, elle lui pressa le bras gauche. « Que… que s'est-il passé ?

– Blavinskeya… la comtesse…

– Non. Je vous en prie, ne me dites pas que cette femme tellement jolie, tellement merveilleuse…

– Hélas, si. »

Jung semblait incapable d'arrêter de pleurer.

« Je suis désolé, répétait-il. Désolé. Désolé. Désolé.

– Mais mon chéri, vous avez fait tout votre possible. Tout. C'est à cause de ce dément de Furtwängler. Il a refusé de la libérer. Oh, Seigneur… Comme c'est triste. Comme c'est malheureux. Et triste. »

Ils demeurèrent un moment assis en silence.

Lotte entra.

Emma la congédia d'un geste.

« Bien, madame. »

Jung avait entrepris de plier son mouchoir en un premier carré, puis un deuxième, puis un troisième, jusqu'au moment où, enfin, Emma le lui prit des mains et lui tendit le sien.

Son époux tomba alors à genoux, posa la tête sur ses cuisses et lui enlaça la taille, capturant sur ses doigts le parfum qu'elle portait.

« C'était ma fierté, dit-il. La preuve irréfutable que nous ne pouvons pas tous nous conformer aux règles de la normalité. Nous l'avons entraînée là-bas et retenue contre sa volonté et – oui, je l'admets, j'ai participé à tout cela ; je l'admets, j'y ai participé jusqu'au moment où j'ai enfin compris qu'elle n'appartenait pas à notre monde.

N'était-ce pas – n'est-ce pas merveilleux ? Toutes ces existences différentes que mènent certaines personnes, qu'elles ont besoin de mener… Et pourtant, nous les taxons de folles.

– Certaines – la plupart, même – le sont, Carl Gustav.

– Je le sais. Je le sais, mais sa folie allait jusqu'à la raison. Elle vivait là-haut dans le ciel – elle était vivante, *vivante*, avant que nous ne décidions de lui fournir un point d'ancrage. De la faire redescendre ici, dans cet endroit épouvantable où tous les gens sont fous, où rien ne fonctionne, où la fin du monde survient chaque jour. Je n'aurais jamais dû la laisser partir. J'aurais dû insister. Elle était ma patiente, mais Furtwängler la revendiquait. Et au moment où j'étais distrait par Pilgrim, je l'ai perdue.

– Il ne faut pas le blâmer. Mr. Pilgrim, j'entends.

– Je ne le blâme pas. Je dis simplement que si je n'avais pas été distrait, cela ne serait jamais arrivé. »

Oui, Carl Gustav. Si seulement vous n'aviez pas été distrait.

Emma plaça une main sur la tête de son époux.

« Racontez-moi ce qui est arrivé, dit-elle.

– Dans la nuit… la nuit dernière…

– Oui ?

– Hier, dans la soirée, elle est montée jusqu'au balcon supérieur Vous vous rappelez ? Au quatrième étage, au-dessus du portique…

– Oui.

– Eh bien, *Schwester* Dora l'avait perdue de vue. J'ignore encore dans quelles circonstances. Peut-être était-elle allée chercher une tasse de cacao, tout simplement. Quoi qu'il en soit, aussi brève qu'ait été son absence, cela a suffi pour que la comtesse s'échappe. Dieu seul sait comment elle s'est rendue sur la terrasse. Dieu seul sait pourquoi ou comment elle y a accédé. Le bâtiment a été conçu pour éviter ce genre de chose, mais quelqu'un a dû faire preuve de négligence, laisser une porte ouverte ou une fenêtre déverrouillée. Dieu seul le sait. »

Jung s'écarta, mais resta par terre aux pieds d'Emma.

« Continuez, le pressa-t-elle.

– Dans son rapport ce matin, *Schwester* Dora – Seigneur, j'ai tant de peine pour elle ! Elle aimait tellement la comtesse ! – nous a raconté que Tatiana Blavinskeya avait été entravée par le Dr Furtwängler. Entravée, droguée et maltraitée.

– Maltraitée ? Oh, mon Dieu !

– Pas au sens physique, mais d'après *Schwester* Dora, la comtesse a été houspillée à maintes reprises et soumise lors de plusieurs séances à la *campagne chuchotante* de Furtwängler. Sa foutue campagne chuchotante. Je vous en ai déjà parlé – ses murmures insidieux dans l'oreille du patient pendant que celui-ci dort sous l'effet des narcotiques: *Vous ne vivez pas sur la lune; vous n'avez jamais vécu sur la lune; la lune n'existe pas; descendez; descendez rejoindre la race humaine…!* Descendez, descendez rejoindre la race humaine. Alors…

– Elle a sauté.

– Elle a sauté. »

Emma saisit le verre de vin délaissé par son mari et le vida d'un trait.

« Comment savoir si elle n'essayait pas d'atteindre la lune? demanda-t-elle. Moi-même, en la regardant hier soir, j'ai regretté de ne pouvoir le faire. » Elle se redressa avant d'ajouter « Vous n'avez rien à vous reprocher, Carl Gustav. Il me paraît légitime d'être triste, mais elle-même ne vous en aurait pas voulu. C'est l'ignorance des incompétents qu'il faut blâmer – celle d'hommes comme Josef Furtwängler, qui n'appartiennent pas à la psychiatrie, qui ne croient qu'en la médiocrité, en la banalité et en la normalité, et tant pis pour ceux qui ne peuvent pas ou ne veulent pas s'y conformer. »

Elle alla chercher la carafe au milieu de la table, puis leur resservit à chacun un plein verre.

« Buvons à la comtesse Blavinskeya », dit-elle.

Jung se mit debout à grand-peine. Il avait les jambes à moitié engourdies.

En regardant son époux, Emma songea: *Tous les survivants méritent d'être secourus.*

Elle porta un toast.

« À la lune et à sa dernière résidente. »

Ils burent.

Et se rassirent.

La lune se leva, ivoirine, resplendissante, souriante.

Au matin, avant de prendre le ferry pour Zurich, Jung se retira dans le jardin, où il demeura un certain temps. Emma le regarda par la fenêtre, et après son départ, elle alla examiner les massifs qui semblaient avoir tant intéressé son mari.

L'une des tombes avait été refermée et recouverte de terre. Après s'être agenouillée pour creuser, Emma découvrit la dépouille d'une rose. Elle en effleura d'un baiser les pétales avant de la remettre en place, puis de tasser le sol pour que Carl Gustav ne la soupçonne pas d'avoir fouillé à cet endroit. La rose, d'un blanc immaculé, portait le nom d'Anna Pavlova.

6

Depuis son séjour dans le service des patients violents, Pilgrim se voyait obligé de faire sa promenade dans le jardin clos de murs derrière la clinique, où il déambulait en compagnie d'autres prisonniers « dangereux » et de leurs surveillants. Il arborait toujours son costume blanc et prenait sa canne – sauf s'il pleuvait, auquel cas il prenait son parapluie. Les grosses chaleurs humides de l'été alpin s'étaient abattues sur la ville, et l'inconfort subséquent obligeait chacun à se déplacer comme sur du sable au fond de l'eau.

« J'ai mal aux jambes, se plaignit-il à Kessler. Êtes-vous certain que cette sortie soit nécessaire ?

– Oui, monsieur. C'est le règlement. Tous les patients, à moins d'être confinés dans leur chambre, doivent faire une heure d'exercice tous les jours. Cela permet d'aller régulièrement à la selle et favorise la circulation.

– La circulation de quoi ? lança Pilgrim d'un ton facétieux. De mon spleen ? »

Les patients marchaient en cercle – certains par huit, d'autres par six ou par quatre –, mais la plupart, comme Pilgrim et Kessler, seuls avec leurs surveillants. Les murs de pierre blanchie à la chaux mesuraient près de quatre mètres de haut. Au sommet émergeaient du ciment des éclats de verre dont les bords tranchants devaient dissuader les pensionnaires de toute tentative d'évasion.

« Des détenus, dit Pilgrim à Kessler. C'est ce que nous sommes dans cette cour. Nous pourrions tout aussi bien être en prison. »

Il songeait à Wilde pendant son séjour à la geôle de Reading et au célèbre cercle de prisonniers, dont plusieurs avec des fers aux chevilles, en compagnie desquels le poète était forcé de déambuler chaque jour : escrocs, violeurs, meurtriers et une foule d'hommes dont les crimes étaient aussi insignifiants que le vol de vêtements sur des cordes à linge ou l'obstination à rester derrière les restaurants et les hôtels dans l'intention de se maintenir au chaud ou de se nourrir des restes qui y étaient déposés. *Même*, avait observé Oscar, *ceux de l'assiette que je n'avais pas terminée au Café Royale.*

Quant à ceux qui peuplaient la cour de la clinique Burghölzli, hormis un penchant commun pour la violence, rien d'autre ne justifiait véritablement leur présence en ces lieux. Certains étaient des intoxiqués incurables qui, souffrant de la terreur et de la douleur liées à l'état de manque, avaient frappé leurs infirmières et leurs surveillants. D'autres étaient suicidaires – l'un avait avalé du verre, l'autre des cailloux. D'autres encore étaient coupables de multiples tentatives d'évasion – des hommes et des femmes qui s'étaient travestis en cadavre, dissimulés dans les paniers de linge sale, habillés en docteurs ou en infirmières. Il y avait aussi une femme qui, ayant séduit un patient, était tombée enceinte et tentait désormais par tous les moyens d'avorter.

Rien qu'un échantillon normal, quotidien, des failles et des faiblesses humaines, avait fait remarquer Pilgrim. *Rien qu'un autre ramassis de déchets.*

L'après-midi du samedi 15 juin, le soleil était si effroyablement présent que Pilgrim emporta son parapluie dans la cour d'exercice afin de s'en servir comme ombrelle.

Costume blanc, ombre noire, dit-il à Kessler.

Quelques patients avaient réussi à dissuader leurs surveillants de maintenir ce rendez-vous quotidien avec la santé. Mais pas Pilgrim. Kessler n'avait rien voulu entendre.

Avisant soudain une inconnue, Pilgrim demanda :

« Et elle ? Quel *crime* a-t-elle commis ?

– Elle vient d'arriver, répondit Kessler. Hier, de votre bonne ville de Londres. Si j'ai bien compris, elle y tenait un bordel.

– Elle en a l'apparence », déclara Pilgrim, laconique.

La femme arborait un maquillage outrancier et des cheveux d'un roux agressif. Ses yeux étaient soulignés de khôl, ses lèvres violettes, et si elle portait une robe plutôt simple, elle ne cessait de tirer sur le tissu pour révéler ses seins. De temps à autre, elle se mettait brusquement à chanter : « *Elle était pauvrette, mais elle était honnête, la victime des caprices d'un homme riche. D'abord il l'aima, puis il la quitta, et elle perdit son nom de jeune fille !* »

En fin de compte, son surveillant dut la faire sortir de la cour et rentrer dans le bâtiment.

« *Ainsi va le monde !* braillait-elle en partant. *Aux pauvres de payer ! Aux riches d'amasser ! Mon Dieu, quelle pitié !* »

Pilgrim résista de justesse à la tentation de l'applaudir. Après tout, la chanteuse avait déjà assez de problèmes comme ça sans être accusée en plus de solliciter la sympathie des autres pensionnaires dans la cour.

La cour de la prison.

Il contempla les imposants murs de pierre.

Il repensa à la folle chantante, à son insolence, à ses manières débraillées. Elle ne pouvait pas avoir tenu un bordel. Auquel cas, on ne l'aurait jamais admise à la clinique Burghölzli. Il s'agissait peut-être d'une actrice. Ou d'une dame de la bonne société. Voire d'une lady titrée. Des choses plus étranges encore s'étaient produites.

Nous sommes tous prisonniers de la perception qu'ont les autres de nous, songea-t-il. *Aucun de nous n'est libre de mener sa vie sans être vu.*

Il se remémora le poème de Wilde qui décrivait un bordel aperçu d'une rue londonienne.

Les morts dansent avec les morts, avait écrit Wilde. *La poussière tourbillonne avec la poussière...*

« Pourrions-nous nous asseoir ? demanda-t-il à Kessler.

– Bien sûr. »

Tous deux prirent place dans un coin.

Loin au-dessus d'eux, un faucon pèlerin tournoyait dans le ciel.

Un pèlerin – un errant, songea Pilgrim.

Un pèlerin.

Pilgrim.

Comme moi.

7

Le chagrin et l'échec ont une manière bien particulière d'inciter à la générosité – ou du moins, à ce que Jung considérait comme de la générosité, et qui s'apparentait plutôt à de la magnanimité. *Je vais remettre à Mr. Pilgrim la lettre de lady Quartermaine*, avait-il décidé après la mort de la comtesse Blavinskeya.

Il refusait jusqu'à la pensée du mot *suicide*, car admettre qu'elle s'était tuée par désespoir revenait à reconnaître la part de responsabilité qu'il avait dans sa disparition. Il se rendait désormais compte qu'il aurait dû batailler plus ferme pour défendre les fantasmes lunaires de la comtesse au lieu de la livrer à Furtwängler, dont il estimait *les soins inefficaces*.

Au terme d'un raisonnement quelque peu alambiqué, il aboutit à la décision d'autoriser Pilgrim à voir enfin cette lettre qui lui était initialement destinée. Puisque rien d'autre ne semblait fonctionner, peut-être le patient recevrait-il ainsi un choc qui l'amènerait à révéler la source de ses propres fantasmes et leur rôle dans son désir d'attenter à sa vie. *Mais jusque-là, je cherchais à le protéger*, s'empressa d'ajouter Jung en son for intérieur. *Je cherchais à lui épargner la douleur de cette confrontation avec les ultimes mots de son amie. Sur le moment, c'était parfaitement légitime.*

Bien sûr! Presque aussi légitime que d'avoir invité dans ta vie certaine jeune femme en soutenant qu'il s'agissait uniquement d'assouvir un besoin personnel *qui, sinon, risquait de compromettre l'ensemble de ton travail parce que… Comment as-tu formulé les choses, à l'époque? Tu ne parvenais pas à te concentrer? Oui, c'est ça. Tu ne parvenais pas à te concentrer sans le recours du sexe.*

Oh, tais-toi.

Je ne fais que te rafraîchir la mémoire. Le terme légitime *a été également employé dans ce contexte. Je me contente de clarifier la situation. De justifier…*

De calomnier!

Eh bien, puisque tu le prends comme ça, je n'en parlerai plus.

Tant mieux.

J'essayais seulement de préserver ton honnêteté, Carl Gustav. Vis-à-vis de toi-même, sinon vis-à-vis des autres. Emma, par exemple…

Je refuse de t'écouter. Tu me rends fou.

C'est peut-être mon intention.

Arrête.

As-tu découvert d'autres jeux, récemment ? Je vais t'en suggérer un nouveau susceptible de t'intéresser…

Fiche-moi la paix.

Il s'appelle Tombes au crépuscule et il suffit pour y jouer de repérer un cimetière convenable. C'est facile, il y en a des dizaines à Zurich. Ensuite, au coucher du soleil, tu vas t'asseoir dans un mausolée avec les morts. C'est très stimulant, très revigorant pour l'esprit…

Arrête, bonté divine !

Je t'assure, l'expérience suscite toutes sortes d'images fascinantes et de sujets de réflexion aptes à nourrir la pensée. Ainsi que les vers, bien entendu, puisque tu te retrouves en compagnie des cadavres. Pense à des mots comme pourriture *et* échec. *Les possibilités sont infinies. Pourriture. Échec. Deuil. Je pourrais continuer ainsi pendant des heures…*

Surtout pas.

Pourriture. Échec. Deuil. Lâcheté. Mensonge… Tombes au crépuscule, Carl Gustav. Penses-y. Je vais te laisser, maintenant. Au revoir.

Jung était assis sur le pont du ferry quand se déroula cette conversation intérieure. Sur ses genoux, le porte-musique fermé contenait ses cahiers, des stylos supplémentaires et la lettre de Sybil Quartermaine à Pilgrim. Jung la sortit, plus pour se distraire qu'autre chose. Tout, tout pour se débarrasser de ce maudit Inquisiteur avec ses insinuations lugubres.

Tu vas me rendre fou… *c'est peut-être mon intention.*

Il retira de l'enveloppe la lettre dont il considéra les pages les unes après les autres. Qu'avait donc voulu dire lady Quartermaine lorsqu'elle avait écrit qu'*il n'y avait aucune chance pour nous d'avoir accès à ce que les mortels appellent « la mort »* ? Qui étaient les Envoyés – le couple nommé Messager – qui semblaient présager de sa fin ? Quant à ce *Bosquet* où elle espérait vraisemblablement une sorte de *rencontre*, de quoi s'agissait-il ? C'était on ne peut plus mystérieux, et pourtant, elle croyait manifestement Pilgrim capable de comprendre de telles allusions. Pour Jung, cependant, celles-ci ne faisaient que souligner la parenté entre l'éventuelle folie de lady Quartermaine et celle de Pilgrim.

* * *

À la clinique, lorsqu'il eut enfilé sa blouse blanche, Jung se rendit au troisième étage avec la ferme intention d'aller directement voir Pilgrim. Mais en passant devant la suite 309, il remarqua les portes ouvertes et, intrigué, entra.

À l'intérieur, il découvrit *Schwester* Dora occupée à plier et ranger tous les costumes de la comtesse Blavinskeya ; elle enveloppait chaque élément avec précaution dans du papier de soie avant de le déposer dans un carton – dont une multitude jonchait les tables, les chaises et le lit.

« Bonjour, *Schwester*.

– Bonjour, *Herr Doktor*. »

L'infirmière, les mains pleines de tulle, s'inclina dans sa direction. Jung s'aperçut alors qu'elle avait pleuré.

« Tout cela est si triste », dit-il en parcourant du regard les pièces avec leurs fenêtres lumineuses éclairant un univers seulement peuplé désormais par les souvenirs d'une défunte qui, au cours de sa vie, les avait investis de sa magie.

Il y avait une boîte entière consacrée exclusivement aux chaussons à pointes, où chaque paire était attachée par ses propres rubans – chaussons blancs, chaussons bleus, chaussons rouges, chaussons roses.

« J'aimerais garder ceux qu'elle portait au moment de sa mort », dit *Schwester* Dora à Jung, avant de les lui montrer à l'endroit où elle les avait posés, à côté du châle en cachemire de la comtesse. Ils étaient maculés de sang. « J'emporte aussi la photographie de Madame en Reine des Wilis. Elle est insérée dans un cadre d'argent sur lequel figure le blason de son mari – un aigle à deux têtes –, mais je ne pense pas que quiconque s'en soucie. Il n'y a plus personne pour s'en soucier, de toute façon, à l'exception d'un père cruel et d'un frère odieux. Ils pourront toujours récupérer les costumes, à moins que sa mère ne les veuille. Mais encore faudrait-il la retrouver. Elle a choisi de mener une autre existence, vous ne l'ignorez pas, afin d'échapper au malheureux destin de Madame.

– Oui. Je vais voir ce que je peux faire. Ce serait dommage de gâcher tant de beauté.

– Le père et le frère étaient des monstres, *Herr Doktor*. Ce sont des monstres. Vous savez sûrement qu'ils n'ont jamais payé pour leurs crimes.

– Oui. Malheureusement oui, je le sais.

– Madame a été violée par son frère à maintes reprises quand elle n'était encore qu'une enfant. Vous en aviez connaissance ?

– Oui. Bien sûr, à mon regret.

– À maintes reprises. Et puis… comme si cela ne suffisait pas, son pauvre, pauvre mari, a été tué par son beau-père sans qu'aucune mesure ne soit prise contre le meurtrier. Aucune. Le Tsar les a protégés, le père aussi bien que le frère. Ils sont trop puissants, trop influents pour qu'on les poursuive en justice. Ce n'est pas européen. Ce n'est pas suisse. Ce n'est pas juste. Et elle, ça l'a rendue folle. Folle, ma si jolie lady. Ça l'a rendue folle… »

Schwester Dora, assise au milieu des cartons, pleurait.

« Oh, que vais-je devenir sans elle ? Que vais-je devenir ? répéta-t-elle en sortant de sa poche un mouchoir. Elle était toute ma vie.

– Nous devons apprendre à ne pas trop nous attacher à nos patients, *Schwester*. Avec le temps, nous finissons toujours par les perdre, d'une façon ou d'une autre – ou ils guérissent et s'en vont, ou ils meurent. Ainsi le veut notre profession.

– Je l'aimais, déclara posément Dora. Je l'aimais, tout simplement.

– Oui. J'en suis conscient. Et elle vous aimait aussi. Elle avait pour vous un attachement profond. Elle me l'a dit souvent.

– C'est vrai ?

– Oui. Très, très souvent, prétendit-il. Sans vous, elle n'aurait jamais connu le bonheur. »

Cette dernière remarque était exacte.

« Merci pour ces paroles, *Herr Doktor*. Il me restera au moins cela. »

Jung, ne sachant trop ce qu'il fallait ajouter, se contenta de hausser les épaules avant d'esquisser de la main un geste désinvolte.

« Mais pourquoi le père a-t-il tué le mari de Madame ? Pourquoi ? Elle l'aimait tant…

– Apparemment, il était infidèle », répondit Jung.

L'image ne lui avait jamais été particulièrement agréable lorsqu'elle se présentait au cours de ses séances avec la comtesse. La figure du Père vengeur tenait trop du personnage de cauchemar, rappelant le méchant magicien des contes de fées qui surgissait toujours de la nuit pour surprendre ses victimes.

« Je dois vous laisser, *Schwester* Dora, annonça-t-il soudain. Mr. Pilgrim m'attend.

– Oui, monsieur. Merci d'avoir pris la peine de me parler. Je vous en suis reconnaissante.

– Je vous en prie, ce n'est rien. Je compatis à votre chagrin.

– Merci. »

Schwester Dora se leva, esquissa de nouveau une révérence, et la dernière vision que Jung eut d'elle au moment de franchir la porte fut celle de sa main s'approchant des pointes qu'elle souhaitait garder.

L'infirmière les appuya ensuite contre sa joue avant de les caresser comme l'on caresserait la main d'un enfant décédé. Puis elle alla s'asseoir au soleil, environnée par tout ce qui restait d'une femme qui avait péri en essayant d'atteindre la lune : les robes qu'elle avait portées lors de ses heures de triomphe désormais oubliées – et les chaussons. Les chaussons. Les chaussons.

8

Le mardi 18 juin, les pigeons voyageurs furent apportés à la clinique par un homme qui se présenta sous le nom de Fowler*. Il y avait quatre oiseaux dans une cage, ainsi qu'un sac de graines fermé par un ruban rouge. Ils étaient destinés à Mr. Pilgrim, le patient de la suite 306.

Le vieux Konstantine pria Mr. Fowler de signer le registre où il gardait la trace de toutes les livraisons.

« Des pigeons, observa le concierge. Très inhabituel, vraiment. Nous n'avions jamais reçu de pigeons auparavant. Pas depuis que j'occupe ce poste, en tout cas. Vont-ils être mangés ? Mr. Pilgrim a-t-il un régime alimentaire dont nous n'avons pas eu connaissance ?

— Non, monsieur, répondit Mr. Fowler. Ce sont pour lui des animaux de compagnie.

— Eh bien, tant mieux pour eux, sans aucun doute. Nous avons des chiens, nous avons des chats, nous avons aussi des chardonnerets en cage, mais nous n'avons jamais eu de pigeons.

— Mr. Pilgrim les affectionne tout particulièrement.

— Nous sommes-nous déjà rencontrés, Mr. Fowler ? Votre voix me paraît familière.

— Peut-être tous les Anglais vous semblent-ils parler de la même manière.

— Non, jamais je n'aurais oublié une moustache aussi exceptionnelle. Vous avez raison, ce doit être la voix qui m'abuse. »

Fowler remit au vieux Konstantine une pièce de deux francs, inclina son chapeau en guise de salut, puis s'éclipsa.

Le concierge souleva le drap qui protégeait la cage et croisa le regard des pigeons.

« Là, là, dit-il. Nous allons vous faire monter à l'étage le plus vite possible. »

À la suite de son coup de sonnette, un jeune assistant se présenta.

« Portez donc ceci à la suite 306, celle de Mr. Pilgrim.

— Bien, monsieur.

---

* « Fowler » désigne un « oiselier ». (N.d.T.)

– Attention à ne pas la lâcher, recommanda le vieux Konstantine. Malgré leur réputation, les cages à oiseaux ne volent pas. »

Une petite plaisanterie de son cru.

9

Et c'est ainsi, mon très cher ami, que je m'adresse à vous pour la dernière fois… Pilgrim, revenu au début de la lettre rédigée par Sybil Quartermaine, s'apprêtait à la relire quand il se redressa brusquement pour se diriger vers le bureau dans le salon, où il prit du papier, un stylo et une enveloppe.

À Sybil, marquise de Quartermaine, inscrivit-il.

Au revoir.

Il déchira la feuille et recommença.

Sur le balcon, la danse s'était achevée et seuls quelques oiseaux restaient au soleil : un couple de tourterelles, un trio de pigeons.

Pilgrim s'assit au bureau et écrivit.

18 juin 1912

Ma chère Sybil,

Je me trouve dans une sorte de purgatoire. Il ne m'est permis ni de vivre ni de mourir, ce que je savais déjà. Je suis prisonnier de ce lieu – ils l'appellent un « asile », je crois –, et ne peux aller nulle part. À présent, ils m'obligent à me promener dans une cour entourée de murs. J'ignore pourquoi, mais je suppose que j'ai dû mal me conduire. Pour autant que je m'en souvienne, j'ai brisé quelques enregistrements de cire. Des instruments également. Des instruments de musique ; un violoncelle, peut-être aussi un violon. Est-ce si condamnable, puisque la musique ne résout rien, ne préserve pas la raison, ne prévient pas la violence ? Avec le recul, j'en viens à regretter de m'être jamais fait l'avocat d'une quelconque forme d'art, mais la musique est la pire de toutes avec ses bouillonnements et ses déferlements, son excès de dramatisation d'un côté, d'intellectualisation de l'autre. Bach et Mozart, bien sûr ! Bach m'évoque inévitablement des poissons dans un bassin ! Qui tournent en rond, encore et encore, sans que rien se produise jamais. Absolument rien ! Toum-de-doum-doum. Toum-de-doum-doum, c'est tout ! Toum-de-doum-de-foutu-doum-doum ! Quant à Mozart, ses émotions n'ont plus évolué après douze ans. Il n'a jamais franchi le cap de l'adolescence, et encore moins celui de la puberté. Sa musique n'est rien d'autre qu'un mélange de talent populaire pour la bouffonnerie et de talent commercial pour susciter les larmes. Non pas les larmes. Les sanglots. *Beethoven ? Pompeux. Chopin ? Mièvre et porté aux accès de colère. Toum-de-doum-doum-vlan ! Wagner ? Un raseur égocentrique. Et ce jeune voyou de Stravinsky ? Son nom seul est éloquent : discordant, grossier, laissant supposer qu'il souffle sa musique par le nez !*

Voilà.

Dois-je poursuivre ?

La littérature. Mettra-t-elle un terme à la guerre ? Guerre et paix *n'est qu'une incitation à créer de nouveaux champs de bataille. Les Russes sont de tels crétins maladroits qu'ils n'ont su rallier que l'hiver pour vaincre Napoléon. Quelqu'un tentera-t-il de répéter l'exercice ? Bien sûr, ce livre redoutable constitue une invitation à recommencer. Tolstoï lui-même s'est battu à Sébastopol et il a apprécié l'expérience, bien qu'il prétende l'avoir détestée, et il termine sa vie en se faisant un ardent défenseur de la paix mondiale alors même qu'il éloigne sa femme de son lit de mort, bonté divine ! Est-ce moi qui suis fou ? Moi ?*

Oui. *À ce que l'on me dit.*

Quelqu'un frappa à la porte.

Pilgrim posa son stylo.

Kessler sortit de la chambre, où il nettoyait les bottes de Pilgrim, et se dirigea vers le vestibule. Pilgrim entendit à peine la voix de son interlocuteur. Cage... pigeons... grain... Fowler...

Lorsque l'aide-soignant revint, il apportait les oiseaux. Le jeune assistant, un Suisse italien, le suivait avec le sac de grain entouré de son ruban.

« Juste là ?

– Juste là, oui. Et merci.

– Faut-il de l'argent ? demanda Pilgrim.

– Non, monsieur. Ce jeune homme touche des gages. »

Le jeune Italien se retira. Une première porte se referma, puis une seconde.

Pilgrim s'était levé pour examiner le sac de grain.

« Je ne comprends pas, dit-il. Suis-je supposé m'en nourrir ?

– Je ne crois pas, monsieur. À mon avis, cette nourriture est destinée aux oiseaux dans la cage.

– Des oiseaux ?

– Des oiseaux, affirma Kessler. Comme si nous avions besoin *d'oiseaux.* »

Sur ce, l'aide-soignant retourna dans la chambre, où il reprit ses activités de cireur.

Pilgrim dénoua le ruban et fourragea dans le sac pour voir quel genre de graines il contenait. Maïs, millet, seigle, avoine. Et un message.

Il le déplia et lut :

D'un colombophile à un autre :
Monsieur,
Ce sont là des pigeons voyageurs aptes à délivrer des messages. Vous pourrez juger de mon apparence actuelle d'après les photographies ci-jointes. J'espère que vous approuverez le changement.

Il s'est écoulé un certain temps depuis notre dernière rencontre et j'ai pensé que vous souhaitiez peut-être quitter votre résidence du moment. Si tel est le cas, quelques indications me seraient utiles. Je ne sais rien de votre environnement. Un schéma m'aiderait, ou un plan, ou tout autre document descriptif de ce genre.

Une automobile est disponible.
Je loge non loin, à l'hôtel Baur au Lac.
J'attendrai une communication de votre part.
Je vous observe.
Je suis en mesure de vous voir tous les jours.

> *Votre dévoué serviteur,*
> *H. Fowler.*

Outre les photographies, il y avait un petit sac de velours contenant plusieurs capsules métalliques avec des attaches à fixer aux pattes des pigeons.

Pilgrim plaça dans sa poche la lettre, le sac de velours et les photographies, puis il retira le tissu protégeant la cage.

Ce fut comme si les pigeons le reconnaissaient. Ils se mirent immédiatement à roucouler en exhibant leurs plumes. Grises, brique, violettes, blanches – chaque oiseau déclinant une palette de couleurs enchanteresses en parfaite harmonie.

« Placez-les à la lumière, ordonna Pilgrim à Kessler. Emmenez-les vers la lumière. »

Kessler, une botte à la main, emporta la cage dans la chambre. Pilgrim s'attarda au salon le temps de plier sa lettre et de la ranger dans le bureau, dont il tourna la clé avant de la glisser dans sa poche.

Il retira ensuite de l'enveloppe les photographies qu'il examina une par une. Profil droit, profil gauche, face. Moustache, chapeau melon, silhouette élégante et soignée, posant quelque part au soleil.

H. Fowler.

Quelqu'un qu'il connaissait, sans aucun doute.

Mais en même temps, qu'il ne connaissait pas, ou avait oublié.

H.

Pour Howard peut-être, ou Henry, ou Herbert, ou encore Harry.

Un oiselier attrape les oiseaux, les élève et les vend...

L'image d'un colombier se forma dans l'esprit de Pilgrim.

Nous élevions des oiseaux, quelqu'un et moi, dans un jardin quelque part...

Cheyne Walk.

Pilgrim posa les doigts sur la moustache du visage photographié de face.

Comment s'appelaient-ils, tous ces gens à Cheyne Walk?

Il y avait une femme – Mrs. Quelque-chose – et un jeune garçon appelé Fred. Non, pas Fred. Alfred. *Alfred.*

Pilgrim regarda les montagnes derrière la vitre.

Montagnes.

La femme s'appelait-elle Matterhorn?

Non. Pas Matterhorn. Matter-autre-chose.

Matheson.

Mrs. Matheson. Alfred. Et le chien nommé Aggie. Agga. Agamemnon!

Oui. Oui. Oui. Et un homme nommé Fowler.

Pilgrim se leva, puis s'approcha de la fenêtre pour bénéficier d'un peu plus de lumière.

Howard Harry Henry Herbert Fowler.

« Henry? » lança-t-il à voix haute.

De nouveau, il contempla le portrait, masquant cette fois la moustache.

Et plissa les yeux.

« Forster », murmura-t-il.

Tout se mettait en place. Quelque part au-dehors, il y avait un homme prêt à lui venir en aide. Henry Forster, qui le sauverait. Mettrait un terme à son emprisonnement.

Il n'y aurait plus de prisons, jamais.

Il plaça le cliché dans sa poche.

10

À sept heures et demie du matin le mercredi 19 juin, Emma s'avança sur le seuil de la chambre.

« Carl Gustav ? »

Émergeant du sommeil, il se tourna vers elle.

Elle s'approcha du lit.

« Lâchez ces oreillers, dit-elle en lui prenant les mains. Vous avez déjà abîmé votre pyjama, arraché tous les boutons. Là, doucement, il faut que vous me laissiez... »

Emma le força à desserrer les doigts.

« Nous ne sommes pas sur le *Titanic*, Carl Gustav. Nous ne sommes pas en train de sombrer. Réveillez-vous. »

Ses mains, ses bras et ses épaules étaient rigides, de même que ses jambes, et jusqu'à ses orteils.

« Je ne peux plus respirer, fit-il.

— Mais si, vous respirez. Tout va bien.

— Que s'est-il passé ?

— Comment pourrais-je le savoir ? Je ne suis plus votre compagne. Vous avez dû rêver. Vous avez crié. »

Jung se redressa, puis regarda sa femme.

« Allez-vous me quitter ? demanda-t-il tout de go, sans avoir prémédité la question.

— Jamais, Carl Gustav. Je suis liée à vous pour la vie. Mais vous, je viens seulement de le découvrir, vous n'existez que pour vous, et en aucun cas pour moi. »

Elle s'assit au pied du lit, puis ramena autour d'elle les pans de son peignoir. Elle avait passé la nuit dans la chambre d'amis – une pièce assez agréable, mais généralement réservée à sa mère lors de ses séjours chez eux. *Frau* Rauschenbach appréciait tout particulièrement les fleurs ; or, le papier peint, les tentures et le couvre-lit évoquaient un jardin intérieur aux couleurs éclatantes des roses, des iris et des pivoines. Ce qui pouvait se révéler fatigant pour les yeux, mais Emma prenait soin de n'allumer qu'un petit nombre de lampes, rendant ainsi l'effet moins écrasant.

« J'ai souhaité votre mort dans mes prières, déclara-t-elle d'une voix morne. J'ai pensé que vous deviez le savoir. J'ai souhaité votre mort et rêvé d'une vie qui ne sera jamais la vôtre : celle d'un parent aimant et d'un compagnon attentionné. J'ai simplement pensé que vous deviez le savoir. Je vois bien que vous êtes perturbé. Je vous regarde, je vous écoute. J'aimerais vous aider, mais vous ne m'en donnez pas la possibilité. Eh bien, qu'il en soit ainsi. J'ai juste pensé que vous deviez le savoir. Je vous aime encore, mais je n'ai plus d'affection pour vous. Faites ce qu'il vous plaira, je vous soutiendrai, mais quoi qu'il advienne, il n'y aura plus d'amour entre nous. Portez votre maladie à vos patients. Transmettez-la-leur. Qu'elle se répande parmi eux, là-bas. Je ne m'en soucie plus. Vous avez perdu votre ballerine. Tatiana Blavins-keya est morte. Par votre faute, Carl Gustav. Votre faute. Je retire ce que je vous ai dit. J'ai réfléchi, et aujourd'hui, je me rends compte que Carl Gustav Jung l'a abandonnée exactement comme il nous a abandonnés – ses enfants et moi –, parce que ses centres d'intérêt se trouvaient ailleurs.

– Emma...

– Non, Carl Gustav. Non. Suivez votre propre voie. Nous survivrons sans vous. »

Elle se leva et quitta la pièce.

Jung retomba sur ses oreillers.

Il était huit heures moins le quart. Le vent gonflait les rideaux.

Une nouvelle journée commençait. Une nouvelle vie. Mais était-ce la vie qu'il souhaitait ?

Jung entra dans la suite 306 à dix heures, comme promis.

« Alors, comment nous portons-nous ce matin ? s'enquit-il.

– S'il vous plaît, évitez de m'appeler *nous*, répliqua Pilgrim.

– Ce n'est qu'une figure de rhétorique, objecta Jung avec un sourire.

– Peut-être, marmonna Pilgrim, mais je ne suis pas une figure de rhétorique. Mon nom est Pilgrim.

– Veuillez m'excuser.

– C'est déjà suffisamment pénible comme ça d'entendre Kessler employer le *nous* avec une régularité horripilante sans que vous vous en mêliez. Au moins, Kessler a l'excuse de la stupidité. Pas vous.

– Désolé.

– Je ne croirai en la sincérité de vos excuses que si vous vous adressez à moi par mon nom.

– Très bien, Mr. Pilgrim », concéda Jung en le gratifiant d'une petite révérence.

Tous deux étaient debout.

« Vous voulez vous asseoir ? » demanda Pilgrim, qui s'installa dans un fauteuil.

Il portait un costume sombre, ni vraiment bleu ni vraiment noir – plutôt un mélange tissé de ces deux couleurs. Sa cravate était jaune. De sa poche de poitrine émergeait un mouchoir également jaune, dont la forme évoquait celle d'une fleur plus ou moins écrasée. Pilgrim adorait ce genre de choses : afficher son mépris du bon goût tout en parvenant à offrir une apparence rien moins qu'impeccable. *L'art de la présentation*, avait-il confié un jour à Sybil, *réside dans la capacité à créer un choc immédiat contrebalancé par un lent retranchement dans l'habitude. Les gens ne se remettent jamais complètement de mes cravates, mais ils ne trouveront jamais non plus l'égal de mon tailleur. Lorsqu'il s'agit de s'habiller, ce qui compte, c'est de produire un effet mémorable.*

Jung, avec son costume de tweed et sa blouse blanche, semblait d'autant plus austère par contraste. En outre, il avait le teint gris et les traits tirés après la mauvaise nuit qu'il avait passée. Il s'efforça néanmoins de rassembler son énergie pour au moins paraître à même d'affronter la séance à peine entamée.

« Kessler m'a rapporté que l'on vous avait offert des pigeons.

– C'est exact.

– Puis-je vous demander qui vous les a offerts ?

– Un oiselier.

– Je crains de ne pas connaître ce terme. Un *oiselier*, vous dites ?

– Une personne qui attrape, élève et vend des oiseaux.

– Je vois. Ainsi, ce serait un individu anonyme ?

– Exact. Tout à fait anonyme. C'est juste un oiselier.

– Vous savez pourquoi il vous les a envoyés ?

– Non. Peut-être aura-t-il entendu parler de la situation difficile dans laquelle je me trouve.

– Plus précisément… ?

– Mon emprisonnement. Après tout, même en cage, les oiseaux restent un symbole de liberté.

– Et d'après vous, comment cet oiselier anonyme aurait-il appris votre situation, Mr. Pilgrim ?

– C'est évident : je ne suis plus présent dans le monde.

– Vous ne vous considérez donc pas dans le monde, ici ?

– Et vous ?

– Bien sûr que si. C'est l'endroit où je passe une bonne moitié de ma vie.

– Et l'autre moitié ? Où la passez-vous ?

« – Chez moi.

– Je pense que vous vouliez dire *libre*, docteur, plutôt que dans le monde. Vous passez peut-être en ces lieux une bonne moitié de votre vie, mais permettez-moi de vous rappeler que j'y passe toute la mienne.

– Et vous en concevez du ressentiment, forcément.

– Sans commentaire.

– Pourquoi parlez-vous d'emprisonnement ?

– Ai-je la possibilité de m'en aller ?

– Quand vous irez mieux, oui. Naturellement.

– Et quand irai-je mieux ? Quand *je* l'aurai décidé, ou quand *vous* l'aurez décidé ?

– Quand je l'aurai décidé, ce qui s'inscrit dans la logique des choses. Je suis meilleur juge de votre santé mentale que vous en ce moment.

– Grands dieux ! Qu'est-ce donc que la *santé mentale* ? Vous dites cela comme s'il s'agissait d'une maladie. »

Jung éclata de rire.

« Dans le cas de certains, c'en est une, je suppose, répondit-il.

– Qui, par exemple ?

– Les personnes dont l'existence est excessivement morne, faute d'imagination.

– Et ?

– Et quoi ? demanda Jung.

– Lorsque vous évoquez ma *santé mentale*, à qui me comparez-vous ? À ces personnes qui mènent une existence excessivement morne ? J'espère que non.

– Je vous compare à quelqu'un qui n'a pas exploité tout son potentiel.

– Je n'ai pas de potentiel à exploiter, et je m'en fiche complètement. Je serais heureux de mourir.

– Preuve que vous n'allez pas bien. »

Pilgrim détourna les yeux.

« N'êtes-vous jamais las, docteur ? Jamais fatigué ?

– Par moments. Bien sûr.

– Chez moi, il n'y a pas de *moments*. C'est constant. J'ai essayé de vous faire comprendre par tous les moyens dont je disposais que je vivais depuis toujours, mais vous vous obstinez à ne pas me croire. En soi, c'est excessivement usant... »

Après s'être levé, Jung s'approcha des fenêtres.

« Pourquoi, reprit-il, alors que vous possédez de tels talents et un tel potentiel pour réussir, ne voulez-vous pas vivre ?

– Je n'ai pas ce genre de potentiel.

– C'est faux, et vous le savez.

– Jadis, je le possédais peut-être. Mais plus aujourd'hui. Plus maintenant. Et je ne m'en soucie pas. Ma seule ambition est la mort.

– Vous affirmez vivre depuis toujours.

– C'est le cas.

– Mais comment pouvez-vous croire une chose pareille ?

– La question n'est pas de croire, mais de savoir. »

Jung soupira.

« Alors, expliquez-moi ceci, reprit-il en se tournant vers son patient. Si l'immortalité se traduit pour vous par la possibilité de vivre une multitude de vies – ce que vous m'avez confié lors de nos précédentes rencontres –, pourquoi pensez-vous que mettre un terme à *celle-là* mettra un terme au défilé de toutes les autres ? N'allez-vous pas simplement reparaître sous les traits d'une personne différente ? À moins que vous ne souhaitiez seulement interrompre cette existence spécifique ? »

Pilgrim contemplait fixement ses mains. Il ne répondit pas sur-le-champ.

« Depuis un certain temps déjà, déclara-t-il enfin, la seule chose dont je sois capable, c'est d'espérer. D'espérer et de prier pour que cette fois, je connaisse une mort finale. Absolue. Définitive. Mais aujourd'hui, j'ai plus que de l'espoir. J'ai des raisons de penser qu'une véritable disparition est possible.

– Quelles raisons ? » s'enquit Jung.

Pilgrim leva les yeux vers lui.

« Je suis certain que vous ne m'auriez pas donné la lettre de Sybil si vous ne l'aviez pas lue. Et puisque vous l'avez lue, vous savez que mon amie a été rappelée.

– Rappelée ?

– Rappelée, oui. Les Envoyés sont venus lui apporter le message. Sa mission avait pris fin.

– Je ne comprends pas.

– Elle était mon témoin. Ma protectrice. Mon lien avec les Autres. Puisque ces rôles n'ont plus lieu d'être, j'en tire une conclusion évidente : il se pourrait bien que je sois bientôt rappelé à mon tour. »

Jung décida de dévier la conversation.

« Vous étiez amoureux de lady Quartermaine ?

– D'une certaine façon, oui. Mais cela n'avait rien de physique. Elle était mon égale à tant d'égards que notre relation était inévitable.

– Pouvez-vous m'expliquez ce que vous entendez par là ?

– J'en doute.

– Voulez-vous essayer ?

– Eh bien, je vais faire de mon mieux. »

Pilgrim se carra dans son fauteuil.

« En un sens, commença-t-il, Sybil était ma sœur. Le premier humain que j'aie connu – ou plutôt, le premier que j'aie connu dans cette incarnation, bien que je n'aime guère le terme même d'*incarnation*. Certains renaissent. D'autres, comme moi-même, se contentent de changer de vie. Nous demeurons fondamentalement la même personne et notre vie se perpétue à jamais. Il s'agit d'un processus continu. Vous vous réveillez, vous vous endormez, vous vous réveillez à nouveau. Un jour, vous êtes un vieillard aveugle ; le lendemain, un berger espagnol ; le surlendemain, un écolier anglais. Ce qui explique pourquoi vous tenez autant à mourir, à faire cesser tout cela. *Notre naissance n'est qu'un sommeil*, docteur Jung, *un sommeil et un oubli : l'âme qui s'élève avec nous, l'étoile de notre vie, a été sertie ailleurs ; et vient de loin...* J'emprunte ces mots à Mr. Wordsworth, qui avait vu juste. Il a dit également : *Le monde est trop présent en nous, toujours.* Une fois encore, il avait raison. Le monde a été trop présent en moi. Et j'ai été trop présent dans le monde. »

Jung n'avait pas manqué de noter l'allusion au *berger espagnol*. Pourtant, Manolo n'avait jamais été mentionné entre eux, Jung ayant conservé le silence sur les journaux de son patient.

« Vous parlez d'un berger espagnol et d'un vieillard aveugle. Pouvez-vous me dire qui sont ces gens ? Ou qui ils étaient ?

– Le vieillard aveugle, vous le connaissez. Son nom – mon nom – était Tirésias. Quant au berger ? Je me souviens à peine de lui, mais je me souviens de son nom. Manolo. »

L'esprit de Jung se contractait sous l'effet d'une appréhension engourdissante. Il dut se détourner.

« Vous avez un problème, docteur Jung ? » demanda Pilgrim au bout d'un moment.

Jung ferma les yeux. Tirésias avait été condamné par les dieux à vivre éternellement. Et, tout comme Cassandre, c'était un voyant – sauf qu'il était aveugle.

Un voyant aveugle.

Comme s'il lisait dans l'esprit de Jung, Pilgrim déclara :

« Les prêtresses de Delphes étaient aveuglées par la fumée. Délibérément. Elles prenaient place sur des trépieds au-dessus du feu et faisaient entendre la voix des dieux, en particulier celle d'Apollon. Mais Cassandre voyait, et par conséquent, personne ne la prenait au sérieux. Elle était condamnée à ne rencontrer qu'incrédulité, alors que maintes

415

et maintes fois, ses prophéties se sont réalisées. Je le sais. C'était mon amie. »

Non, pensa Jung. *Cela ne se peut pas. C'est une histoire. Une histoire habile, complexe, diabolique. De la démence.*

« Et vous, avez-vous été condamné à une peine semblable ? »

La réponse de Pilgrim exprimait un mélange de désinvolture et de gravité, comme si les deux hommes poursuivaient une conversation parfaitement normale.

« À plusieurs reprises, docteur Jung. Il n'est que trop facile de mécontenter les Autres. D'être assigné à comparaître en leur présence. Ils m'ont condamné à vivre toujours car, en disant la vérité pour ne pas offenser l'un, j'ai offensé l'autre. Par conséquent, j'ai dû subir une éternité d'incrédulité. Cette même incrédulité que vous éprouvez de façon si manifeste vis-à-vis de mon histoire – cette même incrédulité qui a accueilli chacune de mes déclarations. J'ai également été condamné à mener la vie des femmes aussi bien que celle des hommes simplement parce qu'à dix-huit ans – à l'époque où j'étais encore un jeune garçon –, j'ai surpris par hasard l'accouplement des Serpents sacrés dans le Bosquet sacré, et que cela allait à l'encontre de toutes les règles établies par les dieux pour les mortels. C'était une forme de sacrilège. »

Jung se demanda s'il ne devrait pas prendre des notes. *Le Bosquet sacré.* S'agissait-il de ce même *Bosquet* auquel lady Quartermaine faisait allusion dans sa lettre ? Ils étaient décidément aussi fous l'un que l'autre...

À présent, Pilgrim semblait perdu dans ses souvenirs.

« La guerre, reprit-il. La première de toutes les guerres qu'il m'a été donné de voir. Elle est toujours là, en moi. » Il sourit, ferma les yeux. « Pendant le siège de Troie par les Grecs, nous autres Troyens avions la réputation d'être décadents. Alors que des groupes de nobles se rassemblaient sur les remparts pour assister aux tueries, des esclaves en veste blanche servaient le thé. Le thé et des biscuits au beurre fourrés avec des raisins de Corinthe et du miel. Le thé et ce que nous appelons aujourd'hui des cocktails, des alcools distillés et différentes sortes de vins, tous contenus dans des pichets argentés et versés dans des gobelets vénitiens ou des tasses de porcelaine chinoise. »

Muet, Jung le dévisagea un moment, puis baissa les yeux.

« ... et bien que nous ne nous soyons jamais rassemblés au plus fort d'une bataille, nous nous retrouvions parfois sur les remparts sous nos ombrelles lorsque se déroulaient des escarmouches amusantes, et toujours lorsque deux héros s'affrontaient en combat, d'homme à homme – ou, comme certains le diraient, de dieu à dieu. C'est ainsi que j'ai assisté à la mort d'Hector. Il pleuvait, voyez-vous, le jour de sa mort. À verse. Achille l'a attaché par les pieds à l'arrière d'un char, puis il s'est éloigné, traînant le corps dont les bras étaient rejetés au-dessus de la tête et les longs cheveux noirs, étalés dans la boue… et nous ne l'avons plus jamais revu. Je m'en souviens comme si c'était hier. »

Jung lui jeta un bref regard; Pilgrim avait tourné la tête vers la chambre ensoleillée et la cage d'oiseaux.

Costume sombre. Cravate jaune. Impeccable. Magnifiques mains aux doigts fuselés, aux ongles polis, parfaitement manucurés. Genoux carrés, chevilles fines, cuisses maigres mais bien galbées. Épaules larges (*aptes à soutenir des ailes*, aurait dit Kessler), cou long, menton volontaire, visage émacié, ciselé, avec un nez et des pommettes proéminentes, un front haut et des yeux tourmentés. Ses cheveux, qui retombaient telle une cascade de neige, étaient plus blancs aujourd'hui qu'à son arrivée, en avril. Compréhensible. Tout à fait compréhensible.

« Un jour, j'ai eu les dents noires, reprit Pilgrim d'un air songeur, le regard toujours rivé sur la cage. À cause des vitraux. Du plomb. Ça vous empoisonne un homme, le plomb. Tout devient noir – vos dents, vos ongles, votre peau – et ensuite, vous mourez.

– Pourtant, vous ne pouvez pas mourir, objecta Jung d'une voix à peine plus puissante qu'un souffle.

– Moi, je ne peux pas, mais d'autres sont morts.

– Quel rapport existe-t-il entre vous et les vitraux?

– Chartres. Vous y êtes allé?

– Non. Ma femme a vu la cathédrale, mais pas moi.

– Votre femme a de la chance. Vous êtes un idiot. C'est la plus grande merveille du monde occidental. » Pilgrim esquissa un sourire. Aucun des deux hommes ne se regardait. « J'étais l'assistant d'un verrier. Je prenais les verres découpés par d'autres pour les enchâsser dans des baguettes de plomb. Nous étions nombreux à travailler ensemble. Ce fut l'une des activités les plus exaltantes qu'il m'ait été donné d'exercer.

– À quelle époque était-ce censé se passer?

– Au onzième siècle. Ou du moins, ce que vous considérez comme tel.

– *Ce que je considère comme tel?* Je ne suis pas sûr de comprendre cette dernière remarque.

– Je ne prends pas comme repère le calendrier des chrétiens, docteur Jung. Sous aucune de ses deux formes stupides.

– Pourquoi stupides?

– La naissance de Jésus-Christ marque-t-elle le début des temps?

– Certains le prétendent.

– Certains sont fous, répliqua Pilgrim en posant sur Jung un regard fixe. D'autres pas.

– Vous êtes extrêmement catégorique aujourd'hui, Mr. Pilgrim.

– J'ai de bonnes raisons pour cela. Je vais bientôt partir.

– Je ne crois pas.

– Nous verrons.

– Pour en revenir aux vitraux, pouvez-vous prouver que vous avez contribué à l'édification de la cathédrale de Chartres ? interrogea Jung, prêt à noter la réponse dans son cahier.

– J'ai gravé mes initiales sur l'un des panneaux. Il était bleu, et figure aujourd'hui dans le vitrail connu sous le nom de *Notre-Dame de la Belle-Verrière.*

– Notre-Dame de la Belle-Verrière ?

– La Vierge. Avec l'enfant Jésus sur les genoux.

– Oh oui. Bien sûr.

– *Oh oui. Bien sûr*, répéta Pilgrim en imitant l'élocution de Jung teintée d'un fort accent. *Oh oui. Bien sûr*, Herr Doktor Crétin. De qui d'autre pourrait-il s'agir, n'est-ce pas ? Je suis certain que vous lui adressez tous les jours vos prières. À moins que vous n'ayez d'autres saints patrons ?

– Je n'en ai pas, non.

– L'on serait presque tenté de dire que vous en avez eu, mais qu'ils vous ont déserté. Avec le temps, les dieux finissent toujours par nous déserter. Ils s'en vont, laissant derrière eux des cieux vides. »

Jung alla s'asseoir sur le rebord de la fenêtre.

« Quelles auraient pu être vos initiales à cette époque, Mr. Pilgrim ? »

Il avait immobilisé son stylo au-dessus de sa feuille.

« S.l.J. Simon le Jeune, répondit son patient. J'avais vingt-deux ans. Mon père était l'un des plus grands verriers de France. Et un véritable magicien de la couleur. Personne à ce jour, j'ai bien dit *personne*, ne sait comment il a créé le bleu de ce vitrail. Cette nuance est sans pareille. »

Au moins, les noms étaient réels, sans aucun doute. Simon et son fils, son homonyme. *Il est historien de l'art*, pensa Jung. *Évidemment qu'il connaît la question. Toute sa vie a été vouée à l'étude, tout ce qu'il sait et tout ce qu'il raconte a fait l'objet de recherches minutieuses, de visualisations minutieuses.*

Puis il pensa : *Il ne semble pas se douter que j'ai accès à ses journaux, en dépit de ce malencontreux incident avec la lettre de la Joconde. C'est étrange qu'il ne l'ait jamais mentionnée. Je me demande si...*

À haute voix, Jung s'enquit :

« Mais toutes ces vies, Mr. Pilgrim... Par quel moyen avez-vous connaissance aujourd'hui de vos vies antérieures ?

– Les souvenirs surviennent exactement comme les prophéties – en rêve. Mes rêves débutent vers dix-huit ans environ, avec l'avènement de chaque nouveau personnage. Puis, peu à peu, ils deviennent des souvenirs...

– Vous ne pouvez assurément pas vous souvenir de tout à propos de chacune de vos vies ! Je me trompe ?

– Bien sûr que non. Pas plus que vous ne pouvez vous souvenir de tout à propos de votre propre existence. Mais je me rappelle qui j'ai été de la même manière que vous-même, ou n'importe qui d'autre, vous rappelez avoir fréquenté certaines personnes au fil des ans. Et progressivement, les souvenirs du passé brouillent les premières années du présent. En l'occurrence, je n'ai guère souvenance de l'enfant que j'étais – de Pilgrim enfant, je veux dire. »

De nouveau, Jung tenta une autre approche.

« Cette quête de l'immortalité, reprit-il, qu'est-ce qui vous a incité à l'entamer ? »

Pilgrim le dévisagea d'un air incrédule.

« Rien ne m'y a *incité*, répondit-il. Mais enfin, VOUS NE M'ÉCOUTEZ DONC JAMAIS ? »

Il se leva, puis parcourut du regard la pièce comme s'il cherchait quelque chose.

« Pas étonnant que nous soyons tous fous, ici, dit-il. Pas étonnant que nous soyons tous dérangés. Nos médecins refusent de nous entendre ! »

Jung ne souffla mot.

Son patient passa dans la salle de bains, dont il ressortit un instant plus tard avec un verre d'eau. Il le porta à ses lèvres, inclina la tête en arrière et le vida d'un trait avant de le fracasser au sol.

Jung ne bougea pas.

« Vous m'avez vu boire cette eau. Vous m'avez vu. Mais le verre qui la contenait est maintenant en morceaux. N'EST-CE PAS ? La vérité, mon histoire, est comme cette eau. Elle est en moi. Le verre brisé, c'est votre réaction vis-à-vis d'elle. *Also sprach Zarathustra !* »

Après s'être rassis dans son fauteuil, Pilgrim s'essuya les lèvres avec la pochette jaune, qu'il roula ensuite en boule dans sa main.

« Dites-moi qui était lady Quartermaine », demanda enfin Jung.

C'était un tel non-sens, songea Pilgrim, qui répondit enfin :

« Vous n'avez qu'à penser à son nom. »

– Sybil?

– Sybil, oui. Une légère altération de sibylle. Or les sibylles, Herr Doktor Imbécile, rendaient des oracles, comme à Delphes. Elles étaient désignée par Apollon pour parler en son nom. Certains les appelaient des *prêtresses*, d'autres, des *devineresses*. En ces temps plus modernes, nous les appelons des *médiums*.

– Je sais tout cela. Je tenais juste à m'assurer que ce nom ne résultait pas d'une coïncidence.

– Certainement pas. En aucun cas. Ce sont les dieux qui l'ont nommée ainsi. Ces mêmes dieux qui l'ont rappelée à eux.

– Je vois. »

Complètement fou.

Ils demeurèrent assis en silence, Jung sur le rebord de la fenêtre, Pilgrim dans son fauteuil, le mouchoir jaune toujours dans le creux de sa paume.

« Elle est morte, Mr. Pilgrim. Elle était humaine et elle a péri.

– Si vous le dites.

– Je le dis. »

Puis : « Vivait-elle depuis toujours, elle aussi ? » Jung s'exprimait désormais d'un ton monocorde – comme un prêtre en présence d'un pénitent : d'une voix neutre, dénuée d'émotion.

Pilgrim gratta l'accoudoir en osier de son fauteuil.

« Elle n'a pas vécu très longtemps, souligna-t-il.

– Et sa mort ? A-t-elle une signification pour vous ? »

Avant de reprendre la parole, Pilgrim se pencha en avant.

« Elle signifie, je l'espère, que mes jours sont enfin comptés. Peut-être est-il vrai, en définitive, que les dieux nous désertent et que leur ultime don est la mort. »

Jung cilla et se détourna.

La douleur de cet homme n'était que trop réelle. En vérité, elle était insupportable.

Il se surprit à penser : *Avoir attendu si longtemps...*

Il fronça les sourcils, referma son cahier.

Et se leva.

« Vous partez ? interrogea Pilgrim.

– Oui.

– Je ne peux pas dire que j'en sois désolé. »

Jung, qui se dirigeait vers la porte, marqua une pause le temps de ramasser son porte-musique et d'y ranger son cahier.

« Mr. Pilgrim, permettez-moi de vous dire que je souhaiterais de tout cœur pouvoir vous aider. Mais pour le moment, je ne peux pas. »

Son patient garda le silence.

La main sur la poignée, Jung se retourna vers la silhouette assise au soleil.

« J'ai eu un rêve la nuit dernière, déclara-t-il. Ou plutôt un cauchemar. J'ai rêvé que le monde entier prenait feu et que personne n'était capable d'empêcher les flammes de se propager... »

Pilgrim contemplait celle de ses mains qui serrait le mouchoir. *Si vous compreniez le caractère prophétique de votre rêve,* pensa-t-il, *personne ne vous croirait, vous non plus...*

« C'était plus terrifiant que tout. Un véritable enfer. Il me semblait que ça ne s'arrêterait jamais. Et pourtant, j'ai fini par trouver un moyen d'y mettre un terme.

– Ah oui ? lança Pilgrim en glissant le mouchoir dans sa poche. Et quel est donc ce moyen ?

– Je me suis réveillé. Je vous souhaite d'en faire autant. »

Après le départ du médecin, Pilgrim demeura immobile.

Je suis un animal, pensa-t-il. *Un animal que personne ne traque. Je n'ai pas de prédateurs. Si seulement quelqu'un pouvait arriver avec une arme à feu. Si seulement quelque bête encore innommée pouvait surgir de la forêt pour me dévorer. Si seulement les dieux qui continuent à me protéger pouvaient se détourner de moi et se concentrer sur quelqu'un – n'importe qui – d'autre. Si seulement les rivières pouvaient s'élever pour me noyer ou les montagnes s'écrouler pour m'ensevelir. Si seulement la vie n'était pas si tenace. Si seulement la vie pouvait lâcher prise...*

11

De bonne heure dans la soirée du 19 juin, Pilgrim envoya son second message à Forster.

Le premier disait : SUIS INFORMÉ QUE VOUS PRÉPAREZ ÉVACUATION SITE ACTUEL. PROCUREZ-VOUS CARTES : SUISSE, FRANCE. ET 500 £ AUPRÈS BANQUE ZUR. P.

Le second disait : EXERCICE QUOTIDIEN DANS JARDIN CLOS DERRIÈRE CLINIQUE. ATTENTION VERRE. SUGGÈRE ÉCHELLE DE CORDE AVEC REMBOURRAGE. PRÉCISERAI DATE ET HEURE D'ICI DEUX JOURS. PRÉVOIR RÉSERVES ESSENCE POUR AUTO. LONG VOYAGE. P.

Il ne restait que deux pigeons dans la cage.

Le lendemain, jeudi 20 juin, Pilgrim, vêtu de son costume blanc et muni de son parapluie-ombrelle sombre – il faisait extrêmement chaud – emprunta l'ascenseur pour descendre au rez-de-chaussée, où il se laissa escorter jusqu'à la « cour de prison ».

Kessler discourait au sujet des anges.

« Avez-vous entendu parler des neuf niveaux de la hiérarchie céleste, Mr. Pilgrim ? C'est fort curieux. Il y a les séraphins, les chérubins, les trônes, les dominations, les principautés, les puissances, les vertus, les archanges et les anges. Je suis persuadé que vous avez suffisamment de pouvoir pour appartenir au neuvième ordre. J'ai vu vos ailes quand vous êtes arrivé.

– Tiens donc.

– Oui, monsieur.

– Et où seraient mes ailes, à présent ?

– Je ne peux vous répondre. Dans ma tête, je suppose. Je sais bien qu'elles n'étaient pas réelles, mais le fait est qu'elles le paraissaient, et j'ai envie qu'elles le soient. N'avez-vous jamais souhaité que quelque chose qui n'est pas réel le devienne, même en sachant que c'est impossible ? Comme ces lieux magnifiques dans les rêves, ou les anges...

– En effet. J'ai souvent souhaité que soit réel ce qui ne l'était pas. Très souvent.

– Ah. C'est bien ce que je disais. »

Pilgrim sourit, jugeant charmante la simplicité de Kessler.

Ils étaient déjà nombreux dans la cour, mais Pilgrim n'en reconnut que quelques-uns. Il y avait l'homme qui se prenait pour un chien et l'homme qui prétendait avoir mangé ses enfants. La femme qui avait essayé de tuer son surveillant était là également, tellement assommée par les calmants qu'elle bougeait à peine. Il y avait aussi la femme qui ressemblait à une tenancière de bordel anglais.

Deux autres patients que Pilgrim n'avaient encore jamais vus attirèrent son attention. L'un était un homme assis à une table devant un tas de sable dont il s'employait à compter les grains. « *Neun tausend zwei und fünfzig*, murmurait-il, *neun tausend drei und fünfzig...* » Le tas semblait avoir à peine diminué.

L'autre, une femme, avait l'apparence d'une actrice jouant à l'enfant. Elle ne devait guère mesurer plus d'un mètre cinquante et un gros nœud rose retenait sa coiffure lâche. Elle portait une robe qui aurait mieux convenu à une fillette de douze ans, des chaussettes blanches et une paire de chaussons rouge vif. *Schwester* Dora, toujours très affligée par la disparition de la comtesse Blavinskeya, s'occupait d'elle. Pilgrim remarqua le ruban noir épinglé à son uniforme, au niveau de la poitrine. Les deux femmes formaient un couple fort triste alors qu'elles marchaient bras dessus bras dessous, protégées du soleil par une ombrelle japonaise en papier.

Quel étrange rassemblement nous formons, songea Pilgrim en allant prendre place dans le défilé. *Des chiens, des infanticides, des meurtriers en puissance, des obsédés du sable, des tenancières de bordel et de faux enfants. Sans parler des anges, si Kessler avait son mot à dire.*

Des ailes me seraient pourtant bien utiles, pensa-t-il. *Je pourrais jouer les Icare mais, sachant à quoi m'en tenir, je ne volerais pas trop près du soleil. Au moins, elles me permettraient de sortir d'ici.*

D'accéder à la liberté.

Quelle que fût la signification de ce terme. L'autre côté du mur — une contrée sauvage foisonnant de possibilités inconnues.

Il était deux heures de l'après-midi.

À deux heures et demie, les Drs Bleuler, Furtwängler, Menken, Raddi et Jung s'approchèrent d'une fenêtre ouverte surplombant la cour.

Cette entrevue précédait l'une de leurs assemblées régulières dans le

---

* Respectivement, « neuf mille cinquante-deux » et « neuf mille cinquante-trois ». (N.d.T.)

bureau du directeur, où celui-ci écoutait puis évaluait les comptes-rendus de ses collègues concernant les progrès de leurs patients.

En découvrant les silhouettes dans l'encadrement, Pilgrim éprouva une certaine nervosité. Pourvu qu'aucune d'elles – que personne – ne regarde par la fenêtre lorsqu'il tenterait de fuir ! D'un tel poste d'observation, le mur n'était que trop visible – peut-être même permettait-il de distinguer ce qui se trouvait par-delà.

« Nous en avons tellement dans cette cour, dit soudain Bleuler. Prenons-nous du retard ? »

Jung détourna les yeux. *La dernière chose dont nous ayons besoin,* pensa-t-il, *c'est d'une remarque désobligeante de ce genre. Ni maintenant ni jamais. Comment un homme d'une telle envergure peut-il se montrer aussi insensible ? NOUS FAISONS DE NOTRE MIEUX !* eut-il envie de crier.

Le Dr Furtwängler, toujours porté sur les explications, répondit au Dr Bleuler qu'à son avis, s'il y avait autant de patients dans *la cour d'isolement,* comme il disait, c'était parce que trop de médecins se mêlaient du travail de leurs confrères. Il ne mentionna pas de nom.

« Un patient est un patient, affirma-t-il, et chaque patient a son propre docteur – un et un seul. Mais récemment, il y a eu certaines *ingérences,* insinua-t-il en soulignant curieusement le terme, et résultat, non seulement nous nous retrouvons maintenant avec des malades supplémentaires dans la cour d'isolement, mais aussi avec une patiente morte.

– Vous voulez parler de la comtesse Blavinskeya, je présume, fit Bleuler.

– En effet, déclara Furtwängler. À moins, bien sûr, que nous ayons récemment subi d'autres pertes, auquel cas je n'en ai pas été informé. »

Personne ne parla.

Enfin, Jung déclara :

« Je suis prêt à me retirer si le Dr Furtwängler s'obstine dans ses accusations…

– Je n'ai pas cité de nom, Carl Gustav, répliqua Furtwängler. Pas un seul. »

Flagorneur, pensa Jung. *Courtisan. Lèche-cul.*

À voix haute, il reprit :

« C'est moi qui n'ai pas su aider la comtesse Blavinskeya. Je n'ai pas su l'aider parce que je n'ai pas su la sauver à temps des machinations de Josef Furtwängler. » Il se tourna vers ce dernier, qui avait blêmi, et ajouta en le regardant droit dans les yeux : « Vous l'avez tuée. Vous avez tué son esprit, sa volonté de vivre. Vous avez détruit sa capacité à survivre. *Et d'ailleurs…* » Il s'emportait au point que certains des patients

dans la cour cessèrent de défiler et levèrent la tête vers la fenêtre.
« ... d'ailleurs, quatre de ces personnes en bas sont vos patients ! »

Après un bref silence, Bleuler demanda :

« Est-ce exact ?

— Oui, monsieur, répondit Raddi, qui avait la responsabilité du service des patients violents. C'est malheureusement exact.

— Et quels sont ces patients ? » interrogea Bleuler d'un ton froid.

Le Dr Raddi nomma « l'infanticide », « la meurtrière en puissance », « la tenancière de bordel » et « l'homme au sable ».

Le directeur hocha la tête.

« Et les autres ? s'enquit-il.

— L'homme-qui-vit-depuis-toujours est mon patient, admit Jung.

— La-femme-qui-se-prend-pour-une-enfant est la mienne, dit Archie Menken.

— Et pourquoi n'êtes-vous pas parvenus à les aider, ces deux-là ? Comment expliquez-vous votre échec ? »

Menken consulta Jung du regard avant de répondre :

« Je crois que nous avons un problème commun : aucun d'eux ne semble avoir conscience du monde réel. Ce n'est pas un endroit qu'ils évitent, à l'instar des autres, mais plutôt un endroit dont ils ne reconnaissent pas l'existence.

— Vous êtes d'accord, docteur Jung ? s'enquit Bleuler.

— Oui, monsieur.

— Et vous, docteur Furtwängler ? reprit Bleuler. L'infanticide, la meurtrière en puissance, la tenancière de bordel et l'homme au sable ont-ils conscience de la réalité ? »

Furtwängler le gratifia d'un de ses plus charmants sourires.

« Naturellement, affirma-t-il. Puisqu'ils y vivent. »

Bleuler regarda de nouveau dans la cour.

Le défilé avait repris. Compte tenu de la perspective, les visages demeuraient plus ou moins indistincts.

S'ils devaient actionner une meule, pensa Jung, *ces gens-là pourraient tirer l'eau d'un puits ou transformer le millet en farine...*

« Rentrons », fit Bleuler.

Ils s'éloignèrent.

« L'actrice-enfant » trébucha et tomba. Puis hurla.

Elle avait les genoux écorchés et les chaussettes déchirées.

Schwester Dora la redressa et la soutint jusqu'à une chaise où elle n'était pas plus tôt assise que la tenancière de bordel venait la réconforter.

« Ohhh ! s'exclama-t-elle. Quelle charmante fillette ! Est-ce que tu sais chanter ? »

L'actrice-enfant, toujours sanglotant – mais à la manière des petits, en gardant les yeux secs – parvint à formuler une réponse :

« Je sais chanter *Mary avait un petit agneau.*

– Eh bien, allons-y, fit la tenancière de bordel, qui entonna : *Mary avait un petit agneau…* Allez, ma chérie, chante ! *Sa laine était blanche comme la neige…* »

La « fillette » se mit à chanter.

« Oui, c'est ça ! Continue… *Et partout où Mary allait, l'agneau allait aussi…* »

Les autres s'arrêtèrent pour écouter. La tenancière de bordel avait presque une voix de baryton, mais celle de l'actrice-enfant était aussi douce que délicate. Elles terminèrent *Mary*, avant d'enchaîner avec *Bo-peep.*

« *La petite Bo-peep a perdu ses moutons, Et ne sait où les chercher…* »

Pilgrim, qui se sentait *in extremis*, fouilla du regard les murs.

Il faut sortir d'ici. Il faut…

S'il parvenait à créer une diversion semblable à celle offerte par le chant, il pourrait disparaître en quelques secondes sans que personne s'en rende compte.

12

Ce soir-là, Jung invita Emma à dîner à l'hôtel Baur au Lac.

« On n'invite pas sa femme, souligna-t-elle. On emmène sa femme.

– Dans ce cas, je vous emmène. »

Jung portait un nœud papillon rouge. Emma, une robe bleue. *Le bleu*, se disait-elle, *est la couleur de l'espoir.*

Elle ne put éviter de se demander pourquoi Carl Gustav avait choisi cette soirée en particulier pour manger ailleurs que chez eux. Et avec elle, qui plus est. S'agissait-il de célébrer quelque anniversaire ? Celui de leur rencontre ? De leur mariage ? De la mort d'un parent ? Bien sûr que non. Tous ces événements, elle les connaissait par cœur. Ils étaient mariés depuis plus de neuf ans et, déjà, les dates talisman lui semblaient gravées comme au fer rouge dans sa mémoire. *Nous étions tellement romantiques, autrefois*, songea-t-elle avec un sourire mélancolique. *Nous nous sommes mariés le jour de la Saint-Valentin, en 1903, et il y avait des cœurs en papier dans mon bouquet...*

Carl Gustav devait avoir à dire quelque chose qu'il ne souhaitait pas formuler devant Lotte, ou avec *Frau* Emmenthal toujours en train d'écouter à la porte de la cuisine. À moins qu'il n'eût en tête une surprise, un projet excitant – l'annonce d'un voyage, d'une visite, peut-être la suggestion d'un autre enfant, ou encore, la nouvelle de sa séparation d'avec Antonia Wolff. *Elle part s'installer en Amérique... Oh ! Ne serait-ce pas merveilleux ?* En Chine, naturellement, ce serait encore mieux, mais l'Amérique conviendrait. Du moment que cette femme mettait entre eux au moins un océan ou un continent.

Mais ce n'était rien de tout cela. La soirée, comme Emma s'en rendrait compte plus tard, marquait simplement une étape de plus vers le désastre de la dépression nerveuse chez Carl Gustav.

Ils se rendirent à Zurich en automobile. La lune était visible. À mi-chemin, Jung arrêta la Fiat et insista pour qu'ils descendent sur le bas-côté herbeux. Puis il alla ouvrir le coffre et revint avec deux verres et une bouteille de champagne préalablement rafraîchie.

Après avoir débouché et servi le champagne, Jung cala la bouteille par terre, entre ses pieds. Emma, quoique calme, se demandait ce qui pouvait bien lui prendre. Elle avait emporté un châle, qu'elle ajusta avec soin en attendant que Carl Gustav lui tende une coupe. Elle avait froid, alors qu'en réalité, la soirée était douce et tiède. Les criquets stridulaient, les grenouilles criaient leur emplacement. *Je suis là !* chantaient-elles. *Je suis là ! Où êtes-vous ?*

« Nous sommes venus célébrer l'ascension d'une déesse, déclara Jung en levant son verre en direction de la lune. À la comtesse Tatiana Sergeyevna Blavinskeya ! En espérant que les trompettes ont résonné et que les violons ont accompagné son envol. »

Ils burent.

Avant de remonter en voiture, Jung retira de sa poche intérieure une étiquette rédigée d'avance, qu'il accrocha au goulot de la bouteille désormais rebouchée. En la posant précautionneusement au bord de la route, où elle ne manquerait pas d'être vue, il dit à Emma qu'il avait écrit : *À tous ceux qui s'arrêteront ici ce soir, il est demandé de marquer une pause le temps de porter un toast à la lune.*

Lorsqu'ils repassèrent en sens inverse à minuit, la bouteille était vide.

Au restaurant, ils s'installèrent à la même table qu'avait occupée Jung en deux occasions avec lady Quartermaine. Leur conversation fut apparemment décousue. Aucun sujet d'importance ne fut abordé. Ils évoquèrent des patients anciens ou actuels. Parlèrent de châteaux de sable, de tombes et de grottes. Emma mentionna les journaux de Pilgrim, où elle avait découvert des passages concernant la sublime cathédrale de Chartres, un épisode à Jérusalem au quatrième siècle avant Jésus-Christ et des intrigues prussiennes à la cour de Frédéric le Grand.

De toute évidence, Jung était distrait.

Il ne cessait de penser à lady Quartermaine, à Tatiana Blavinskeya, à Pilgrim – à tout le monde, sauf à la femme qui l'accompagnait. *Elle était assise là, et moi ici ; il a dit ceci, et moi cela...*

Un homme à la moustache distinguée les observait depuis une table d'angle.

Ils se régalèrent d'un dîner composé de bœuf, de pommes de terre rôties et d'artichauts. Emma rayonnait. Pas Jung. Il s'éteignait – avec son nœud rouge et tout.

À onze heures et demie, ils se levèrent pour partir.

L'homme à la moustache distinguée salua de son verre leur départ.

« Tant pis pour vous », dit-il à voix haute.

En avançant dans la nuit, Emma resserra son châle autour de ses épaules. *Nous ne sommes pas dans le monde,* pensait-elle. *Nous ne sommes pas vraiment là. Nous ne sommes nulle part. Je suis perdue. Et Carl Gustav ? Il est quelque part dans le brouillard, où il nous précède.*

13

Le vendredi 21 juin, dans la matinée, Forster reçut le troisième pigeon avec le message suivant : DEMAIN. DEUX HEURES APRÈS-MIDI. CHANSONS. AU SIGNAL « MAINTENANT ! » ENVOYEZ ÉCHELLE CORDE PAR-DESSUS MUR. P.

Le samedi, à une heure et demie de l'après-midi, Pilgrim et Kessler firent leur apparition dans la « cour de prison » – Pilgrim offrant un aspect plus volumineux que les jours précédents. En vérité, il portait son pyjama sous son costume. Dans ses poches, il avait glissé ses papiers d'identité, son chéquier, son journal et presque tous ses mouchoirs préférés. Chacun d'eux était imprégné de *Blenheim Bouquet*, son eau de toilette, dont il avait dû abandonner le flacon. Il avait également ôté de son cadre d'argent la photographie de Sybil Quartermaine, qu'il avait rangée dans la poche de son gilet, entre les plis d'un de ses mouchoirs parfumés. Ce jour-là, il avait choisi le costume sombre, celui qui mêlait les fils bleu et noir. *Après tout*, pensait-il, *je pars vers la nuit.*

Il n'y avait pas un seul nuage dans le ciel. Pilgrim transportait son parapluie noir fermé, laissant supposer qu'il allait l'ouvrir d'un instant à l'autre pour se protéger du soleil. Ce qu'il ne fit pas. Profitant d'un moment où personne ne l'observait, il le jeta par-dessus le mur ; Forster le récupéra de l'autre côté et le plaça sur la banquette arrière d'une petite Renault. C'était une initiative audacieuse de la part de Pilgrim, mais il avait délibérément pris le risque pour voir si elle suscitait une quelconque attention. Réponse : *pas la moindre.*

À deux heures et quart, l'actrice-enfant entra dans la cour avec *Schwester* Dora. Elle avait l'air particulièrement gracieuse. Peut-être jouait-elle la petite Nell*. Il y avait des fleurs dans sa main, des rubans dans ses cheveux et des larmes dans ses yeux. Pilgrim s'adressa à elle.

« Vous avez chanté, hier, dit-il.

– Oui. J'aime bien chanter.

---

* Personnage de petite fille à l'âme pure dans *Le Magasin d'antiquités*, de Charles Dickens (N.d.T.)

– Mes chansons favorites, reprit Pilgrim, ce sont les comptines. Vous en connaissez ?

– Je connais *Trois,* répondit la petite Nell.

– Laquelle est-ce ? demanda Pilgrim, qui n'en avait jamais entendu parler.

– *Un plus un plus un égale trois,* fredonna-t-elle. *Quatre moins un et deux plus un égalent trois. Trois divisé par un égale trois, et moi, moi-même et je égalent trois.*

– Très astucieux », approuva Pilgrim.

La femme-enfant sourit.

« J'ai dix doigts, déclara-t-elle. Dix orteils, deux bras, deux jambes, deux lèvres, deux oreilles et une tête. Le reste n'est que fouillis.

– Je vois.

– Vous savez compter ? s'enquit-elle.

– Oh, oui. C'est même l'un de mes passe-temps préférés.

– Vous avez appris *Si hauts sont les roseaux, O* ?

– Je crois, oui. Mais il y a longtemps que je ne l'ai pas chantée. »

La femme au regard brillant, immense et assez inquiétant dans la mesure où il ne se concentrait sur rien, prit *Schwester* Dora par la main.

« Faisons la ronde, dit-elle, pour pouvoir danser. »

Pilgrim en fut quelque peu perturbé. Il avait prévu d'amener les autres à chanter, non de participer lui-même au divertissement.

« Je vais diriger », annonça-t-il.

Radieuse, la femme-enfant coinça dans sa ceinture son petit bouquet de fleurs avant de tendre les deux mains. La tenancière de bordel, l'infanticide et l'homme-qui-se-prenait-pour-un-chien la rejoignirent aussitôt. De même que *Schwester* Dora, ainsi que plusieurs surveillants et internes, dont Kessler.

« Allez-y ! » cria la femme-enfant.

Pilgrim s'exécuta.

« Je vais chanter jusqu'à douze, O !
Si hauts sont les roseaux, O. »

Tout le monde reprit en chœur.

« Je vais chanter jusqu'à douze, O !
Si hauts sont les roseaux, O. »

De nouveau, Pilgrim chanta :

« À douze, que répondez-vous, O ? »

Tout le monde cria. Certains, qui n'avaient rien compris, crièrent du charabia. D'autres crièrent : « *Douze pour les douze apôtres !* » Ils avaient commencé à resserrer leur cercle, se rapprochant de Pilgrim qui se tenait au milieu.

« Onze? demanda-t-il.

– *Onze pour les onze qui sont allés au paradis!*

– Dix?

– *Dix pour les dix commandements!* »

Se détournant, Pilgrim parcourut du regard le mur.

« Neuf? cria-t-il.

– *Neuf pour les neuf anges brillants!*

Si hauts sont les roseaux, O!

– Huit? »

Pilgrim passa sous la chaîne de bras avant de s'écarter peu à peu.

« *Huit pour les huit gardiens vaillants!*

– Sept?

– *Sept pour sept étoiles dans le ciel!*

Six pour six fiers marcheurs!

– Cinq?

– *Cinq pour le symbole à ta porte!*

Quatre pour les évangélistes!

– Trois? »

Pilgrim se tenait maintenant à mi-longueur du mur. Chanteurs et danseurs regardaient le sol à leurs pieds tout en se déplaçant dans un sens, puis dans l'autre.

« *Trois pour les rivaux!*

Si hauts sont les roseaux, O!

– MAINTENANT! lança Pilgrim en direction du mur, avant de crier vers la cour: Deux!

– *Deux, ils sont deux, les garçons au teint de lys,*

Tout de vert vêtus, O! »

L'échelle de corde toucha terre. Pilgrim commença à grimper.

« Un! lança-t-il par-dessus son épaule. Un!

– *Un est un, tout seul,*

Et le restera à jamais! »

Un bref instant, Pilgrim s'immobilisa. Malgré le rembourrage utilisé pour augmenter l'épaisseur de la corde, il avait les paumes en sang.

Aucune importance.

Il regarda en arrière.

Et franchit le mur. C'était fait.

Il descendit avec précaution sur les épaules patientes de Forster, puis sauta sur le sol. Forster retira l'échelle.

« *Un est un*, chantaient toujours les autres. *Tout seul, et le restera à jamais!* »

Pilgrim s'élança à la suite de Forster, qui le guidait. L'échelle fut jetée à l'arrière de l'auto. Aucune parole ne fut prononcée.

Après avoir sorti de ses poches deux mouchoirs, Pilgrim s'en enveloppa les mains. Les blessures étaient superficielles.

« Démarrez », ordonna-t-il dans un souffle.

Il était libre – et rien d'autre ne comptait.

Ce matin-là, à l'aube, il avait relâché le quatrième pigeon, porteur d'un message adressé à *Herr Doktor C.J. Jung, clinique Burghölzli, université de Zurich.*

Un seul mot y était écrit : *Adieu.*

LIVRE SIX

*

1

AU CRÉPUSCULE, Pilgrim et Forster arrivèrent à Bâle. La Renault
était petite, compacte, plaisante. Et noire. Forster avait pris un
bref cours de mécanique auprès d'un employé du concessionnaire, qui
lui avait expliqué les besoins rudimentaires de l'auto. Des besoins relativement peu nombreux et plutôt simples : comment changer une roue,
où mettre l'huile et l'eau, comment utiliser la manivelle et la méthode à
appliquer au cas où les cylindres refuseraient de fonctionner. Forster
avait également pris des leçons de conduite et faisait désormais un
chauffeur assez redoutable. Pour avoir lu des articles de journaux trai-
tant de la tenue appropriée lorsque l'on conduisait une automobile, il
avait acheté une casquette en tweed à visière, qu'il portait le devant derrière dans un style fringant, évocateur des photographies qu'il avait
vues de *jeunes gens intrépides conduisant à quatre-vingt-dix kilomètres à
l'heure !* À la casquette venaient s'ajouter des lunettes de protection aux
verres teintés. Il portait également des gants en cuir à crispin, ayant
appris que l'huile pouvait abîmer les manches d'un vêtement si jamais
elle crachait au moment d'être versée.

L'image des bidons d'huile crachotants était cocasse, songea
Forster.

Non seulement les habits étaient menacés par les bidons d'huile,
mais l'on pouvait s'ébouillanter avec le radiateur, car celui-ci ne se
contentait pas de cracher ; il éructait, sifflait et vous envoyait de la
vapeur au visage. Encore une bonne raison de porter des gants, des
lunettes et un pardessus imperméable. Pour ce dernier, Forster avait
choisi le modèle appelé cache-poussière, qui lui donnait l'air d'un héros
dans un récit d'aventure pour jeunes garçons.

Pendant le trajet, Pilgrim et Forster demeurèrent la plupart du temps silencieux. Pilgrim, dont la mémoire avait été affaiblie par la perspective de ce qui lui semblait alors un emprisonnement à vie, reprenait peu à peu conscience du passé récent. Son majordome avait lentement émergé d'un brouillard de vagues souvenirs pour redevenir une silhouette parfaitement identifiable dont la présence dans sa vie était à la fois familière et réconfortante. Il leur paraissait presque inutile de se parler tant ils se connaissaient bien. De plus, ils n'avaient jamais été très loquaces dans leurs relations. Ce n'était pas nécessaire. Leur passion commune pour les pigeons s'exprimait en silence. Il suffisait de quelques allusions discrètes pour renseigner l'autre sur la façon dont l'on se portait tel ou tel jour, et pareillement, de quelques mots pour indiquer la manière dont l'on comptait occuper son temps et, par conséquent, la tenue appropriée aux activités envisagées.

Des dîners avaient été organisés lorsqu'il le fallait vraiment – Pilgrim détestait le rôle d'hôte –, auquel cas Forster ne manquait jamais d'en faire une réussite éblouissante que les convives commentaient des semaines durant. Il avait lu Mrs. Beeton une bonne vingtaine de fois de la première à la dernière page et gardait un exemplaire de chacun de ses livres sur une étagère dans l'office. En cas de désaccord, il se contentait d'ignorer les conseils de Mrs. Beeton et de s'en référer à son propre jugement. La plupart du temps, cependant, il se conformait à ce qu'il estimait témoigner d'un goût supérieur. Il aimait diriger la maison, le calme que cela supposait et la dignité inhérente à la fonction de servir un gentleman dont les exigences, peu nombreuses, n'en étaient pas moins absolues : après l'arrivée d'un invité, apporter précisément quinze minutes plus tard un plateau en argent avec une carafe de sherry et des verres ; promener le chien deux fois par jour ; faire couler les bains et disposer les vêtements. Sans parler de servir les repas.

La codirection de la cuisine par Forster et Mrs. Matheson se déroulait dans une atmosphère cordiale, rarement chicanière. Tous deux s'entretenaient des menus et, exceptionnellement, avaient un différend au sujet de tel ou tel fournisseur auprès duquel s'approvisionner. Mais dans l'ensemble, c'était une maisonnée bien ordonnée dont Forster avait la charge, et l'installation récente du jeune Alfred lui avait ouvert, ainsi qu'à Mrs. Matheson, des perspectives optimistes sur l'avenir. Quant à la gestion des besoins intimes de Pilgrim, c'était une autre histoire.

Une maison, ce n'est pas tout, savait Forster. C'est simplement l'endroit où l'on vit. Pilgrim possédait un sens aigu de l'intimité. Il lui fallait de nombreuses heures de solitude, durant lesquelles il écrivait. Ou étudiait. Maîtriser l'art de l'interruption revêtait donc une importance capitale et, sur ce point, Forster avait remporté un triomphe éclatant.

Alors qu'ils franchissaient montagnes et vallées, il sourit au souvenir d'une leçon en particulier sur l'art de l'interruption. Lors d'un dîner, Forster avait écouté – discrètement, bien entendu – l'historien F .R. French évoquer le protocole à la cour de Louis XIV, le Roi-Soleil. Le professeur French, de façon tout à fait appropriée, figurait parmi les plus grands érudits français de toute l'Angleterre, et il ressemblait un peu à Voltaire avec son menton en galoche et son nez énorme. Ce soir-là, il parlait des habitudes dégoûtantes des courtisans à Versailles, le palais que Louis avait fait construire et où il avait passé la dernière partie de sa vie.

Il n'y avait personne d'autre à table que le professeur et Mr. Pilgrim. Ils avaient mangé de l'agneau (jamais de mouton !) et l'air embaumait la menthe que Mrs. Matheson avait écrasée pour l'intégrer à une sauce avec du vinaigre et du sucre. Forster servait les petits pois fraîchement écossés quand le professeur French servit son anecdote : parce qu'il existait un protocole très strict concernant l'ordre dans lequel les différents membres de l'aristocratie devaient se présenter au roi, ces derniers ne cédaient pas volontiers leur place dans la célèbre galerie des Glaces qui conduisait aux appartements royaux. Mais les gens, même nobles, ont des besoins, et des pots de chambre étaient dissimulés parmi les orangers, dégageant – comme le précisa le professeur French – *une odeur infecte* *! En outre, les hommes ne prenaient même pas la peine de sortir pour soulager leur vessie ; ils urinaient derrière les tentures. En raison des qualités visuelles esthétiques de la scène, les acteurs qui y participaient demeurent totalement méjugés, d'après le professeur French. C'était une cour habillée de brocart et de soie, mais avec des manières de rustres.

Forster avait ensuite apporté les pommes de terre agrémentées de beurre et de persil.

Le professeur French racontait : à l'époque où il était encore enfant, l'on envoya le futur souverain dire au revoir à son père âgé, Louis XIII, qui reposait sur son lit de mort. Le cérémonial accompagnant l'accès à la chambre royale était riche de gestes symboliques. Si l'on ne frappait jamais, il n'était pas question non plus de se contenter d'ouvrir la porte et de franchir le seuil. Il fallait gratter pour solliciter l'autorisation d'être reçu.

---

* En français dans le texte. (N.d.T.)

Gratter? avait répété Mr. Pilgrim. *Comment ça, gratter?*

Eh bien, avec l'ongle de l'index, le sujet du roi grattait le battant, puis attendait de faire son *entrée**. De fait, bien des courtisans gardaient cet ongle-là plus long que les autres afin de pouvoir laisser leur marque. Quoi qu'il en soit – à ce stade, Forster servait le ragoût de tomates –, quoi qu'il en soit, alors que Louis XIII se mourait, l'enfant qui devait lui succéder se présenta devant la chambre et produisit le grattement réglementaire. C'était un vrai petit diable, nous le savons désormais, à l'esprit plein de malice. *Qui vient troubler mes derniers moments?* demanda Louis XIII. *Louis Quatorze*, répondit le futur roi de France.

Mr. Pilgrim avait ri si fort et si longtemps que Forster avait décidé sur-le-champ d'utiliser à l'avenir le grattement d'ongle pour indiquer qu'il désirait s'entretenir avec le maître de céans, une initiative dûment notée et appréciée par ledit maître de céans qui, pendant une brève période, répondit aux grattements de Forster en disant : *Entrez, Louis, entrez!*

À présent, non seulement Forster était le valet, le majordome et le chauffeur de Pilgrim, mais ils allaient entamer ensemble une existence criminelle à laquelle le passé qu'ils avaient partagé ne les avait en aucun cas préparés. Disparus, les pièges du charme et des divertissements ; disparus aussi, les jours d'étude solitaire et d'égards respectueux. S'il y avait eu naguère des tentatives de suicide et une profonde dépression à surmonter, il n'y aurait plus maintenant qu'un chemin destructeur conduisant à la mort, sans précédent dans la descente vers les ténèbres entamée par Pilgrim. Jusque-là, Forster n'avait jamais douté de la raison de son employeur, malgré ses terribles accès de désespoir et son incapacité apparente à opter pour la vie. Pilgrim était toujours, à l'époque, revenu vers la lumière.

Mais aujourd'hui, il y avait une différence, et Forster, assis ce soir-là en face de Pilgrim dans le restaurant de l'hôtel du Rhin à Bâle, ne vit que trop bien que quelque chose clochait. Mr. Pilgrim, jadis l'arbitre du bon goût, avait négligé sa mise de manière significative. Sa cravate était de travers. Ses cheveux se dressaient au sommet de son crâne comme ceux d'un jeune athlète revenant de l'entraînement, et ses mains, enveloppées de mouchoirs, évoquaient deux mitaines. Peut-être Mr. Pilgrim avait-il perdu prise sur sa raison, dont l'absence se révélait dans ses yeux. C'étaient les yeux d'un anarchiste convaincu que lui seul peut sauver le monde.

---

* En français dans le texte. (N. d. T.)

2

Le vendredi soir, Jung avait été informé de la disparition de Pilgrim. Kessler, fou d'angoisse, était parti avec l'équipe du fourgon jaune fouiller les parcs et autres lieux publics en espérant que quelqu'un aurait aperçu son ancien patient, voire pourrait lui dire où le chercher.

Comme, à ce stade, personne ne connaissait ni ne soupçonnait l'existence d'un complice, la possibilité d'un éventuel recours à une automobile ou à un éloignement conséquent ne fut pas prise en compte. Étant donné les circonstances, Pilgrim se trouvait forcément quelque part à Zurich.

Lorsque Jung rentra à Küsnacht, il n'avait toujours aucune nouvelle. Au dîner, il s'assit à sa place habituelle et, enfreignant le règlement de la maison, fuma un cigarillo à table.

« Mangez, lui conseilla Emma.

– Non », répondit Jung. Et d'ajouter : « Plus tard.

– C'est du poulet, Carl Gustav. Un de vos plats préférés. *Frau* Emmenthal s'est surpassée ; nous n'en avions pas dégusté d'aussi bon depuis des années. »

L'odeur était alléchante. Il y avait une sauce à base d'estragon avec des chanterelles à la crème ; il y avait une farce à la mode britannique, avec du pain et de l'oignon, de la sauge et des noix ; il y avait des *haricots verts** et de minuscules betteraves de la taille d'un ongle. Mais dans le cas de Jung, tous ces efforts avaient été déployés pour rien.

« Comment avons-nous pu le perdre ? lança-t-il en agitant la main. Comment une telle chose a-t-elle pu se produire ?

– Vous tourniez la tête, mon chéri. Exactement comme avec la comtesse. Vous n'avez pas fait suffisamment attention. Vous étiez trop occupé dans votre bureau à recevoir les faveurs de cette femme. »

Alors que Jung levait les yeux vers son épouse, à l'autre bout de la table, il comprit que de son point de vue à elle, il n'était pas là. Emma ne le prenait plus en compte physiquement. Elle posait son regard ailleurs. Lorsqu'elle parlait, elle contemplait par la fenêtre le soleil amor-

---

* En français dans le texte. (N. d. T.)

çant son déclin vespéral. Elle paraissait plutôt calme, mais il décelait dans son attitude le léger hochement de tête caractéristique d'une personne récitant un mantra intérieur pour assurer sa survie :

Vous n'étiez
Pas là.
Vous étiez
Quelque part,
Indisponible.
Nous attendions
Tous ici.
Vous étiez absent.
Ne comprendrez-vous donc
Jamais ?

Quelque chose de cet ordre-là, estima-t-il. Une réaction malheureusement justifiée, étant donné son chagrin : son deuil – l'enfant mort –, leur mariage apparemment en plein naufrage, la mort de Tatiana Blavinskeya et aujourd'hui, la disparition de Pilgrim.

Et tout cela, par sa faute à lui.

Rien dans son caractère n'autoriserait jamais Jung à l'admettre à haute voix. Jamais, devant Emma. Cela reviendrait à lui conférer des pouvoirs qu'il ne pouvait lui-même se permettre de perdre. Pourtant, à contrecœur, il l'admettait. Dans le noir, il reconnaissait que c'était vrai. Aussi, ce soir-là à table, se contenta-t-il d'opposer son silence à la récitation muette d'Emma.

Avant de lancer enfin : « Est-il possible qu'il ait réussi à se tuer d'une manière ou d'une autre ? J'ai envoyé des gens fouiller le bâtiment, et d'autres, le parc alentour. Nous savons juste qu'il a été vu pour la dernière fois dans la cour d'exercice. Il était là, et tout d'un coup, il a disparu. Si j'ai bien compris, les autres patients chantaient une chanson en anglais. En anglais, je vous demande un peu ! Et puis, il s'est volatilisé.

– La moitié des patients – *plus* de la moitié des patients de la clinique sont anglais, Carl Gustav. Pourquoi n'auraient-ils pas le droit de chanter en anglais ?

– Je n'ai pas dit qu'ils n'en avaient pas le droit. J'ai simplement dit que c'est ce qu'ils faisaient. »

Emma avala une gorgée de vin, reposa son verre et se remit à manger.

« Comment aurait-il pu se tuer alors qu'il a déjà essayé tant de fois, de tant de façons différentes, et échoué ? répliqua-t-elle. Non. À mon avis, il a trouvé un moyen de réintégrer le monde. Nous le reverrons ici, parmi nous. Avez-vous envoyé quelqu'un au col d'Albis, où lady Quartermaine a péri ? Il s'y est peut-être rendu.

– Non. Je n'y avais absolument pas pensé.

– Vous devez arrêter de considérer l'évasion de Mr. Pilgrim comme une défaite personnelle, Carl Gustav, et commencer à l'envisager comme une victoire pour lui. Si vous étiez à sa place, sachant ce que vous savez, où iriez-vous ?

– Au bout de la terre, répondit Jung, qui sourit enfin.

– Je ne crois pas. Je pencherais plutôt pour Paris.

– Pourquoi Paris ?

– Oscar Wilde. Rodin. *Mona Lisa*. Après tout, pour Mr. Pilgrim, Paris est presque un foyer spirituel. »

Le lendemain matin, le messager en vert, venu de l'hôtel Baur au Lac, remit à Jung une enveloppe sur laquelle était écrit : *De la part de Dominic Fréjus*, plus l'adresse. À l'intérieur se trouvait le dernier message de Pilgrim, *Adieu*, reçu par pigeon voyageur interposé.

« *Finito*, conclut Emma. Vous êtes satisfait ? »

Jung ne répondit pas. Il pensait : *Mon patient le plus représentatif est parti, et ma femme affûte ses armes. Je vais sortir dans le jardin combler une autre tombe.*

3

À Paris, le vendredi 28 juin, Pilgrim et Forster prirent une chambre à l'hôtel Paul de Vere, rue Berger, sur la rive droite de la Seine, à quelques centaines de mètres du Louvre.

L'hôtel, sélectionné d'après un guide touristique, offrait toutes les commodités pour un prix modeste. En choisissant un établissement fréquenté par une clientèle de classe moyenne plutôt qu'un autre réservé aux riches ou aux pauvres, Pilgrim se disait que ce serait le dernier endroit à Paris où l'on s'attendrait à le trouver – si tant est que l'on pût deviner sa destination.

Le voyage leur avait pris sept jours au total, leur trajet étant déterminé par la possibilité d'accéder à des routes carrossables. La plupart de celles qu'ils avaient empruntées étaient d'anciens chemins pour le bétail que l'usage avait élevés au rang de voie publique au dix-huitième et dix-neuvième siècles. Les villes et les villages où ils passaient, ou séjournaient, comptaient bon nombre de cafés, de restaurants, d'auberges et d'hôtels. De Bâle, ils avaient traversé l'Alsace jusqu'à Belfort, puis Langres et Chaumont jusqu'à Troyes.

À Troyes, ils avaient fait réviser la Renault dans une écurie de louage où le maréchal-ferrant, qui s'était mis à l'étude des automobiles, se révéla fort instruit sur la question des moteurs à combustion interne.

Pendant que Forster bavardait avec le maréchal-ferrant, et que celui-ci nettoyait les bougies puis huilait la poignée de la manivelle, Pilgrim avait visité les écuries, se délectant des odeurs de foin et de chevaux. Ce fut un moment heureux lors de cette période d'angoisse – un moment à savourer, à déguster. *Du foin et des chevaux*, avait dit Pilgrim, *du foin et des chevaux. Il me semble avoir toujours aimé leur odeur.*

Dans sa tête s'était lentement formée une image de lui-même jusque-là oubliée, celle d'un garçon d'écurie dans un vaste domaine. Le mot Waterford lui avait traversé l'esprit, mais elle n'évoquait que le verre. Et l'Irlande. *Si j'ai été irlandais un jour, je n'aurai pas motif de m'en plaindre.*

Puis il s'était vu promu au grade de garçon d'exercice – de *marcheur*, comme on les appelait alors –, sortant par des aubes brumeuses où la rosée sur ses chevilles nues lui semblait glacée. Il promenait les chevaux les uns après les autres avec l'aide d'un lad ou deux, et une fois les écuries et le manoir dissimulés par un linceul de brouillard, les garçons montaient leurs protégés et galopaient à fond de train dans l'air matinal.

Oh, le plaisir de sentir leur corps, de humer leur odeur, de se coucher sur leur encolure… les coursiers noirs, les coursiers rouans, les coursiers gris et les blancs, tellement rares. Si j'avais la possibilité de revenir en arrière, je choisirais cette vie-là – la meilleure, la plus simple de toutes celles que j'ai vécues, bien que je ne sache plus quand, ni précisément où…

Plus tard, il était allé s'appuyer contre un mur de pierre dans la cour de l'écurie pour regarder par-delà les terres arables la ville de Troyes, avec ses feux et sa fumée, ses toits, ses arbres et ses tours. Les yeux plissés, il avait évoqué une autre ville en un autre lieu à une autre époque où les forêts ensoleillées du paysage étaient complètement différentes : moins luxuriantes, plus sèches ; moins sereines, plus tourmentées. *La cité royale de Troie* se dressait avec majesté au milieu des steppes troyennes descendant vers la mer et le Hellespont.

Il avait joué avec cette image à la façon dont un enfant joue avec des décors féeriques imaginaires. C'était son Camelot, son Atlantide. La cité émeraude d'Oz.

Une cité autrefois fortifiée, avec des murs d'une hauteur et d'une épaisseur impressionnantes, derrière laquelle s'élevaient les contreforts menant, à travers une brume poussiéreuse de chaleur, jusqu'au lointain mont Ida et ses sœurs. Sur les flancs des coteaux alentour poussaient des platanes et des chênes, décimés par endroits pour construire d'autres remparts, d'autres tours de guet, d'autres chars de combat, d'autres béliers de combat, d'autres ponts de combat et d'autres navires de combat. *Combat, combat, combat, combat…*

Pilgrim avait fermé les yeux.

Il sentait l'odeur du charbon qui brûlait dans la forge derrière lui. Il entendait le son des marteaux.

Rien ne change jamais, avait-il songé. Toute notre ingéniosité et tout notre génie ont toujours été employés à l'élaboration et à la fabrication de machines de guerre. Nous avons suivi Léonard jusque dans les tréfonds les plus obscurs de son imagination, oubliant qu'il avait également répandu la lumière.

Il avait rouvert les yeux, regardé de nouveau la ville proche. Troyes. Déjà, elle avait généré des usines et des entrepôts industriels. Des bâtiments d'une taille gigantesque et d'une hideur monumentale défiguraient ses abords. Des trains vomissant de la fumée et des escarbilles traversaient les pâturages, faisant se disperser les moutons, les vaches et les chevaux farouches. Un nuage de vapeur gris sale pesait sur les toits. Tout était...

Différent.

Pas étonnant que les dieux s'en aillent, avait songé Pilgrim. *Nous les avons chassés. Naguère, chaque arbre ici était sacré – chaque arbre, chaque brin d'herbe, chaque motte de terre. Même les pierres étaient sacrées, et toutes les créatures vivantes, de la plus petite à la plus grosse – chaque éléphant et chaque fourmi, chaque homme et chaque femme. Tout était sacré. La mer, le ciel, le soleil, la lune, le vent, la pluie, les plus beaux jours et aussi les plus terribles... Tout a disparu aujourd'hui, et seul demeure un Dieu sourd, incapable de voir, qui revendique comme Sienne la création tout entière. Si les humains accordaient à leurs frères et sœurs vivant autour d'eux un centième de leur dévotion à ce Dieu, nous aurions une chance de nous survivre. Mais...*

Pilgrim avait de nouveau fermé les yeux, occultant le panorama devant lui. Ensuite, s'étant tourné vers l'écurie, il s'était adressé à Forster.

« Notre prochaine étape sera Fontainebleau », avait-il dit – un nom aux senteurs sylvestres et aux sonorités mélodieuses de l'eau tombant dans l'eau.

La Renault était prête, et après avoir remercié et payé le maréchal-ferrant puis salué de la main les chevaux, ils avaient poursuivi leur voyage.

À Fontainebleau, ils avaient emporté dans les bois un panier de pique-nique préparé par Forster, et ils avaient pris place parmi les fougères et les fleurs sauvages pour manger des sandwiches au blanc de poulet, des poires, du boursault et tout un assortiment de *petits fours**
tout en consommant deux bouteilles de montrachet.

Pilgrim s'était allongé à la fin du repas, laissant le dais de feuillage au-dessus de sa tête le bercer pour l'endormir. Forster s'était reposé lui aussi, mais il était demeuré éveillé. À partir de maintenant, un seul dormeur à la fois, avait-il décidé. Nous sommes en route vers le danger.

À son réveil, Pilgrim avait pris des notes dans un cahier que Forster lui avait procuré. Il inscrivit les mots : *D'ici jusqu'à la fin, il n'y aura que la terre, l'air, le feu et l'eau. Rien d'autre.*

Sur ce, il avait jeté un coup d'œil à Forster, et déclaré : *Merci d'être avec moi, à présent.*

----

* En français dans le texte. (N.d.T.)

Ce fut l'unique semblant d'attachement manifesté entre eux, mais il signifia beaucoup pour Forster, qui s'en souviendrait longtemps.

L'hôtel Paul de Vere n'était pas très grand. Il comptait vingt *chambres** et l'on n'y servait pas de repas. Il proposait cependant des pièces communicantes avec baignoire et toilettes et, le matin, offrait un choix de thé, café ou chocolat avec une brioche.

Le premier soir, les deux hommes dînèrent rue Berger, dans un restaurant proche. Le plein été avait attiré un grand nombre de touristes et, autour des deux hommes, outre le français, les voix parlaient l'anglais, l'allemand, l'italien, l'espagnol et l'américain, désormais omniprésent.

« Vous rendez-vous compte, Calvin ? s'exclama une femme. Nous sommes assis dans un bis-tre-ô français ! Jamais, de toute ma vie, je ne me suis sentie aussi élégante ! »

Les élégants étaient partout, mais tous n'étaient pas américains. Des Anglais se plaignaient à leurs compagnons de table de ne pas comprendre pourquoi personne sur le continent ne semblait en mesure d'identifier l'origine de la grandeur britannique.

« Elle tient à notre capacité d'endurance, insistait l'un d'eux.

– Elle tient à notre industrie, disait un autre.

– Elle tient à notre volonté d'apporter la civilisation à ces malheureux nègres ignorants », disait un troisième.

Elle tient à notre caractère de chien, murmura Pilgrim pour lui-même.

Au moment du cognac et du café, Forster hasarda :

« Peut-on savoir, monsieur, pourquoi nous avons choisi Paris ? »

Pilgrim posa la main gauche sur la nappe blanche, avant d'écarter les doigts autant que possible. De son autre main, il effectua un mouvement circulaire sur la bordure de son verre, s'humectant l'index pour faciliter son geste.

« Nous sommes venus enlever certaine dame », répondit-il.

Pour Forster, cela relevait de la « sherlockerie » pure et simple. Un frisson d'excitation le parcourut. Il allait donc jouer le rôle du Dr Watson...

Comme en hommage au personnage qu'il s'apprêtait à incarner, il caressa sa moustache.

« Et de quelle dame s'agit-il, monsieur ? demanda-t-il.

---

* En français dans le texte. (N.d.T.)

– Madonna Elisabetta del Giocondo. La Joconde. »

Mona Lisa.

Forster blêmit.

« Mais c'est impossible, monsieur. Ils ne nous y autoriseront pas. »

Pilgrim sourit.

« Évidemment, qu'ils ne nous y autoriseront pas ! Pourquoi le feraient-ils ? C'est le plus grand trésor de France. Et, sous peu, il sera à nous. »

Après l'avoir dévisagé quelques instants, Forster s'obligea à détourner les yeux. Ne dis rien, s'ordonna-t-il. Ne dis pas un mot.

Pilgrim porta son verre à ses lèvres.

« C'est une soirée des plus agréables, Forster, conclut-il. Tout à fait plaisante.

– Oui, monsieur. En effet. »

4

Le matin du samedi 29 juin, Pilgrim et Forster arrivèrent au Louvre, où Pilgrim nota immédiatement une différence distincte dans la présentation des tableaux depuis la dernière fois où il les avait vus, trois ans plus tôt. Parmi les plus célèbres d'entre eux, beaucoup étaient désormais protégés par une vitre. Une précaution prise à la demande des conservateurs et approuvée par le directeur des musées nationaux, un certain Théophile Homolle. La décision sans précédent de mettre sous verre les peintures à l'huile avait été motivée par une augmentation, au cours des années précédentes, des actes de vandalisme et des dommages accidentels. Ainsi, un Rubens avait été barbouillé d'excréments (pas d'effet durable); un Botticelli, lacéré avec un couteau (restauration possible); et un Giotto, découvert en partie détaché de son cadre dans une tentative manifestement contrariée pour le dérober (pas de dégâts apparents).

Le sauvetage de toutes ces œuvres n'empêchait pas l'inquiétude de grandir au sujet d'une tentative de cambriolage réussie ou d'une tentative plus désastreuse encore de destruction totale, avec pour conséquence des pertes irréparables. Le verre, semblait-il, était la seule solution. Curieusement, personne ne suggéra d'accroître le nombre des gardiens.

Lorsque les tableaux nouvellement vitrés avaient été raccrochés, un vent d'indignation avait soufflé. *Comment peut-on voir les toiles quand tout ce que l'on voit, c'est soi-même ?!* Et : *Le Louvre possède maintenant une galerie des glaces digne de rivaliser avec celle de Versailles !*

Honte à Homolle et à ses larbins ! proclamait un gros titre, et dans l'article qui suivait, le ministre et ses conservateurs se voyaient accusés de vouloir mettre sous verre *Mona Lisa* pour cacher que l'original, volé ou abîmé, avait été remplacé par une copie. En réponse, Homolle émit un communiqué disant : *Cela reviendrait à prétendre que l'on peut voler les tours de Notre-Dame de Paris !* Quelques jours plus tard, il regretterait ces propos.

En raisons de l'afflux de touristes étrangers, le Louvre était littéralement inondé de visiteurs. À dix heures ce matin-là, Pilgrim et Forster eurent du mal à se frayer un chemin jusque dans le salon carré bondé où *Mona Lisa* était exposée, entre *Le Mariage mystique de sainte Catherine* du Corrège et *l'Allégorie d'Alfonso d'Avalos*, de Titien.

Il s'avéra que si tous ces gens étaient d'abord venus voir *Mona Lisa*, c'était cependant un autre spectacle donné dans le salon qui les y retenait plus longtemps que de coutume. Un homme se rasait.

Forster apprit que l'homme en question s'appelait Roland Dorgelès. M. Dorgelès, un romancier parisien d'un certain renom, était arrivé à environ dix heures moins le quart avec son domestique chargé de l'attirail requis par leur projet : un siège de toile, une cuvette, une cruche d'eau chaude, un rasoir, un blaireau, du savon à barbe et une grande serviette blanche dont l'écrivain s'était enveloppé.

Comme « miroir », il se servait d'un autoportrait sous verre de Rembrandt. La scène avait un caractère à la fois amusant et scandaleux ; Dorgelès l'entendait comme un signe de protestation contre la présence des vitres. Assurément, elle attira l'attention de la presse, où le romancier fut représenté à sa toilette dans plusieurs caricatures.

Pilgrim, suivi par Forster, se déplaçait dans la pièce d'un pas forcément nonchalant à cause de la cohue. Il tenait à ce que Forster et lui fussent remarqués par le plus grand nombre possible de gardiens. Au moment d'entrer dans le musée, il avait également décliné son identité et tendu sa carte en demandant qu'elle fût portée au conservateur général, un dénommé Émile Moncrieff. Celui-ci ne manquerait pas de reconnaître le nom du visiteur – ce que souhaitait Pilgrim.

Il gratifia *Mona Lisa* d'un bref coup d'œil et, constatant aussitôt la présence du verre devant le portrait, il en fut contrarié. Impossible de briser la vitre et de retirer la toile. Il faudrait procéder par l'arrière du cadre.

Son intention initiale était de détruire l'œuvre sur place. Mais ce projet présentait l'inconvénient d'une arrestation rapide et, dans le meilleur des cas, d'un retour forcé à Zurich. Ce n'était pas envisageable. Il y avait d'autres œuvres d'art à anéantir. Il y avait tout un monde de chaos à créer. Il lui fallait à tout prix conserver sa liberté.

Il avait expliqué à Forster au petit déjeuner que l'un des objectifs essentiels de leur visite du samedi matin, outre de se montrer au personnel, serait de mémoriser les distances entre l'entrée du salon carré, la sortie et ce qui se trouvait au-delà, c'est-à-dire les diverses issues possibles. Pilgrim avait physiquement conscience de son âge et se sentait incapable de courir longtemps, surtout s'il y avait des escaliers.

Mais si Forster s'échappait avec le tableau, avait-il réfléchi, lui-même pourrait de son côté s'éloigner nonchalamment et réussir à atteindre la rue avant que le vol ne fût découvert. À ce stade, il décida de profiter de ce qu'il savait le Louvre toujours fermé le lundi.

Avant de partir, il s'approcha d'un gardien en uniforme à qui il demanda si M. Moncrieff était disponible. Ayant obtenu une réponse affirmative, Pilgrim et Forster furent introduits dans les bureaux, où on les pria de patienter. Quelques minutes plus tard, Moncrieff apparaissait ; il s'agissait d'un homme particulièrement expansif d'une quarantaine d'années, parfumé et coiffé avec soin, qui accueillit Pilgrim comme un ami perdu de vue depuis longtemps. Ils ne se connaissaient évidemment pas, sinon de réputation. Le conservateur général en poste lors des précédentes expéditions de Pilgrim au Louvre était mort, laissant la place à Moncrieff, apparemment son protégé.

En français, Pilgrim s'enquit poliment si M. Moncrieff verrait une objection à autoriser une visite privée le lundi quand, en raison de la fermeture, il n'y aurait personne pour l'empêcher d'étudier de plus près une ou deux toiles au sujet desquelles il avait l'intention de rédiger un article.

Mais pas du tout. Mr. Pilgrim souhaitait-il la présence de M. Moncrieff ou d'un autre conservateur pour l'aider dans sa quête d'informations ?

En toute autre occasion, ç'eût été avec plaisir mais, en l'occurrence, un examen attentif personnel suffirait.

Moncrieff invita alors Pilgrim et Forster à pénétrer dans le sanctuaire de son bureau, où il rédigea et signa un laissez-passer à présenter le lundi matin à l'entrée principale.

Pilgrim lui en était extrêmement reconnaissant et n'oublierait jamais la gentillesse de M. Moncrieff.

S'ensuivirent moult poignées de main, inclinaisons de tête et une offre d'appeler un taxi si tel était le désir de Mr. Pilgrim.

Celui-ci déclina la proposition, arguant qu'il disposait déjà d'un moyen de locomotion : ses pieds.

Le conservateur les accompagna à travers les bureaux jusqu'à la grande cour au-delà, la place du Carrousel. En chemin, il ajouta que malheureusement, les deux hommes ne seraient pas complètement seuls le lundi matin. Des gardiens seraient bien entendu présents et, parce qu'il s'agissait d'un jour de fermeture, il y aurait aussi quelques peintres en bâtiment et autres artisans chargés d'effectuer des réparations et de refaire les plâtres abîmés ou trop vieux.

Cela ne constituait en aucun cas un problème, assura Pilgrim au conservateur, qu'il remercia cependant pour l'information.

À midi, Pilgrim et Forster franchissaient les grilles donnant sur le quai du Louvre quand Pilgrim déclara :

« Nous déjeunerons de l'autre côté. Quelle journée magnifique ! Quelle journée magnifique, brillante et instructive ! Si c'était la saison des huîtres, j'en mangerais volontiers une douzaine ! »

5

Jung était déjà parti à Zurich au volant de la Fiat lorsque, dans la matinée du mercredi 3 juillet, Emma descendit prendre son petit déjeuner.

Il s'agissait d'une journée d'été maussade et, à neuf heures, déjà humide, sans un souffle de vent. Les fenêtres restaient ouvertes au cas où une brise fraîche viendrait du lac, mais ce ne serait pas le cas. L'air était totalement immobile. On aurait pu allumer mille bougies dehors sans qu'aucune s'éteigne.

Lotte était sortie dans le jardin et, avec la permission de *Frau* Emmenthal, elle avait coupé une douzaine de roses – roses, blanches, rouges, jaunes – pour en faire un bouquet qu'elle avait posé sur la table. Emma, croyant que Carl Gustav avait placé les fleurs à son intention, fondit en larmes.

Lorsque Lotte parut avec la cafetière, Emma lui dit :

« Regardez ce que mon mari a laissé pour moi. Ne sont-elles pas merveilleuses ? Je suis la femme la plus comblée du monde. Quelqu'un m'aime. »

Lotte esquissa une révérence sans rien dire. Quand elle retourna dans la cuisine et s'assit à table, elle était désespérée.

« Elle va remercier le Dr Jung, et j'aurai des ennuis.

– Mais non, la rassura *Frau* Emmentahl en lui tapotant la main. Tu as eu un geste plein de délicatesse, qui l'égayera. Je te protégerai du Dr Jung. Il comprendra. Et en fin de compte, il te remerciera. »

Dans la salle à manger, Emma alluma exceptionnellement une cigarette en buvant son café.

Je veux voir la fumée, pensait-elle, *s'élever autour des roses, adoucir les contours du paysage. Et le jardin, et le chant des oiseaux dans nos arbres...*

Et loin, loin au-dessus du lac, les mouettes immobiles, planant à la dérive et les montagnes drapées de brume qui définissent tout ceci, cette quiétude que j'ai créée, faite de fumée et de silence.

La fumée et le silence.

Tout finirait par s'arranger.

Assurément, s'il y a des roses, tout finira par s'arranger.

Nous aurons un jour un autre enfant, songea-t-elle et, ce faisant, elle effleura les plus proches pétales du bouquet. *Si seulement...*

Ne le dis pas. N'y pense plus jamais. Jamais. Si seulement est une formule mortelle. Elle sous-entend que tu as renoncé. Or, tu n'as pas renoncé. Tu l'as seulement envisagé. Que le diable t'emporte ! Qu'il t'emporte. Et moi avec. Je ne renoncerai jamais.

Elle écrasa la cigarette.

Il y avait du jus d'orange. Il y avait une brioche. Il y avait de la confiture d'abricots. Il y avait du muesli, auquel elle ne toucha pas. Et il y avait le journal, *Die Neue Zürcher Zeitung.*

Emma but le jus d'orange, brisa la brioche en quartiers, en mangea deux avec du beurre, un troisième avec de la confiture d'abricots, et réserva le dernier pour les oiseaux, comme le faisait Mr. Pilgrim avec son toast matinal.

Une fois ces opérations achevées, elle se servit une autre tasse de café et alluma une seconde cigarette. (*Je ne suis décidément pas sage, aujourd'hui !*) Puis elle s'adossa à sa chaise et ouvrit *Die N.Z.Z.*

Elle manqua s'étrangler.

Des gouttes de café éclaboussèrent la serviette sur ses genoux.

Le gros titre s'étalait en lettres d'au moins cinq centimètres.

MONA LISA *DÉROBÉE !*

Le journal tomba sur la nappe.

Je ne veux pas le savoir, pensa-t-elle – sachant déjà, avant même d'avoir lu une ligne de plus, ce qui s'était passé et qui avait perpétré ce crime.

Enfin, elle reprit le quotidien pour parcourir l'article, se concentrant sur les détails, sautant toutes les théories, toutes les spéculations accumulées et la plupart des récits donnés par les témoins oculaires.

La chose s'était produite l'avant-veille, un lundi, le seul jour de la semaine où le Louvre était traditionnellement fermé au public. « Quelqu'un », peut-être avec un complice ou plus, s'était introduit dans le salon carré où était exposée *Mona Lisa*, puis s'était enfui avec le tableau, profitant sans doute des quinze minutes pendant lesquelles le seul agent de sécurité présent – un remplaçant du gardien habituel – s'accordait une pause dans les toilettes, où il avait fumé une cigarette.

Emma en alluma une pour elle, sourit et tira une longue bouffée de fumée. *C'est ce que nous faisons tous en cas de stress...*

L'absence du tableau n'avait été signalée que quelques heures plus tard. Au début, l'on avait supposé *la Joconde* dans l'annexe de photographie pour une séance de prises de vue. C'était souvent le cas. Le mardi, un témoin – le peintre Louis Béroud – observa que *lorsque les femmes ne sont pas avec leur amant, il y a de bonnes chances pour qu'elles soient avec leur photographe.*

Emma tourna frénétiquement les pages jusqu'aux passages contenant d'autres détails marquants.

Le mardi midi, toutes les vérifications requises avaient été effectuées auprès de l'annexe de photographie et du laboratoire où l'on nettoyait d'ordinaire les tableaux. Il n'y avait aucune trace de *Mona Lisa*. Incontestablement, elle avait disparu.

À ce stade critique, la *sûreté** et la *gendarmerie** furent informées, et plus d'une centaine de policiers envahirent immédiatement le Louvre.

Le tableau, fixé au moyen de quatre crochets en fer, avait de toute évidence été emporté par un spécialiste muni des outils nécessaires pour le décrocher. En outre, le coupable avait également apporté de quoi enlever la toile de son cadre. Cadre qui, avec son verre protecteur, avait été découvert dans l'une des cages d'escalier conduisant à une sortie de secours.

Pilgrim.

C'était lui, forcément. Emma « savait » qu'il se rendait à Paris. À présent, elle « savait » pourquoi. Peu importait comment. Elle avait lu en lui à travers deux sources : ses journaux et son angoisse personnelle telle que la relatait Carl Gustav.

Quelle serait l'issue de ce drame ? Si Pilgrim était réellement fou, il risquait d'anéantir le portrait. Pourtant, c'était inconcevable – pas pour Pilgrim, conclut Emma, mais pour l'ensemble du monde occidental. *Mona Lisa* avait une importance majeure. Elle occupait le centre de la pensée picturale. Elle était la déesse de la perfection et la sainte patronne de la disposition d'esprit. L'intégrité féminine dépendait de sa protection. Les hommes la craignaient tellement qu'il était impossible de déterminer quels pouvoirs magiques elle possédait. Aucun homme, songea Emma, ne l'avait jamais comprise ; à l'inverse, toutes les femmes la comprenaient.

Aucun homme, sauf Pilgrim.

Elle était l'air même qu'il respirait.

Oh, non, ne faites pas ça, ne faites pas ça, pria Emma.

Pourtant, Pilgrim aspirait si désespérément à la mort... La destruction d'un tableau, de ce tableau en particulier, le libérerait-il ? Il croyait avec une telle force avoir été la Joconde qu'il pensait peut-être, comme Dorian Gray, qu'en plongeant un poignard au cœur de la toile, il connaîtrait enfin cette fin tant désirée... Et si Wilde l'avait cru égale-

---

* En français dans le texte. (N.d.T.)

ment ? Si, informé du dilemme de Pilgrim, il avait conçu son roman à partir de ce qu'il savait ? Après tout, les deux hommes étaient amis, ils échangeaient des confidences, et Pilgrim avait porté le deuil de Wilde comme l'on porte seulement le deuil de ceux en qui l'on a confiance. Les mots *Dorian Lisa* surgirent dans l'esprit d'Emma. Ainsi que *Mona Gray*.

Elle alluma une dernière cigarette. La fumée s'éleva. À la chaleur, les roses coupées s'épanouissaient. Leur odeur était puissante – merveilleuse, riche, provocante –, mais Emma les regarda avec consternation. Nous coupons et tuons tout, pensa-t-elle. Nous coupons et tuons tout ce qui se trouve sur notre chemin. Exactement comme Carl Gustav m'a coupée et tuée. Exactement comme j'ai coupé et tué mon enfant. Et comme Mr. Pilgrim coupera et tuera la Joconde. Parce qu'elle s'interpose entre l'éternité et lui.

À la clinique, Jung – ignorant du vol – monta au troisième étage et pénétra dans la suite 306.

La cage des pigeons, désormais inutile, était toujours là, avec sa porte béante, symbole même de l'évasion de Pilgrim – un symbole si éclatant, si ostentatoire que Jung ne put réprimer un sourire.

Il parcourut les pièces. Certains tiroirs étaient ouverts, de même que les portes de l'armoire et une fenêtre, où plusieurs tourterelles et pigeons s'étaient rassemblés dans l'espoir de quelque nourriture.

Jung inspecta la commode, dans laquelle il trouva un sac de papier brun rempli de miettes rassises qu'il distribua aux oiseaux.

Dans un autre tiroir, il découvrit le portrait que Pilgrim avait ôté du cadre d'argent désormais vide, posé à l'envers, qui avait accueilli la photographie de Sybil Quartermaine.

Le cliché dans la main de Jung montrait la tête et les épaules d'une femme très belle, mais triste – la personne que Pilgrim avait décrite comme *la femme qui se prétendait ma mère*.

Elle devait avoir dans les quarante-cinq ans lorsque la photo avait été prise, à la fin du dix-neuvième siècle. Étrangement, elle posait devant l'objectif dans la même position qu'Elisabetta Gherardini Giocondo devant le regard de Léonard de Vinci. Peut-être s'agissait-il d'une simple coïncidence, ou peut-être, dans la perspective de l'artiste, était-ce la meilleure façon de mettre en valeur le visage du modèle. Léonard lui-même avait écrit : *Toujours demander à votre sujet de s'asseoir de façon à ce que la tête soit de biais par rapport au torse.*

Ainsi était-elle, *la femme qui se prétendait ma mère*.

Il n'y avait pas de sourire chez elle. Pas de ruse non plus. Il n'y avait que de la mélancolie.

Apparemment, Pilgrim la détestait ; il l'avait rejetée comme une poseuse, puisque pour lui, il n'avait pas de parents, mais se contentait d'être. De fait, c'était là une forme de folie unique : être, sans être né.

Jung glissa la photographie dans sa poche. Il jeta un coup d'œil dans la chambre et le salon puis décida avant de partir de suggérer à Forster d'emballer toutes les affaires de Pilgrim – vêtements, bijoux, livres et articles de toilette – en prévision du moment où l'évadé reviendrait. Dans l'intervalle, il veillerait lui-même à ce que personne n'occupe la suite. De façon extrêmement curieuse, elle lui paraissait sacro-sainte, et Jung souhaitait qu'elle restât, vide ou pas, dans son domaine.

Pour ce faire, il retourna chaque matin nourrir les oiseaux.

6

Deux jours plus tôt, le lundi 1ᵉʳ juillet, Pilgrim et Forster s'étaient levés de bonne heure pour préparer leurs bagages, qu'ils avaient ensuite rangés dans le coffre de la Renault. Après avoir quitté l'hôtel Paul de Vere, ils s'étaient rendus dans une station-service où ils avaient fait réviser la voiture pour son prochain voyage. Le réservoir d'essence avait été rempli et du carburant supplémentaire posé sur le plancher à l'arrière. Pilgrim avait insisté pour emporter deux bidons, malgré les protestations de Forster, persuadé qu'un seul suffisait et qu'un plus grand nombre pouvait se révéler dangereux.

« J'ai mes raisons », avait décrété Pilgrim, ce qui avait clos le sujet.

Il avait également glissé une liste dans la poche intérieure de sa veste.

Gants de coton doux pour deux.
Chaussures de marche.
Pardessus légers.
Un carton à dessin avec douze feuilles de papier.
Stylos et crayons Conté.
Siège de toile.
Pinces.
Rasoir à manche.
Argent.
Panier de pique-nique : pâté, pain, fruits, chocolat, vin.

Autant de choses dûment rassemblées et mises en place.

À dix heures précises, ils arrivaient au Louvre et présentaient le laissez-passer de M. Moncrieff au gardien à la porte. Pilgrim avait alors eu droit à un salut digne d'un représentant de la famille royale.

Les immenses salles étaient vides. Seul l'écho de pas lointains indiquait une présence autre que les statues silencieuses et le reflet de Pilgrim et de Forster qui se dirigeaient vers le salon carré. Puis, plus loin encore, quelqu'un d'invisible s'était mis à siffloter et une porte avait claqué.

« *Merde !* » avait lance quelqu'un.

Le sifflotement continuait.

La lumière, bien que diffuse, était cependant assez généreuse et vive pour révéler les détails sur leur parcours : linteaux sculptés au-dessus des portes, silhouettes de marbre disposées dans leurs niches, tapisseries splendides et miroirs dorés.

Des escaliers incurvés s'élevaient ici et là et, devant l'un d'eux, une flèche indiquait *Mona Lisa*. Forster transportait le siège, le carton à dessin et la boîte de fournitures d'artiste dans laquelle étaient dissimulés les pinces et le rasoir à manche. Pilgrim, chargé du panier de pique-nique, donnait l'impression de se rendre aux Tuileries.

Il y avait un gardien à l'entrée du salon carré, à qui Pilgrim avait montré l'autorisation du conservateur général. Après d'autres salutations, d'autres hochements de tête, les deux hommes avaient poursuivi leur chemin.

À l'extrémité du salon carré, un artisan en blouse blanche, grimpé sur une échelle, retouchait la peinture autour de la porte de sortie. Apparemment, plus tôt dans la matinée, l'homme avait aussi refait les plâtres, et il remplissait désormais les joints aux endroits où le nouvel ouvrage rencontrait l'ancien.

Pilgrim et Forster avaient déambulé dans la pièce comme si rien ne pressait, mais à chaque passage devant *Mona Lisa*, ils s'étaient attardés un peu plus longtemps, jusqu'au moment où ils s'étaient enfin arrêtés.

Forster avait posé le carton à dessin, puis déplié le siège de toile, qu'il avait placé à environ un mètre cinquante du tableau.

Pilgrim avait ôté son pardessus et son chapeau, qu'il avait laissés sur l'un des bancs mis à la disposition des visiteurs. Il n'avait cependant pas enlevé ses gants. Une fois assis, il avait ouvert le carton à dessin et l'avait étalé sur ses genoux. Forster lui avait tendu sa boîte de matériel avant de reculer, les yeux fixés sur le portrait.

« Essayez d'en savoir un peu plus sur cet individu à l'autre bout de la pièce, lui avait dit Pilgrim, *sotto voce*. Il nous faudra peut-être composer avec lui.

– Bien, monsieur. »

Alors que Pilgrim esquissait ce qu'il savait déjà être son propre portrait, il s'était amusé de la juxtaposition de son image actuelle par-dessus celle de la femme représentée. La vitre qui la recouvrait ne reflétait de son propre visage que les contours les plus grossiers – sa forme générale, son ossature, ses reliefs saillants. Le reste était un mélange d'artifice et de réalité. Un portrait d'époque.

L'artisan s'appelait Vincenzo Peruggia. C'était un Italien du Nord, originaire de la ville de Domena, dans la région du lac de Côme. De son véritable métier, il était peintre en bâtiment, mais ses talents s'étendaient également au plâtre et aux réfections. Ces informations-là,

Forster les avait obtenues lors d'une conversation préliminaire, tandis qu'il se tenait au pied de l'échelle sur laquelle s'activait l'Italien moustachu.

Ils avaient également discuté de la pousse et de l'entretien des moustaches, Forster ayant avoué que la naissance de la sienne était une aventure relativement récente.

Peruggia n'était pas très grand ; à dire vrai, il était encore plus petit que Forster, qui mesurait un peu plus d'un mètre soixante-dix. Il avait le teint mat, un visage sérieux à l'extrême sans pour autant être déplaisant, un corps maigre et noueux. Ses mains avaient paru à Forster étrangement menues. Mais son travail était délicat, tout en finesse, exécuté à la perfection. Forster avait observé avec fascination la façon dont il mélangeait les pigments pour masquer les démarcations entre l'ancien plâtre et le nouveau.

Leur conversation s'était révélée un assemblage tout à fait plaisant, presque comique, d'anglais et d'italien saupoudré de français.

Dans l'intervalle, le gardien de service – un certain Verronet – s'était rapproché de Pilgrim pour le regarder dessiner.

Celui-ci s'était immédiatement rendu compte qu'il avait affaire à un amateur, un gardien suppléant qui n'éprouvait pas de réel intérêt pour son activité. *Mona Lisa* ne signifiait rien pour lui. *C'est juste un tableau, et moi, je suis là pour surveiller les tableaux* – comme si son travail consistait à jouer les voyeurs.

« Vous la trouvez à votre goût ? lui avait demandé Pilgrim en français.

– Elle n'est pas trop mal. Mais je l'aurais préférée avec un peu plus de poitrine. »

Pilgrim avait souri, croyant se rappeler le poids de ses seins.

« Elle n'était pas grande, vous savez.

– Ben, puisqu'elle est assise, comment savoir ? De toute façon, je ne pense pas que j'aurais couché avec elle.

– Tiens donc. Et pourquoi cela ?

– Je n'aime pas trop les femmes qui s'imaginent supérieures. Une femme devrait rester à sa place.

– Vous la trouvez supérieure ?

– Par son attitude, oui. Mais je ne qualifierais pas sa beauté de supérieure. Pour moi, elle est trop distante. Je ne ressens pas son humanité.

– Vous êtes étudiant ?

– Non.

– Pourtant, vous vous exprimez comme un étudiant. Vous ne savez rien, mais vous avez des avis sur tout. »

C'était une erreur.

« Je ne suis pas idiot ! s'était exclamé Verronet, indigné. Et si je peux me permettre, à en juger par vos gribouillis, vous, vous n'êtes pas un artiste. Un homme n'a-t-il pas le droit d'avoir un avis ?

— Bien sûr que si, avait répondu Pilgrim. Veuillez m'excuser. Je voulais simplement dire qu'à mon sens, vous vous trompez au sujet de son manque d'humanité. Je la trouve pour ma part suprêmement humaine.

— Chacun ses goûts. Si je devais avoir une femme de cette condition, j'aimerais qu'elle semble un peu moins au-dessus de moi.

— Je vois. »

Un silence embarrassé s'était ensuivi, durant lequel Pilgrim avait retenu la main dont il se servait pour dessiner. Verronet avait fini par toussoter.

« Je vous laisse, maintenant, avait-il dit. Je vais aller fumer une cigarette dans les toilettes. Pendant mon absence, si je peux me permettre, je garderais un œil sur l'Italien à l'autre bout de la pièce. Les voleurs se dissimulent sous les traits de n'importe qui, et plus particulièrement des Italiens, c'est bien connu. Des Gitans aussi, d'ailleurs, et de tous les gens au teint basané.

— Entendu », avait répondu Pilgrim, avant de se remettre à crayonner.

À midi, Forster avait délaissé sa conversation pour le rejoindre et suggéré que le moment était venu de déjeuner.

« Et l'homme sur l'échelle ?

— Je ne pense pas que nous ayons rien à craindre de lui.

— Mais peut-il nous être utile ?

— C'est possible. Bien que j'ignore de quelle façon.

— Pourquoi ne pas l'inviter à partager notre repas ? » Pilgrim souriait comme un enfant rusé. Puis il avait ajouté : « Après tout, la générosité engendre la docilité. »

Ils avaient pique-niqué sur la place du Carrousel.

Peruggia avait apporté ses propres provisions – pain, fromage et vin –, mais il avait néanmoins accepté des poires, encore un peu de vin et du chocolat pris dans le panier de ses compagnons.

Le soleil brillait. Le moment était des plus agréables. En outre, Pilgrim connaissait suffisamment d'italien pour soutenir un semblant de conversation avec le peintre en bâtiment. Ce faisant, il avait découvert que Peruggia était célibataire et qu'il était venu à Paris afin d'échapper au règne intransigeant de la pauvreté en Italie, où le travail se faisait si rare que l'on avait bien failli mourir de faim.

L'homme, quasiment illettré, était capable d'écrire son nom et de saisir le sens d'un titre dans les journaux italiens, mais il n'avait jamais lu un livre de sa vie ni demandé qu'on lui en lût un. Il n'était pas allé à l'école et devait se servir de ses doigts pour compter. Néanmoins, il s'agissait d'un artisan de grand talent dont le Louvre s'était déjà assuré les services à de nombreuses reprises.

Pendant qu'ils mangeaient et buvaient, Pilgrim avait cherché à en apprendre plus sur les passions de Peruggia – des passions qu'il devinait nombreuses et ardentes, comme souvent chez les personnes incultes. L'incapacité à lire et à écrire constituait une source de profonde frustration ; l'impossibilité de communiquer en rendait le besoin d'autant plus pressant.

La passion première de Peruggia, c'était son patriotisme. *L'Italie est la mère du monde entier.* Purement et simplement. *La Donna Italia!* s'exclamait-il en levant son verre. Et d'expliquer qu'au cours de ses nombreuses heures de travail au Louvre, il ne lui avait pas échappé que tous les chefs-d'œuvre jusqu'au dernier étaient italiens. *Tiziano! Tintoretto! Caravaggio! Botticelli! Leonardo!*

Il chantait ces noms comme s'ils avaient été mis en musique par Verdi.

‹ Et le plus beau trésor du Louvre, c'est *La Gioconda*! *La Gioconda*, est *La Donna Italia* elle-même! Notre mère à tous! »

Un sourire aux lèvres, Pilgrim s'était contenté de hocher la tête sans souffler mot.

Vincenzo Peruggia avait poursuivi :

« Sans Napoléon, *La Gioconda* et toutes ces autres merveilles, elles seraient restées en Italie, où elles ont vu le jour.

– Napoléon? avait répété Pilgrim en s'efforçant de maîtriser son incrédulité.

– Bien sûr, avait dit Peruggia. Il est venu dans notre pays, et après, il l'a dépouillé de toutes ses magnifiques œuvres d'art. C'est ce qu'ont fait les Français partout : déclarer la guerre, envahir, tuer, brûler et emporter le butin. Tout est la faute de Napoléon. Mon plus grand désir serait de rapporter les peintures italiennes du Louvre à Florence, Rome ou Venise – à chaque endroit où elles ont vu le jour – pour qu'elles y soient conservées toujours.

– Un projet admirable, avait souligné Pilgrim. Mais tout à fait irréalisable.

– Faux, avait répliqué Peruggia. C'est pas irréalisable. Tenez, par exemple, j'ai découvert comment dégager *Mona Lisa* de ses crochets. »

Pilgrim avait gardé le silence.

Il pensait : *La rapporter là où est sa place. Oui. Ramener la lumière. Ramener la lumière dans l'obscurité. Je n'ai pas d'autre aspiration.*

Il s'était remémoré son accès de fureur dans la salle de musique à la clinique Burghölzli. Il s'était remémoré le bris des enregistrements et le saccage du violon. Il s'était remémoré sa colère, sa certitude accablante que l'art – toute forme d'art – était impuissant. Et il s'était remémoré la comtesse Blavinskeya qui, au sol, levait les yeux vers Kessler en criant : IL SUFFIT !

Ramener la lumière. Ramener la lumière dans l'obscurité. Comment leur faire comprendre ? Il devait y avoir quelque chose de plus à attendre de l'art que sa simple présence ; quelque chose qui puisse aboutir à une élévation dans l'esprit de l'observateur, du lecteur, de l'auditeur. À une élévation hors des caniveaux de violence et de dégradation dans lesquels la race humaine avait sombré avec tant de bonne grâce. Était-il possible que la réponse résidât chez des individus aussi incultes que cet homme, Peruggia, avec ses idées toutes simples d'illettré selon lesquelles rendre une peinture à son lieu d'origine revenait à rapporter la lumière à un peuple défaillant ayant déjà failli ?

« Mon problème, avait repris Peruggia, c'est que j'ai pas assez de courage. Bien des fois, je me suis retrouvé seul avec elle, mais je suis pas assez brave pour la décrocher et m'enfuir.

– Mais si quelqu'un d'autre la décrochait pour vous la donner, seriez-vous au moins capable de vous sauver avec elle ? » avait interrogé Pilgrim.

Peruggia était demeuré silencieux. Au bout d'un moment, il avait demandé :

« Qu'est-ce que monsieur veut dire ?

– Que je suis d'accord avec vous, avait répondu Pilgrim. Sa place est en Italie. À Florence. J'aime vos propos sur la naissance de l'art. C'est tout à fait vrai. Les plus grandes œuvres résultent d'un accouchement ; elles ont pour mère leur pays, leur culture et pour père, le peintre, le sculpteur, le compositeur ou l'écrivain. »

L'Italien avait souri.

« J'aurais pas pu le dire comme ça, mais je crois, oui. »

Et c'est ainsi que les choses se passèrent.

À deux heures, le gardien, Verronet, retourna aux toilettes fumer une autre cigarette.

Peruggia décrocha le tableau du mur.

Pilgrim retira la toile du cadre.

Avant de la confier à Peruggia, glissée dans le carton à dessin.

Les trois hommes prirent chacun une direction différente pour sortir du salon carré; Forster emporta cadre et vitre dans l'escalier et tous émergèrent du Louvre à deux heures vingt de l'après-midi.

Pilgrim tendit cinq cents francs à Peruggia en lui disant: « Bon voyage. »

Lorsqu'ils se séparèrent, aucun ne regarda en arrière. Pilgrim et Forster se dirigèrent vers la Renault, où ils déposèrent le panier de pique-nique, la boîte de crayons et le siège de toile sur la banquette arrière au-dessus de l'essence. Pilgrim, exubérant et radieux, jeta son pardessus sur le panier.

« Nous quitterons Paris à quatre heures, déclara-t-il. Mais d'abord, nous devons célébrer l'événement. Alors, champagne au *Jardin des Lilas* ! »

Tandis qu'ils s'engageaient sur le quai du Louvre, Pilgrim regarda la minuscule silhouette de Vincenzo Peruggia s'éloigner sur le Pont-Neuf – écrasée, semblait-il, par la taille du carton à dessin au contenu si précieux que l'artisan serrait sous son bras.

Elle est libre, songea Pilgrim. *Je suis libre. Nous sommes libres.*

Une bonne chose de faite.

À présent, il fallait s'occuper de la cible suivante. Chartres.

7

En 1910, le romancier et historien américain Henry Adams, après avoir lu la monographie de Pilgrim sur Léonard de Vinci, intitulée *Sfumato, Le Voile de fumée*, avait pris la liberté d'envoyer à l'auteur un exemplaire de son propre ouvrage, *Le Mont Saint-Michel et Chartres*, imprimé à compte d'auteur et publié en 1904. Par la suite, Adams et Pilgrim correspondirent, mais ne se rencontrèrent jamais. (Sept des lettres rédigées par Pilgrim sont conservées dans les archives d'Adams à la Société historique du Massachusetts.)

Le parallèle entre la passion d'Adams pour Chartres et les « souvenirs » décousus qu'en gardait Pilgrim fut dès le départ une source de fascination pour ce dernier, qui ne se sentit cependant jamais obligé de rédiger plus qu'un éloge érudit sur le livre de son nouvel ami américain. Adams, pour sa part, eut tout de suite l'impression qu'un lien particulier l'unissait à *l'homme de l'autre côté de l'océan*, comme il surnommait Pilgrim. Il était captivé par la réponse informée qu'apportait l'Anglais à sa propre exploration de ce qu'il appelait *la dernière grande époque de compréhension avant l'intervention de la raison*. Le propos de Pilgrim confirmait, dans l'optique d'Adams, le rapport entre sa propre lecture singulière du passé et le passé lui-même. Il ne mit jamais en doute la source des informations rassemblées par son homologue, se contentant d'accepter sa réputation d'historien de l'art particulièrement bien documenté.

La voix de Mr. Pilgrim, écrivit Adams dans son journal, *est unique et me ravit, car à l'instar de la mienne, elle rejette tous les voiles académiques subtils de la raison qui ont jusque-là obscurci la capacité des érudits à voir le passé tel qu'il était, et non tel qu'ils auraient voulu qu'il soit.*

De son côté, Pilgrim consigna au sujet de l'ouvrage d'Adams sur le douzième siècle des observations qui se lisaient comme une liste de vérités et d'erreurs. Les aspects négatifs ne furent néanmoins jamais mentionnés entre eux. *Pour l'essentiel*, conclut Pilgrim, *il a vu juste.*

Mais la scolastique n'avait plus sa place dans la vie de Pilgrim. Il s'orientait désormais vers ce qu'il appelait, dans le cahier que lui avait fourni Forster, le *refusionisme. Tournons donc le dos aux ambitions avortées de l'humanité pour affronter l'ordre inférieur que nous sommes devenus.*

Le succès de « l'équipée de *la Joconde* » lui avait remonté le moral au point qu'il chantait à haute voix dans la voiture que Forster conduisait en direction de l'ouest, sur la route nouvellement gravillonnée entre Paris et Chartres.

> *Merveilleux rêveur, ouvre les yeux, je suis là,*
> *La lueur des étoiles et les gouttes de rosée t'attendent...*

Peut-être, se risqua à penser Forster, *le champagne consommé par Mr. Pilgrim au cours de l'heure écoulée lui permettra-t-il de bien dormir ce soir.*

Peut-être. Mais pas dans la voiture.

« Regardez donc sombrer le vaisseau du soleil ! s'enthousiasmait Pilgrim, assis tout droit à côté de Forster, qui avait mis ses lunettes de protection. Regardez donc tous ces oiseaux en vol et tous ces arbres, ces arbres, ces arbres... »

Discours poétique, décréta Forster. *Il est reparti dans ses élans inspirés.*

Brusquement, Pilgrim déclara :

« Nous nous rendons à la cathédrale de Chartres, Forster – la plus grande, la plus sublime, la plus sacrée de toutes les demeures chrétiennes. Elle nous attend, mais sans se douter de rien. Le dernier incendie important à Chartres remonte à 1194. Il y a sept cent dix-huit ans. Elle est au courant de notre arrivée. Oh oui, elle est au courant, croyez-moi. Nous sommes déjà venus. Elle reconnaîtra l'odeur de mes chaussures. Elle reconnaîtra le toucher de mes doigts. Elle me saura de retour. Elle se souviendra de moi. »

Forster remonta le col de son cache-poussière. Il avait le soleil dans les yeux et se promit d'acheter une paire de lunettes d'une teinte plus foncée. *Que pourrions-nous manger pour le dîner ?* pensait-il. *Où pourrions-nous passer la nuit ?*

« Mr. Henry Adams, un Américain, a dit de la cathédrale de Chartres qu'*elle a ses humeurs*. Avant d'ajouter que, *parfois, ces humeurs sont rudes.* » Pilgrim ponctua cette remarque d'un léger éclat de rire. « Je me demande quelle sera l'humeur de cette *grande dame**, ce soir. Inquiète, sans doute. »

Ils avaient maintenant une vue imprenable sur le soleil couchant. L'astre, orange vif, chatoyait au-delà des brumes de vapeur et des gaz montant de la terre. Tout juste si l'on ne distinguait pas ses flammes.

---

* En français dans le texte. (N. d. T.)

« Des incendies redoutables, poursuivait Pilgrim d'une voix traînante. Trois en tout. Dont un à mon époque... »

Oh, Seigneur, songea Forster. *Nous voilà revenus aux existences imaginaires.* De tels épisodes s'étaient déjà produits dans le jardin de
Cheyne Walk – en des moments où « l'esprit surchauffait », pour
reprendre l'expression de Mrs. Matheson –, où l'on avait donné des
coups de canne dans les branches d'un arbre, persuadé que les Sarra-
sins s'apprêtaient à franchir le mur; où l'on avait grimpé dans la
brouette, devenue le tombereau en partance pour la guillotine; où l'on
avait agrippé Agamemnon, le chien, en disant que Clytemnestre ne
devait pas le trouver. Autant de moments traumatisants, assurément,
mais qui avaient tous été surmontés. Et à présent, nous allons anéantir
la cathédrale de Chartres, conclut Forster.

Bon.

Ils avaient dérobé puis cédé *Mona Lisa*. Pas mal, pour un fantasme.
En y repensant, Forster en vint à se demander, l'espace d'un instant,
si cela s'était réellement passé. *L'avons-nous vraiment fait ?*

*Oui. Oui, nous l'avons fait. Et elle se trouve maintenant quelque part
dans Paris, vraisemblablement dissimulée sous un lit.*

Et ainsi, ils continuèrent à rouler vers Chartres.

« Nous ne nous attarderons pas, expliqua Pilgrim. Nous allons
réserver une chambre, mais à quatre heures du matin, nous partirons. »

L'établissement choisi s'appelait l'Auberge du Pèlerin. Lorsqu'ils
l'atteignirent, le voyage avait dépouillé Pilgrim de toute sa gaieté, au
point qu'il ne jugea même pas utile de préciser à Forster le nom de
l'hôtel. Celui-ci disposait d'une minuscule salle à manger, dont ils
profitèrent, mais sans plaisir. La nourriture – un ragoût – était mauvaise
et le vin, pis encore. Ils se retirèrent dans leur chambre également
contrariés, bien que seul Pilgrim eût le droit de le montrer. Il jeta ses
bottes contre le mur.

Pendant une bonne vingtaine de minutes, il se lança dans une vio-
lente diatribe contre l'inconfort des automobiles. Ensuite, il battit en
retraite dans les toilettes, où il se plaignit d'être constipé. À onze heures
du soir, il se coucha tout habillé, annonçant qu'il faudrait le réveiller à
précisément deux heures du matin.

8

À quatre heures du matin, le mardi 2 juillet, Pilgrim et Forster quittèrent le hall de l'Auberge du Pèlerin pour se diriger, valises à la main, vers la Renault garée dans la cour de l'écurie.

Depuis l'avènement de l'automobile, les cours de ce genre offraient une diversité olfactive plaisante, mêlant le fumier de cheval, l'huile de moteur et les vapeurs d'essence. S'y ajoutaient l'odeur du foin et l'arôme terne des pavés poussiéreux. Pilgrim s'immobilisa pour s'en imprégner, ses quelques heures de sommeil l'ayant ramené à de meilleures dispositions.

Que de pèlerins au fil du temps…, songea-t-il. *Combien de pèlerins ont séjourné en ce lieu qui porte leur nom, sachant qu'au terme de leur voyage, ils découvriraient la grande cathédrale avec ses flèches ajourées, ses vitraux et ses reliques chrétiennes… ! Sept siècles de voyages, sept siècles de pèlerins. Aujourd'hui, je suis le dernier – celui qui la réduira à néant Pour comprendre que Dieu est mort, il nous faut une preuve.* Habeus Corpus. *Les ruines de cette cathédrale dédiée à Jésus-Christ nous révéleront que le Christ n'est nulle part et que tous ses chroniqueurs héroïques étaient des menteurs. C'est ici que l'art aura péri pour la première fois.*

Il se remémora l'histoire de l'édifice. Après le dernier incendie qui s'y était déclaré, en 1194, trois reliques avaient survécu, prouvant ainsi aux dires de tous l'amour et le respect indéfectibles de la Vierge Marie pour les fidèles de Chartres. Ces trois reliques étaient le crâne de sainte Anne, la mère de la Vierge ; le vitrail sur lequel figure la Vierge tenant l'enfant Jésus ; et le Palladium mystique.

Celui-ci, censément la tunique portée par Marie le soir où elle avait donné naissance à Jésus, avait été offert à la cathédrale romane initiale – également détruite par le feu – par Charles le Chauve, petit-fils de Charlemagne, en 876.

Quant au vitrail épargné par les flammes, c'était celui sur lequel Pilgrim avait gravé ses initiales quand *j'incarnais Simon le Jeune, chargé de la mise en plomb des verres découpés par mon père,* ainsi qu'il l'avait raconté à Jung. Ensuite, il était devenu *un chroniqueur du verre.* Dieu seul savait pourquoi le destin avait choisi de ne pas détruire cette verrière particulière, mais c'était ainsi.

La silhouette de la Vierge Marie mesurait environ deux mètres. Au-dessus de sa tête était représentée une colombe à l'envers, les ailes déployées comme pour préfigurer la Croix. Sur ses genoux, la Vierge tenait l'Enfant-Jésus qui levait la main droite en un geste de bénédiction. Dans sa main gauche se trouvait un livre ouvert révélant une inscription en latin qui signifiait « toutes les vallées seront exaltées » – une citation d'Isaïe.

Et toutes les collines et les montagnes seront rabaissées, se rappela Pilgrim.

Eh bien, cette nuit, la cathédrale tout entière serait rabaissée.

Le trajet jusqu'à la grande cathédrale fut bref, bien qu'un peu confus en raison du manque de réverbères universels. De nombreux tours et détours entraînèrent les deux hommes dans des venelles sombres et un paysage urbain qui, dans la faible clarté environnante, paraissait mutilé. Il évoquait un village déserté, ou encore une cité assiégée dont tous les citoyens se seraient retranchés derrière leurs volets fermés.

Sur le parvis, des mendiants et des lépreux dormaient dans des enclos séparés, entourés par des barrières en bois. Des toits faits de chaume et de planches avaient été édifiés pour les protéger de la pluie. Chacune de ces communautés de parias avait allumé ses propres feux, dont l'intensité lui conférait une identité propre : ceux des lépreux étaient plus bas et presque dépourvus de chaleur, car les malheureux n'avaient pas le droit de s'aventurer dans la communauté au sens large pour aller chercher charbon et bois de chauffage. Ils dépendaient entièrement de la charité. Et des bénédictions de Dieu.

Ils auraient pu tout aussi bien être là depuis dix mille ans, ces êtres de la pauvreté et de la maladie. Pilgrim pensa même en reconnaître quelques-uns au moment où ils levaient leur visage sur son passage.

Les seules paroles prononcées furent chuchotées :

« Pèlerin, aurais-tu du pain pour nous ? »

Pas de pain, mais de l'argent, que Pilgrim distribua sans mot dire.

Lorsque les deux hommes entrèrent dans le sanctuaire, la grande porte grinça et gémit, donnant l'impression de ne pas avoir été ouverte depuis un siècle. À l'intérieur, des centaines de cierges constituaient la seule source de lumière, une lumière cependant tout à fait suffisante, disséminée comme elle l'était dans les chapelles, les recoins et près des divers autels érigés aux saints, à la Vierge et à sainte Anne. Les nefs de toutes les grandes cathédrales d'Europe sont orientées vers l'est, en direction de Jérusalem. Chaque autel y est consacré à ce lieu saint. Par conséquent, tous les portails principaux des grandes cathédrales d'Europe sont orientés à l'ouest. Le matin, les matines ; le soir, les vêpres –

autant de prières illuminées par le soleil levant et le soleil couchant. Quant aux stalles du chœur, elles bordent généralement la façade sud, à quelques exceptions près. Il en va en tout cas ainsi à Chartres, et c'était là-bas, par-delà le chœur, que s'élevait le « vitrail personnel » de Pilgrim.

Celui-ci s'avança immédiatement vers l'autel principal, devant lequel il s'agenouilla et se signa. S'il n'avait pas de religion, il se sentait néanmoins obligé de rendre hommage à un monument qu'il s'apprêtait à détruire.

Il avait le vague souvenir irréel de s'être agenouillé plus d'une fois en ce même endroit – jadis, *quand je connaissais mon Dieu*. Le site avait toujours été sacré, avant même la venue des chrétiens. Au temps des druides, le sol sous ses genoux était dédié au « miracle » païen d'une vierge ayant accouché. *Virgo paritura*, murmura Pilgrim. Puis: *Ave Maria, gratia plena, Dominus tecum…* Je vous salue Marie, pleine de grâce, le Seigneur est avec vous…

Ayant dit ce qu'il avait à dire, Pilgrim se redressa et marcha vers les stalles du chœur pour scruter dans la pénombre l'un des vitraux au-dessus de lui. Notre-Dame de la Belle-Verrière. Il n'y avait pas assez de lumière à l'extérieur pour révéler toutes les nuances bleues, rubis et roses sur les verres anciens, et la verrière elle-même était trop élevée pour lui permettre de distinguer les initiales qu'il affirmait avoir gravées dans l'un des losanges bleus aux pieds de la Vierge. Mais il les savait présentes. Il savait. *S.l.J – Simon le Jeune.*

Au bout d'un moment, il alla rejoindre Forster qui l'attendait avec les bidons d'essence posés par terre à côté de lui.

« Nous allons commencer ici », déclara Pilgrim en indiquant les stalles en bois sous Notre Mère.

Sur ces mots, il arrosa généreusement d'essence les sièges ouvragés et recula.

« À présent, ajouta-t-il en tendant à Forster les bidons vides avant de retirer de sa poche une boîte d'allumettes, dites adieu à tout cela. Après, nous pourrons partir. »

Forster garda le silence. Il était pâle d'effroi et dénué d'espoir. Dans son esprit, ni lui ni Mr. Pilgrim ne survivraient à pareille chose. Il s'agissait d'un acte de folie irréelle.

« Êtes-vous prêt? demanda enfin Pilgrim.

– Oui, monsieur. Oui, murmura Forster.

– Passez le premier. Je vous suivrai. »

Sans un regard en arrière, Forster se dirigea vers la sortie. La nef, du moins lui semblait-il, s'étirait sur trente kilomètres, et alors qu'il avançait vers la grande porte au loin, il avait l'impression de patauger dans une marée montante.

Pilgrim fouilla de nouveau sa poche, dont il sortit les trois mouchoirs qu'il y avait placés avant de quitter l'auberge. Il les noua ensemble, formant ainsi une cordelette de lin qu'il plaça par terre avant d'en approcher une extrémité d'une flaque d'essence.

Ensuite, avec le plus grand soin, il craqua deux allumettes, qu'il maintint côte à côte.

Il ferma les yeux, les rouvrit et laissa tomber les allumettes sur les mouchoirs. Il regarda les flammes ramper vers l'essence, puis se détourna et descendit rapidement la nef.

À cinq heures ce matin-là, ils prenaient la route de Tours tandis que derrière eux, les vitraux de la grande cathédrale de Chartres commençaient à flamboyer, illuminés par une clarté ardente.

9

Die N.Z.Z. consacrait sa une, en ce jeudi 4 juillet, au cent trente-sixième anniversaire de l'indépendance américaine. Le second titre principal annonçait que l'empereur du Japon s'acheminait vers sa mort – et de fait, il mourrait environ trois semaines plus tard.

Jung, contrarié par l'attitude belliqueuse récente de l'Amérique au Honduras, ne prêta aucune attention à la première page. Quant à l'empereur du Japon, il avait été lui aussi enclin aux attitudes belliqueuses, notamment envers la Russie, et son régime n'avait reposé que sur la soif de pouvoir. Jung sauta également l'article pour se concentrer sur les autres nouvelles.

Un incendie mystérieux dans la cathédrale de Chartres, en France. *Grands dieux.*

Il parcourut rapidement le court paragraphe : heureusement, peu de dégâts… autorités déroutées… enquête sur le point de commencer…

Pilgrim. C'était forcément Pilgrim.

D'abord, il avait volé *Mona Lisa* – c'était sûrement lui –, et maintenant, il avait mis le feu à sa chère cathédrale. Avait-il l'intention de priver la France de tous ses trésors ? D'une façon ou d'une autre, il fallait l'arrêter.

À la clinique, il demanda à *Fräulein* Unger de trouver un moyen de joindre l'ambassadeur français à Berne. La réputation de Jung conférerait une certaine crédibilité à ce qu'il avait à annoncer : un patient échappé de l'établissement avait « déclaré la guerre à l'art », et les incidents du Louvre et de Chartres étaient indéniablement de son fait. Le localiser, c'était une autre affaire, mais assurément, cela faciliterait les choses de connaître au moins son identité.

À Küsnacht, Emma considérait la nouvelle du jour avec un désespoir égal, mais pour une raison différente. Si Mr. Pilgrim se faisait capturer, que deviendrait sa quête passionnée pour récupérer le passé ? C'était ainsi qu'elle interprétait le dilemme de Pilgrim : la véritable signification du passé résidait dans tout ce qui s'interposait entre un présent menaçant et un avenir catastrophique. Au fil de ses journaux, elle avait découvert maintes fois un plaidoyer en faveur de l'intégrité innée de l'art. SOYEZ ATTENTIFS ! avait-il crié en majuscules, encore et encore. Mais personne n'avait écouté. Aujourd'hui, afin d'attirer l'attention sur cette intégrité – et sur son double message de compassion et de réconciliation –, il avait lancé une campagne pour détruire la présence même de ses expressions les plus élaborées. *Une fois disparue la preuve de la compassion et de la réconciliation*, avait-il écrit dans l'un de ses volumes, *le souvenir que nous en gardons nous obligera à retourner vers sa véritable signification*. Maintenant qu'il avait entamé son œuvre de destruction, où s'arrêterait-il ?

10

Lorsque Pilgrim et Forster arrivèrent à Tours dans la soirée du mercredi 3 juillet, la presse annonçait déjà l'incendie à Chartres. D'ABORD *MONA LISA*, ET MAINTENANT ÇA ! disait un gros titre. CHARTRES EN FLAMMES ! disait un autre.

Des photographies montraient des nuages de fumée s'échappant des portes et des stalles du chœur anéanties, mais le récit lui-même était plus triste encore.

En fouillant les parties endommagées, les enquêteurs avaient découvert les restes d'un homme. Apparemment, un des lépreux devant la cathédrale, apercevant la clarté vacillante du feu à travers les vitraux, s'était traîné à l'intérieur pour tenter de combattre l'incendie comme il le pouvait, et avait péri au cours de sa tentative. D'autres lépreux et mendiants avaient déjà formé une chaîne à l'arrivée des *pompiers**, qui s'étaient finalement rendus maîtres du brasier – mais personne n'était parvenu à sauver l'homme entré le premier.

Quand Pilgrim eut pris connaissance de ces faits, il se retrancha dans le silence et refusa de se nourrir. Néanmoins, il se rendit en compagnie de Forster dans la salle à manger de l'hôtel Touraine, consulta le menu et but du vin.

« Je vais recommencer à fumer », déclara-t-il enfin, avant d'envoyer Forster lui acheter des cigarettes.

Il n'avait pas fumé depuis des années, ayant renoncé à cette habitude lorsqu'il s'était rendu compte que Sybil Quartermaine en était devenue dépendante. *C'est tout à fait mal seyant*, lui avait-il dit, *particulièrement chez une femme*. Mais à présent, il avait besoin d'une distraction, d'une chose à tripoter, à faire jouer entre ses doigts, sur laquelle fixer son attention lorsque l'ennui suscité par l'expression pathétique de Forster lui pesait trop. Son compagnon de route lui rappelait désormais le personnage de Taupe dans *Le Vent dans les saules* – une figure un peu perdue, un rien hagarde, infiniment triste. À l'instar de Taupe, Forster voulait rentrer chez lui.

---

* En français dans le texte. (N. d. T.)

Dans la nuit, Pilgrim rêva de l'homme privé de doigts et d'orteils que les journaux avaient décrit ; il le vit ramper vers les flammes, incapable de les éteindre. Une vie avait été sacrifiée. La dernière chose que Pilgrim souhaitait, la seule dont il avait espéré qu'elle ne se produirait pas. La cathédrale demeurait en grande partie intacte, mais un homme était mort. Le cauchemar exprimait cette ironie du sort par des images d'un tel réalisme que Pilgrim implora à haute voix leur disparition, et que Forster dut le réveiller.

Au matin, il se mit à pleuvoir. Trop tard.

À midi, le jeudi 4 juillet, Pilgrim et Forster montèrent dans la Renault après avoir pris un petit déjeuner léger. Ils se dirigèrent vers le sud.

« Peut-on savoir où exactement en Espagne ? s'enquit Forster en s'efforçant d'adopter un ton désinvolte, comme si la question n'avait pas vraiment d'intérêt.

– Avila », répondit Pilgrim. Sans rien ajouter.

À deux heures de l'après-midi, ils s'arrêtèrent près d'un petit village appelé Le Virage en référence au coude formé par la Loire à cet endroit.

Il y avait une auberge au carrefour devant eux. L'étape suivante devait être Poitiers, mais Forster doutait d'atteindre la ville avant la tombée de la nuit.

Comme ils n'avaient avalé qu'un *café au lait** et un *croissant** pour deux, ils décidèrent d'une halte dans cette auberge qui tenait son nom de la famille à qui elle appartenait depuis la Révolution : l'auberge Chandoraise.

Pilgrim, maussade et agité, envoya Forster demander s'il était possible de se faire servir un repas.

« Débrouillez-vous pour nous trouver une table correcte, ajouta-t-il, et commandez une bouteille de bordeaux. Dites que nous sommes affamés, prêts à tuer le veau gras. »

Forster ne sourit même pas. Debout à côté de l'auto, il se contenta de hocher la tête et de repousser sa casquette avant de s'avancer vers l'entrée de l'établissement.

Je vais aller jeter un coup d'œil au fleuve, songea Pilgrim en voyant son valet s'éloigner. *J'ai toujours eu un faible pour les rivières, et la Loire figure parmi les plus belles.*

Après s'être glissé sur le siège de Forster, Pilgrim prit le volant de

_____

* En français dans le texte. (N. d. T.)

l'automobile dont le moteur tournait toujours, puis passa une vitesse.

Au moment de pénétrer dans l'auberge Chandoraise, Forster crut entendre la Renault s'éloigner, mais sachant cette éventualité impossible puisque Mr. Pilgrim ne savait pas conduire, il se mit en quête du *propriétaire**.

Pilgrim approchait de la rivière en suivant un chemin de terre lorsqu'il connut un instant de panique totale à la pensée qu'il ignorait comment s'arrêter.

Il avait regardé au moins vingt fois Forster effectuer cette manœuvre, mais il ne pouvait songer qu'au geste qui avait ponctué chaque voyage. *Le levier. Le levier.* Il devait tirer un levier. Mais où ? Où ?

Main gauche. Main gauche. Il fallait forcément se servir de la main gauche. Frénétiquement, les yeux toujours fixés sur le chemin, Pilgrim tâta le vide entre sa jambe gauche et la portière.

Freine ! Freine, bonté divine !

À la dernière minute, il localisa le frein, qu'il tira de toutes ses forces. La Renault s'immobilisa dans une brusque secousse, projetant Pilgrim avec une telle violence contre le volant qu'il crut avoir le diaphragme enfoncé. Le souffle coupé par le choc, il dut lutter pour le recouvrer.

Le fleuve ne se trouvait qu'à deux mètres des roues avant – deux mètres d'herbe haute, de branches de saule et de pente descendante.

Pilgrim sortit du véhicule et s'appuya un moment contre le capot. D'un pont proche lui parvenaient des cris d'enfants en train de jouer. Un chien aboya. Le voisinage de la rivière plaisait à Pilgrim, qui avait toujours apprécié la vue et le bruit de l'eau. Son odeur aussi.

À cet endroit, la Loire était large et quelque peu traîtresse. Si la surface paraissait plutôt alanguie, s'écoulant à une allure paisible, le courant en dessous n'en était pas moins rapide et puissant. Alors qu'il scrutait l'eau depuis le bord, Pilgrim distingua les remous dans les profondeurs, où une profusion d'algues dangereuses pouvaient certainement piéger un homme en quelques secondes.

L'image de Sybil lui traversa l'esprit, sans qu'il en comprît bien la raison. Peut-être parce qu'il avait lui-même frôlé le désastre avec son automobile et que son amie avait été emportée par une avalanche comme il avait failli être emporté par le fleuve… ?

---

* En français dans le texte. (N. d. T.)

Il reporta son attention sur la berge opposée. Là-bas, il y avait des vaches dans un pré. Et un chien. Un chien de bouvier. Un chien noir. Un chien qui, depuis la rive, l'observait d'un air presque joyeux en remuant la queue.

Tous ces fleuves et ces rivières, songea-t-il. *Le Styx, la Loire, la Tamise, Las Aguas, l'Arno, le Scamandre à Troie... Il y a toujours eu de l'eau à proximité.*

Un jour, il avait tenté de se noyer dans la Serpentine. En vain.

Mais qui sait si l'eau ne pouvait devenir son alliée et sa complice maintenant que Sybil était morte et que les dieux s'en allaient ?

En pleine contrée sauvage, j'ai découvert un autel avec cette inscription : AU DIEU INCONNU... *Et j'ai fait mon sacrifice en conséquence.*

La contrée environnante offrait un aspect assez sauvage avec ses champs dont rien n'entravait la perspective, son ciel aussi vaste que la Création elle-même, ses arbres, ses babillages d'enfants invisibles et sa rivière aux profondeurs quasiment insondables. Pilgrim ne savait pas où il était, sinon qu'il se trouvait quelque part au sud de Chartres, en route pour l'Espagne et Avila.

Par-dessus son épaule, il jeta un coup d'œil à la Renault immobile dans l'herbe haute, évoquant un intrus venu d'une autre planète.

Presque d'aussi loin, songea-t-il.

Puis : *Pourquoi pas ?*

Il s'efforça d'invoquer *le Dieu inconnu* – le seul dieu encore présent qu'il ne connaissait pas.

Prie.

Il existe peut-être des réponses. Peut-être même le pardon pour la mort de cet homme que j'ai tué à Chartres. Mea culpa. Mea culpa. Mea maxima culpa...

Pilgrim se frappa légèrement la poitrine, et comme si le chien ne lui suffisait pas, il scruta le ciel à la recherche d'un autre signe.

Il était là, comme toujours. L'aigle éternel aux ailes déployées.

Pilgrim retourna près de l'automobile.

Ne pense pas. Agis.

Il ouvrit la portière, s'installa à l'intérieur.

La déclivité était telle qu'il n'avait même pas besoin de faire démarrer le moteur. Il n'aurait qu'à relâcher le frein.

Il sourit.

Il y a en travers d'un ruisseau un saule..., se rappela-t-il. Or, il était là devant lui, le saule d'Ophélie, dressé sur le côté comme pour lui ouvrir la voie, comme il la lui avait ouverte à elle.

Lentement, Pilgrim repoussa le levier.

Puisse tout cela s'achever enfin, murmura-t-il avant de fermer les yeux.

Quelqu'un se précipita vers la cour de l'auberge Chandoraise. Un jeune garçon qui pêchait sur le pont proche en compagnie d'un ami plus âgé.

Une automobile venait de tomber dans la rivière, annonça-t-il, et son camarade avait plongé pour essayer d'en sauver l'occupant. *Venez vite !*

Rien d'autre.

Les gens accoururent.

Le jeune plongeur épuisé fut hissé hors de l'eau. D'autres hommes se déshabillèrent pour prendre la suite.

« Je l'ai vu ! Je l'ai vu ! répétait sans arrêt l'adolescent. Il était dedans ! Je l'ai vu ! Mais quand je suis descendu, il n'y avait plus personne... »

L'automobile était vide, à l'exception des bagages.

Forster attendit. Il supplia les plongeurs de l'autoriser à les accompagner, mais ils refusèrent. Ces hommes connaissaient la rivière. Pas lui. Il ne soupçonnait pas la présence des algues et des courants dangereux. Un mort, c'était déjà bien assez comme ça. Deux, ce serait un pur gaspillage.

Policiers, villageois et voyageurs de passage se rassemblèrent tous sur la berge. Pour un site mortuaire, l'endroit vibrait d'une intensité extraordinaire due à la présence de plongeurs nus, de femmes, d'enfants et de touristes à la mise trop recherchée, dont certains retirèrent de leurs autos des paniers de pique-nique avant d'ordonner à leur chauffeur d'étaler des couvertures sur l'herbe.

Les recherches durèrent quatre heures, puis le préfet y mit un terme

« Nous retrouverons ultérieurement le défunt en aval du fleuve, déclara-t-il. De toute évidence, il a été emporté. »

Forster demeura sur les lieux jusqu'à la tombée de la nuit. Mr. Pilgrim avait-il enfin réussi à se suicider, ou avait-il survécu à quelque accident dont il avait été victime ? Il ne le saurait jamais avec certitude, mais il pouvait le deviner. De l'autre côté du fleuve, un chien noir leva la tête vers la lune et hurla.

11

Une semaine plus tard, le jeudi 11 juillet, Jung reçut à la clinique une enveloppe. Elle ne comportait pas l'adresse de l'expéditeur, mais elle avait été postée de Dieppe, en Normandie.

Elle émanait de H. *Forster, Esq**, et Jung ne put réprimer un sourire devant la légère manifestation de prétention dans la signature, manifestement envisagée depuis longtemps mais jamais mise en pratique auparavant. *Voilà donc Mr. Forster devenu un gentleman, à présent*, songea-t-il. *Eh bien, comme disent les Anglais*, chapeau !

Cela étant, il ne s'agissait pas d'une lettre réjouissante, car elle annonçait la disparition présumée de Pilgrim.

Étrangement, ni Forster dans son communiqué ni Jung dans la réaction qu'en suscita chez lui la lecture ne s'étaient résolus à utiliser le terme « mort ». Comme si, dans le cas de Pilgrim, ce mot était banni.

Forster ne disait rien des événements du Louvre ou de ce qui s'était produit à Chartres. Il admettait en revanche avoir joué un rôle dans l'évasion de son employeur, décrivait leur fuite dans la Renault et aussi ce qu'il appelait « le désir de Mr. Pilgrim de rendre un dernier hommage à certains temples de l'art ».

Et comment savait-on que cet hommage était le dernier ?

La lettre de Mr. Pilgrim, ci-jointe, apporterait quelques éclaircissements sur ce point.

La missive de Forster attestait envers l'intégrité d'un autre une forme de respect qui, pour être simple, n'en restait pas moins rare et touchante. Il n'y avait pas une once de condescendance envers la maladie de Pilgrim ou sa détresse mentale. L'homme était qui il était et ce qu'il était, tout simplement. Il avait des convictions et des passions à la fois uniques et perturbantes, bouleversantes et dérangeantes. Son amour pour l'art et la nature – et plus particulièrement, pour les oiseaux et son chien Agamemnon – n'avait jamais failli.

---

* Équivalent un peu précieux de « Monsieur ». (N. d. T.)

Il possédait en matière vestimentaire des goûts fort originaux, notait Forster, *et c'était un privilège pour moi que de préparer ses tenues.*

Ses manies, si je puis me permettre de les qualifier ainsi, étaient attachantes. Son rejet de certaines nourritures ; son insistance pour prendre son bain à telle température ; ses lettres indignées au Times *; sa loyauté indéfectible envers ses amis, etc. Il faisait preuve d'une discipline exemplaire et écrivait tous les jours. Il pouvait se montrer superbement grossier avec les personnes dont il désespérait et également patient et poli avec celles qui, aussi ennuyeuses fussent-elles, pensaient avoir quelque chose d'important à lui confier. Il ne m'a jamais demandé d'interdire l'entrée de sa demeure à qui que ce soit – une forme de grossièreté qu'il désapprouvait –, mais il m'a prié en plusieurs occasions, après avoir vu de l'étage qui pressait la sonnette, de ne pas ouvrir la porte.* Cela vous épargnera la peine de la claquer, *précisait-il.*

Au sujet de sa disparition, je n'ai qu'une chose à dire : je ne suis pas resté dans l'auberge plus de dix minutes durant lesquelles, suivant les instructions que j'avais reçues, j'ai pris les dispositions nécessaires pour nous faire servir un repas. Lorsque je suis sorti pour en informer Mr. Pilgrim, il n'était nulle part en vue.

Un jeune homme est venu nous annoncer que quelqu'un avait précipité une automobile dans la Loire. J'ai tout de suite compris qu'il s'agissait de lui. Mr. Pilgrim.

Tout a été mis en œuvre pour le retrouver, mais sans succès. Désormais, il nous faut continuer sans lui. Je le pleurerai jusqu'à ma mort. S'il était bien sûr mon employeur, je crois aussi qu'il était mon ami.

Vous et moi, nous ne nous sommes pas rencontrés, mais je sais certaines choses sur vous grâce à lady Quartermaine, qui avait la plus grande foi en votre capacité à traiter Mr. Pilgrim. Il s'avère aujourd'hui qu'elle se trompait ; et si je n'entends pas ce constat comme une insulte, la vérité n'en demeure pas moins que nous l'avons tous perdu.

D'ici quelques jours, voire plus, nous apprendrons sans aucun doute que le corps a été découvert, auquel cas je retournerai en France le chercher. C'est à moi que reviendra alors la triste obligation de veiller à ce que ses volontés soient respectées – à ce qu'il soit incinéré, selon son souhait, et à ce que ses cendres soient éparpillées dans le jardin de Cheyne Walk, où il a connu le bonheur.

En attendant, je tiens à ajouter que j'ai découvert dans les bagages de Mr. Pilgrim la lettre ci-jointe. Elle vous est adressée, et j'en déduis par conséquent que vous êtes censé la lire, ce que pour ma part, vous vous en doutez bien, je n'ai pas fait. J'ai conservé son stylo à plume en souvenir de lui. Il est bleu – sa couleur préférée.

Votre dévoué,
H. Forster, Esq.

Pilgrim ne fut jamais retrouvé. Forster ne revint jamais en France Une vie s'était achevée. Une parmi d'autres, peut-être.

12

Jung écarta la lettre de Forster, puis resta assis un moment à déplorer la disparition de Pilgrim et aussi, la conscience de plus en plus aiguë de ce que lui-même avait perdu à jamais dans la recréation imaginaire du passé entreprise par son patient.

Il flirta avec l'expression *recréation créative du passé*, puis *recréation décisive du passé* et même *recréation définitive du passé*. Mais il ne parvenait pas à opter pour l'une de ces trois formules. Qu'avait donc réalisé Pilgrim avec une confiance aussi absolue ?

La folie a toujours confiance en ses propres ressources, conclut-il. *La folie a toujours conscience de ses limites et ne vacille jamais. Elle s'exprime plus ouvertement du fond de son cœur que je ne suis capable de le faire...*

Il sourit.

La folie se connaît entièrement, poursuivit-il en esprit, *et nous, qui ne sommes pas fous, ignorons tout entièrement. Nous devinons, nous avançons par tâtonnements vers les vérités, nous travestissons notre incertitude sous les excuses et les silences, nous affirmons poliment ne « rien savoir » alors que nous donnons l'impression de tout savoir. Pas une fois Mr. Pilgrim n'a failli à ce qu'il était. Il vivait complètement à la limite de l'acceptation d'autrui, en demeurant éternellement privé de la possibilité d'être cru. Il n'a jamais été autorisé à franchir la ligne...*

Y a-t-il eu un jour quelqu'un pour lui dire : Je vous crois ?

Seulement lady Quartermaine, pour autant que Jung pût en juger ; et pourtant, même chez elle subsistait une certaine circonspection. Elle voulait croire. Cela du moins était vrai.

Jung saisit la seconde lettre, qu'il déplia.

Il n'y avait au total que trois pages et demie. Qui commençaient par la formule : *Mon cher Herr Doktor Crétin...*

De nouveau, Jung sourit. Tel était Mr. Pilgrim, intransigeant jusqu'à la fin, persévérant toujours dans ses attaques contre la raison.

« Vous n'êtes pas obligé de croire, mais vous devriez », chuchota Jung, se faisant l'écho des propos de Pilgrim.

Mon cher Herr Doktor Crétin,

Alors que mon voyage touche à sa fin, je me rappelle vous avoir entendu dire un jour que pour vous amener à me croire, je devais m'imaginer à la place de Galilée, de Jeanne d'Arc ou de Louis Pasteur. Vous avez souligné que chacun de ces visionnaires avait dû affronter des tribunaux uniquement composés de sceptiques, mais qu'aucun n'avait battu en retraite devant la nécessité d'être pris au sérieux. Que tous avaient persévéré, même par-delà la mort, jusqu'à prouver enfin qu'ils avaient raison. La terre ne tourne pas autour du soleil, Dieu cherche à s'exprimer par l'intermédiaire de ses saints, le vaccin empêche la maladie. Un trio éclectique de convaincus, c'est le moins que l'on puisse dire.

Mais aujourd'hui, les tribunaux m'inspirent de la méfiance. De la méfiance, et aussi de la lassitude. Vous cherchiez à déterminer s'il existe ce que vous avez appelé un jour en ma présence l'inconscient collectif de l'humanité, *une formule dont vous êtes l'inventeur, il me semble. De toute évidence, Herr Doktor Âne Bâté, la réponse est oui –, car j'en suis la preuve vivante. J'ai assisté à tous les revers de fortune subis par l'humanité et, comme j'ai essayé de vous le faire comprendre, le fardeau de* l'inconscient collectif *a été pour moi doublement insupportable, puisqu'en tous ces temps où j'ai vécu, la race humaine a ignoré avec constance la gravité de ses propres mises en garde, l'intégrité de sa propre édification et la beauté de sa propre valeur.*

Les preuves sont accablantes. Chaque fois que l'on nous en a donné l'occasion, nous avons rejeté la vérité de notre mémoire collective pour mieux reculer dans les flammes, comme si le feu représentait le seul salut possible.

Ces dernières années, j'ai très souvent eu le pressentiment d'une autre catastrophe à venir dans un futur proche. Je ne peux me prononcer sur la forme qu'elle prendra, mais je la sais en place, en attente. Plus tôt que nous le pensons, nous serons contraints d'aller à sa rencontre. Tout cela parce que nous avons refusé une nouvelle fois de prêter attention aux voix instruites en nous qui criaient universellement : ARRÊTEZ !

Et bien sûr, ni vous ni personne d'autre ne croira que ma prédiction va réellement se réaliser. Ainsi en va-t-il de mon châtiment éternel, de ma condamnation à vie – une condamnation qui se prolonge sur tellement de vies, tellement de temps…

Ce que je m'efforce de vous expliquer, c'est ceci : votre inconscient collectif *s'est déjà révélé sans valeur. Vous, Herr Doktor Empoté, lui* avez vous-même tourné le dos quand, confronté à mon exposé, vous avez refusé de me croire. Mais n'est-il pas vrai qu'en science, une hypothèse ne vaut que si elle est démontrée ? Lorsque vous m'avez interrogé, vous avez trébuché et chuté parce que vous ne vouliez pas m'accepter comme une preuve de votre propre hypothèse. Vous avez échoué parce que vous n'êtes pas capable d'établir une différence entre les conséquences liées au fait d'avoir tort et celles liées au fait d'avoir raison. Vous oubliez qu'entre les deux, il y a les conséquences liées au fait de n'avoir ni raison ni tort – d'être simplement perdu.

Vous êtes perdu, Herr Doktor. Vous avez encore de nombreux kilomètres à parcourir, mais pour ma part, il m'en reste peu. Toute ma vie, j'ai prié pour que ce moment arrive. Au cours des années encore devant vous, gardez ces prières à l'esprit.

Peut-être deviendrai-je une partie de la mythologie que vous tentez de créer. C'est probable. Vous n'avez qu'à m'appeler le Vieil Homme. Car après tout, l'image du vieil homme qui en a assez vu reste vraie de toute éternité.

Au moment de vous dire adieu, je pense qu'il est important que vous sachiez pourquoi je ne parle jamais de mon existence, mais toujours de ma vie. Je l'ai vécue tout entière avec l'esprit d'un être humain – un esprit que beaucoup ont partagé. Bientôt, je l'espère, cet esprit bénéficiera d'un repos bien mérité – un privilège universel qui m'a été trop longtemps refusé.

Nous connaissons depuis toujours les soi-disant Mystères. Il n'est nulle société en ce monde qui n'ait pas – ou n'ait pas eu – sa propre version de ce qu'ils révèlent sur le Grand Esprit, Dieu, les dieux et les relations qu'il entretiennent avec nous, ou nous avec eux. Danse du soleil, circoncision, naissance, sacrifices humains et animaux, virginité, Râ, corbeau, tarots, vaudou, Yi King, Zen, totems personnels et tribaux, culte de Marie et culte de Satan… La liste est interminable. À une époque plus moderne, nous appelons « art » ces Mystères. Nos plus grands chamans du moment sont Rodin, Stravinsky (même si je déteste sa musique) et Mann. Et que nous disent-ils, sinon : retournez au point de départ et regardez de nouveau. Avec le temps, ces chamans seront remplacés par d'autres, mais tous s'expriment d'une seule voix. Il en a toujours été ainsi. Sauf que personne n'écoute.

Ce que la vie attend de nous, c'est d'aller au-delà de ce que nous pouvons endurer. Elle nous demande d'accepter à la fois ses limites et ses possibilités, tout en exigeant également que nous repoussions ses frontières à la recherche de l'éternité. Je ne veux pas de l'éternité. Je n'en ai jamais voulu. Je ne crois pas en l'éternité. Je crois au moment présent.

Si je suis l'incarnation de quelque chose, c'est celle des vérités endurables et de la cécité de mes semblables humains. Pourtant, j'ai confiance en votre intuition au point de vous dire sans la moindre appréhension : soyez courageux, persévérez. Si vous agissez ainsi, vous avez une chance d'achever le cercle de votre compréhension.

P.

13

Jung se leva, rassembla les lettres de Forster et de Pilgrim pour les ranger dans le porte-musique. Il y ajouta ensuite sa bouteille de brandy illicite, son cahier et son stylo. Puis il se défit de sa blouse, enfila sa veste et tapota ses poches pour s'assurer que ses cigarillos et ses allumettes s'y trouvaient bien. Enfin, il ouvrit les volets, éteignit sa lampe de bureau, écrasa le dernier cigarillo qu'il avait fumé et sortit dans le couloir.

Allait-il monter à pied ou prendre l'ascenseur ?

L'ascenseur.

Il s'engagea dans la cabine, murmura *en haut* et recula.

Comme d'habitude, le liftier impassible ne dit rien. Impossible de déchiffrer son expression placide, figée en apparence. Pourtant, il avait exclusivement pour passagers les fous et ceux qui se souciaient d'eux, et son lot quotidien consistait à les transporter d'un enfer à un autre ; néanmoins, il semblait totalement inconscient du premier comme du second.

La grille s'ouvrait, la grille se refermait. À l'intérieur de sa cage, il vivait dans les limbes.

Dans le couloir du troisième étage, Jung demeura un moment complètement immobile.

Il y avait tant de souvenirs. Tant d'attentes. Tant de défaites.

L'écrivain sans crayon. La pianiste silencieuse. La fosse aux ours. La lune. À la porte de la suite 306, il frappa, puis entra.

Des portes.

Des portes.

Des portes.

Rien.

Le mobilier en osier sentait la poussière.

Jung toussa.

Avant d'aller jeter un coup d'œil dans la chambre, où la porte donnant sur la salle de bains était entrebâillée.

Il ouvrit les fenêtres.

Nourrit les oiseaux.

Les tourterelles roucoulaient, les pigeons dansaient et Jung resta avec eux plus d'une heure – perdu, comme l'était le liftier, dans un monde déserté.

ÉPILOGUE

*

*A*U COURS de l'année qui suivit la disparition de Pilgrim, Jung continua d'être traqué par ses échecs. À ses yeux, ils étaient nombreux. Ses rapports avec Bleuler et Furtwängler se dégradaient pratiquement de jour en jour. Le fossé entre Freud et lui ne cessait de se creuser et de s'élargir. Le maître l'avait abandonné et même renié. Au cœur de leurs dissensions résidait l'insistance de Freud à identifier et codifier théorie et méthode pour en faire des dogmes. Jung désapprouvait le dogme, persuadé qu'il détruirait la valeur essentielle de l'analyse. *Il faut laisser toutes les portes ouvertes.* En 1913, Jung publia *Psychologie de l'inconscient*, un ouvrage dans lequel il débattait de la différence entre la psychanalyse de Freud et sa propre psychologie analytique. Ce qui revenait à une déclaration de guerre.

Dans la communauté scientifique, Jung passait désormais pour un simple « mystique ». Ses anciens collègues, qui autrefois avaient soutenu en lui une étoile montante, s'éloignèrent. Même Archie Menken prit ses distances, bien que leurs relations se fussent toujours nourries de débats créatifs. Pour Archie, le débat avait finalement viré à l'aigre et ne méritait pas d'être poursuivi.

Il ne subsistait plus chez Jung ni joie, ni effervescence, ni audace. Il avait pris un virage et, pour bon nombre de personnes – dont Emma –, il avait disparu dans les ténèbres.

Jung lui-même avait d'ailleurs cette impression. Sa liaison avec Antonia Wolff ne lui avait rapporté que de l'angoisse – la double angoisse de ne pouvoir se résoudre à quitter sa maîtresse tout en se raccrochant à son mariage tel un noyé à une bouée de sauvetage. Il soutenait, avec une véhémence croissante, que c'était son droit – et non son privilège – de vivre sous le même toit que deux femmes appelées à ne jamais se réconcilier, en dépit de leurs déclarations publiques embarrassées laissant entendre que la « réconciliation » entre elles était scellée depuis longtemps. À cette époque, non seulement les visites de Toni à Küsnacht se multiplièrent, mais leur durée s'allongea; elles se mesuraient désormais en semaines, et non plus en jours.

Les enfants rentrèrent, pour être de nouveau congédiés. Lorsqu'ils étaient à la maison, ils considéraient leur mère avec un mépris grandissant – suscité par son apparente docilité –, et leur père avec une perplexité également grandissante. Pourquoi jouait-il, comme eux-mêmes autrefois, avec des villes de galets sur la plage et des tombes vides dans le jardin? Pourquoi leur donnait-il des cailloux en leur disant: *Soyez attentifs?* Et qui était cette dame trop souvent silencieuse, affichant une expression excessivement sérieuse, qu'ils devaient appeler *tante Toni?*

Il régnait à Küsnacht une atmosphère tendue, usante. Les repas se déroulaient en silence. Les allées et venues avaient toujours un caractère brusque, inexplicable, dans cette maison devenue celle des portes fermées.

Durant l'été 1913, alors que les enfants et leur gouvernante, Albertine, séjournaient une nouvelle fois à Schaffhausen, Jung eut une série de rêves qui devaient marquer le point culminant de sa dépression et de son repli sur lui-même.

Dans le premier, il rêva que le lit d'Emma – ils ne dormaient plus dans la même chambre – était une fosse profonde aux murs de pierre. Il s'agissait manifestement d'une tombe – d'une tombe ancienne, qui plus est. *Ensuite*, écrivit-il dans son journal, *j'ai entendu un profond soupir, comme si quelqu'un trépassait. Une silhouette qui ressemblait à ma femme s'est redressée dans la fosse, puis élevée en flottant. Elle portait une longue robe blanche sur laquelle étaient tissés d'étranges symboles noirs.*

Jung se réveilla et alla réveiller Emma. Il la pria de lui servir de témoin en vérifiant l'heure. Il était trois heures du matin.

À sept heures, le téléphone sonna pour les informer qu'une cousine chère à Emma était morte à précisément trois heures du matin.

Prescience.

C'était l'un des concepts les plus contestés dans le monde de la psychiatrie. Freud l'avait toujours combattu, affirmant qu'il y avait trop de charabia dans tout ce qui touchait aux médiums et à ceux qui prétendaient prédire l'avenir. Mais Jung y croyait – quoiqu'avec prudence. Il n'était jamais parvenu jusque-là à formuler avec conviction ses opinions sur ce sujet.

Ce n'était ni la première ni la dernière fois que la prescience devait jouer un rôle dans la période sombre que connut Jung cette année-là. D'autres décès et accidents furent pressentis, soit lors de rêves, soit lors de « visions éveillées ». Le corps d'un batelier noyé s'était échoué après une tempête qui s'était déchaînée seulement dans l'esprit de Jung alors assis en bas de son jardin. Le cadavre d'un chien lui était apparu en rêve une nuit avant que l'animal lui-même ne fût tué sur la route proche. Un jour, des visiteurs avaient appelé pour prévenir qu'ils ne viendraient pas. Un moment plus tôt, alors que Jung regardait leurs chaises disposées autour de la table, il avait subitement cédé à une impulsion, rassemblé les couverts en argent qui leur étaient destinés et les avait rangés dans le placard sans savoir pourquoi.

Après la publication de son livre à l'automne 1913, Jung eut deux visions qui devaient le hanter, le troubler jusqu'à la fin de ses jours.

La première survint alors qu'il était en voyage et, comme il arrive souvent à ceux qui prennent le train, son esprit s'était peu à peu détaché du paysage derrière les vitres pour évoquer d'autres montagnes, vallées, plaines et rivières ; d'autres panoramas, en somme, que ceux qu'il avait sous les yeux. Tout d'un coup, ses rêveries plaisantes furent perturbées par un bruit lointain – une série de bruits, plutôt – si réel qu'il regarda par les fenêtres de chaque côté du wagon où il était monté pour essayer d'en déterminer l'origine.

Ce qui se révéla impossible. Rien de ce qu'il voyait n'offrait la moindre explication. Quelque chose de gigantesque craquait aux coutures. Un mur de dimensions inimaginables s'effondrait quelque part au nord. Le ciel s'assombrit, et le bruit grandit jusqu'à devenir intolérable, mêlant cris humains, plaintes animales, écroulement de bâtiments, flots déferlants et pluies torrentielles.

Dans son journal, Jung écrivit : *J'ai vu un flot gigantesque recouvrir tous les pays de plaine septentrionaux, situés entre la mer du Nord et les Alpes. Lorsqu'il a atteint la Suisse, j'ai vu les montagnes s'élever toujours davantage, comme pour protéger notre pays. Je me suis alors rendu compte qu'une catastrophe épouvantable venait de s'abattre. J'ai vu d'immenses vagues jaunes, les débris flottants des œuvres de la civilisation et les corps d'innombrables milliers de noyés. Puis la mer tout entière s'est transformée en flots de sang. Cette vision a duré environ une heure...*

Deux semaines plus tard, alors que Jung était rentré de voyage, la vision s'imposa de nouveau à son esprit – *avec plus de force*, relata-t-il. *La transformation finale en flots de sang était encore plus épouvantable.* En cette occasion, il entendit une voix intérieure lui dire de *regarder cela avec attention, car c'est tout à fait réel et il en sera ainsi.*

Ces visions disparurent, pour se manifester sous forme de rêves à part entière un an plus tard, au printemps et à l'automne 1914.

Une vague de froid arctique déferlait et pétrifiait la terre sous la glace, écrivit Jung. *Toute végétation vivante était tuée par le gel. J'ai vu que toute la Lorraine, avec ses canaux, était gelée. La région tout entière était comme désertée par les hommes...*

Cette fois-là, réveillé en sursaut, Jung enfila sa robe de chambre et sortit dans le jardin en proie à un désespoir total.

Il en sera ainsi, songeait-il. *Il en sera ainsi.*

C'est alors qu'il se remémora sa dernière rencontre avec Pilgrim, et les mots qui l'avaient tant ébranlé.

... bien que nous ne nous soyons jamais rassemblés au plus fort d'une bataille, nous nous retrouvions parfois sur les remparts sous nos ombrelles lorsque se déroulaient des escarmouches amusantes, et toujours lorsque deux héros s'affrontaient en combat, d'homme à homme – ou, comme certains le diraient, de dieu à dieu.

En esprit, Jung voyait sur les remparts troyens surplombant le champ de bataille les silhouettes vacillantes environnées de fumée et de pluie.

Et il pensa : *Si c'est vrai, cela s'est produit il y a si longtemps que même les archéologues ne sauraient réellement rendre compte de leur présence en ces lieux.*

Une réflexion à laquelle il ajouta avec réticence : *Il en sera ainsi.*

Cela se passait au clair de lune, par une nuit aussi belle qu'il était possible de l'imaginer. Grenouilles et criquets s'interpellaient en chansons. Une chouette de taille gigantesque s'était posée au sommet de la cheminée, d'où elle surveillait son royaume. Loin, très loin, un chien aboya. Les rossignols chantaient dans les bois et, de l'autre côté du lac, les engoulevents traversaient la clarté lunaire à la recherche d'insectes. Jung faillit pleurer devant la perfection de la scène.

Et pourtant...

« Et pourtant, dit-il à haute voix, nous sommes tous en péril. De quelle façon, je n'en ai pas la moindre idée, mais c'est vrai. Nous sommes en danger. »

C'était dans ses rêves et ses visions – les murs lézardés, les raz-de-marée sanglants, les cadavres flottants, les débris de la civilisation et le paysage gelé.

Prescience.

Oui.

Ça approchait.

Quelque chose.

Il demeura là, hésitant, sous l'œil attentif de la chouette. Pour la première fois de sa vie, il envisageait de se tuer. Le poids de sa dépression lui paraissait insupportable – et pourtant, quelle autre réponse existait-il hormis cette certitude terrible ? Ce n'était que trop clair : *Le monde va s'arrêter. Pourquoi attendre ?*

Dans sa table de chevet, il conservait un revolver chargé au cas où des intrus surviendraient pendant la nuit. Comme il l'oubliait la plupart du temps, la pensée soudaine de l'arme ne laissa pas de le surprendre.

Elle serait froide dans sa main.

Dehors sur cette pelouse, les pieds humides de rosée…

Il se tourna vers la maison.

La chouette parla.

Jung leva les yeux.

Peut-être était-ce le Vieil Homme – Pilgrim lui-même – qui le regardait, gris au clair de lune.

Ne fais pas ça, semblait-il dire.

Pas d'impatience, songea Jung. *Le temps ne presse jamais quand il s'agit de la mort.*

Il descendit jusqu'au bord de l'eau, où il s'assit sur un banc pour fumer un cigarillo en serrant dans sa main gauche une petite pierre.

Voyons d'abord ce qui se passe, se dit-il. *Attendons de voir ce qui se passe.*

Tout cela eut lieu dans la nuit du 31 juillet 1914.

Le 1ᵉʳ août, l'Europe tout entière se réveilla au son des tirs d'artillerie.

La guerre qui ravageait la vie quotidienne de tous par les gros titres, les communiqués, les déclarations hystériques d'état d'urgence et la présence de réfugiés était manifeste partout. La Suisse, bien que neutre, ne fut pas épargnée. L'horreur se répandit sur le pays telle une nappe de brouillard pesant sur l'existence de chacun. Il était impossible d'y échapper.

Le nombre de patients à la clinique Burghölzli ne cessait d'augmenter. Les cas de démence triplèrent, quadruplèrent, jusqu'à atteindre des proportions démesurées. Les fous, semblait-il, étaient omniprésents.

Jung avait désormais devant lui des hommes dont le regard semblait ne jamais s'être posé sur quoi que ce soit d'humain ; ils étaient muets, et pourtant, ils imploraient son aide.

Une aide qu'il ne se sentait pas capable de leur fournir.

Il n'avait plus confiance ni en ses théories ni en leur application. En outre, il éprouvait désormais la peur de la page blanche. En dehors des notes qu'il était obligé de consigner dans le dossier des patients, il cessa complètement d'écrire. Et même de tenir son journal.

Pour ne rien arranger, en 1914, Emma accoucha.

Elle donna une nouvelle fois la vie – peut-être à la suite des séjours de plus en plus fréquents de Toni Wolff et de la panique de plus en plus grande qu'elle-même éprouvait à la pensée de perdre son mari dans la bataille qui l'opposait à la maîtresse de celui-ci, mais aussi à sa « folie ».

Bien.

L'enfant était une fille. Emma la baptisa Emma. *La mienne.* Jung la baptisa *embêtement.* Elle représentait un obstacle sur sa route.

Jung aurait pu tout aussi bien être lui-même un champ de bataille. En lui, tous les fusils tiraient. Il n'y avait personne – à l'exception peut-être de Toni Wolff et, avec un peu de chance, de sa femme – qu'il ne considérât en ennemi. Il était divisé telle la carte de l'Europe : chaque matin, il se réveillait pour patauger sous la pluie dans la boue belge, et chaque soir, il se couchait dans ce qu'il appelait *les ténèbres germaniques* – un *Götterdämmerung* de bruit et de fureur.

Il en alla ainsi jusqu'au printemps 1915.

Et puis, une nuit…

Pour la première fois depuis le début de la guerre, Jung prit son stylo et se mit à écrire.

Ces mots ne sont-ils pas merveilleux ? demanda-t-il dans son journal. *Et puis, une nuit…*

Et puis, une nuit, j'ai fait un rêve. Et dans ce rêve, j'ai vu mon vieil ami, Pilgrim, mon Vieil Homme, appuyé contre un pan de mur dont les ruines l'environnaient. Il m'a dit : Ne voulez-vous pas me rejoindre ? *Au spectacle des ruines, j'ai bien sûr préféré rester dans l'obscurité. Lui, il se tenait au soleil ou au clair de lune – j'en étais certain, sans pour autant parvenir à identifier cette lumière. Et cela ne m'a pas paru important jusqu'au moment où j'ai enfin compris que tout autour de nous s'étendait l'obscurité où je me trouvais moi-même ; par conséquent, c'était certainement le clair de lune qui le nimbait.*

Ici, a-t-il dit encore, est l'endroit où tout commence. Je vous en prie, venez voir ce que j'ai à vous offrir.

Je n'ai pas bougé. J'avais peur. Après tout, je le savais mort. Entendait-il par là que tout commence avec la mort ? Je ne pouvais ni ne voulais le croire.

Alors, il a dit : Voici ce que je suis prêt à vous donner.

J'osais à peine regarder. Mais je m'y suis enfin résolu et, dans sa main, j'ai découvert qu'il tenait une pierre – une espèce de pierre rouge et carrée. J'avais du mal à déterminer de quoi il s'agissait.

Le vent soufflait.

Le Vieil Homme portait une longue robe claire, évoquant un prophète – Job lui-même, Élie ou peut-être Isaïe, comment savoir ?

Et il a dit : Toute chose est éternelle. Rien ne sera qui n'a déjà été.

Je suis resté immobile, toujours effrayé. Je ne parlais pas.

Le monde, *a-t-il dit*, s'achève chaque jour, pour renaître le lendemain. Mais pas pour toi, à moins que tu n'acceptes ce cadeau.

Je me suis approché de lui. Il faisait un froid glacial. Il y avait, semblait-il, du verglas partout.

Je vous en prie, *a-t-il dit*.

J'étais stupéfait. Il me demandait de lui pardonner son éternelle intransigeance, son éternel refus de vivre.

J'ai tendu la main. Et dans ma paume, il a placé une pierre angulaire. Carrée, flamboyante, rougeoyante de vie.

Il n'y en a qu'une, *a-t-il dit*. Il vous en faudra plus.

Elle semblait brûler dans ma paume. Pourtant, elle ne pesait rien.

C'était seulement une pierre.

Et je me suis demandé : Après tant de commencements, peut-il y en avoir encore un autre ?

Ensuite, je me suis réveillé, et c'était le présent.

Le présent. *Le présent, c'est tout ce que nous avons. Le présent, encore et encore, et rien d'autre.*

NOTE DE L'AUTEUR

Il m'a été soufflé que les lecteurs aimeraient savoir lesquels, parmi les personnages et les événements cités dans ce roman, ont un fondement historique. Voici quelques aspects réels du récit fictif que vous venez de lire.

LONDRES ET PARIS

Oscar Wilde : poète et dramaturge irlandais. Avec fierté, mais non sans appréhension, je me suis fait photographier assis sur le lit de Wilde dans l'hôtel parisien où il est mort.

Gilbert : marin français, son dernier compagnon en date.

Robert Ross : ami canadien et ancien amant de Wilde, dont la loyauté envers lui est légendaire. On me demande souvent si le personnage de Robert Ross dans mon roman *Guerres* est inspiré de cet homme. Ce n'est pas le cas ; mon personnage est entièrement fictif.

Auguste Rodin : sculpteur français dont Wilde a visité l'atelier.

Gertrude Stein : romancière américaine.

Alice B. Toklas : sa compagne. À chacun de mes séjours à Paris, je ne manque pas de leur rendre hommage en faisant un détour dans l'atelier qu'elles occupaient naguère rue de Fleurus.

Pierre Janet : psychiatre français ayant exercé à l'hôpital de la Salpêtrière. C'est l'un des seuls personnages réels, avec Gertrude Stein et Alice Toklas, à figurer dans l'histoire complètement fictive de Robert Daniel Parsons.

Théophile Homolle : directeur des musées à Paris en 1912.

Roland Dorgelès : romancier français qui a protesté contre la mise sous verre des tableaux du Louvre.

Vincenzo Peruggia : artisan employé au Louvre, qui a réellement volé *Mona Lisa*. J'ai changé la date du cambriolage, survenu en août 1911, et inventé des complices. Il voulait, comme dans le roman, rapporter la toile à Florence, où elle fut d'ailleurs retrouvée lorsque Peruggia tenta de la vendre à un marchand d'art après l'avoir gardée plus d'un an sous son lit, à Paris.

James McNeill Whistler : portraitiste américain qui méprisait Wilde.

Henry James : romancier américain qui avait pour habitude de dresser des listes de noms possibles pour ses personnages ; sur l'une de ces listes figure réellement celui de Bleat.

CLINIQUE BURGHÖLZLI, ZURICH ET KÜSNACHT

Carl Gustav Jung : médecin et psychiatre suisse, auteur de la théorie de l'inconscient collectif. En 1912, Jung avait en réalité quitté la clinique Burghölzli pour installer son cabinet chez lui, à Küsnacht, près du Zürichsee. Hormis ce changement, la plupart des faits les plus importants de sa vie et des convictions qui lui sont attribués dans le roman peuvent être vérifiés dans divers documents – y compris ses cauchemars de guerre d'avant 1914.

Emma Rauschenbach Jung : sa femme, qui effectuait aussi des recherches pour lui.

Agathe, Anna, Marianne, Emma : leurs filles ; la fausse couche d'Emma senior est fictive.

Karl Franz : leur fils.

Grand-mère Rauschenbach : la mère d'Emma senior.

Ernst Haeckel : biologiste allemand ayant formulé la théorie de la récapitulation : l'ontogenèse répète la phylogenèse.

Gustav Mahler : compositeur autrichien mort en 1911.

Eugen Bleuler : psychiatre, directeur de la clinique Burghlözli

Auguste Forel : son prédécesseur.

Sabine Spielrein : ancienne patiente et maîtresse de Jung.

Antonia Wolff : ancienne patiente également, devenue interne psychiatrique, et qui a été la maîtresse de Jung jusqu'à sa mort en 1953. Dans ses lettres à Freud, Jung soutient que le mariage devrait autoriser les liaisons de ce genre.

Sigmund Freud : psychiatre autrichien, mentor de Jung au début de la carrière de celui-ci.

William James : psychiatre américain, inventeur de la notion du « courant de conscience ».

OXFORD

Walter Pater: critique anglais et professeur à Oxford, qui a publié *Essais sur l'art et la Renaissance* en 1873, un ouvrage dans lequel se trouve la célèbre description de *Mona Lisa* paraphrasée dans le chapitre VII du troisième livre de ce roman : [« Toutes les pensées... la mère de Marie. »]

FLORENCE

Elisabetta Gherardini : Madonna Elisabetta del Giocondo, Mona Lisa, la Joconde.
Signor Antonio de Noldo Gherardini : son père.
Signora Alicia Gherardini : sa mère.
Léonard de Vinci : artiste tyran qui a refusé de peindre le visage du Christ dans *La Cène*, et gardé *Mona Lisa* à son chevet jusqu'à sa mort en France en 1519.
Gerolamo Savonarole : frère dominicain et fanatique.

ESPAGNE

Teresa de Cepeda y Ahumada : sainte Thérèse d'Avila.
Alonso de Cepeda : son père.
Doña Beatriz de Cepeda y Ahumada : sa mère.
Rodrigo de Cepeda : le frère de Teresa.
Pedro de Cepeda : le frère d'Alonso.

CHARTRES

Henry Adams : critique et auteur américain dont les descriptions vivantes de la cathédrale de Chartres incluent les nombreux incendies destructeurs ayant jalonné son histoire [sauf celui, fictif, présenté ici]. Adams a également décrit le vitrail connu sous le nom de *Notre-Dame de la Belle-Verrière*, le seul à avoir survécu à l'incendie de 1194.

En plus des ouvrages déjà mentionnés, les suivants ont constitué de précieuses sources d'information : *Ma vie, Souvenirs, rêves et pensées,*

de C. G. Jung; *Correspondance, Freud Sigmund, Jung Carl Gustav*,
publié par William McGuire; *Carl Gustav Jung*, de Frank McLynn;
Mona Lisa: The Picture and the Myth, de Roy McCullen; *Les Mythes
grecs*, de Robert Graves; *Oscar Wilde*, de Richard Ellmann; *Teresa of
Avila*, de Kate O'Brien et *The Eagle and the Dove*, de Vita Sackville-
West.

Tous mes remerciements également à Beverley Roberts pour ses
recherches exhaustives; à Mary Adachi pour son remarquable travail
de publication; à Nicole Langlois, Karen Hanson et Sabine Roth pour
leur regard perçant, à l'affût des incohérences; à David Staines pour sa
lecture bien utile d'un premier jet du roman; et à Iris Tupholme, à
Larry Ashmead et à Doris Janhsen pour leur sagesse éditoriale. Enfin,
je tiens à remercier William Whitehead, qui a dû procéder à un nombre
illimité de corrections au moment de transformer des milliers de pages
manuscrites illisibles en pages dactylographiées lisibles – et pour ses
encouragements également illimités.

Impression réalisée sur CAMERON par

BUSSIÈRE CAMEDAN IMPRIMERIES

GROUPE CPI

à Saint-Amand-Montrond (Cher)
en février 2001

Dépôt légal : février 2001.
Numéro d'impression : 010680/1.

Imprimé en France